L'ÎLE DE MONTRÉAL EN 1702,
D'APRÈS UN PLAN DRESSÉ PAR LES SEIGNEURS.

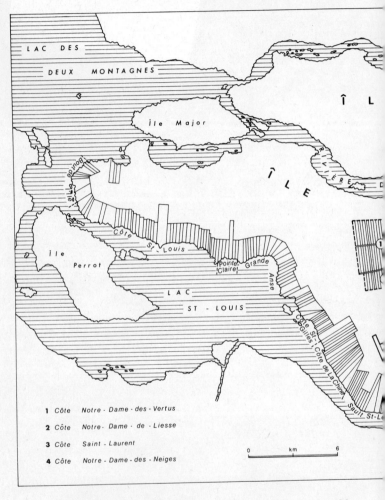

Source: L. Beauregard, «Géographie historique des côtes de l'île de Montréal», *Cahiers de géographie du Québec*, vol. 28, nos 73-74 (1984) 53.

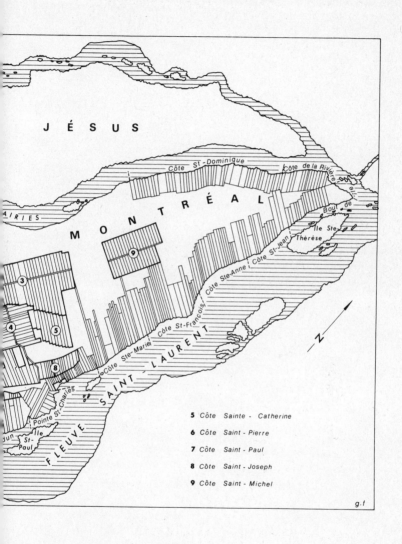

J É S U S

Côte St-Dominique — Côte de la Rivière

MONTRÉAL

Bout de

Île Ste
Thérèse

AIRIES

③

⑨

Côte Ste-Anne ┊ Côte St-Jean

Côte St-François

④

⑤

⑧

Côte Ste-Marie

Côte St-Charles

FLEUVE SAINT-LAURENT

↗ N

Pointe St-Charles

Île
St-
Paul

5 Côte Sainte - Catherine

6 Côte Saint - Pierre

7 Côte Saint - Paul

8 Côte Saint - Joseph

9 Côte Saint - Michel

g.f

Louise Dechêne

Habitants et marchands
de Montréal
au XVIIe siècle
essai

Boréal

Illustration de la couverture: Détail de Thomas Davies,
Montreal 1812, Galerie nationale du Canada.

Cet ouvrage a été publié en 1974 par les Éditions Plon, Paris.
© Les Éditions du Boréal, Montréal
Dépôt légal: 2ᵉ trimestre 1988
Bibliothèque nationale du Québec

Données de catalogage avant publication (Canada)

Dechêne, Louise, 1932-
Habitants et marchands de Montréal au XVIIᵉ siècle
(Boréal compact ; 5)
Bibliographie: p.
ISBN 2-89052-233-4
1. Montréal (Québec) — Conditions sociales.
2. Montréal (Québec) — Conditions économiques.
3. Canada — Histoire — Jusqu'à 1763 (Nouvelle-France).
4. Montréal (Québec) — Population — Histoire.
I. Titre. II. Collection.
FC2947.3.D43   1988   971.4'28101   C88-096176-7
F1054.5.M84D42   1988

INTRODUCTION

Le problème à la base de cette étude est celui de la formation d'une société coloniale issue du transfert d'une population européenne et soumise aux influences conjuguées de la tradition et de la nouvelle expérience en Amérique. Problème de passage, d'adaptation, auquel l'historiographie canadienne, qui plane généralement bien haut, au niveau des projets impériaux, des rivalités métropolitaines et des décisions administratives, n'a pas accordé toute l'attention qu'il mérite. Ceux qui se sont penchés sur la société du régime français ont observé de préférence le XVIIIe siècle, cette courte accalmie d'entre deux guerres, durant laquelle les particularismes coloniaux sont à peu près fixés. Dans la période de gestation qui précède, les événements politiques et militaires, les grands personnages occupent toute la place et les colons n'apparaissent guère autrement que sous les traits de coureurs de bois, que les autorités s'efforcent en vain de sédentariser. Pour rattacher cette image à celle des habitants qui, cent ans plus tard, cachés derrière leur grange, défendent pied à pied contre l'envahisseur le pays qu'ils ont aménagé, il faut retracer étape par étape l'évolution d'une société, qui a laissé d'autres traces que les impressions d'une poignée d'administrateurs, de mémorialistes inattentifs au quotidien, de visiteurs en quête de pittoresque, impressions inlassablement rééditées, agencées au gré des préoccupations des auteurs.

La démarche doit comprendre une étude de l'immigration, des milieux de départ, suivie de celle des catégories socioprofessionnelles qui émergent dans le contexte colonial, de l'échelle des revenus, des genres de vie. Mais ceci fait, connaîtrons-nous pour autant les nouvelles réalités qui se cachent sous les étiquettes anciennes, les fondements de cette structure sociale particulière? Car il ne suffit pas de décrire et, si une analyse plus poussée confirme qu'en effet la société canadienne s'écarte du modèle français de l'Ancien Régime, il reste à l'expliquer. La première enquête consiste à mettre à jour les procès de production et d'échange dans la colonie, les articulations entre ces deux secteurs, pour en arriver à découvrir la véritable place occupée par leurs agents. Elle tiendra également compte des liaisons extra-économiques, souvent dérivées d'un mode de production étranger, plaquées puis peu à peu intégrées dans l'organisation locale.

Entre l'économie, la géographie, l'univers mental des immigrants, les cadres qui leur sont imposés et la riposte collective dans ses manifestations les plus permanentes, les circuits d'influences sont complexes et le déroulement précipité, propre au temps court de l'Amérique, ne facilite pas la tâche. Saisir cette réalité mouvante et multiforme est un projet ambitieux, que je n'aurais pas pu réaliser à l'échelle de la Nouvelle-France. Les colons sont peu nombreux, mais clairsemés tout comme les sources qui permettent de les étudier. C'est pourquoi le travail a pris la forme d'une monographie de l'île de Montréal. Une étude locale est significative si nous retrouvons sur ce territoire les principaux caractères d'une région plus vaste. Montréal, lieu de confluence, répond à cette exigence. Le commerce de fourrures est le premier facteur de création de ce poste intérieur, mais l'agriculture s'y développe parallèlement dans des conditions assez semblables à celles du reste de la colonie. C'est un bon point d'observation pour étudier les liaisons entre la ville marchande et les campagnes. Sans doute s'agit-il d'une petite unité, mais les quelque cinq mille habitants dénombrés en 1720 comptent malgré tout pour le cinquième de la population canadienne. L'échantillon est donc relativement important et, dans ce cadre bien circonscrit, il devient possible de recueillir une documentation assez substantielle pour étudier en profondeur un problème qui le dépasse largement.

Hors les recensements irréguliers et avares de renseignements, surtout au XVIIe siècle, il n'existe pas d'informations statistiques pour l'ensemble de la colonie. Rien sur les mouvements migratoires, le volume du commerce avant 1729, rien sur l'occupation effective des terres, sur les rendements agricoles, pas de cadastre ni de mercuriales, de rôles de taille ou de capitation. La correspondance générale, l'équivalent des fonds des intendants dans les provinces françaises, est fort incomplète durant les premières décennies et particulièrement pauvre en observations sur la vie matérielle. Par contre, dans l'île de Montréal, territoire seigneurial bien administré, les sources quantitatives et autres sont assez nombreuses : listes de recrues, plusieurs dénombrements et rôles de cotisation, les archives du bailliage et la correspondance des seigneurs. J'ai pu procéder à un dépouillement abrégé des registres paroissiaux, qui n'a d'autres prétentions que d'établir la relation entre des comportements démographiques en partie connus et les fondements de l'existence. L'ampleur des mouvements migratoires au XVIIe siècle rend leur utilisation difficile et, comme les démographes de l'Université de Montréal ont entrepris depuis plusieurs années déjà la reconstitution de toute la population canadienne, il aurait été vain de vouloir les précéder sur le même terrain.

Avant tout, c'est dans les minutes notariales que j'ai puisé les matériaux de cet ouvrage. En relevant systématiquement tous les contrats de société, les obligations, les engagements et les inventaires des marchands, j'ai pu reconstituer la nature et l'évolution du secteur commercial. De même, une fois sériés, les actes relatifs à l'agriculture, acensements, ventes de terres, fermages et inventaires des habitants, jettent un éclairage neuf sur la vie des campagnes. C'est encore chez les notaires que j'ai trouvé des témoignages sur les groupes et les rapports sociaux ainsi que sur l'organisation familiale. Il a fallu manipuler des milliers d'actes et parfois les résultats n'ont pas répondu à mes espérances. Toutefois, juxtaposée à d'autres sources, cette masse de documents contractuels apporte toujours des éléments d'explication.

Il reste à marquer les autres limites de l'étude. La frontière chronologique s'impose naturellement. C'est l'histoire de la mise en place d'une organisation économique, de la formation d'une société. Or, dans le premier quart du dix-huitième siècle, le processus est achevé. J'entends par là que la phase initiale d'adaptation, de transformations rapides, depuis les débuts hésitants et anarchiques jusqu'à l'aménagement de structures cohérentes, est terminée. Non pas que la colonie cesse dès lors d'évoluer, mais le rythme se normalise, certains traits durables sont acquis.

Ce travail ne prétend pas être une étude exhaustive des problèmes qui se posent au Canada durant ces trois quarts de siècle. L'histoire politique de Montréal est intimement liée aux destinées de l'empire français, mais c'est précisément une dimension que je n'aborde pas. D'autres l'ont fait avant moi et bien fait et je leur suis reconnaissante de m'avoir fourni les clefs pour comprendre la trame des événements. On n'y trouvera pas non plus de réflexions sur les facteurs qui ont empêché une croissance parallèle à celle des établissements anglais. Les ressorts sont ailleurs : dans le choix d'une localisation malencontreuse, dans la France de Louis XIV qui n'est pas exportatrice d'hommes. Seule m'importe la vie économique qui a été et non pas celle qui aurait pu être, en d'autres lieux et circonstances. Étant donné le point d'observation, même celle-là échappe en partie à mes investigations puisque les principales liaisons entre la France et le Canada s'arrêtent à Québec. Néanmoins, je crois qu'il fallait commencer par voir clair dans les articulations intérieures, car dans une perspective de longue durée ce ne sont pas les compagnies métropolitaines qui comptent, mais l'organisation locale, qui engendre une société nouvelle. Il ne m'a pas paru utile non plus de revenir sur les aspects généraux des institutions civiles, militaires et religieuses. Je n'ai retenu que ce qui touche de près à la vie des communautés montréalaises, effleurant ce qui est déjà connu, privilégiant ce qui l'est moins, comme la seigneurie, la famille et la paroisse.

Cet ouvrage rassemble en somme plusieurs enquêtes qui convergent vers un même problème. Chacune a été menée le plus rigoureusement possible, mais de toutes les questions

posées quelques-unes seulement reçoivent une réponse concluante. Ailleurs je soulève des hypothèses et offre parfois une
interprétation, mais sans jamais dissimuler les faiblesses de la
démonstration, le cas échéant. N'est-ce pas ainsi que l'histoire
vit et sert? Si mes insuffisances ont pour résultat d'entraîner
d'autres chercheurs sur ces mêmes sentiers, le travail aura été
utile.

*
* *

Je tiens à remercier tous ceux qui m'ont permis de le mener
à terme, en particulier M. Robert Mandrou, professeur aux
Hautes Études et à l'Université de Paris X Nanterre, qui a
accepté de diriger mes recherches et n'a jamais cessé de me
témoigner sa confiance. La liste des collègues et amis, dont
j'ai sans cesse sollicité les conseils et qui m'ont prodigué les
encouragements, serait trop longue. Que tous trouvent dans ces
lignes l'expression de ma reconnaissance. Celle-ci va également
au Conseil des Arts du Canada, aux universités d'Ottawa et
McGill, qui m'ont aidée à différentes occasions à défrayer cette
entreprise, à mesdames Suzanne Mineau et Rita Wallot pour
leur précieuse collaboration, à tous les archivistes et biblio-
thécaires qui m'ont facilité l'accès à la documentation. François,
Geneviève et Julie ont accepté que je passe la majeure partie
de ces dernières années dans le XVIIe siècle. Je les remercie de
leur patience.

PREMIÈRE PARTIE

LA POPULATION

Introduction

Ce sont les hommes que nous étudions d'abord : Indiens et Français, qui viennent petit à petit se grouper autour d'une idée, d'un fort, d'un magasin. Des premiers, nous savons trop peu. Notre histoire les a vus comme un élément du décor, au mieux des figurants, et nous regrettons de n'aller guère au delà de cette vision mesquine et statique, d'indiquer tout au plus qu'il y a des rôles qu'il faudrait mieux connaître. Les seconds ont laissé leurs traces dans les dénombrements et les registres paroissiaux qui servent de support à une micro-analyse de l'immigration complétée par quelques données générales sur le mouvement naturel.

CHAPITRE PREMIER

LA POPULATION INDIGÈNE

1. Les nations en présence.

Entre le XVIᵉ et le XVIIᵉ siècle, il se produisit d'importants déplacements de populations dans la région des Grands Lacs et du Saint-Laurent. Les Iroquois, agriculteurs mi-sédentaires, qui à l'époque de Cartier occupaient plusieurs villages dans la basse vallée, dont celui d'Hochelaga dans l'île de Montréal, avaient disparu lorsque les Français vinrent y fonder un établissement. Rien n'est encore tranché quant à la longueur de leur séjour le long du fleuve, les circonstances de leur retraite et leurs relations antérieures avec les peuples algonquiens. La correspondance exacte entre les groupes linguistiques et les modes de vie est d'ailleurs démentie par les habitudes quasi nomadiques de certains groupes iroquois et la pratique d'une agriculture marginale par un grand nombre de tribus algonquiennes. Des adaptations rapides à l'environnement et aux voisinages ont certainement atténué les clivages entre ces cultures (1). Les Français s'installent dans un pays à peu près

(1) D. Jenness, *Indians of Canada*, National Museum Bulletin, nº 65, Ottawa, 1955, 3ᵉ édition; L. H. Morgan, *League of the Ho-de-No-Sau-Nee Iroquois*, New York, 1904; A. C. Parker, « Origins of the Iroquois », *American Anthropologist*, XVIII (1916); George T. Hunt, *The Wars of the Iroquois. A Study in Intertribal Relations*, University of Wisconsin Press, 1960; W. N. Fenton, « Problems Arising From the Historic Northeastern Positions of the Iroquois », *Essays in Historical Anthropology of North America*, Smithsonian Miscellaneous Collections, nº 100, Washington, 1940; W. A. Ritchie, *Prehistoric Settlement Patterns in Northeastern North America*,

inoccupé mais leur présence, comme celle des Hollandais sur l'Hudson, intensifie le commerce et, partant, les rivalités anciennes entre les tribus iroquoises concentrées de part et d'autre du lac Ontario (2). La confédération des Cinq Nations anéantit la Huronie dans la décennie qui suit la fondation de Montréal. Victoire sans lendemain, car à la concurrence huronne pour les marchés septentrionaux vient se substituer celle des Outaouais et autres Algonquiens, qui deviennent les principaux fournisseurs des Français. Pour que les fourrures continuent de descendre à Québec et non à la Nouvelle-Amsterdam, ces derniers s'efforcent de consolider leurs alliances et de soumettre les Iroquois. C'est une politique tortueuse, commercialement expansionniste et aggressive, militairement pusillanime et défensive (3). A partir de la guerre de la Ligue d'Augsbourg, ces rivalités se fondent dans les conflits franco-anglais et les Amérindiens apparaissent surtout comme des mercenaires à la solde des occupants (4).

Sur les territoires actuels du Québec et de l'Ontario, dans un secteur de 800 km de rayon dont Montréal serait le centre, la population indigène peut atteindre 80 000 (5). Les frontières de l'Iroquoisie commencent à quelque 250 km et, avec environ 50 000 habitants au total et nombre de villages qui en comptent mille et plus, c'est le seul noyau de densité relativement forte.

Viking Fund Publications in Anthropology, nᵒ 23 (1956); B. G. Trigger, « Settlement as an Aspect of Iroquoian Adaptation at the Time of Contact», *American Anthropologist*, 65 (février 1963).

(2) George T. Hunt, *op. cit.;* Léo-Paul Desrosiers, *Iroquoisie*, vol. 1, Montréal, 1947; B. G. Trigger, « The French Presence in Huronia; the Structure of Franco-Huron Relations in the First Half of the Seventeenth Century », *CHR* (juin 1968), pp. 107-141; *idem*, « The Mohawk-Mohican War, 1624-28 : the Establishment of a Pattern », *CHR* (septembre 1971), pp. 276-286.

(3) Voir les ouvrages de W. J. Eccles, en particulier *Frontenac, the Courtier Governor*, Toronto, 1959.

(4) George T. Hunt, *op. cit.*, p. 158.

(5) Nous nous basons sur D. Jenness, *op. cit.* Voir aussi: L.-E. Hamelin, *Le Canada*, PUF, 1969, pp. 136-142; J.-N. Biraben, «Le peuplement du Canada français», *Annales de démographie historique* (1966), pp. 105-138. Ce sont évidemment des chiffres approximatifs avancés il y a déjà longtemps, mais, contrairement aux travaux en cours sur la démographie de l'Amérique latine, les études récentes n'ont pas tendance à les renforcer.

Il n'y a guère plus de 4 000 Algonquins éparpillés au nord du fleuve ; quelques bandes éparses de Mohicans qui, des frontières imprécises de la Nouvelle-Angleterre, s'aventurent près des habitations françaises : ce sont les voisins immédiats. A l'ouest, depuis la rivière Outaouais jusqu'aux concentrations du lac Michigan, les Ojibwas qu'on estime à 20 000 forment un groupe plus compact, mais ils sont rarement plus que des hôtes de passage dans la colonie. Les Cris du nord n'y descendent qu'occasionnellement. Les Montagnais ne s'aventurent pas vers l'ouest et les Micmacs et Abénakis fréquentent peu la plaine de Montréal avant le XVIIIe siècle. Entre ces populations diffuses autour de l'immense bassin hydraulique et les Français qui viennent occuper le bas pays, des rapprochements se font en dépit des distances. L'apostolat, le commerce et la guerre suscitent très tôt entre les deux races des contacts que la répartition du peuplement n'imposait pas de prime abord.

Grâce aux travaux des anthropologues et de quelques ethnohistoriens, nous commençons à mieux connaître la civilisation pré-colombienne, à mieux comprendre la nature des conflits créés par ces premiers contacts (6). Tandis qu'on réussit peu à peu à abstraire les traits culturels de ces sociétés et leurs modifications, à partir des interprétations particulières avancées par les témoins qui nous les ont décrits, ces mêmes représentations éclairent les variations dans les modes d'appréhension intellectuelle de la société témoin (7). Mais dans cette dernière voie, les travaux sont plus rares et moins satisfaisants, surtout parce que la représentation en question est celle de la collectivité qui subit le contact et dont l'univers mental est encore si mal connu. Car, assurément, ni les Jésuites qui, selon les circonstances, dénoncent le mal originel qu'ils sont venus extirper,

(6) Aux travaux déjà cités, ajoutons : H. E. Driver, *Indians of North America*, Chicago, 1969; C. Wissler, *Histoire des Indiens d'Amérique du Nord*, Paris, 1969; B. G. Trigger, *The Huron : Farmers of the North*, Case Studies in Cultural Anthropology, New York, 1969.

(7) Benjamin Bissell, *The American Indian in English Literature of the Eighteenth Century*, New-Haven, 1925; Gilbert Chinard, *L'exotisme américain dans la littérature française au XVIe siècle*, Paris, 1911 ; idem, *L'Amérique et le rêve exotique dans la littérature française au XVIIe et XVIIIe siècle*, Paris, 1913; René Gonnard, *La légende du bon sauvage*, Paris, 1946; Paul Hazard, *La crise de la conscience européenne, 1680-1715*, Paris, 1935.

ou exaltent les vertus innées de leurs catéchumènes et penchent à l'occasion vers un certain relativisme éthique (8), ni La Hontan par lequel s'expriment les amertumes et les espoirs d'un XVIIIe siècle naissant (9), ni aucun autre des administrateurs et chroniqueurs, sur qui s'appuient nos connaissances incertaines, ne sont représentatifs de la masse des colons.

Un chapitre consacré à l'impact de la civilisation indigène sur ceux-ci ne va guère au-delà des emprunts matériels et techniques : aliments, plantes médicinales, moyens de transport, manières de chasser, de pêcher, de faire la guerre (10). De ces évidences, on passe à la description des mœurs des coureurs de bois pour, au bout de la démonstration, revenir insensiblement au caractère du « Canadien », dur à la peine, insouciant, insubordonné, voire corrompu pour certains, autant de traits qui sont hâtivement attribués à l'influence indienne (11). Plus rares sont ceux qui, comme Marcel Giraud, font la part des lieux et des accoutumances. La colonie du Saint-Laurent, écrit-il dans son excellente étude sur le Métis canadien, n'a jamais subi l'influence de la société indigène au point d'abdiquer sa propre culture. Mais les conditions d'existence dans ce pays sauvage, liées à la fréquentation inévitable des peuples primitifs, créent une première familiarité qui facilite les rapports

(8) R. G. Thwaites, éd., *The Jesuits Relations and Allied Documents*, 73 vol., Cleveland, 1896-1901. Voir en particulier : vol. 5, p. 107 (relation de 1633), vol. 2, p. 283 (relation de 1648).

(9) Louis Armand De Lom D'Arce, baron de La Hontan, *Nouveaux voyages de M. le baron de La Hontan dans l'Amérique septentrionale*, 2 vol., La Haye, 1704, et *Supplément aux voyages du baron La Hontan où l'on trouve des dialogues curieux entre l'auteur et un sauvage de bon sens qui a voyagé*, La Haye, 1703.

(10) Dans son étude sur les Micmacs à l'époque des premiers contacts, Alfred G. Bailey glisse rapidement sur l'impact de la culture indigène sur les Français (*The Conflict of European and Eastern Algonquin Cultures, 1504-1700*, St. John, N. B., 1937, pp. 117-122). Voir aussi H. A. Innis, *The Fur Trade in Canada*, Toronto, 1962, pp. 386-393.

(11) W. J. Eccles, *The Canadian Frontier, 1534-1760*, Toronto, 1969, pp. 91-92; A. L. Burt, « The Frontier in the History of New France », *CHAR* (1940), pp. 93-99; Alfred G. Bailey, *op. cit.*, p. 123; G. F. G. Stanley, « The Policy of ' Francisation ' as Applied to the Indians During the Ancien Regime », *RHAF*, III, 3 (décembre 1949), pp. 333-348; C. J. Jaenen, « The Frenchification and Evangelization of the Amerindians in the Seventeenth Century New France », *SCHEC*, 35 (1968), pp. 33-46.

plus étroits noués à l'intérieur du continent et préparent de loin l'absorption d'un large groupe de Canadiens dans l'autre culture (12). Mais qu'elles n'aient fait qu'ouvrir le chemin des associations lointaines ou qu'elles aient été suffisantes pour altérer en un demi-siècle le caractère d'une paysannerie, ces fréquentations sont mal connues. Enfin, avant de pousser plus avant ces questions, ne faut-il pas tenter d'éclairer les mentalités des immigrants et analyser l'ensemble des influences auxquelles elles sont soumises?

La perception collective de la civilisation indienne est fonction de la structure de la société coloniale tout comme de la nature, de la fréquence et de l'intensité des rapports entre les deux cultures. Définir d'abord ces relations, dégager les conduites des indigènes qui sont réellement et communément perçues par la population blanche, ce pourrait être l'objet d'une étude difficile et passionnante, étendue à toute la Nouvelle-France. Le cadre restreint, les sources rares ne permettent que de jeter quelques observations qui pourraient éventuellement servir à discerner les rapports de force entre les deux modèles culturels, à chercher les traces de ce conflit de valeurs, qui serait à l'origine d'une acculturation régressive (13).

La collectivité considérée ici est celle des habitants établis dans la colonie et non le groupe minoritaire des coureurs de bois. Car pour un Étienne Brûlé, il y a peut-être vingt colons qui ne sont jamais allés au delà des rapides de Lachine et vingt autres pour qui le voyage en forêt n'a été qu'une brève et pénible aventure commandée, et non une expérience choisie (14). L'image de l'Amérindien créée lors du premier contact périphérique précédant l'intrusion, reflète sans doute l'harmonie

(12) Marcel Giraud, *Le Métis canadien. Son rôle dans l'histoire de l'Ouest*, Paris, 1945, pp. 297 *sqq.* et 312 *sqq.*

(13) Sur ces problèmes, lire Michael Bantom, *Race Relations*, Londres, 1967, chap. 4; Z. Barbu, *Problems of Historical Psychology*, Londres, 1960; W. Stark, *The Sociology of Knowledge. An Essay in Aid of a Deeper Understanding of the History of Ideas*, Londres, 1960; G. Gurvitch, *Les cadres sociaux de la connaissance*, Paris, 1966.

(14) Jeune commis de Champlain, Étienne Brûlé fut envoyé par celui-ci hiverner chez les Hurons pour apprendre leur langue et cimenter les relations commerciales. Pour l'importance relative des coureurs de bois au sein de la population coloniale, voir *infra*, deuxième partie, chap. II, § 5.

et la fierté primitives, que le voyageur, qui avance seul en ces contrées lointaines, découvre et retient avec d'autant plus de facilité qu'il est lui-même prédisposé à accueillir ces valeurs et à les utiliser (15). Mais tout autre, croyons-nous, est la réalité quotidienne à l'intérieur de la colonie.

2. *Les Indiens habitués et les visiteurs.*

Au commencement, les indigènes viennent spontanément rencontrer les Français. Ils apportent leurs fourrures et s'installent volontiers près des habitations pour de longs séjours. Sitôt après sa fondation, Montréal en accueille un grand nombre et, même en supposant l'évangélisation sommaire, les soixante-seize baptêmes administrés par le Jésuite résidant, dans la seule année 1643, montrent que plusieurs familles s'attardent autour du poste. On baptise beaucoup moins les années suivantes mais ces actes, inscrits dans les registres paroissiaux jusqu'en 1653, témoignent d'un courant régulier de visiteurs et d'un début de sédentarisation (16). Les bouleversements provoqués par l'invasion de la Huronie poussent dans le bas pays diverses bandes algonquiennes et iroquoises que la guerre, la famine et les épidémies ont coupées de leurs tribus. Missionnaires et marchands persuadent plusieurs de s'établir dans la colonie ; les arguments des seconds renforcent ceux des premiers. A une époque où les colons n'osent guère s'éloigner des côtes déboisées et où les cargaisons de peaux descendent irrégulièrement des pays d'En-Haut, la présence d'une agglomération indienne à proximité des magasins garantit des rentrées de fourrures, sinon considérables, du moins régulières. Les Indiens « habitués » bénéficient du crédit des marchands et des bontés des prêtres qui, pendant les longues saisons de chasse, veillent sur les membres du groupe laissés derrière. Les autorités encouragent et se montrent volontiers généreuses

---

(15) Voir les diverses relations des découvreurs et l'étude déjà citée de Marcel Giraud.

(16) Archives paroissiales de Notre-Dame de Montréal (APND), registres des baptêmes, mariages et sépultures.

pour des établissements qui constituent des réserves militaires utiles. Pour l'Indien, l'adhésion au christianisme est le corollaire de ces avantages matériels ou le facteur décisif, ce que nous ne saurions trancher.

Pendant les premiers vingt ans de colonisation, les Indiens s'installent à leur gré parmi les habitations françaises (17). Les Sulpiciens rassemblent quelques familles sur leur terre de Gentilly, puis créent en 1671 la mission de La Montagne à une demi-lieue de la ville.

Presque simultanément, les Jésuites fondent, dans leur seigneurie de Laprairie-la-Magdeleine sur la rive sud, la mission qui deviendra celle du Sault-Saint-Louis ou Caughnawaga, à environ deux lieues de Montréal. Dans les deux cas, il s'agit d'Indiens mi-sédentaires, à la fois agriculteurs et chasseurs, véritables Iroquois surtout chez les Jésuites, Iroquois par adoption ou esclavage en majeure partie chez les Sulpiciens (18). Pour les éloigner des cabarets et remplacer les terres usées par le maïs, les missions sont déplacées à plusieurs reprises. En 1696, celle de La Montagne déménage au Sault-au-Récollet au nord de l'île et, en 1721, dans la seigneurie du Lac-des-Deux-Montagnes. De même, les Jésuites déplacent à trois reprises la bourgade du Sault, chaque fois un peu plus à l'ouest (19). En haut de l'île, à la baie d'Urfé puis dans l'île-aux-Tourtes, les Sulpiciens tiennent à part un groupe d'Algonquins qui ne fut jamais considérable (20).

(17) Olivier Maurault, « Les vicissitudes d'une mission sauvage », dans *La Revue trimestrielle canadienne* (juin 1930), pp. 121-149.

(18) La mission de La Montagne, fondée en 1671, rassemble des Hurons et des Algonquins et une minorité d'Iroquois proprement dits. (« État de ce qui a été dépensé pour l'entretien de la Montagne » (1697), APC, M. G. 17, A7, 2, 1, vol. 1, pp. 221-226; ASSP, dossier 109, pièce 1, article 16.) L'esclavage pratiqué par les Iroquois est, comme l'adoption, un moyen de réparer les pertes humaines de la tribu (A. G. Bailey, *op. cit.*, p. 91; D. Jenness, *op. cit.*, p. 51).

(19) O. Maurault, *art. cité;* Charles-P. Beaubien, *Le Sault-au-Récollet. Ses rapports avec les premiers temps de la colonie. Mission-paroisse*, Montréal, 1898, p. 226; G. F. G. Stanley, « Firts Indian Reserves in Canada », *RHAF*, IV, 2 (septembre 1950), pp. 199-202. Sur l'usure des terres à La Montagne, voir ASSP, lettre de M. Tronson [vers 1695], vol. XIV, p. 250.

(20) ASSP, lettres de M. Leschassier, 21 mars 1701, 15 mai 1703 et 18 mars 1706, pp. 229, 294 et 356.

TABLEAU 1

État de la population indienne
établie dans les environs de Montréal
(1666-1716)

Année	Cabanes	Hommes	Garçons de 15 ans et plus	Femmes	Filles de 15 ans et plus	Enfants des 2 sexes, moins de 15 ans	Population indienne totale	Population française recensée dans l'île de Montréal
1666	—	—	—	255	—	—	1 000(*)	659
1685	104	197	44	255	36	372	904	1 720
1688	106	202	43	195	40	136	616	1 413
1692	117	140	73	233	22	253	721	1 341
1695	—	206	46	288	32	129	701	2 161
1716	—	270	92	362	55	398	1 177	4 409

Source : Recensements de la colonie, AC, G1, 460 et 461. Les missions ne sont plus recensées après 1716.

(*) En l'absence de recensements antérieurs à 1685 dans les missions, nous avançons 1 000 habitants, sans doute une sous-évaluation car, selon tous les témoignages, elles ne cessèrent de se dépeupler entre 1650 et 1685. La région de Montréal semble cependant avoir été moins touchée que celles des Trois-Rivières et de Québec.

Il ressort de ce tableau que la population indienne sédentaire est supérieure à la population française jusque vers 1666-1668 et que son importance relative décroît rapidement jusqu'à la fin du siècle. Les épidémies, particulièrement celle de petite vérole en 1687, déciment les missions, après quoi les effectifs stagnent. Des chiffres aussi faibles ne permettent pas d'analyser le phénomène. Notons seulement, à partir de ce tableau, que le rapport entre le nombre de femmes et d'enfants de moins de 15 ans dépasse rarement 1, et n'est que de 0,7 et 0,4 en 1688 et en 1695. Selon le même calcul grossier, ce rapport varie entre 2 et 2,7 pour la population d'origine européenne durant la même période. Le déséquilibre entre les sexes, toujours prononcé dans les communautés indiennes, a certainement été accentué par la participation régulière aux expéditions militaires. Les filles en surnombre vont se chercher des maris hors de la mission, non pas chez les Français mais chez les leurs, ce qui implique leur retour au paganisme et pose des problèmes de conscience aux Sulpiciens (21). Tous les contemporains constatent que la natalité est très faible chez les indigènes. L'intendant Talon l'attribue à la lourdeur des tâches féminines, à la longueur de l'allaitement, et envisage quelque règlement de police pour changer ces coutumes (22). Mais au delà de ces facteurs concrets, n'est-ce pas tout le cataclysme qui, de la Terre de Baffin à la Terre de Feu, fait fondre la masse des Amérindiens, qui transparaît dans ces recensements? Les virus européens, les aliments nouveaux remplaçant le régime traditionnel, augmentent la mortalité infantile (23). Les femmes qui assument encore tous les durs travaux, qui doivent souvent supporter les mauvais traitements de leur mari dont elles ne peuvent plus divorcer, se désespèrent. Pour ces premières générations déchirées entre deux mondes, le désir d'aimer et de procréer faiblit avec la volonté de vivre. « On ne voit jamais vieillir les naturels du pays », écrit un gouverneur (24).

Cette faiblesse démographique n'est pas compensée par des apports importants de l'extérieur. Les raisons qui avaient

(21) Les Sulpiciens hésitent à baptiser les filles, sachant que les circonstances obligeront plus d'une à prendre un époux païen (Mémoire sur les missions, ASSP, dossier 109, n° 1, article 15; lettre de M. de Tronson, 25 mars 1686, *ibid.*, XIII pp. 437 et 561).

(22) « ... Les femmes Sauvages sont assez stériles, soit que le grand travail auquel elles sont obligées retarde leur portée, soit qu'elles nourrissent trop longtemps leurs enfants de leur lait; mais cet obstacle à la prompte formation de la colonie peut être surmonté par quelque règlement de police, aisé à introduire et faire valoir... » (Mémoire sur l'État présent du Canada », BN, MSS, fr. N. A., 9273, f°s 73-77).

(23 A. G. Bailey, *op. cit.*, pp. 56-57.

(24) Mémoire de Denonville du 10 août 1688, AC, C11A10, f°s 72-73. Voir A. G. Bailey, *op. cit.*, p. 104 et pp. 114-115, sur les divers facteurs de dépeuplement chez les Algonquiens; la synthèse de Pierre Chaunu, *L'Amérique et les Amériques*, Paris, 1964, p. 104; et surtout les travaux de W. Borah et ses collaborateurs.

d'abord attiré les Indiens dans la colonie disparaissent. D'une part, les Jésuites réservent leurs efforts pour les missions algonquiennes éloignées et n'espèrent plus guère convertir en bloc une Iroquoisie hostile, dont l'allégeance naguère vacillante est désormais tout acquise à l'Angleterre. D'autre part, la frontière des fourrures a reculé et les marchands n'ont nul intérêt à ramener dans les territoires improductifs les chasseurs et les intermédiaires qui les servent dans l'Ouest. De temps à autre, quelques familles iroquoises en difficulté dans leur pays ou des esclaves qui cherchent à échapper à leur condition viennent chercher asile dans les missions, mais ce mince filet ne suffit pas à faire remonter la courbe. L'augmentation des effectifs ne s'amorce qu'au début du dix-huitième siècle. Elle est attribuable à l'établissement de la nouvelle mission en haut de l'île et à l'incorporation de prisonniers capturés au cours des raids lancés par les Français sur les villages de la Nouvelle-York et de la Nouvelle-Angleterre, pendant la guerre de la succession d'Espagne (25). On ramena des Indiens et surtout des femmes et des enfants d'origine européenne, qui furent adoptés et que les missionnaires s'empressèrent de convertir. L'opération fit scandale dans les colonies voisines et les autorités de la Nouvelle-France évitèrent de publier des chiffres. Il était impossible d'enlever de force aux Indiens un butin qu'ils avaient légitimement gagné. A la suite des protestations et menaces anglaises, encouragés par un mandement de l'évêque, plusieurs Canadiens aisés rachetèrent ces prisonniers. D'autres parvinrent à s'échapper. Des filles trouvèrent des maris dans la colonie et deux ambassades de la Nouvelle-Angleterre réussirent à rapatrier quelques prisonniers. Plusieurs enfants capturés très jeunes demeurèrent dans leurs familles adoptives et sont comptés dans les effectifs des missions en 1716 (26). Au cours du XVIIIᵉ siècle, la population des missions continue à augmenter

---

(25) Notamment les expéditions contre Corlar et Dearfield en 1704 et Haverhill en 1708.

(26) On peut retrouver un certain nombre de ces prisonniers dans les registres des paroisses. Voir sur ce sujet, E. L. Coleman, *New England Captives Carried to Canada between 1677 and 1760 during French and Indian Wars*, 2 vol., Portland, 1925, et Charles-P. Beaubien, *op. cit.*, pp. 164-213.

par suite de l'intégration faible mais régulière de nouveaux arrivants, de Métis et, peut-être aussi, d'un excédent naturel résultant de l'adaptation progressive. Celle du Sault-Saint-Louis se serait maintenue autour de 1 000 h. entre 1735 et 1752 et, à cette dernière date, il y aurait eu pareillement environ 1 000 Indiens et Métis dans la réserve du Lac-des-Deux-Montagnes. Mais ces derniers n'étaient plus dans le voisinage immédiat de Montréal (27).

Outre les Indiens recensés dans les missions, un certain nombre vivent dans la ville et dans les côtes. Il y a ceux qui refusent de se déplacer avec les missions et restent derrière, ceux qui rejettent la tutelle des prêtres mais recherchent le commerce des habitants, enfin ceux qui sont chassés des missions pour mauvaise conduite (28). Exhortées par les autorités, des familles canadiennes prennent à leur service des enfants indiens, ce qui est considéré comme une forme d'adoption non légalisée. A leur majorité, ceux-ci sont libres (29). Déjà assez rare au

(27) Les Jésuites profitèrent de la neutralité de la Confédération iroquoise pour fréquenter leurs bourgades et chercher à attirer des catéchumènes à Caughnawaga. Les relations commerciales entre la mission et le pays d'origine demeurèrent étroites et, malgré la division entre Iroquois non catholiques d'allégeance anglaise et les « praying Indians », les Iroquois refusèrent toujours de prendre les armes les uns contre les autres. Pour étudier ces relations, on consultera avec profit les documents réunis par Peter Wraxall dans *An Abridgment of the Indian Affairs Contained in Four Folio Volumes Transacted in the Colony of New York From the Year 1678 to the Year 1751*, New York, 1968. En 1752, Louis Franquet compte 200 guerriers au Sault-Saint-Louis et 228 au lac des Deux-Montagnes (*Voyages et mémoires sur le Canada*, pp. 119-121). Le Jésuite Nau cite aussi des chiffres dans ses lettres des 29 octobre 1734 et 2 octobre 1735, *RAPQ* (1926-1927), pp. 272 et 286.

(28) La présence d'Indiens « retirés » dans les côtes et protégés par les habitants est attestée dans les enquêtes et témoignages divers consignés dans les archives du bailliage de Montréal (copies Faillon, GG 213-217 et FF 68). Une petite communauté indienne s'installe dans la seigneurie de Châteauguay (bailliage, procès-verbal d'octobre 1679). Les autorités qui voudraient enfermer tous les Indiens sur les réserves dénoncent ces présences : « Il y a quantité de sauvages errants autour des seigneuries », écrit le gouverneur, le 13 novembre 1685 (AC, C11A7, f° 90); de même, les Sulpiciens (Mémoire sur les missions, 1684, ASSP, dossier 109, pièce 1, article 23).

(29) Les habitants considèrent qu'il est moins avantageux de prendre à leur service les jeunes Indiens que les enfants de la colonie (Lettre de l'intendant, 13 novembre 1681, AC, C11A5, f° 291 v°). Les enfants ainsi

xVIIᵉ siècle, l'adoption est remplacée peu à peu par l'esclavage institutionnalisé par une ordonnance de l'intendant de 1709. Le code noir de 1685 n'avait pas cours en Nouvelle-France et les colons hésitèrent longtemps à investir dans une propriété qu'aucune loi ne leur garantissait. Le commerce se développe surtout à partir de l'ouverture de la Louisiane où les Indiens sont vendus pour les plantations ou transportés aux Iles, sur le pied de deux Rouges pour un Noir. Ce sont les tribus des plaines de l'Ouest, Cris, Assiniboines et surtout les Panis du Missouri, qui font l'objet de ce trafic et que les voyageurs et officiers des postes introduisent régulièrement au Canada. En nous basant sur l'étude de Marcel Trudel, il semble qu'au milieu du XVIIIᵉ siècle, on peut compter deux esclaves pour chaque marchand, officier civil et militaire (30). Mais, durant la période que nous avons étudiée — les inventaires après décès en font foi — les esclaves sont encore rares et l'île de Montréal n'en compte certainement pas plus qu'une cinquantaine en 1716. Ce qui, ajouté aux catégories qui précèdent, nous amène à évaluer à environ 200 le nombre d'Indiens non recensés disséminés parmi la population française de l'île.

Les Indiens des missions recensés avec les Français sont chrétiens et, de ce fait, sujets du roi (31). Pendant longtemps, la France entretient l'illusion de pouvoir absorber tous les indigènes dans la société coloniale. N'est-ce pas là le meilleur moyen d'économiser les sujets du Royaume (32)? Il faut « ...ap-

---

adoptés prennent le nom de la famille, et il est difficile ensuite de les distinguer. Dans un seul cas seulement, voyons-nous l'Indien demeurer dans sa famille d'adoption jusqu'à l'âge adulte. André Kayanis Rapin n'est pas parmi les sept héritiers lors du partage de la succession, mais a droit à une génisse et un taureau par donation testamentaire, « pour les services [rendus] à la communauté où il a entré à l'âge de cinq ans... ». Il s'établit sur une terre et épouse une fille de colon (M. not. 24, octobre 1699, A. Adhémar).

(30) Marcel Trudel, *L'esclavage au Canada français. Histoire et conditions de l'esclavage*, Québec 1960.

(31) Depuis 1627, selon l'édit pour l'établissement de la Compagnie de la Nouvelle France, *Édits, ordonnances royaux*, I, pp. 7 *sqq*.

(32) « Pour augmenter la colonie..., il me semble que, sans s'attendre à faire capital sur les nouveaux colons que l'on peut envoyer de France,

peler les habitants naturels du pays en communauté de vie avec
les français, soit en leur donnant des terres et des habitations
communes, soit par l'Éducation de leurs enfants et par les mariages » (33). Officiellement, cette politique demeure inchangée
mais en fait, à partir de 1675 environ, le ministère s'en désin-
téresse tout comme du peuplement du Canada d'ailleurs, auquel
les Amérindiens devaient contribuer.

Les Jésuites ne confondaient pas conversion et assimilation
et ils tentèrent, contre les ordres de Colbert, d'isoler les néo-
phytes, même à l'intérieur de la colonie. S'il faut en croire
leurs détracteurs, notamment le gouverneur Frontenac et les
Sulpiciens, ils ne font rien pour changer leur mode de vie, leur
apprendre à lire et leur enseigner le français, afin de les tenir
à distance des colons, les protéger de la corruption et garder
sur eux toute leur emprise (34). Les Sulpiciens se targuent
d'observer les directives royales. « Nous croyons, écrit l'un
d'eux, qu'il est bon qu'ils demeurent parmi nous et non dans
leurs pays; qu'il faut leur apprendre notre langue; qu'il faut
que les femmes ayent des jupes et les hommes des chausses
et des chapeaux; qu'il faut qu'ils aient des Maisons à la française; qu'il faut qu'ils s'accoutument à nourir des bestiaux, semer du
blé et des racines; qu'il faut leur apprendre à lire; leur dire

il n'y aurait rien qui y contribuast davantage que de tascher à civiliser les
Algonquins, les Hurons et les autres sauvages qui ont embrassé le christianisme... » (Colbert à Talon, 5 avril 1666, AC, C11A2, f° 205.)

(33) Instructions de Colbert au Sr. Bouterou, 5 avril 1668, AC, B1,
f° 88 v°; arrêt du Conseil souverain, 10 novembre 1668 : « Pour mettre à
exécution les intentions de Sa Majesté qui veut et entend que les Sauvages
vivent avec les Naturels sujets dans un esprit de douceur et d'union pour
fomenter l'alliance promise entre eux et la cimenter de mieux en mieux
par leur continuel commerce et fréquentation. » (*JDCS*, vol. I.)

(34) « ... Leur raison a esté qu'ils ont cru conserver plus purement les
principes et la sainteté de notre Religion en tenant les Sauvages convertis
dans leur forme de vie ordinaire qu'en les appelant parmy les français.
Comme il n'est que trop facile à connoistre combien cette maxime est
éloignée de toute bonne conduite tant pour la Religion que pour l'Estat.
Il faut agir doucement pour la leur faire changer... » (Colbert à Talon,
5 avril 1666, AC, C11A2, f° 205). Frontenac s'étonne qu'aucun Indien
de la mission Notre-Dame de Foy près de Québec ne parle français, « quoiqu'ils fréquentassent continuellement parmy nous... » (lettre du 2 novembre
1672, AC, C11A3, f°ˢ 246-247; voir aussi le mémoire sur les missions,
1684, ASSP, dossier 109, pièce 1. article 1).

la Grande Messe, establir les Saintes cérémonies (35). » Moins généreux dans l'évangélisation et plus tatillon sur le dogme et la morale, Saint-Sulpice ne croit pas qu'il y a de vertu dans la sauvagerie et encourage le mélange des deux races qui, selon lui, loin de corrompre, élève l'Indien. Car si « ... la conversation des français [est] dangereuse ce serait à Michilimachinac où le désordre est impuni, où il n'y a point de femmes françaises. Mais dans la colonie où les femmes sont mariées, où il y a des loix, où elles sont un peu sévères, ils sont mieux que dans leur pays où le pesché et le démon règnent (36) ». Le problème de l'ivrognerie ébranlera ces principes, mais il ne semble pas que les Sulpiciens aient renoncé à leurs méthodes. Sans école, jamais tout à fait coupés de leurs compatriotes qui vivent dans la province de New York, les Iroquois de Caughnawaga n'apprennent pas le français.

Nulle part, semble-t-il, l'Indien n'a consenti à baragouiner, et ce sont les Français qui doivent apprendre tant bien que mal les rudiments de diverses langues indigènes. Nous sommes cependant étonnée de constater que les emprunts français à la langue indienne sont rares sinon inexistants, du moins jusqu'au milieu du XVIIIᵉ siècle (37).

Il faut se garder de voir ces différentes missions « comme de véritables réserves séparées de la société civilisée » qui s'apparenteraient aux « reducionnes » de l'Amérique latine (38). Les prises de position, ségrégationniste ou antiségrégationniste,

(35) *Ibid.*, article 2.

(36) *Ibid.*, article 3 ; lettres de M. Tronson, 20 mars 1680 et 13 mars 1683, ASSP, XIII, pp. 160 et 324.

(37) Plutôt que d'adopter le mot indien pour nommer les objets empruntés de ces cultures, les colons alourdissent leur propre vocabulaire. Il leur faut parler de « souliers français », par opposition aux « souliers sauvages », de cabanes sauvages, etc. A. G. Bailey écrit que les emprunts sont nombreux mais il s'appuie sur un dictionnaire acadien du XIXᵉ siècle (*op. cit.*, p. 121). Les divers documents qui permettent de retrouver la langue commune de la région de Montréal, témoignages au bailliage, comptabilité de marchands, énumérations d'objets dans les inventaires, etc., nous portent à croire que des vocables courants comme mocassin, wigwam, squaw, etc., sont entrés dans le vocabulaire canadien plus tard, *via* l'anglais. Dans les treize colonies, la langue a été beaucoup plus réceptive.

(38) Marcel Giraud, *op. cit.*, se basant sur Marie de l'Incarnation, *Lettres historiques*, pp. 632-633.

aboutissent aux mêmes résultats. Les Indiens du Sault-Saint-Louis, comme ceux de Montréal, fréquentent les habitations françaises. C'est l'économie de la mission qu'il fallait transformer pour réussir à créer des isolats et sauver ces cultures. Elle resta greffée sur les fourrures, et toute ouverte sur la vie de la colonie (39).

Comment, d'autre part, imposer la clôture à ces sédentaires, alors que les portes de la ville et des bourgs s'ouvrent toutes grandes aux visiteurs des pays d'En-Haut? A la grande foire annuelle des fourrures, en août, Montréal accueille plusieurs centaines d'Indiens de toutes les Nations (40). Même s'ils descendent plus irrégulièrement et en moins grand nombre après 1680, lorsque l'habitude d'aller recueillir les fourrures à la source se généralise, la foire se maintient jusqu'au début du xviiie siècle (41). Certaines années, on compte encore exceptionnellement 500, voire 1 000 visiteurs (42). A ceux qui viennent pour traiter et obtenir dans la colonie de meilleurs prix que ceux qui leur sont faits par les voyageurs (43), s'ajoutent des ambassades diverses que le gouverneur reçoit en grande pompe (44). La foire se tient sur le terrain communal qui s'étend entre la ville et le fleuve, et en principe aucune traite n'est autorisée au-dehors. Les visiteurs campent sur ce terrain

(39) Notons que les Jésuites ne réussiront pas non plus à créer des isolats dans l'Ouest et l'histoire de leurs établissements éloignés est celle d'une lutte futile contre les perturbations provoquées par les voyageurs et les garnisons. S'ils avaient entretenu, aux toutes premières heures de la Nouvelle-France, un grand projet comme celui du Paraguay, l'anéantissement de la Huronie mit fin à ces espoirs.

(40) W. J. Eccles, *Frontenac, the Courtier Governor*, p. 86; sœur Marie Morin, *Annales de l'Hôtel-Dieu de Montréal*, pp. 24-25; rapport sur la conduite du sr. Perrot, 1681, AN, F3, vol. 2, f°s 76-77. Frontenac écrit que 800 Indiens sont venus à la foire de 1674 (14 novembre 1674, AC, C11A4, f° 69).

(41) Lettre de l'intendant qui voudrait rétablir la foire ruinée par les coureurs de bois (*ibid.*, 12 novembre 1684, vol. 6, f° 408).

(42) Arrivée de cinq cents Indiens, le 18 août 1690 (*Ibid.*, vol. 11, f° 23 v°); 1200 indiens assemblés à Montréal en 1701 (Lettre de M. Leschassier, 3 novembre 1702, ASSP, XIV, p. 242).

(43) « Relation de ce qui s'est passé... », par Monseignat, 22 août 1690, AC, C11A11, f° 23 v°.

(44) Lettre de La Barre, 4 novembre 1683, *ibid*, vol. 6, f°s 135-136; de Frontenac et Duchesneau, 1682, *ibid.*, f°s 5-15.

et un peu partout aux alentours, hors de l'enclos urbain. Toute la population peut venir acheter des fourrures, mais les propriétaires de boutiques sont privilégiés de même que les soldats et archers qui, sous prétexte de protéger les Indiens de la cupidité des habitants, traitent avantageusement pour leur compte et celui des administrateurs qui les emploient (45).

Dans ce climat d'effervescence, au cours de marchés vite conclus sans témoins ni interprètes, il est impossible d'empêcher les désordres et tout au plus réussit-on à éviter les pires violences (46).

Un intendant propose même « pour empescher qu'on ne les Insulte et que les français ne les viollante », d'installer les visiteurs sur un îlot avec des gardes (47), mais il ne semble pas que les troubles habituels justifiaient une mesure aussi stricte. Après avoir écoulé toutes leurs fourrures, les Indiens s'attardent dans l'île et pendant quelques semaines les cabaretiers et les habitants des côtes, qui débitent l'eau-de-vie illégalement, font d'excellentes affaires. Délestés d'une partie des marchandises européennes qu'ils sont venus chercher, les visiteurs rapiècent les canots et retournent dans leurs pays. Jusqu'à la fin de septembre, leur présence continue d'animer la vie de Montréal.

3. *Les rencontres.*

A côté de ces rencontres estivales démoralisantes, il y a la présence quotidienne des Indiens habitués. Des habitants de la banlieue fréquentent l'église de La Montagne, plus rapprochée que l'église paroissiale. Ceux de la Rivière-des-Prairies longtemps n'ont d'autre pasteur que le missionnaire du Sault-au-Récollet. Même les Jésuites desservent dans leur mission

---

(45) Lettre de l'intendant, 10 novembre 1679, AC, C11A5, fᵒ 45. Voir la description de la foire dans *Nouveaux voyages de M. le baron de Lahontan dans l'Amérique septentrionale*, La Haye, 1704, vol. 1, pp. 64-65.

(46) L'intendant raconte comment, une querelle ayant éclaté entre « un petit Sauvage et un fils de Français... on en vint aux armes... parce que chacun prit le party de sa nation » (AC, C11A5, fᵒ 45).

(47) Lettre du même, 13 novembre 1680, *ibid.*, fᵒ 173.

les colons de Laprairie-la-Magdeleine qui n'ont point d'autre église (48). Habitants et Indiens réunis chaque dimanche apprennent à se reconnaître.

A la Montagne, leurs enfants fréquentent les mêmes écoles. Aux filles, les religieuses montrent à tricoter et autres choses qui leur conviennent. Aux garçons, le maître apprend à parler français, à lire et à écrire, à tourner le bois et à chanter à l'église en latin (49). Grâce aux subventions royales pour l'instruction des indigènes, les fils des colons des alentours reçoivent davantage que la leçon de catéchisme hebdomadaire dispensée aux enfants des côtes.

A côté du fort qui abrite les bâtiments de la mission, les Indiens construisent des cabanes de branches et d'écorce et ensemencent de maïs et de faveroles les terres qu'on leur alloue. Ils ne possèdent aucun bien-fonds dans la colonie autrement que sous tutelle et ce, en accord avec la volonté royale qui « pour bonnes considérations [a] estably les Révérends Pères de la compagnie de Jésus tuteurs et curateurs des Sauvages de la Nouvelle-France, n'ayant pas jugé les dits sauvages capables de régir ny gouverner le Bien qui leur est donné... ». Le roi concède des seigneuries aux Indiens, « à la charge que lesdits Sauvages seront et demeureront toujours sous la conduite, direction et protection des pères... » (50). Leurs tuteurs les installent sur une parcelle de ces seigneuries et, petit à petit, acensent les terres environnantes aux colons. Aussi leur est-il impossible de défricher de proche en proche et d'aménager à l'avance les nouveaux sites pour pallier l'usure des terres, comme ils faisaient naguère (51). Les Jésuites laissent les Français

(48) Lettre du Père Nau, 2 octobre 1735, *RAPQ* (1926-1927), pp. 283-284; Charles-P. Beaubien, *op. cit.*, pp. 282 et 287; lettre de M. Leschassier, 13 mars 1702, ASSM, XIV, p. 247.

(49) Lettre de l'intendant, 28 septembre 1685, AC, C11A7, f° 152 v°; du même, 4 novembre 1683, *ibid.*, 6, f° 193 v°; lettre de M. Tronson, 8 avril 1684, ASSM, XIII, p. 361.

(50) Ordonnance de M. de Lauson, 12 mai 1656. Cette politique est établie clairement dans l'acte de ratification de la concession de la seigneurie de Sillery de juillet 1651. Voir Léon Gérin, « La seigneurie de Sillery et les Hurons de Lorette », *MRCS*, 2e série, tome VI (mai 1900), section 1, pp. 80-85.

(51) B. G. Trigger, « Settlement as an Aspect of Iroquoian Adaptation at the Time of Contact », *American Anthropologist*, p. 90.

encercler la mission et chaque déménagement implique un déplacement de plusieurs kilomètres et un recommencement à partir de zéro. Les Indiens ne recouvreront jamais la propriété de leurs seigneuries, qui tombent dans la masse des biens de la compagnie. Le cas est différent dans l'île de Montréal, qui appartient en propre aux Sulpiciens. Ceux-ci ne peuvent pas être accusés d'usurpation puisque les Indiens n'y possédèrent jamais rien. « On nous a fait entendre, écrit le procureur, qu'on ne donne point en propriété les terres aux Sauvages sous une redevance, que ce n'est point du tout l'usage de la Nouvelle-France, qu'on leur laisse seulement l'usufruit du terrain sur lequel on les établit (52). » La question est soulevée à plusieurs reprises. « La résolution qu'on a prise de ne faire aucune concession et héritage aux Sauvages à titre de Cens ou de Rentes doit estre Soigneusement exécutée, car les Sauvages estant volages, ces héritages tomberoient bientôt en deshérence au Roy. Mais on peut leur réserver et accorder verballement telle quantité de terres qu'on jugera à propos pour les défricher et cultiver. Que si dans la suite ces Sauvages quittent les dites terres pour transférer leurs habitations ailleurs ou autrement, il faudra que le Séminaire les reprenne de plein droit et au lieu de les donner à cens comme les terres non défrichées, il vaudroit beaucoup mieux en faire des fermes... (53). »

Or, on sait que ce n'est pas de bon gré que les Indiens acceptent de quitter La Montagne (54). Est-ce à la suite de leurs requêtes ou de celles des habitants qui convoitent ces terres admirablement bien situées, que le procureur doit insister à nouveau? Les terres doivent être réunies au domaine, on doit se garder d'estimer les récoltes qu'elles auraient valu aux Indiens et ne pas permettre que ceux-ci afferment des biens sur lesquels ils n'ont aucun titre, car ceux qui les tiendraient d'eux, ne payant pas de redevances, refuseraient de reconnaître les seigneurs. Les loyers doivent « passer par les mains du

(52) M. Baluze à M. Rémy, 23 avril 1697, ASSM (copie Faillon, H. 351 et 357.

(53) M. Magnien à M. de Belmont, 5 avril 1702, ASSP, XIV, p. 411.

(54) Lettre de M. Tronson, 15 avril 1699, *ibid.*, p. 192.

Seigneur qui en pourra aider les Sauvages (55) ». Le second déménagement au Lac-des-Deux-Montagnes donne lieu aux mêmes considérations : « Le séminaire trouvera dans les terres que les Sauvages ont défriché de quoi faire toute une paroisse (56). »

Pupille ou usufruitière, la communauté indienne est dépossédée mais avant d'en prendre pleinement conscience, elle doit apprendre ce qu'est la propriété. Le temps de six ou sept générations (57).

A la Montagne, quelques familles, encouragées par les missionnaires, ont construit des cabanes à l'européenne (58). Tout près, s'étendent les terres seigneuriales, les bâtiments du fermier, le verger, le vivier et le colombier (59) et, en contrebas, sont les terres des colons. Le maïs mûrit plus tard que le blé et lorsque les Français abandonnent les animaux sur les chaumes, les récoltes des Indiens sont endommagées. Autour de la mission, il faut consentir à retarder l'ouverture de la vaine pâture jusqu'à la mi-septembre. Très tôt, l'agriculture primitive se double d'un peu d'élevage : des volailles, des porcs, parfois une vache (60). Comme dans sa nation, la femme assume tous les travaux. Tant que les hommes ne les partageront pas, elle ne saurait labourer la terre et cultiver ces plantes européennes qui exigent trop de temps, d'autres forces et d'autres moyens. La production agricole est insuffisante pour assurer la subsistance des familles et combler les nouveaux besoins. Ni les ventes de menus articles que les femmes vont faire à la ville, ni la préparation des peaux pour le compte des voyageurs (61) ne suffisent

(55) Lettres de M. Leschassier, 1707 et 14 mai 1708, *ibid.*, pp. 382 et 403.

(56) Réponses du Séminaire de Saint-Sulpice à un mémoire du Canada, APC, M. G. 17, A7, 2, 1, vol. 2, pp. 388-435.

(57) Les Hurons de Lorette qui ont subi le même sort adressent au gouverneur général, le 22 juillet 1791, la première d'une série de requêtes réclamant la seigneurie de Sillery qui leur avait été concédée. (Léon Gérin, *op. cit.*).

(58) Lettre de M. Tronson, 1686, ASSP, XIII, p. 438.

(59) Lettre du même, 19 juin 1689, *ibid.*, p. 561

(60) Lettre de Denonville, 13 novembre 1685., AC, C11A7, f° 106; lettre du Père Nau, 2 octobre 1735, *RAPQ* (1926-1927), p. 284.

(61) Mémoire sur les missions, ASSP, dossier 109, pièce 1, articles 18 et 23.

à payer les couvertures, les outils et les ustensiles dont elles ne savent plus se passer (62). Les charités des missionnaires, dons de hardes, de grains ou d'anguilles, ne sont que des expédients (63).

La vie de la mission repose encore en grande partie sur le produit commercialisable de la chasse, mais le service militaire obligatoire rend ces ressources irrégulières. Ensemble les Indiens du Sault-Saint-Louis et de Montréal fournissent régulièrement de deux à trois cents guerriers utilisés dans toutes les campagnes, à côté des milices coloniales (64). Il n'y a pas de solde, que les vivres durant la campagne et le butin qu'on peut en rapporter.

Lorsqu'ils ne vont pas à la guerre, les hommes partent à la chasse l'automne et sont absents la majeure partie de l'hiver (65). Les marchands leur consentent des avances : fusil, poudre, plomb, couteaux et autres articles pour le voyage pour l'usage de leur famille, qui sont remboursées en fourrures au retour (66). Tout indique que l'Indien acquitte bien ses dettes. A l'occa-

---

(62) A. G. Bailey, *op. cit.*, pp. 50-55. Les Indiens mirent plus de temps à adopter le costume européen. En 1683, l'intendant écrit que les filles de La Montagne ne portent qu'une couverture qui leur laisse les jambes et presque la moitié du corps nus (AC, C11A6, fᵒ 194). « Si vous pouvez introduire l'usage des jupes pour les Sauvagesses et caleçons pour les enfants sauvages et faire venir les uns et les autres à la mode, vous vous rendrez illustre », écrit Tronson à M. de Belmont, missionnaire à La Montagne, ASSP, XIII, p. 416

(63) État de ce qui a été dépensé par le Séminaire pour l'entretien de la mission de La Montagne, APC, M. G. 17, A7, 2, 1, vol. 1, pp. 221-226.

(64) La mission de La Montagne a fourni 80 hommes dans toutes les campagnes entre 1676 et 1697, selon le même mémoire. Voir aussi : ASSP, XIII, p. 418 ; AC, C11A6, fᵒˢ 143 et 267 : état des troupes au fort Frontenac. Ces « partis » sèment la terreur dans les villages anglais. Ce sont, écrit Cotton Mather, « The French Withe Indians being half one, half t'other, half Indianized French and half Frenchified Indians ». (Cité par I. K. Steele, *Guerillas and Grenadiers*, Toronto, 1969, p. 2.).

(65) Il est difficile de recenser les Indiens, écrit l'intendant, parce qu'ils ne sont dans leurs habitations que le printemps et l'été. (AC, C11A5, fᵒ 68. Lettre du Père Nau, 2 octobre 1735, *RAPQ*, 1926-1927, p. 284.)

(66) Les avances ne sont jamais considérables : 100 à 200 livres tout au plus. La dette est exprimée en fourrures et non en monnaie de compte et le détail des marchandises ne nous est pas parvenu. Chaque Indien, identifié par son nom, son sobriquet ou sa parenté avec un client mieux connu, est débité pour tant de castors, de loutres, etc. Ces livres que les marchands appellent « catalogues de Sauvages », n'ont pas été retrouvés. Nous ne les connaissons que par la description qu'en font les notaires.

sion, il peut y avoir des défections que les autorités se hâtent
de dénoncer, car tout le système commercial est une pyramide
de crédit échafaudée sur une multitude de petits prêts aux
Indiens. Dans les prisées des successions, ces créances sont
rangées avec les bonnes dettes, percevables à court terme (67).
Le reste des retours de la chasse est trop souvent dépensé dans
les cabarets et rapporte peu à la communauté (68). Parfois
de jeunes Indiens sont mis en apprentissage, mais dans l'ensemble les seconde et troisième générations suivent la première
à la chasse comme à la guerre.

Bien que les archives n'en gardent aucune trace, il est possible
que les hommes aient participé à certains travaux : chemins,
fossés, palissades, etc. Mais il n'y a aucune pression économique
pour les convertir à ces tâches. Nul n'est plus apte que les
Indiens à construire les canots d'écorce dont les voyageurs et
les troupes font une grande consommation, et l'absence de
marchés dans les minutes des notaires touchant cette industrie,
indique qu'elle leur était réservée. A quelles conditions, moyennant quel profit? Nous ne saurions dire.

Les témoignages directs et indirects nous laissent plutôt
l'image d'hommes oisifs, qui errent par les côtes et les rues
de la ville en quête de compagnie et de distractions. « Nous
bûmes du cidre chez Laverdure, de la bière chez Crespeau
après quoi nous fîmes plusieurs maisons pour faire nos adieux
avant l'hivernement », témoignent trois Indiens du Sault-au-
Récollet (69). La présence de deux débits de bière pour desservir une centaine d'hommes à peine dans ce village va aussi
dans le sens d'un désœuvrement général (70). Ces tavernes

(67) Voir l'étude des créances, *infra*, deuxième partie, chap. II, § 2.
Les autorités dénoncent les cabaretiers qui engagent les Indiens à boire le
produit de leur chasse et frustrent ainsi les marchands qui leur ont fait
crédit. Ordonnance du 3 septembre 1700, bailliage (copie Faillon GG 253);
lettre de M. de Longueuil, AC, F3, vol. 2, fᵒˢ 273-276.

(68) État de ce qui a été dépensé... à La Montagne, 1697, APC, M. G. 17,
A7, 2, 1, pp. 221-226.

(69) Procès-verbal du 7 septembre 1713, bailliage (copie Faillon FF 116).

(70 Ordonnance de Raudot autorisant neuf débits de bière pour les
Indiens : trois pour ceux des Jésuites, deux pour le Sault-au-Récollet, deux
pour les Algonquins du haut de l'île et deux pour les visiteurs (23 juillet 1710, *Édits, ordonnances royaux*, III).

autorisées répondent à un besoin de sociabilité, mais quand l'Indien veut s'enivrer, il lui faut chercher ailleurs de l'eau-de-vie. Une série ininterrompue d'édits, arrêts, ordonnances et mandements, interdisent la vente de l'alcool aux indigènes et témoigne de leur inefficacité (71). C'est une ivresse bruyante et querelleuse, et nombreux sont les soirs où, expulsés de la ville par les archers, ils retournent à la mission en semant la panique dans les côtes. Car il y a eu assez de viols, de blessures et de meurtres (72) pour entretenir les habitants dans la crainte et dans l'indignation contre ces malheureux ivrognes et peut-être plus encore contre ceux qui les enivrent et les autorités qui ne sévissent pas, qui ne protègent pas. Entre les Indiens qui refusent la responsabilité des crimes commis en état d'ivresse et rejettent les lois pénales françaises auxquelles on a voulu les

---

(71) Nous renonçons à citer les références. Ces règlements sont innombrables et émis par toutes les autorités administratives et judiciaires de la colonie. Ils n'ont qu'un seul effet : procurer des revenus à l'Hôtel-Dieu et autres œuvres ainsi qu'au délateur qui se partagent les amendes. Elles varient de 50 à 100 l. pour une première condamnation, de 300 à 500 l. pour les récidives, ou le fouet pour ceux qui n'ont pas de quoi payer. (Procès-verbal, mai 1703, bailliage, copie Faillon, GG 184). Les cabaretiers autorisés sont sur leurs gardes, car ils risquent leur permis. Les particuliers offrent à boire dans les hangars ou versent la boisson dans un petit seau que l'Indien promène avec lui jusqu'à ce qu'il soit plein. (Vachon de Belmont, *Histoire de l'eau-de-vie en Canada, passim.*) Ce problème de l'ivrognerie est complexe. Les contemporains ont vu cette propension à l'alcool comme le principal facteur de désintégration, alors qu'il n'est que la conséquence de l'effondrement moral et culturel dû au choc brutal de la rencontre avec le Blanc. L'Indien accusé d'un crime commis en état d'ivresse rejette la responsabilité sur celui qui lui a donné à boire, illustrant par là sa dépendance. Voir André Vachon, « L'eau-de-vie dans la société indienne », *CHAR* (1960), pp. 22-32; R. C. Dailey, « The Role of Alcohol Among North American Indian Tribes as Reported in the Jesuit Relations », *Anthropologica*, X, 1 (1968), pp. 45-57; A. G. Bailey, *op. cit.*, p. 95.

(72) Pour les affaires criminelles du bailliage, nous ne disposons que de registres factices et feuilles détachées, dont nous ne saurions tirer une analyse quantitative qui permettrait de mesurer la criminalité différentielle. Il semble que les Indiens soient plus souvent impliqués qu'à leur tour dans des actes de violence. Notons aussi qu'en général, ils ne sont pas poursuivis pour des délits mineurs, voies de fait, etc., non plus sans doute pour des violences contre quelqu'un de leur race. Ce n'est pas tant le nombre de meurtres de Français, mais leur caractère gratuit (les victimes sont souvent des enfants), qui frappe la population.

soumettre (73) et les colons qui réclament justice et protection, les autorités tergiversent, s'empêtrent dans d'inutiles procédures commencées pour tranquilliser les uns, interrompues pour rassurer les autres (74).

4. *Les croisements.*

Bien que d'abord encouragés par l'administration coloniale, les mariages entre les deux races sont rares. Un poste du budget de 3 000 l. pour doter chaque année soixante Indiennes qui épouseraient des Français est, faute d'emploi, affecté à d'autres fins peu de temps après sa création (75). Si l'on s'en tient aux chiffres fournis par les registres paroissiaux de la colonie, par exemple aux sept mariages mixtes relevés dans ceux de l'île de Montréal entre 1642 et 1715, nous sommes cependant bien en deçà de la réalité. D'une part, ces unions sont le plus souvent bénies dans la paroisse de la fille, en l'occurrence dans les missions, pour lesquelles nous n'avons pas de registres.

---

(73) Selon l'arrêt du Conseil du 13 mars 1664 et du 11 mai 1676, l'Indien est soumis aux mêmes lois que les Français (*JDCS*, I et II). Officiellement, les Indiens firent savoir qu'ils n'accepteraient jamais qu'un des leurs soit soumis à des châtiments ignomineux comme le carcan (procès-verbal du 21 janvier 1686, *ibid.*, III, pp. 7-8).

(74) Ces affaires se terminent souvent par un non-lieu. Le coupable est renvoyé à la mission « pour apaiser l'esprit desdits Sauvages qui étaient persuadés que les accusés n'avaient pas tort, que c'était par accident et de rencontre, et qui d'ailleurs sont fort disposés à s'éloigner de nous, ce qui serait préjudiciable à la colonie » (procès-verbal des 15 et 16 août 1722, bailliage, copie Faillon, HH 122). Ou encore : « ... N'y ayant des preuves convaincantes contre lui desdits crimes et étant d'une extrême conséquence pour le Service du Roi et l'intérêt de la colonie de ne pas détenir ledit Sauvage prisonnier un si long temps, étant demandé tous les jours par les chefs chrétiens de sa nation, et par ses parents qui sont tous prêts, à cause de ladite Détention d'abandonner le pays et d'aller chez nos ennemis... » (jugement du gouverneur et de l'intendant, 4 août 1689, *ibid.*, FF 15). Le roi approuve tous les sursis et offre des lettres de grâce pour faire taire les critiques (AC, C11A10, f° 18). Cependant, les parents des victimes crient vengeance sur la place publique et nous voyons Pierre Gagné et sa femme aller déposer le cadavre de leur enfant dans la cabane du meurtrier et, autour d'eux, tous les parents et amis de celui-ci faire cercle pour pleurer sur le drame (procès-verbal du 25 février 1719, bailliage, copie Faillon, HH 98; Vachon de Belmont, *op. cit.*, *passim*).

D'autre part, l'origine raciale de quelques Indiens portant un patronyme français n'est peut-être pas toujours indiquée dans les registres de paroisses. Mais, tout en tenant compte de ces omissions, la proportion de ces unions reste faible, même au début de l'établissement, alors que l'excédent masculin est considérable. C'est surtout plus tard, dans l'Ouest, que les relations temporaires entre les voyageurs et les Indiennes qui leur sont de précieuses auxiliaires, évoluent vers des liaisons durables souvent légitimées par les missionnaires (76). Mais ces ménages s'établissent généralement dans les postes de l'intérieur et seul l'homme fréquente le bas pays pour ses affaires.

Pour celui qui s'établit dans la colonie, qui prend une terre ou y exerce un métier, le mariage avec une Indienne offre peu d'avantages et, semble-t-il, peu d'attraits. Nous relevons le cas d'un domestique des Sulpiciens que ses maîtres ont poussé à épouser une fille de La Montagne et qui s'établit dans la mission (77). L'inverse, c'est-à-dire l'intégration des Indiennes à la communauté de leur mari est plus fréquent mais aussi insaisissable. Lorsqu'elles survivent aux premières couches, combien de ces Indiennes trop brusquement transplantées, s'en retournent dans leur contrée?

Si les cas sont difficiles à déceler, n'est-ce pas parce que ces mariages sont le plus souvent contractés par d'obscurs individus et que ces familles mènent une existence marginale, règle que quelques exceptions spectaculaires ont eu tendance à masquer (78).

Le métissage est donc en majeure partie illégitime. Non pas qu'à priori les mœurs des Iroquois et la discipline de la mission favorisent la promiscuité. Ces Indiens sont monogames. Les

(75) Le gouverneur propose, le 4 novembre 1683, de supprimer le fonds « qui a esté une erreur ne s'en mariant aucune et ce fonds ayant toujours esté employé pour le mariage des françaises (AC, C11A6, fᵒ 140 vᵒ).

(76) Marcel Giraud, *op. cit.*, pp. 349-350.

(77) C'est une politique pour « gagner les Sauvages » (Mémoire de M. Tronson à Seignelay, 1682, APC, M. G. 17, A7, 2, 1, vol. 1, pp. 140-143). Il s'agit d'Alexandre Botté. Voir C. Tanguay, *Dictionnaire généalogique des familles canadiennes françaises*, vol. 1, p. 141.

(78) Par exemple, le cas de Pierre Boucher, gouverneur des Trois-Rivières.

mariages, aisément rompus, impliquent tant qu'ils durent une fidélité rigoureuse. Les filles sont libres mais prudentes si elles veulent un mari (79). Le christianisme exige encore davantage, mais pour avoir sapé les interdictions anciennes, il réussit mal à en imposer de nouvelles. Dans les côtes, les jeunes gentilshommes abusent des Indiennes qu'ils entretiennent avec eux, rapporte le gouverneur, et même dans les missions, la présence de femmes qui mènent une vie scandaleuse est attestée par plusieurs témoignages. Ces conduites, souvent liées à l'ivrognerie, encourent la désapprobation de la communauté indienne et la répudiation. Il y a des femmes au crâne rasé dans les missions (80).

L'intégration des enfants naturels dans le faible groupe indigène contribue, avec les adoptions, à modifier rapidement le caractère ethnique des bourgades indiennes de la colonie. Si la population blanche absorbe petit à petit quelques Indiens et, surtout, les éléments déjà métissés qui essaiment autour des missions, la disproportion des effectifs ne permet pas une altération raciale très profonde du groupe numériquement supérieur (81).

Sur une échelle minuscule, les différences de comportement entre les voyageurs et les habitants de la colonie rappellent l'opposition entre les Amériques ibérique et anglo-saxonne, l'une fortement et l'autre peu métissée. Ce sont, comme l'écrit Chaunu, moins les attitudes psychologiques que les circonstances qui diffèrent : densité relative des groupes en présence et activités économiques (82).

(79) D. Jenness, *op. cit.*, pp. 154-156, 303; La Hontan, *op. cit.*, pp. 118-123.

(80) Déposition de trois Indiens de La Montagne au sujet de la liaison d'une femme de la mission, « qui pour sa mauvaise conduite n'habite pas avec son mari et a été pour cet effet rasée de ses cheveux... » (juin 1701, bailliage, copie Faillon HH 34). Le curé de Lachine baptise l'enfant d'une Indienne de mauvaise vie, « connue pour telle par tout le pays et accoutumée à avoir de tels enfants... » (1680, registres de Lachine).

(81) D. Jenness, *op. cit.*, p. 306, à propos des Iroquois des réserves. L'altération chez les Blancs a été plus profonde là où les Indiens étaient proportionnellement plus nombreux, dans les régions du Québec les plus écartées. Elle s'est accomplie progressivement pendant trois siècles.

(82) Pierre Chaunu, *op. cit.*, pp. 25-26.

5. *La représentation collective.*

Si nous exceptons les références aux tribulations des missionnaires et à la politique indigène, toutes les sources de l'histoire du XVIIe siècle réunies ne nous livrent que ces quelques traits indécis et négatifs sur les communautés indiennes établies autour de Montréal. Les premiers enthousiasmes passés, les administrateurs s'en désintéressent, pour autant qu'elles restent fidèles à leur fonction : pourvoyeuses dociles de fourrures et de guerriers.

Perçus au moment même où, sous le choc brutal de l'envahissement, leur civilisation s'écroule, ces Indiens sont-ils pour leurs voisins autre chose que de pauvres sauvages? Car si misérables que soient les conditions de vie des premiers colons, il y a au-dessous d'eux une classe plus indigente encore. Quelles qu'aient été les formes de déracinements antérieurs à l'immigration, ces Européens trouvent en Amérique des hommes dont l'aliénation est plus profonde que la leur. Après vingt ans d'efforts, le colon a une maison, une terre faite, une position dans la société rurale. Vingt ans après l'établissement de La Montagne, l'insécurité est la même qu'aux premiers jours. La communauté indienne continue de mener dans la colonie l'existence précaire qu'elle a toujours connue, chaque jour un peu plus désarticulée, un peu plus dépendante (83). Si, comme nous le croyons, la plupart des colons ont traversé les mers pour échapper à la misère et mettre fin à l'errance, l'image de ces Indiens qu'ils dominent, l'image qui naît de contacts normaux et réguliers, peut-elle avoir valeur de modèle et déterminer le caractère d'une paysannerie en voie de formation?

---

(83) Il y a dans chaque mission un conseil de tribu, mais on peut croire que l'atomisation des anciennes structures tribales, remplacées par un agglomérat de convertis issus de clans divers, a contribué à réduire leur prestige. Les missionnaires détenaient l'autorité.

CHAPITRE II

LE PEUPLEMENT FRANÇAIS

1. *Les marches du peuplement.*

Au printemps 1642, une cinquantaine de Français, au service de la « Société de Notre-Dame de Montréal pour la conversion des Sauvages de la Nouvelle-France », débarquèrent dans l'île que la compagnie des Cent Associés avait concédée pour encourager ces pieux desseins (1). Le poste aurait accueilli quelque 150 personnes dans la première décennie qui suit la fondation (2). La pyramide des âges de 1666 traduit les difficultés des débuts (3). Très peu d'hommes dans les cohortes supérieures où nous devrions normalement retrouver les survivants de cette immigration masculine initiale. Dans ce poste isolé, mal défendu contre les attaques des Iroquois, peu résistent à la tentation d'abandonner, de s'enfuir.

L'arrivée de quelque 200 personnes en 1653 et 1659 redonne vie à l'établissement qu'on avait cru condamné. Les colons apprennent à se protéger contre les embuscades, ils

---

(1) La Société, fondée en 1640 par Jean-Jacques Olier, fait partie du réseau de la Société du Saint-Sacrement de l'autel. (Léon Gérin, *Aux sources de notre histoire*, Montréal, 1946, pp. 175-177; Marie-Claire Daveluy, *La Société de Notre-Dame de Montréal*, Montréal, 1965.

(2) E.-Z. Massicotte, « Les colons de Montréal de 1642 à 1667 », *BRH*, 33 (1927), nos 3-11, *passim*, et Marcel Trudel, « Les débuts d'une société : Montréal 1642-1663. Étude de certains comportements sociaux », *RHAF*, XXIII (septembre 1969), pp. 185-207.

(3) Date du premier recensement par tête de la colonie. Voir, en annexe, le graphique 2 et le tableau B.

osent sortir du fort pour défricher et bâtir. Ils fondent des familles. La même pyramide bimodale illustre bien quand se situe cette reprise.

La courbe de la population aux divers recensements montre que dès lors Montréal se peuple à peu près au même rythme que l'ensemble de la colonie (4). L'immigration est faible et irrégulière, avec une courte période d'intensité relative, amorcée en 1653 et déjà terminée vers 1672, qui aurait laissé un solde annuel d'environ 300 colons dans le pays. L'évolution de la population montréalaise résulte de la conjugaison de trois facteurs : l'immigration française, les mouvements migratoires internes et l'accroissement naturel. Notre première démarche fut d'essayer de dégager celui-ci pour pouvoir ensuite isoler les deux premiers. Mais nous nous heurtons aux déficiences dans l'enregistrement des faits d'état civil. Plus encore que l'imprécision des recensements, le sous-enregistrement des décès nous empêche de cerner de très près le solde migratoire avec la France et la turbulence régionale contribue aussi à embrouiller les résultats.

Le nombre d'immigrants qui s'établissent dans l'île de Montréal, entre 1642 et 1715, se situerait entre 1 200 et 1 500 et, pour les trois quarts, il s'agit d'une option durable. Environ la moitié arrive avant 1670 et jusqu'à la fin du siècle, l'immigration est à peu près nulle. Entre 1695 et 1705, Montréal rattrape le retard. Dans cette brusque expansion, l'apport de l'immigration en provenance de l'extérieur est important, mais ces nouveaux venus ne sont pas tous fraîchement débarqués dans le pays. La vague compte quelque 400 soldats démobilisés et des habitants qui ont d'abord vécu dans d'autres régions de la colonie.

En 1681, c'est-à-dire au lendemain des plus fortes arrivées, l'immigration se répartit de la façon suivante (tableau 2). Les engagés occupent la place la plus importante dans l'immigration masculine, 50 % si nous ne tenons pas compte de ceux qui sont encore en service et susceptibles de repartir. Les soldats sont en deuxième place, mais loin derrière, avec moins de 20 %,

(4) Voir annexe, graphique 1 et tableau A.

et les indépendants de toutes catégories ne forment que le cinquième de cette immigration. Presque les trois quarts des femmes sont passées seules dans la colonie pour y trouver un mari.

TABLEAU 2.

*Répartition de la population de Montréal en 1681
selon le mode d'immigration* (5).

Population recensée		1 389
Personnes nées dans la colonie		888
Immigrants....................................		340
Ecclésiastiques	10	
Officiers et gentilshommes volontaires......	12	
Marchands	15	
Volontaires venus avec leur famille	16	
Volontaires venus seuls (cas douteux)......	7	
Soldats réformés dans la colonie	59	
Anciens engagés établis	150	
Engagés encore en service	71	
Immigrantes		161
Religieuses	17	
Servantes en 1681	4	
Femmes et filles venues avec leurs maris ou parents	26	
Femmes et filles venues seules	114	

Source : Recensement, AC, G1 460.

Nous pourrions regrouper ces immigrants de différentes manières, distinguer par exemple l'immigration permanente de l'immigration temporaire. Appartiendraient à cette deuxième catégorie, tous ceux qui sont venus avec un contrat de service à temps portant une provision pour le retour en France, soit

(5) Nous avons identifié chacun des individus recensés et retracé les modalités de leur passage dans la colonie. Après avoir isolé 32 soldats réformés du régiment de Carignan et 123 anciens engagés, il restait 54 cas non identifiés que nous avons répartis également entre ces deux catégories, étant exclu qu'ils puissent appartenir aux autres groupes.

les engagés et les soldats. Du point de vue des intentions au moment du départ, peut-on vraiment faire une distinction entre ces travailleurs célibataires qui partent pour trois ans au Canada et ceux qui se déplacent en France et outre-frontières (6)? La distance signifiait-elle davantage à cette époque? Que dire du soldat, engagé pour six ans, qui ne choisit pas le lieu de son exil? De même, le déplacement des marchands, des officiers, est rarement envisagé d'abord comme une séparation définitive. Seule l'immigration de familles entières et celle des filles a un caractère permanent au départ.

Allons-nous distinguer entre migration forcée et migration volontaire? Dans la migration forcée au sens strict, nous pouvons à la rigueur faire entrer celle des filles et quelques cas isolés de prisonniers incorporés dans les troupes (7). Il n'y a pas ou peu de véritable déportation en Nouvelle-France au XVIIᵉ siècle, mais le terme employé dans un sens large recouvrirait à peu près toutes les catégories. Ce sont évidemment les difficultés de l'existence qui poussent ces gens à s'expatrier. Mais dès qu'ils choisissent le moment du départ et leur destination ou, à tout le moins, dès qu'ils décident de s'établir, n'est-il pas plus juste de parler d'une migration volontaire pour raisons économiques? Que les facteurs répulsifs aient joué davantage que les facteurs attractifs, nul doute non plus. Mais ces difficultés économiques, ces désarrois et ces incertitudes sont chroniques dans le grand siècle. Ceux qui vont jusqu'au Canada pour y échapper sont bien peu nombreux. Ne cherchons pas dans ce faible courant l'écho des grandes crises (8), mais plutôt la réponse à des sollicitations particulières qui, là et quand elles se font sentir, dirigent ces hommes en instance de déplacement au delà des circuits migratoires ordinaires. Dans un siècle

---

(6) A. Châtelain, « Les migrations françaises vers le Nouveau Monde aux XIXᵉ et XXᵉ siècles », *Annales ESC* (1947), pp. 53-70.

(7) La déportation systématique de prisonniers ne commence qu'après le traité d'Utrecht.

(8) Il n'y a pas recrudescence des engagements lors des crises de 1693 et de 1709, comme Robert Mandrou a cru le lire sur la courbe des départs de La Rochelle, trop faibles pour indiquer une tendance. (R. Mandrou, « Les Français hors de France aux XVIᵉ et XVIIIᵉ siècles », *Annales E. S. C.* (octobre 1959), pp. 671-672.)

et un pays éminemment populationnistes (9), ces encouragements sont rares et la réponse est à la même échelle.

Renonçant à toute typologie savante, nous passons simplement en revue les diverses catégories d'immigrants.

2. *Les familles.*

Sur 111 familles (10) établies à Montréal en 1666, il y en a 24 qui ont été formées en France. Dans l'ensemble de l'immigration antérieure au premier recensement, la proportion des individus appartenant à un groupe familial n'est que de 15 % (11) et par la suite, l'importance relative de ce type d'immigration diminue rapidement. Nous n'avons rencontré que quatre cas où le chef de famille vient d'abord seul comme engagé ou soldat, puis, après quelques années, fait venir les siens (12). Généralement, toute la famille émigre en bloc, mais ce sont de petites unités, rarement plus qu'un ou deux enfants. La moitié sont de vieux ménages ou des veufs avec de grands enfants. Treize de ces familles arrivèrent ensemble en 1659. Originaires d'Aunis, de La Rochelle et du bourg de Marrans surtout, elles sont souvent apparentées ou étroitement liées avant la traversée, parenté qu'elles entretiennent aussi avec quelques-uns des engagés célibataires qui passent dans ces mêmes années. Ce sont des familles pauvres, à qui les communautés qui les ont recrutées avancent le coût de la traversée, somme qu'elles devront rendre en travail ou autrement. Bien que non liées par un contrat de

(9) « Autant de perdu pour le Royaume déjà trop peu peuplé », remarque Maurepas, le 7 janvier 1699, à propos d'un projet de Vauban pour relancer le peuplement du Canada. (L. Dechêne, *La correspondance de Vauban relative au Canada*, Québec, 1968, p. 27.)

(10) Comprenant celles qui ont été rompues avant le recensement.

(11) Nous évaluons à environ 500 le nombre d'immigrants entre 1642 et 1666, ce qui correspond aux chiffres relevés par Marcel Trudel qui trouve un peu plus de 400 à la fin de 1662. (M. Trudel, *art. cité*, pp. 185-207.)

(12) Audiot dit Laflèche, engagé en 1651, et Auger dit Baron, engagé en 1653, vont chercher leur famille en 1659. René Fezeret, venu en 1648 à Québec, revient s'établir à Montréal en 1659 avec sa femme et son fils. Picoté de Belestre, soldat en 1659, retourne chercher une femme en France en 1662.

service, leur situation matérielle et sociale ne diffère pas de celle des engagés. Immigration sans espoir de retour, susceptible d'être à charge de la colonie, que le Conseil souverain n'encourage pas (13).

Il y a cependant quelques familles recrutées dans les débuts par la Société de Notre-Dame, à qui l'aventure coloniale réussit immédiatement. Qualités personnelles sans doute, que le faible peuplement et les difficultés des temps mettent en évidence. Un menuisier d'Igé en Perche avec sa femme et ses cinq enfants, accompagne les fondateurs en 1642 et est suivi dès l'année suivante par une sœur, son mari (un laboureur, semble-t-il) et leurs quatre enfants. En 1646, ce même Godé repasse en France pour liquider ses biens, y laisse courir une créance de 800 l. et ramène à son service deux garçons de son village (14), qu'au moins trois autres viendront rejoindre dans ces premières années. Dans cette commune d'une cinquantaine de feux, c'est une émigration relativement forte et l'entraînement plus que la misère semble avoir été le facteur décisif. Ces familles vont améliorer la position déjà enviable qu'elles occupaient dans leur paroisse d'origine. Elles fournissent les premiers syndics et marguilliers et le hasard des alliances les favorise. Les marchands célibataires, les meilleurs éléments parmi les premières recrues, choisissent leurs filles de préférence à celles du troupeau anonyme que l'État fait passer pour stabiliser les engagés. Avec quelques célibataires aussi tôt venus, elles ont assuré la survie du poste pendant dix ans, et cette ancienneté leur confère un statut spécial qui survit le temps de deux générations.

3. *Les gentilshommes-soldats.*

Entre 1642 et 1662, Montréal reçut une vingtaine d'hommes pour qui les armes n'étaient pas un métier mais une condition. Le caractère guerrier de la société française est très marqué dans cette première moitié du siècle, avivée par les guerres de

---

(13) Minutes du 10 octobre 1663, *JDCS*, I.

(14) Saint-Père (1643), Leduc (1644), Beauvais (1651), Jarry et Prince (1646). Contrat d'engagement du 10 janvier 1646, archives départementales de l'Orne, Sorand, notaire à Bélème.

religion et surtout celle de la Fronde. Parmi ces « gentilshommes » qui passent au Canada, certains appartiennent à la petite noblesse, d'autres à des bourgeoisies locales qui partagent avec elle le goût des armes et recherchent des promotions faciles (15). Ce sont ces hommes qui créent le premier noyau de notables de Ville-Marie. Aucun d'eux, pas même le gouverneur du poste, n'a jamais eu de commission dans l'armée, car auraient-ils été réformés, le titre ne manquerait pas d'apparaître sur les actes. Bref, des gens de bonne naissance qui n'ont pas pu accéder au grade d'officier, qui ont servi le roi dans le rang ou ont fait partie de quelque compagnie levée par l'aristocratie régionale. La pratique était encore commune à l'époque et n'est pas en soi signe de déclassement.

Parmi les premiers arrivés et privilégiés par leurs antécédents familiaux, les « soldats pour le fort » reçoivent des fiefs et des arrière-fiefs. A ceux qui font partie de l'état-major, la compagnie des habitants verse des appointements, qu'ils complètent avec les profits de la traite qui devient vite pour la plupart l'activité majeure. Ceux qui ont quelque instruction obtiennent, par surcroît, certaines charges civiles disponibles dans la seigneurie.

L'État utilise ces sans-grades pour encadrer les miliciens. A la seconde génération seulement, le poids des services antérieurs et surtout celui de leur naissance apportent des commissions d'officiers dans ces familles qui, plus que les militaires formés après la réorganisation de l'armée, perpétuent dans la colonie l'idéal militaire qui les y avait d'abord conduites (16). Ces premiers Montréalais partagent avec d'autres gentilshommes établis à Québec et en Acadie sous le règne de Louis XIII, la tradition chevaleresque où le courage individuel tout autant que le brigandage sont le quotidien du guerrier (17).

(15) Louis Tuety, *Les officiers sous l'Ancien Régime. Nobles et roturiers*, Paris, 1908 ; André Corvisier, *L'armée française de la fin du XVIIe siècle au ministère du Choiseul. Le soldat*, Paris, 1964, pp. 118-119.

(16) Parmi les premiers arrivés, mentionnons Closse, Dupuis, Picoté, Robutel, Philippe, d'Ailleboust.

(17) « L'homme de guerre est déjà un peu brigand ; le brigand est encore un peu guerrier », écrivait Richelieu. Cité par G. d'Avenel, *La noblesse française sous Richelieu*, (Paris, 1901), p. 80.

Les valeurs qu'ils apportent pour tout bagage sont si près de celles qui ont cours dans la société indienne qu'au lieu d'influence, il faudrait parler de rencontre (18).

Dans la seconde moitié du XVIIᵉ siècle, le Canada accueille encore quelques volontaires issus de cette même couche sociale, mais les traits militaires s'effacent au profit du caractère aventurier. Il y a des gentilshommes normands dans le sillage de Cavalier de La Salle, comme Dominique La Motte, mais ils arrivent trop tard et ont des difficultés à s'insérer dans un système où la promotion militaire joue un rôle prépondérant, où même l'aventure subit la pression de la centralisation.

Pendant la décennie qui suit l'instauration du gouvernement royal, les autorités coloniales favorisent cette immigration. Le Conseil souverain fait subsister toute une année, aux frais du roi, « six jeunes hommes de bonne maison qui ont payé leur passage (19) ». L'intendant accueille à bras ouverts un jeune gentilhomme qui est venu au Canada « pour en reconnaistre l'air et la situation ». « Si les gens de cette qualité prennent aisément cette route, écrit-il, bientôt le Canada se remplira de personnes capables de le bien soustenir... (20) ».

Quelques mauvaises expériences et la prolifération de la gentilhommerie locale ont tôt fait d'éteindre ces enthousiasmes.

4. *Les engagés.*

a) *le système.*

L'institution de l'engagement pour les colonies est une forme parmi d'autres de contrat de service à temps. C'est chose courante d'aliéner sa liberté pour un temps déterminé généralement assez long, et même à perpétuité — c'est-à-dire

(18) Sur ce sujet, voir Gaston Zeller, « La vie aventureuse des classes supérieures en France sous l'Ancien Régime : brigandage et piraterie », *Aspects de la politique française sous l'Ancien Régime*, Paris, 1964, pp. 375-385; aussi Fléchier, *Mémoires sur les Grands-Jours d'Auvergne*.

(19) Procès-verbal du 1ᵉʳ juillet 1664, *JDCS*, I.

(20) Lettre de Talon à Colbert, 2 novembre 1671, AC, C11A3, fᵒˢ 178-179.

pour un temps indéterminé — à qui entre en apprentissage, se fait valet, soldat ou marin. Nous ne croyons pas, comme Debien, que l'engagement pour le Canada n'est qu'un contrat dérivé de l'embarquement pour la pêche (21), mais plutôt que l'origine s'inscrit dans des habitudes de servitude plus largement répandues et familières aux gens de l'intérieur comme à ceux des côtes. Au début du XVIIᵉ siècle, la Compagnie de Virginie a utilisé tout naturellement l'engagement contractuel pour peupler ses plantations, jugé finalement préférable à l'enrôlement forcé, et de même le système s'impose spontanément aux exploitants français des Indes occidentales (22).

Au début, ce sont les compagnies de commerce et quelques rares particuliers qui recrutent directement leur main-d'œuvre, supportent les frais du voyage et d'entretien dans la colonie, versent les gages établis par le contrat. Pour fonctionner, un tel système exige que les profits réalisés sur le travail des engagés soient assez élevés pour amortir les pertes inévitables, par mortalité, maladie ou désertion, ainsi que les dépenses pour le recrutement et la traversée. Plus nombreux sont les serviteurs, plus longue est la durée du contrat, meilleures sont les chances d'absorber ces frais initiaux et accidentels. Cela suppose la commercialisation immédiate et avantageuse de la production coloniale à laquelle cette main-d'œuvre est employée. Or, connaissant le piètre développement du Canada dans la première moitié du XVIIᵉ siècle, on est en droit de s'étonner non pas de la faiblesse du peuplement, mais de ce que, malgré tout, les exploitants aient trouvé les moyens de faire passer plusieurs centaines d'engagés. Le commerce des fourrures, seule activité rentable, n'en requérait pas tant et il fallut d'autres mobiles que le profit pour maintenir le faible courant d'immi-

(21) Gabriel Debien, « Engagés pour le Canada au XVIIᵉ siècle vus de La Rochelle », *RHAF*, VI, 2 (1952), pp. 196-197. L'auteur donne au Canada d'alors ses frontières actuelles. Terre-Neuve et l'Acadie n'étaient pas le Canada, et si nous soustrayons des listes tous les matelots recrutés pour ces deux dernières colonies, les rapprochements entre contrats pour la pêche et engagements ordinaires ne s'imposent pas.

(22) A. E. Smith, *Colonists in Bondage*, Chapel Hill 1947, pp. 8-16; Gabriel Debien, *art. cité.*, p. 191, et « Propagande et recrutement pour les îles au XVIIᵉ siècle », *La Porte océane* (1956), pp. 3-39.

gration une fois assuré l'approvisionnement des entrepôts. C'est en grande partie l'Église et ceux qu'elle inspire qui assument ce recrutement déficitaire.

La presque totalité des quelque 250 personnes qui passent dans l'île de Montréal, entre 1642 et 1653, sont engagées par la Société de Notre-Dame et pour elle l'opération s'avère désastreuse. Il lui faudrait immobiliser au moins 300 000 l. et attendre patiemment l'ouverture d'un marché pour que les profits des défrichements et autres travaux effectués par cette main-d'œuvre commencent à amortir cette énorme mise de fonds. Or, elle ne vit que d'expédients (23). Une fois payés le coût du recrutement, les traversées et les avances de hardes, il n'y a plus de réserve, et elle est tout à fait incapable, par exemple, d'entretenir pendant cinq ans les quelque cent domestiques levés en 1653 et de leur verser les gages auxquels ils ont droit. Ce sont des mobiles non économiques — la survie du poste et du dessein missionnaire — qui la poussent à recruter quand même, pour combler les vides créés par les décès et les déguerpissements. Dans l'immédiat, les fourrures sont l'unique source de profits. La Société ne les méprise pas mais le gouverneur qu'elle a commis dans sa seigneurie est forcé de partager les retours avec ses domestiques sous peine de perdre et les uns et les autres. Il ne suffit pas de libérer des hommes qui ne possèdent rien, encore faut-il leur fournir des grains, des outils et des marchandises de traite jusqu'à ce qu'ils puissent subsister. D'où ces curieuses transactions par lesquelles les engagés sont affranchis sitôt arrivés, mais s'obligent en même temps envers le gouverneur pour une somme variant entre 300 et 500 l. qui couvre les frais de traversée et les avances passées et à venir (24). L'acte sous seing privé spécifie que celui qui établira sa demeure à Montréal

(23) Les comptes de la Société n'ont pas été conservés. Elle est l'objet de grandes générosités, mais les promoteurs manquent d'esprit de suite et, très vite, se désintéressent tout à fait de l'entreprise. Le tout se solde par une faillite. Voir Léon Gérin. *op. cit.*, pp. 170-191.

(24) Ainsi, la Société se débarrasse de créances privilégiées et, en faisant préalablement reconnaître par contrat la dette contractée par les acceptants, elle se met à l'abri de toute poursuite, advenant le cas où elle ne pourrait honorer sa promesse.

ne sera pas tenu de rembourser. Les deux tiers de la recrue de 1653 refusent d'être affranchis dans ces conditions, ce qui illustre à la fois le caractère temporaire de l'immigration et les doutes qu'on entretient sur les disponibilités de la Société (25) Dix ans plus tard, trois acceptants poursuivent le gouverneur pour qu'il leur verse cette soi-disant « gratification » ou, sinon, que soit annulée la reconnaissance de dette qui grève leur liberté de mouvement et hypothèque leurs habitations (26). Le Conseil débouta les plaignants et ceux qui quittèrent la seigneurie furent contraints de tout rembourser (27).

En somme, à Montréal, avant 1655, il vient des engagés, mais il n'y a pas de maîtres. Cependant, dans la région de Québec, le système fonctionne normalement. Les principaux de la compagnie des habitants font de bonnes affaires. Des navires viennent qu'il faut ravitailler. Le prix du blé est haut et les premiers habitants demandent de la main-d'œuvre pour mettre leurs terres en valeur. Celle-ci doit être nourrie et par un mécanisme d'entraînement, il devient momentanément profitable de faire passer des hommes. Entre 1655 et la création de la Compagnie des Indes occidentales en 1664, ce sont des marchands de La Rochelle, de Rouen et de la colonie qui recrutent des hommes de travail, bien au delà d'un engagé par tonneau de fret, comme l'exige le Conseil de Québec (28). C'est donc que ceux qui importent cette main-d'œuvre pour la distribuer aux colons y trouvent leur compte, tout comme ceux qui font le même trafic aux îles depuis 1645 et dans les colonies

(25) Nous avons retrouvé 26 de ces affranchissements, entre janvier 1654 et septembre 1655. APC, M. G. 17, A7, 2, 3, vol. 1. D'après Faillon, il y en aurait eu 35 (*Histoire de la colonie française au Canada*, vol. 2, pp. 187-188). Cent un engagés sont arrivés à l'automne 1653. L'Hôtel-Dieu et quelques anciens colons rachètent une partie de ceux qui restent en service.

(26) Arrêt du Conseil, 18 juillet 1664, suivant la requête présentée par R. Bondy, P. Godin et Marin Janot. APC, M-1654, section III, n° 1.

(27) Voir M. not. : transport de créance par Bouchard, 8 novembre 1658, Basset; contrat d'échange, 27 décembre 1655 et vente, 25 août 1657, Saint-Père.

(28) Règlement de 1647. Voir Paul-Émile Renaud, *Les origines économiques du Canada : l'œuvre de la France*, Paris, 1928, p. 237; Gabriel Debien, *art. cité*, pp. 190-193; les recrutements par Pierre Boucher, provès-verbal du 17 octobre 1663, *JDCS*, I.

anglaises depuis 1625 (29). L'acquéreur rembourse à ces marchands et armateurs le coût de la traversée et des avances, et c'est dans l'estimation de ces frais initiaux que se dissimule le profit. Les colons bien placés et entreprenants en tirent, comme nous le verrons, d'autres bénéfices.

Montréal ne reste pas longtemps à l'écart de ce développement. Des marchands s'y installent, en même temps que les prêtres de la Compagnie de Saint-Sulpice qui prennent la relève de la Société de Notre-Dame (30). Ce sont eux qui font passer une importante recrue d'engagés, de familles et de filles à marier en 1659 et, de Québec, montent des hommes enrôlés par les marchands. Dès lors, les contrats de service sont observés comme partout ailleurs.

Lorsqu'en 1663, le Canada passe sous l'administration directe du ministère de la marine, tout est mis en œuvre pour hâter le peuplement. Colbert entend envoyer des colons, mais les conseillers de Québec le convainquent qu'il est plus avantageux de faire servir trois ans comme domestiques les quelque deux cents recrues que la Compagnie des Indes occidentales déverse dans la colonie chaque année, entre 1664 et 1671 (31). Leur insistance prouve, s'il en était besoin, que le système instauré par les marchands est profitable. Ceux de la métropole continuent à faire les levées pour l'État, ceux de la colonie, à profiter d'une main-d'œuvre bon marché pour faire défricher leurs terres au moment où les dépenses gouvernementales et l'arrivée des troupes créent une agitation et une prospérité sans précédent. La demande de travailleurs est vite comblée et, au lendemain de cet élan, ce n'est plus qu'un mince filet d'engagés qui entrent comme tels dans la colonie, la plupart recrutés, comme dans les premiers temps, directement par les

---

(29) Gabriel Debien, *art. cité*, p. 191; A. E. Smith, *op. cit.*, pp. 12-13.

(30) La Société ne cède l'île de Montréal au Séminaire de Saint-Sulpice qu'en 1663, mais les prêtres sont arrivés quatre ans plus tôt, apportant des capitaux et une autorité incontestée.

(31) Arrêt du 15 octobre 1663 et mémoire du 19 juin 1664, *JDCS*, I. Si on leur distribue immédiatement des terres, écrivent les conseillers à Colbert, les trois quarts mourront de faim.

particuliers et les communautés (32). Les armateurs de la métropole ont peine à se conformer aux ordres du roi qui obligent les navires, faisant voile pour les colonies, à embarquer un nombre d'engagés proportionnels au tonnage (33).

Une fois mis en place, un système agricole qui repose sur la petite exploitation requiert peu de main-d'œuvre étrangère à la famille. De même en Nouvelle-Angleterre, colonie pourtant beaucoup plus développée que le Canada, le trafic d'engagés fut négligeable (34). Pour les travaux saisonniers, les colons ont leurs fils, une certaine réserve de manœuvres locaux et surtout les soldats (35), auxquels viendront s'ajouter des prisonniers au XVIIIe siècle, soit une main-d'œuvre bon marché, puisque l'État assume les frais d'enrôlement et de traversée. Pour faire face à cette concurrence et écouler leurs petites cargaisons, les capitaines ne peuvent qu'amener des garçons qui acceptent des gages dérisoires (36). L'utilisation des Indiens pour le service domestique, à partir du début du XVIIIe siècle, joue dans le même sens. Il s'ensuit que la proportion d'hommes de métier dans l'immigration tend à diminuer. Les gens qualifiés devront être recrutés individuellement au prix fort (37).

(32) Gabriel Debien, *art. cité*, et M. Gaucher, M. Delafosse et G. Debien, « Les engagés pour le Canada au XVIIIe siècle », *RHAF*, 14 (1960-1961), p. 597.

(33) Trois engagés pour un navire de 60 tonnes, et six pour un navire de 100 tonnes. (Ordonnance de 1716, citée par Jean Hamelin, *Économie et société en Nouvelle-France*, Québec, 1960, p. 78.)

(34) A. E. Smith, *op. cit.*, pp. 28-29.

(35) A partir du moment où la colonie entretient les compagnies franches de la marine (1682), la distinction entre recrues pour les troupes et pour le service domestique, n'existe plus. La marine envoie des hommes qui sont triés à l'arrivée. Les plus robustes sont enrôlés, les plus malingres, cédés aux habitants. Lettres de Denonville, 4 mai 1685 et 20 novembre 1686, AC, C11A7, f° 21 v° et vol. 8, f° 140; lettre de De Meulles, 28 septembre 1685, *ibid.*, f° 150.

(36) Comme ceux qui acceptent de servir trois ans pour la valeur de trois cents livres de sucre ou 10 l. par an. Gaucher, Delafosse et Debien, *art. cité*, p. 595.

(37) Pierre Harvey, « Stagnation économique en Nouvelle-France », *L'Actualité économique*, 37, 3 (octobre-décembre 1961), p. 546. Les Sulpiciens continuèrent à recruter une partie de leurs serviteurs en France. Lettre de Tronson, mai 1679, ASSP, XIV, pp. 145-158.

b) *composition des recrues.*

Au printemps de 1653, Jérôme Le Royer de La Dauversière, receveur des finances à La Flèche et membre fondateur de la Société de Notre-Dame, fait signer 119 contrats à des garçons de la ville et des paroisses environnantes. Nous sommes au lendemain de la Fronde. Quelques mois plus tôt, les villages de la généralité d'Angers avaient été saccagés par les armées des princes et les mercenaires du roi. Après la longue crise de 1649-1652, les prix baissent, mais depuis peu (38). Sans doute, ces conditions particulières facilitent l'embauche. Mais, entre mars et juin, date fixée pour le départ à Nantes, la situation générale continue à se rétablir et, plus confiants dans l'avenir, presque la moitié des signataires renoncent à émigrer. Au moment de l'embarquement, les vides sont comblés avec des hommes embauchés dans le port. Tous reçoivent un coffre et des hardes en avance sur leurs gages. La remise se fait devant notaire et jusqu'à ce que le navire quitte la rade, les hommes sont étroitement surveillés. Des 103 engagés sur le rôle de départ, huit sont vraisemblablement morts en mer (39).

Nous ne connaissons pas les péripéties qui ont précédé l'arrivée à Montréal de la recrue de 1659, pour laquelle nous n'avons que le rôle à l'arrivée. Elle est plus diversifiée, comprenant des familles, des filles à marier et seulement trente engagés. Alors que ceux de 1653 étaient recrutés pour la Société de Notre-Dame, ceux-ci viennent servir les Sulpiciens et les religieuses qui traversent avec eux et quelques colons qui les attendent à Montréal. Le recrutement s'est fait en partie à La Flèche et en partie en Aunis, lieu de départ.

Les conditions générales sont les mêmes pour tous ces hommes. Ils s'engagent à servir en l'île de Montréal, tant en leur métier qu'autre chose qui leur sera commandé pour un temps déter-

---

(38) B. Porchnev, *Les soulèvements populaires en France de 1632 à 1648*, Paris, 1963, pp. 534-535; J. Dupâquier, M. Lachiver et J. Meuvret, *Mercuriales du pays de France et du Vexin français (1640-1792)*, Paris, 1968, p. 236 et graphique 5.

(39) R. J. Auger, *La grande recrue de 1653*, et Marie-Claire Daveluy, « Le drame de la recrue de 1653 », *RHAF*, VII, 2 (septembre 1953), pp. 157-170.

miné, soit cinq ans pour la plupart, trois ans seulement pour le reste. Le voyage aller et retour ainsi que leur pension durant leur séjour dans la colonie sont défrayés par l'employeur.

TABLEAU 3

Composition professionnelle des engagés
recrutés pour l'île de Montréal
en 1653 et 1659.

Gages annuels	En livres										Renseignements incomplets	Total
	0	30	60	65	70	75	80	90	100	150		
1653	—	1	32	—	1	47	4	1	14	1	—	101
1659	2	—	7	1	3	3	2	—	4	—	8	30
Ensemble	2	1	39	1	4	50	6	1	18	1	8	131
Regroupement	42 Sans expérience aucune			55 Journaliers vigoureux			25 Gens de métier (ou de meilleure condition)			1 Chirurgien		

Source : E. FAILLON, *Histoire de la colonie française au Canada*, Paris, 1865-1866, vol. 2, pp. 531-561; R. J. AUGER, *La grande recrue de 1653*, Montréal, 1955; A. GODBOUT, *Les passagers du Saint-André. La recrue de 1659*, Montréal, 1964.

Ce sont des hommes jeunes, entre vingt et vingt-cinq ans dans l'ensemble (40), tous, sauf deux, célibataires ou présumés tels. Le travail qui les attend à Montréal, c'est d'abord le défrichement avec les travaux ordinaires de l'ouvrier agricole. C'est

(40) L'âge moyen des engagés recensés en service en 1666, est de vingt-cinq ans, l'âge modal, vingt-trois, ce qui vaut aussi pour les premières recrues de Montréal.

en nous appuyant sur les occupations qui seront les leurs pendant et après la durée du service, que nous nous sommes crue autorisée à classer les trois quarts de ces garçons parmi les sans-métier, en dépit de leurs déclarations aux contrats. Les gages traduisent, dans une certaine mesure, les capacités.

Un manœuvre en bonne condition physique coûte 60 l. Ceux qui reçoivent moins sont ou trop jeunes ou trop débiles (41). Qu'est-ce qui vaut des gages allant jusqu'à 75 l. à ceux de la seconde catégorie? Ce sont aussi des défricheurs comme les premiers, mêlés de « défricheur et cordonnier », « défricheur et chapelier », « défricheur et paveur », de quelques scieurs de long, d'un « boucher-couvreur ». Certains ont peut-être pu démontrer quelque expérience acquise; d'autres, profitant des difficultés des engagistes à compléter les embarquements, ont réussi à négocier à leur avantage.

La troisième catégorie compte, outre quatre individus plus instruits ou d'une meilleure origine sociale distingués dès l'arrivée, des charpentiers, des menuisiers, des maçons, deux meuniers, un armurier et un serrurier qui tous, une fois affranchis, vivront principalement de leur métier. Ces compagnons, qui commandent 100 l. par année, forment le cinquième de l'échantillon, somme toute une honnête proportion. Il n'en fallait pas davantage pour dispenser les services élémentaires.

Quelles que soient leurs capacités respectives, ces hommes ont un trait commun : le dénuement au moment du départ. Tous reçoivent une avance, en espèces ou en hardes, chaussures, etc., qui hypothèque en entier les gages de leur première année, et parfois au delà. L'arrière-plan social restera toujours obscur, faute de renseignements sur la profession des parents (42). L'espoir de retrouver les antécédents de tous ces garçons dans leur paroisse d'origine est, du fait de la dispersion géographique, bien ténu (43). Les opinions des contemporains sont

(41) Ainsi, ces deux garçons que l'hôpital « prend pour leur entretien et nourriture pendant quatre ans sans être tenu à aucune autre récompense ». L'un d'eux n'a que seize ans et meurt deux ans après son arrivée.

(42) Ces renseignements apparaissent trop rarement sur l'acte de mariage, pour pouvoir en tirer une image globale.

(43) La recherche pourrait être tentée dans le canton de La Flèche, comme Hubert Charbonneau a commencé à le faire à Tourouvre (*Tourouvre-*

peu utiles. Au XVIIᵉ siècle, on attribue peu de vertus aux classes populaires et, entre la pauvreté, l'oisiveté et le vice, les frontières sont floues. L'important, c'est que ces gens soient soumis. Il faut les tenir en main, car « le Canada a pour habitans plusieurs personnes qui ont quitté leur païs pour quelque crime... »(44). « Il n'est rien de si aisé, écrit un intendant, que de gouverner ces peuples icy. Et quoy qu'ils soient composés de toutes sortes de gens et que le vice ait obligé la pluspart de chercher ce pays comme un azile et pour se mettre à couvert de leurs crimes, il ne laisse pas d'être vray qu'ils sont assez dociles et qu'ils vivent normalement assez bien (45). »

Nos impressions valent-elles plus que les leurs? Les parentés, qui lient souvent ces engagés entre eux ou avec des familles qui les ont précédés, n'attestent-elles pas la cohésion du milieu familial (46)? Ces petits héritages, un journal de terre dans la banlieue de La Flèche, une maison de 341 l. à La Rochelle, un pré, une masure et d'autres mentions moins précises de successions échues en France, ne pointent-elles pas aussi vers des milieux pauvres ou modestes, mais enracinés quelque part (47)? Leur jeunesse n'exclut-elle pas une longue mendicité démoralisante? Le fait d'émigrer si loin pour échapper à des situations matérielles délicates, à des fautes aussi s'il faut en croire l'intendant, ne prouve-t-il pas une volonté de tenter quelque chose, laquelle n'est généralement pas la caractéristique de la gueuserie. Nous serions portée à croire qu'une étude de la composition sociale de ce groupe donnerait à peu près les mêmes résultats que l'enquête menée par André Corvisier sur les soldats : des pauvres, mais sans indigence, des gens

au-Perche aux XVIIᵉ et XVIIIᵉ siècles. Étude de démographie historique, Paris, 1970.)

(44) Description du Canada (anonyme, 1671), AC, C11A3, fᵒ 201.

(45) Lettre de De Meulles au ministre, 4 novembre 1683, *ibid.*, vol. 6, fᵒ 184.

(46) Entre les recrues de Clermont : Jean Gasteau passé en 1653 et son cousin Julien Blois, arrivé en 1659; liens étroits aussi entre les gens d'Igé, ceux de Marans, de La Rochelle. Parce que cette étude n'a pas été faite, combien d'exemples nous échappent!

(47) Voir les procurations données par S. Audiot, P. Chauvin, Antoine Courtemanche, Thomas Monnier, Mathurin Langevin, M. not., 22 et 30 septembre 1658, 3 février 1669, 13 avril 1670, 13 octobre 1675, Basset.

peu instruits mais témoignant d'un certain sérieux (48). Et ce que nous disons des engagés vaut tout aussi bien des soldats qui se mêleront à eux, tous issus des groupes populaires, réagissant aux mêmes circonstances, cherchant dans l'engagement une porte de sortie.

Si la lettre que nous reproduisons ci-après est tant soit peu représentative, nous sommes en droit de penser que la majorité de ces garçons ont des attaches dans l'ancienne France (49).

Mon cher fils je suis bien estonné davoir trouvé des personnes de vostre patries et ne mavoir point escript. Il est vrai que je trouve cela bien estrange davoir un enfans que j'ay cherry plus que moy meme et de navoir point de vollonté pour moy. Je croiois que jaurais le bonheur de le voir dans quattres ou cinq ans appres son depart. Mon cher fils je vous supplie que si faire se peut que vous pouviez trouvé l'occasion de revenir en France et destre deulx trois mois en vostre bonne Ville de la Flesche dou vous Estes: Je vous promest que vous estes esritiez de vostre deffuncte me(re) et que Si vous estiez venu à la Flesche vous en oriez [pour plus] de huict cent livres. C'est pourquoy je ne suis point Eritiez de ce bien la, d'autant que le pere qui est moy n'est point esrittier dans le pays du mainne. C'est pourquoy je Vous supplies de ne manquer a venir au plustot dautant que cela vous touche beaucoup. Autres chosses ne Vous puis que mander sinon que je vous prie de m'onhourer en tiltre de pere et mere. Leger adverty Vostre père et sans oublier Marie Lemoi[ne] vostre mere. Votre oncle Lucas se recommande bien à vous Et sa fame Vostre tante et tous Vos bons amis de ce bon païs dansjou ou nous prenons le vin blanc à Un Sol — mon fils je ne Vous dis pas ancorre adieu. Jespere ancorre Vous posseder en la ville de la Flesche avant que de mourir, dieu men face la grasse [dans la marge] Cest florant gaste vostre cousin qui Vous Escript qui a Espousé deffuncte michelle Vultle [à l'endos] La presante soit donnée [Sieur] Maurice Adverty habitué en Canadas.

(48) André Corvisier, *op. cit.*, t. I, p. 498.

(49) La lettre a été déposée dans le greffe du notaire Basset le 25 mars 1670. Averty est venu comme défricheur à Montréal en 1653 et meurt dans la colonie à un âge avancé.

c) *la répartition*.

Pour savoir qui emploie ces gens de labeur, observons leur répartition dans les habitations, aux trois recensements nominaux.

TABLEAU 4.

Répartition des serviteurs, à Montréal,
aux recensements de 1666, 1667 et 1681.

Année	Nombre de ménages	Nombre de serviteurs		% des ménages qui ont des engagés	% des ménages qui ont des serviteurs	Nombre de serviteurs par ménage (*)				
		nés au Canada	nés en France			0	1	2	3-5	plus de 5
1666..	141	1	103	24,2	24,2	107	16	10	5	3
1667..	143	1	124	28,7	28,7	102	23	11	2	5
1681..	279	26	75	4,5	13,0	243	23	5	4	4

Source : AC, G1 460.
(*) Les trois communautés religieuses comprises et comptées pour un ménage chacune.

En 1666 et 1667, plus du quart des engagés travaillent sur les domaines des seigneurs. Ceux-ci avec les deux autres communautés établies dans l'île, l'Hôtel-Dieu et la Congrégation de Notre-Dame, occupent presque la moitié de la main-d'œuvre. Deux marchands importants, Lemoyne et Leber, utilisent dans ces années entre cinq et neuf hommes chacun, et ce sont d'autres marchands que nous trouvons dans le deuxième groupe, avec trois à cinq engagés. Bref, sans compter les communautés, il n'y a que cinq habitations sur lesquelles la main-d'œuvre est tant soit peu importante. Ceux qui possèdent un ou deux serviteurs forment un groupe hétéroclite qui comprend le major de la garnison, six officiers de justice, une dizaine de petits traitants de fourrures, et autant d'artisans. Ils ne travaillent pas eux-mêmes à la terre ou rarement, d'où la nécessité, même si plusieurs sont des gens modestes, de faire défricher par des domestiques afin d'amodier le plus tôt possible les parcelles en valeur. En 1667, une douzaine de colons proprement dits, parmi les plus anciens habitants, viennent s'ajouter à ce groupe, mais les trois quarts n'ont pas les moyens d'engager un homme pour hâter le défrichement. Des engagés arrivés depuis 1653, seulement huit dont trois artisans ont un homme à leur service.

En 1681, les engagés occupent moins de place. Seuls les communautés et les plus gros marchands en ont encore. Une nouvelle main-d'œuvre, née au pays, commence à remplacer les immigrants. Les colons ont des fils pour les seconder et la jeunesse des environs pour travailler aux travaux agricoles saisonniers. Quelques garçons et filles sont mis en service (50), et l'âge moyen de ces domestiques n'est que de quinze ans. C'est une main-d'œuvre trop jeune pour les gros travaux, mais qui ne coûte à peu près rien et sert utilement chez ces notables qui n'ont pas poursuivi l'exploitation directe de leur terre au delà des premiers défrichements. Comme par le passé, le colon nouvellement établi est seul pour défricher sa terre.

Cette répartition des engagés n'est pas particulière à Montréal, comme en témoigne la liste des demandeurs qui intentent des actions contre leurs domestiques : des conseillers du roi et autres officiers civils et militaires et des marchands (51).

Il n'y a donc pas lieu de retenir cette image idyllique d'anciens et nouveaux engagés travaillant côte à côte, mangeant à la même table, le nouvel arrivant s'intégrant dans une famille dont aucune barrière sociale ne le sépare (52). Parmi les colons ordinaires qui déclarent un domestique aux recensements, peu ont les moyens de garder cet homme à leur service pendant trois ans, et là où des rapports d'égalité ont le plus de chance

---

(50) Il y a huit filles parmi ces domestiques canadiens et quatre autres recrutées en France, alors que précédemment tous ces serviteurs étaient du sexe masculin.

(51) Ces affaires ressortent directement au Conseil souverain. Voir *JCDS*, tomes I et II, *passim*.

(52) « L'engagé vivait dans la famille, épousait souvent une des filles du maître et s'établissait près de lui. » (Paul-Émile Renaud, *op. cit.*, p. 242.)

d'être noués, là sans doute la mobilité de la main-d'œuvre est la plus forte. Dans l'ensemble, il y a une catégorie de maîtres, distincte par ses origines et ses activités. La plupart des engagés travaillent en équipe sur de grandes exploitations, sous la surveillance d'un contremaître qui fait régner la discipline (53).

Les maîtres qui n'emploient qu'un ou deux hommes vivent dans la ville et envoient ceux-ci travailler sur leur terre éloignée de plusieurs lieues où l'isolement est grand et la cabane, un abri précaire. Dans presque tous les cas, l'engagé commence sa vie dans la colonie dans des conditions matérielles difficiles qui le placent d'emblée au bas de l'échelle.

d) *le service.*

I) *un contrat bien observé.*

Un engagé est « un homme tenu d'aller partout et faire ce que son maître lui demande comme un esclave, durant le temps de son engagement »(54). La stricte observance des clauses du contrat est la règle et tant que son temps n'est pas achevé, jour pour jour depuis l'arrivée au Canada (55), l'engagé est la propriété, la chose de son maître. Supposons un homme qui a signé pour trois ans moyennant 75 l. de gages annuels. Pour l'acquéreur, le prix de revient peut être réparti comme dans le tableau de la page suivante.

Le coût d'un homme de travail est inversement proportionnel à la valeur de ses services. La première année, les hommes ne font pas la moitié de leurs gages, déclarent les conseillers de Québec (56). En effet, il leur est difficile à court terme d'en tirer quelque avantage. Plus longue est la durée du service, plus apte est l'engagé à faire adroitement son travail et plus élevée est la marge de profit du maître. C'est pourquoi les ordonnances

(53) M. Tronson félicite maître Jacques pour son zèle et sa vigilance à maintenir l'ordre parmi les valets. Avril 1694, ASSP, XIV, pp. 90-100.

(54). Mémoire du gouverneur Frontenac à Seignelay, 1681, *RAPQ*, 1926-1927, p. 123.

(55) Le temps commence à compter du jour de l'arrivée. Procès-verbal du 4 juillet 1678, *JDCS*, II.

(56) Lettre au roi, 19 juin 1664, *ibid.*, tome I.

de Colbert pour réduire la durée de l'engagement de trente-six à dix-huit mois étaient inacceptables et durent être retirées (57). On comprend aussi pourquoi les maîtres et les tribunaux de la colonie se montrent intransigeants dans les affaires de bris de contrat, celles-ci survenant généralement au bout de la première année de service, au moment où le colon commence à peine à retirer les fruits de son investissement.

Première année :	30 l.	prix du passage payé au capitaine du navire.
	70 l.	avances reçues par l'engagé et frais divers de recrutement.
	60 l.	nourriture d'une année.
	5 l.	solde des gages versés à l'engagé.
	30 l.	avances consenties à l'engagé pour vêtements, vin, fusil, etc.
Deuxième année :	50 l.	avances consenties à l'engagé.
	60 l.	nourriture.
Troisième année :	35 l.	avances consenties à l'engagé.
	45 l.	solde dû sur ses gages.
	60 l.	nourriture.
	30 l.	prix du passage : retour.
TOTAL	: 475 l.	

L'obéissance absolue à un maître n'a rien pour rebuter ces hommes du XVIIᵉ siècle. Une place de valet dans un hôtel noble ou bourgeois n'a-t-elle pas beaucoup de prestige dans les couches populaires? Il n'y a pas lieu non plus de parler de mauvais traitements, et on ne voit pas de serviteurs dénoncer devant les tribunaux les sévices qu'ils auraient subis (58). Nous savons que les Sulpiciens « corrigent » eux-mêmes leurs domestiques,

(57) Gabriel Debien, « La société coloniale aux XVIIᵉ et XVIIIᵉ siècles. Les engagés pour les Antilles, 1634-1715 », *Revue d'histoire des colonies*, XXXVIII (1951), p. 64. Ce sont les règlements de 1670 et de 1672 qui ne furent pas appliqués. Voir l'arrêt du Conseil d'État du 28 février 1670, AC, B2, fᵒ 54 vᵒ.

(58) Les procès intentés par des domestiques pour gages non payés ou autres griefs sont exceptionnels. Voir les procès-verbaux des 30 octobre et 10 novembre 1663, *JDCS*, tome I.

mais ces châtiments corporels mineurs sont aussi dans les mœurs de l'époque (59).

Bref, un traitement humain dans l'ensemble, mais qui s'arrête au seuil de la rentabilité. Si l'engagé devient inapte à servir, le maître obtient une annulation du contrat (60), et le Séminaire de Montréal n'hésite pas à rompre son engagement avec un domestique « pour l'incommodité et infirmité de sa vue qui l'a rendu absolument incapable d'aucun service » (61).

II) *les travaux.*

Les plus grandes misères pour l'engagé qui débarque au Canada, c'est le pays et les travaux qui les lui réservent.

Ces « défricheurs » natifs de La Flèche ou de Nantes, ces apprentis cordonniers ou maçons de Rouen et de Poitiers, ne sont pas préparés à la tâche qui les attend : couper, équarrir et traîner des arbres avec de mauvais outils et sans attelage le plus souvent, piocher à travers les racines, essoucher à la hâte. Travaux épuisants qu'il faut faire en partie par les chaleurs débilitantes de l'été et en partie par les froids d'hiver qui surprennent ces organismes peu résistants. Travaux d'autant plus pénibles qu'ils succèdent brusquement à des mois, peut-être à des années de quasi-oisiveté, puisque c'est le chômage qui est à l'origine de bien des départs. Pour les ruraux même, le défrichement au Canada est une tâche infiniment plus dure que celle qui incombe aux manœuvres en France. Seuls les hommes des bocages de l'Ouest ont appris à nettoyer des terres, mais ils n'ont que vingt ans et certes pas l'habitude de poursuivre, jour après jour pendant trois ou cinq ans, une occupation qui chez eux s'intercale parmi d'autres et qu'il est rarement nécessaire de précipiter.

L'engagé peut faire spécifier dans le contrat qu'il ne travaillera qu'à son métier. Quelques compagnons ne traversent qu'à cette

---

(59) Lettre de M. Tronson, 2 mai 1686, ASSP, XIII, p. 461.

(60) Le Conseil accepte qu'un maître se défasse d'un engagé malade ou estropié s'il lui trouve un nouveau maître. Procès-verbal du 20 février 1665, *JDCS*, tome I.

(61) Le domestique ainsi congédié se reconnaît débiteur pour 149 l. 10 sols, qu'il rendra à la première demande. M. not., 11 mai 1661, Basset.

condition, mais ils sont rares. Le défrichement est le facteur qui a déclenché la demande de main-d'œuvre au Canada, la raison d'être des hommes de service.

III) *les changements de maître.*

Les engagés font l'objet de diverses transactions qui constituent un des aspects les plus détestables de l'état de servage. Qu'il recrute directement son domestique ou qu'il l'achète d'un armateur rochelois, le premier maître n'est souvent pas le dernier. Les colons, voire les communautés, vendent et louent volontiers leurs hommes de travail (62).

L'engagé est parfois cédé en même temps que la terre sur laquelle il travaille. L'acheteur rembourse au vendeur une partie des frais initiaux, acquitte immédiatement les dettes de l'engagé envers le premier maître, le cas échéant, qu'il déduira ensuite de ses gages pour le temps qui reste à courir (63). Antoine Courtemanche, engagé en 1659 par le Sulpicien Souart, pour cinq ans à 65 l. de gages annuels, est cédé à l'arrivée au major de la garnison. Au bout d'un an, ce dernier afferme sa terre et abandonne au preneur les quatre années de service dues par Courtemanche, moyennant 200 l. (64).

On rencontre à Montréal des engagés que des particuliers ont acquis de la Société de Notre-Dame ou du Séminaire de Québec (65). Citons le cas de ce serviteur recruté sans doute par la Compagnie des Indes occidentales, acheté par le gouverneur des Trois-Rivières, revendu à un armurier de Montréal qui le transporte à son tour à un habitant de l'île ; quelques mois plus tard, la veuve de ce dernier le rétrocède à l'armurier (66).

(62) Paul-Émile Renaud, *op. cit.*, p. 240.

(63) Vente d'une habitation par Médéric Bourduceau, marchand, à F. de Sailly, M. not., 20 septembre 1661, Basset ; réengagement de Claude Pugies à Jean Magnan, 25 juillet 1684, *ibid.*

(64) Bail à ferme de Lambert Closse à Pierre Papin, 4 octobre 1669, *ibid*, Basset.

(65) Reconnaissance de dette par Jean Armande à Vincent Philippe, 21 avril 1675 ; arrêté de compte entre J. Décarri et A. Chevasset, 15 décembre 1658, *ibid.*

(66) Transport et rétrocession de Jean Senelay, compagnon, entre Pierre Gadois et la famille Hurtebise, 14 mars et 15 mai 1672, *ibid.*

Pratiquées à l'échelle individuelle, ces transactions ne sont pas une source de profits, car les conditions du contrat dictent celles des transports. Elles permettent de répartir les frais de l'enrôlement et du voyage et de se débarrasser d'une obligation devenue trop onéreuse. Les marchands de la colonie trouvent sans doute le moyen « de gratter quelque ristourne » sur les frais généraux tout comme les Rochelois (67). On ne peut expliquer autrement l'intérêt de Boucher à lever une centaine d'hommes qu'il baille ensuite à divers habitants (68) ou celui de Charles Lemoyne qui monte des engagés à Montréal « pour y être distribués (69) ».

La location d'un engagé à la journée ou pour de courtes périodes ne laisse pas de traces dans les archives. A l'époque des gros travaux agricoles, un maître retire 30 sols par jour de chaque serviteur dont il peut disposer. S'il réussit à faire travailler un homme quarante jours par an pour autrui, il récupère la valeur des gages d'une année.

L'opération est encore plus avantageuse lorsque le colon possède un homme de métier. A son arrivée au Canada en 1665, le premier intendant constate que « la plupart des habitants sont maîtres des gens de mestier, qu'ils tiennent à leurs gages et qu'ils ne prestent ou ne louent à journée qu'à grosse récompense, ce qui fait la cherté de main d'œuvre » (70). La pratique continue d'être rentable, même après la chute de la demande générale de travailleurs, car, dans certains métiers, les hommes sont rares et chers. C'est pourquoi le courant des enrôlements par les particuliers ne tarit jamais tout à fait. Ceux-ci profitent de leurs voyages en France pour recruter eux-mêmes des candidats de choix qui ne viendraient pas par les voies ordinaires. Tel cet officier de Montréal qui engage un perruquier parisien pour trois ans, à trente-cinq écus blancs par année, dans l'espérance des profits que rapporteront la fabrication et la vente des perruques (71).

(67) Gabriel Debien, « Engagés pour le Canada au xviie siècle vus de La Rochelle », *RHAF*, VI, 2 (1952), p. 216.
(68) Procès-verbal du 17 octobre 1663, *JDCS*, tome I.
(69) Procès-verbal du 9 septembre 1664, *ibid.*
(70) Lettre de Talon à Colbert, 21 mai 1665, AC, C11A2, f° 138.
(71) Procédures intentées par Claude Chamberry contre Louis d'Aille-

IV) *les terres, le commerce des fourrures et le mariage.*

Les engagés qui expriment le désir de s'établir reçoivent, sitôt leur temps accompli, une terre ou un « billet de concession » ou droit de préemption sur une terre donnée. Il n'est pas impossible que certains aient obtenu ce billet avant la fin de leur contrat, mais ils ne sont pas pour autant propriétaires et, à moins que leur maître leur accorde des loisirs pour y faire des travaux, cette terre est de nulle valeur. Nous ne croyons pas qu'un seigneur canadien ait jamais refusé une terre au nouvel affranchi qui en fait la demande, hormis peut-être à Montréal, avant 1662 (72).

Tant qu'il est lié par son contrat, l'engagé n'a pas de titre de propriété dans la colonie, il n'est pas « habitant », et son statut lui interdit de faire la traite des fourrures. Il y a des exceptions à la règle. Dans leur mission de Kenté, les Sulpiciens autorisent leurs serviteurs à troquer avec les Indiens, ce qui leur permet de réduire les gages et malgré les pressions de l'intendant ils n'ont pas encore renoncé à cette pratique en 1682 (73). Dans la colonie, les autorités surveillent de plus près, et les maîtres n'ont aucun intérêt à ce que ces garçons traitent à leur compte et ceux-ci disposent d'ailleurs de si peu que les possibilités de fraude sont limitées.

L'engagé n'a pas le droit de fréquenter les cabarets, ce à quoi il doit être assez facile de passer outre. Il va de soi qu'il ne lui est pas permis non plus de se marier. Les autorités n'ont pas besoin d'intervenir, les maîtres et plus encore les circonstances matérielles l'interdisent. Les Jésuites poursuivent un de leurs domestiques qui a signé un contrat de mariage, et ils obtiennent du Conseil un jugement qui empêche le garçon de donner suite à son projet (74).

boust, 10 juin 1689, bailliage, 2ᵉ série, vol. 1, p. 752. D'Ailleboust n'ayant pu produire le contrat d'engagement doit libérer le perruquier.

(72) Voir *infra*, 3ᵉ partie, chap. II.

(73) Lettres de M. Tronson, 5 avril et 20 mai 1677 et 15 mai 1682, ASSP, XIII, pp. 50-60, 99-100 et 288.

(74) Requête du procureur des R. P. Jésuites contre Jean Brusseau engagé à la Rochelle le 5 avril 1680, procès-verbal du 27 juillet 1682, *JDCS*, tome II, pp. 803 et 806.

Dans les groupes arrivés à Montréal en 1653 et en 1659, nous relevons 47 mariages. Aucun n'a été conclu pendant la durée de l'engagement, 13 sont bénis dans les semaines, voire les jours qui suivent l'expiration du contrat, et les autres s'étalent sur les sept années suivantes.

v) *les peines.*

C'est dans les peines réservées aux engagés insubordonnés et fugitifs que l'institution apparaît sous son plus mauvais jour. Il ne peut y avoir d'autres sanctions pour ces hommes qui ne possèdent rien que les châtiments corporels et la prolongation de leur servitude. Mais ces peines et surtout leur application varient dans le temps. Elles sont sévères et assez rigoureusement appliquées jusqu'aux environs de 1676-1677, c'est-à-dire pendant toute la période où les engagés sont relativement très nombreux. En 1653, ils composent la moitié de la population de Montréal. En 1666, ils sont 350 dans la colonie, soit plus du quart de la population masculine de quinze ans et plus. Il faut tenir cette masse d'hommes en respect, l'empêcher de déguerpir et de ruiner les colons, en imposant aux insoumis des peines qui ont valeur d'exemple.

La faute la plus fréquente et la plus grave est la fuite, pour laquelle il y a d'abord des mesures préventives. Il faut un passe-port pour s'embarquer pour l'Europe et les autorités essaient d'étendre le contrôle aux navires de pêche qui fréquentent le golfe Saint-Laurent, car « les serviteurs et hommes de labeurs qui servent à gages pour la culture des terres entreprennent de repasser en France à l'insu de leurs maîtres, s'embarquent nuitament dans des chaloupes avec lesquelles ils descendent le long du fleuve et autres endroits où ils rencontrent des navires français qui font la pêche... ». L'arrêt prévoit une amende arbitraire et une punition corporelle (75).

On oblige les maîtres à faire enregistrer au Conseil les congés qu'ils remettent à la fin du service et qui servent ensuite de

_____

(75) Arrêt du Conseil du roi portant défense à tous les habitants de la Nouvelle-France d'en sortir sans le congé du gouverneur, 12 mars 1658, AC, C11A, vol. 1.

passeport (76). Mais plutôt que les contrôles officiels, ce sont les obstacles naturels de ce pays sauvage qui, dans les premiers temps, rendent la fuite difficile. L'exemple de seize soldats morts de misère dans leur fuite, qui « se seraient mangés les uns les autres », dut faire réfléchir (77). En 1665, trois serviteurs rattrapés alors qu'ils cherchaient à s'évader du pays, sont condamnés l'un à être pendu ou à accepter la charge de bourreau, l'autre à être fustigé, le dernier à servir deux années de plus que son temps (78). Encore en 1673, le Conseil impose le carcan, les verges ou le fer rouge aux engagés qui quittent leurs maîtres (79).

Pour absence et débauchage, on utilise les amendes plutôt que les châtiments corporels. La réparation d'une journée perdue est fixée à 4 l. en 1663 (80), ce qui revient à dire que pour une absence d'une journée, l'engagé qui est incapable de payer l'amende en espèces doit fournir à son maître vingt journées de travail additionnel au prix du contrat. Il y a en outre une amende fixe qui varie entre 10 et 20 l. pour le domestique débauché, et qui va jusqu'à 100 l. pour le colon qui l'a débauché (81).

Les circonstances atténuantes sont prises en considération. Les colons coupables d'avoir retiré un domestique font jouer des influences, et ces fortes amendes ne sont pas toujours imposées. La législation elle-même s'adoucit rapidement et, en 1678, une journée d'absence ne vaut plus que 50 sols (82). Mais les sanctions pour bris de contrat et mauvaise conduite demeurent toujours plus fortes pour les engagés que pour les domestiques nés dans la colonie : question de déboursés initiaux et, sans nul doute, de statut social. Pour une absence de huit jours, fréquentation des cabarets et insolence, un engagé

---

(76) Arrêt du 10 décembre 1664, *JDCS*, vol. 1.

(77) Rapporté en avril 1653 dans *Le Journal des Jésuites*, p. 183.

(78) Jugement du 24 mars 1665, *JDCS*, vol. 1.

(79) Arrêt du Conseil du 2 juin 1673 enregistré à Montréal le 10 novembre 1675, E.-Z. Massicotte, *Répertoire des arrêts*.

(80) Jugement du 5 décembre 1663, *JDCS*, vol. 1.

(81) Jugement du 10 décembre 1664 et diverses condamnations semblables entre 1663 et 1665, *ibid.*, vol. 1.

(82) Procédures entre Pierre Rivière et l'évêque de Québec, 4 juillet 1678, *ibid.*, vol. 2.

est condamné à s'excuser à genoux, à payer 60 l. d'intérêts civils à son maître et à parachever ses cinq ans (83). Un fils d'habitant obtient facilement, en payant un juste dédommagement, la résiliation d'un contrat de service (84). Les engagés astucieux qui tentèrent d'obtenir l'affranchissement sans encourir les châtiments du tribunal, en « ennuyant » simplement leur maître pour l'obliger à les chasser, se heurtèrent à la volonté des législateurs, résolus à maintenir l'intégrité de l'institution : la Cour remplace l'ancien maître qui n'en peut plus par un nouveau plus résolu, jusqu'au terme du contrat (85). Ce sont ordinairement les maîtres qui intentent les procédures et ont gain de cause en raison d'une dizaine de procès, année moyenne dans la période de forte immigration. Quelques domestiques poursuivent pour gages non payés, mais lorsque le maître présente la facture des avances, ces plaintes perdent du poids.

Dans l'ensemble, toute cette législation s'inspire du même principe et est à peu près semblable à celle en vigueur dans les colonies anglaises et elle marque la même évolution dans le temps avec la différence que l'adoucissement des conditions pour le serviteur blanc du Maryland ou de la Virginie correspond à l'émergence de la doctrine de l'esclavage noir, alors qu'au Canada, ces mesures répressives ne viseront plus que les soldats qui viendront remplacer les engagés (86).

VI) *les économies à la fin du service.*

Pendant les années de service, l'engagé acquiert l'expérience du pays, noue des relations, s'assure dans bien des cas la protec-

(83) Procédures entre Charles Le Gardeur et Jean Denison dit le Gascon, 12 août 1686, *ibid.*, vol. 3.

(84) Appel au Conseil d'une sentence de la prévôté de Québec par Chartier, 30 juin 1692, *ibid.*

(85) Jugements des 5 décembre 1663 et 10 décembre 1664, *ibid.*, vol. 1. Il y a un projet de règlement par Talon, touchant le châtiment des domestiques qui n'a pas été adopté intégralement (24 janvier 1667). Voir P.-G. Roy, *Ordonnances, commissions, etc., des gouverneurs et des intendants de la Nouvelle-France 1635-1706*, vol. 1, p. 51.

(86) A. E. Smith, *op. cit.*, chapitre XII : « The Servant in the plantations »; O. et M. F. Handlin, « Origins of the Southern Labor System », *William and Mary Quarterly* (avril 1950), pp. 199-222.

tion de son ancien maître, mais il amasse peu d'économies en prévision de son établissement.

Si nous reprenons l'exemple théorique de la page 64, cet engagé disposerait au bout de trois ans de 80 l. en espèces ou valeurs négociables, d'un fusil et de quelques hardes. Il correspond à tous les cas concrets que nous avons rencontrés. Antoine Chevassot, engagé en 1653 à 50 l. de gages, termine son service cinq ans plus tard avec 90 l. Son maître a remboursé 52 l. pour effets délivrés à l'embarquement et lui a fourni pour 158 l. de hardes, fusil, plomb, etc. (87). Les autres comptes sont encore moins favorables aux serviteurs et ils ne nous révèlent pas les dettes possiblement contractées envers des tiers. Un serviteur qui reste débiteur de son maître à la fin du contrat, peut être astreint à poursuivre son service jusqu'à l'entier paiement (88).

Si nous considérons que ces hommes sont à peu près nus lorsqu'ils signent leur engagement et que les premières avances couvrent leurs besoins immédiats pour la traversée, qu'il leur faut d'autres vêtements appropriés au climat dès le premier hiver, et un fusil, obligatoire pour tous, que le blanchissage, les médicaments sont aussi portés à son compte (89), que la consommation de vin et d'eau-de-vie assez fréquente est coûteuse, que le maître est en droit de retenir sur les gages les outils et ustensiles perdus (90), il est clair que les 300 l. de gages étalés sur cinq ans sont lourdement hypothéqués au moment de l'affranchissement.

Six inventaires après décès d'engagés, encore en service dans la colonie, ont été conservés. A leur actif, un coffre de sapin, quelques chemises, un manteau, un chapeau, une paire de chaussures, une ou deux peaux, un fusil, des raquettes et une créance pour les gages non encore versés. Une fois ces biens

(87) Compte arrêté entre J. Décarri et son domestique, M. not., 15 décembre 1658, Basset. Voir aussi les contrats des 14 mars 1672 et 21 avril 1675, l'inventaire du 5 mai 1661, *ibid.*

(88) Engagement de Jean Senelay à M. Hurtebise, 14 mars 1672, *ibid.*

(89) Procès-verbal du 10 novembre 1663, *JDCS*, vol. 1.

(90) Procès-verbal du 30 octobre 1663, *ibid.*

vendus et déduction faite des dettes envers le maître, il reste tout juste assez pour payer l'enterrement (91).

Ceux qui rentrent en France après leur temps ont des chaussures aux pieds et des vêtements qui tiennent chaud. Le Canada les a aguerris et dégourdis, mais ne les a pas enrichis. On en voit quelques-uns qui profitent de ce voyage de retour gratuit prévu au contrat pour aller visiter leur famille et régler leurs affaires, avant de s'installer dans la colonie. Mais ils n'ont pas les 30 l. qu'il faut pour payer la deuxième traversée et force leur est de signer un nouvel engagement ou une reconnaissance de dettes (92).

Quelques engagés décident de rester en service après l'expiration de leur premier contrat, soit 10 cas sur les 132 recrues de 1653 et de 1659. Pour certains, c'est la façon la plus sûre de s'établir sans s'endetter, et nous supposons que les conditions qu'ils obtiennent, une fois affranchis, sont sinon plus avantageuses, du moins plus douces. Pour d'autres, c'est un aveu d'incapacité et, heureux d'avoir trouvé la sécurité, ils ne prennent plus aucun risque. Ce sont les plus âgés qui finissent généralement leurs jours à l'emploi des communautés.

Si les engagés du XVIIe siècle qui reçoivent des gages somme toute assez élevés, n'ont pas réussi à économiser, qu'en est-il de ces garçons qui passent après la paix d'Utrecht pour 25 l. de gages, ou la valeur de 300 livres de sucre (environ 10 l. par année), sans provision pour le retour (93)? Mais l'écart est peut-être moins grand qu'il n'y paraît si les maîtres assument l'entretien, ce qui, au XVIIe siècle, n'est certes pas le cas.

---

(91) Voir les inventaires de Jacques Boisseau, Tècle Cornélius, 5 mai 1661, Jean Beaudoin, Michel Paroissien, Charles Roqueville, 25 mai 1660, Pierre Couasné, 23 décembre 1663, etc., M. not., Basset; Adrien Pouliot et S. Dumas *L'exploit du Long-Sault*, Québec, 1960, p. 13.

(92) Cas d'Urbain Baudreau et Michel Bouvier recrutés en 1653 et réengagés en 1659; de René Fezeret, serrurier à Québec, qui s'endette pour repasser en Canada en 1659, de Pierre Mousnier, qui revient au Canada en 1663, à nouveau comme engagé. Le curé de Notre-Dame intercède en faveur de ce dernier pour faire annuler le second engagement, mais est débouté de sa demande au Conseil, 16 octobre 1663, *JDCS*, vol. 1.

(93) Gaucher, Delafosse et Debien, *art. cit.*, 13, pp. 257 sqq.; 14, p. 108.

e) *Ceux qui rentrent et ceux qui demeurent.*

Quelle proportion de ces engagés choisit de s'établir au Canada? En confrontant les rôles des recrues, les recensements par tête et les travaux des généalogistes (94), il est possible d'apporter quelques éléments de réponse.

TABLEAU 5.

Proportion de colons parmi les engagés
de 1653 et de 1659.

	Effectifs	%
Individus dénombrés à l'arrivée	124	100
Décédés avant de s'être établis	38	30
Recensés dans la colonie en 1666 ou 1667 :		
— encore domestiques	10 ⎫	52
— habitants (*)	54 ⎰	
Non recensés en 1666-1667 ni retracés ultérieurement	22	18

(*) Sont compris ceux qui sont morts après s'être mariés et dont la famille est recensée.

Notons d'abord que le nombre de décès est anormalement élevé pour un groupe d'âge où l'espérance de vie est bonne. Plusieurs sont tués dans les combats contre les Iroquois et des accidents comme les noyades dues à l'inexpérience des canots et des rapides.

Parmi les 22 individus non retrouvés, cinq disparaissent sitôt leur service achevé, d'autres s'attardent quelques années. S'ils s'étaient mariés au Canada, les généalogistes le signaleraient. Nous retenons l'hypothèse de décès non enregistrés, mais non pas celle de fuite dans les bois, car nous sommes

(94) Surtout le *Dictionnaire généalogique des familles canadiennes françaises* de Mgr C. Tanguay, les travaux de R.-J. Auger et A. Godbout déjà cités.

encore à l'époque où personne ne s'aventure seul au delà des
postes habités. Vraisemblablement, presque tous sont rentrés
en France. Cinquante deux pour cent des survivants s'établissent dans la colonie et, à trois exceptions près, dans l'île de Montréal. En supposant un comportement analogue pour ceux qui
sont morts prématurément, ce sont les trois quarts des engagés
recrutés en 1653 et en 1659 qui décident de demeurer au Canada :
un taux de fixation assurément élevé, si nous le comparons à
celui des domestiques de 1666-1667.

TABLEAU 6.

*Proportion de colons parmi les engagés
recensés en 1666 et en 1667.*

	Effectifs	%
Engagés recensés en 1666 et en 1667 (*).........	143	100
Décédés pendant ou immédiatement après le service .	5	3
Recensés dans la colonie en 1681 (**) :		
— encore domestiques	3 ⎫	
— établis à Montréal	32 ⎬	40
— établis ailleurs au Canada................	23 ⎭	
Non recensés en 1681 ni retracés ultérieurement	80	57

(*) Soit ceux qui sont bien identifiés par leurs noms et prénoms.
(**) Sont compris ceux qui sont morts après s'être mariés et établis.

Ici, il convient d'être plus prudent. Les généalogistes se sont
penchés méticuleusement sur les premières recrues pour Montréal, mais les domestiques de 1666-1667 forment un groupe
plus anonyme qui n'a pas été l'objet d'études particulières.
Lorsque Montréal ne compte qu'une poignée d'habitants
menacés, la mort d'un homme ne passe pas inaperçue. Le sous-
enregistrement des décès est plus important par la suite. Enfin,
les temps ont changé. En 1681, la course des bois bat son plein
et ceux qui ne se marient pas, mais restent en Amérique à la

recherche de quelque Eldorado, sont susceptibles d'échapper à nos recherches.

Nous pouvons à tout le moins conclure, en tenant compte des omissions possibles dans Tanguay, qu'environ 50 % de ces engagés ne feront pas souche au Canada, soit à cause de décès, célibat définitif ou départ pour la France. Les départs ne se placent pas nécessairement tous à la fin du contrat. Des engagés affranchis viennent grossir le groupe des « volontaires » de toutes provenances qui cherchent fortune, font fi du mariage et de la culture des terres. C'est un groupe intermédiaire entre les serviteurs et les « habitants » que les esprits peureux comparent aux bandits de Naples, aux boucaniers de Saint-Domingue (95).

Ces marginaux, issus de la grande vague d'immigration, vont se résorber peu à peu. Si l'aventure réussit à quelques-uns, on les voit tôt ou tard sortir de la clandestinité. Les autres ou bien périssent ou bien renoncent et repartent. C'est une bien faible proportion de ces 80 disparus qui a pu achever une existence anonyme dans les bois.

Si le quart des premiers engagés recrutés avec plus de soins et favorisés à bien des égards, retournent malgré tout en France, il est permis de croire qu'au moins le tiers de ceux qui furent enrôlés au petit bonheur (96) et soumis rigoureusement à un servage de trois ans, rentrent dans leur pays. Colbert n'écrit-il pas en 1669 : « Il faudra surtout prendre garde à l'avenir qu'un si grand nombre d'habitans ne repassent tous les ans dans le Royaume (97)? » Mais si nous la comparons à celle des autres colonies — Maryland (98) ou Martinique —, l'image est positive. La majorité de ces garçons consentent, après avoir défriché pendant trois ans pour un maître, à recommencer à leur compte.

(95) Description du Canada..., 1671, AC, C11A3, fᵒ 201; Mémoire de Patoulet à Colbert, 25 janvier 1672, *ibid.*, fᵒ 274.

(96) Recrutés par les marchands de La Rochelle, Rouen, etc., pour leur compte ou celui de la Compagnie des Indes occidentales. Voir Gabriel Debien, *art. cit.* pp. 190-193.

(97) Lettre de Colbert à Talon, 3 juillet 1669, AC, B1, fᵒ 138 vᵒ.

(98) Selon A. E. Smith, 7 % seulement des 5 000 engagés qui entrèrent dans cette colonie, entre 1670 et 1680, y prennent une terre. (*op. cit.*, pp. 298-299.)

f) *l'ex-engagé dans la société.*

Son temps accompli, l'engagé qui prend une terre et une femme comble les vœux des administrateurs. Il est un « habitant » et il n'y a pas à priori d'infériorité sociale attachée à ses antécédents. Le désavantage est d'ordre économique et s'il a la santé, le sens pratique et l'énergie qu'il faut pour le surmonter, ses origines ne sont pas une entrave. Elles s'estompent dans une modeste réussite. Le moment est un facteur important.

Les engagés qui passèrent à Montréal entre 1642 et 1660, furent accueillis comme de futurs colons. Ceux qui suivirent, comme des domestiques d'abord. Encore dans les recensements de 1666 et de 1667, les serviteurs sont désignés par leurs prénoms, noms et surnoms. En 1681, il y a surtout des prénoms ou des sobriquets isolés : ils sont anonymes.

L'écart est grand entre les chances de s'intégrer rapidement à la société existante et de gravir quelques échelons pour les engagés de la fin du XVIIe siècle, et celles qui attendaient les premiers venus à qui on demandait, somme toute, de créer cette société. C'est parmi ceux-ci que nous rencontrons les quelques-uns qui se hissèrent au-dessus de la masse. On dira qu'ils étaient mieux recrutés, donc plus aptes. Nous répondrons qu'à toutes les époques, il y eut le pire et le meilleur, et que c'est le pays qui fait le tri, qui garde l'élite ou qui la décourage. Ce que la masse des engagés apporte à la colonie importe moins que ce que la colonie peut leur offrir.

5. *Les filles.*

Entre 1646 et 1715, 178 filles venues de France se marient dans l'île de Montréal, ce qui porte l'immigration féminine à environ 20 % de l'immigration permanente totale (99).

La Société de Notre-Dame confie aux dévotes qui accompagnent le gouverneur le soin de trouver des filles et, à partir de 1659, les Sulpiciens en recrutent un certain nombre dans leur

(99) Nous comptons 650 mariages d'immigrants masculins.

paroisse à Paris. Les marchands firent passer quelques servantes, puis la Compagnie des Indes occidentales en incorpora dans ses listes d'engagés. Malgré tout, en 1666, il y a encore 126 célibataires masculins de vingt ans et plus, et aucune fille à marier. Or, le mariage seul parvient à fixer dans la colonie les domestiques affranchis et les soldats que l'on voudrait démobiliser sur place. L'administration tire donc quelques centaines de filles de la Pitié (100) et confie à l'archevêque de Rouen le soin d'en trouver en Normandie. A partir de 1673, elle cesse d'en recruter, comptant sur celles qui grandissent dans le pays, les autres qui émigrent volontairement, souvent à la suite d'un parent déjà établi, et quelques servantes embarquées par les armateurs.

L'importation des filles n'est pas une opération profitable, et c'est pourquoi seuls l'État et les communautés soucieuses d'affermir le pays s'en préoccupent. On ne leur donne pas le temps de servir pour rembourser leur passage et, pour encourager les mariages, l'État verse une dot de 50 l. à celles qu'il distribue (101). Les 31 filles qui passent à Montréal avec les recrues de 1653 et de 1659 se marient toutes dans l'année, certaines, quelques semaines à peine après leur arrivée.

La procédure est encore plus expéditive pour celles qu'on appela « filles du roi », qui trouvent des épouseurs sur les quais à Québec (102). Elles en trouvent toutes, même les plus disgraciées, les moins recommandables (103). On constate alors

---

(100) Gustave Lanctôt, *Filles de joie ou filles du roi*, Montréal, 1952, pp. 121-125. Selon cet auteur, 360 filles de la Pitié seraient passées dans la colonie entre 1669 et 1673. Voir aussi Paul-Emile Renaud, *op. cit.*, pp. 258-263.

(101) Sous forme de hardes, parfois une vache. Après 1673, la dot est souvent supprimée, faute de fonds. (Lettres de Duchesneau, 10 novembre 1679 et 13 novembre 1680, AC, C11A5, fᵒ 54 et fᵒ 165; lettre de Champigny, 16 novembre 1686, *ibid.*, 8, fᵒ 249 vᵒ.) Le gouverneur supplie de rétablir cette libéralité : « Il y en a beaucoup qui se plaignent de n'avoir rien reçu depuis plusieurs années. » (13 novembre 1685, *ibid.*, 7, fᵒ 106).

(102) Lahontan, *op. cit.*, vol. 1, pp. 11-12, lettre du 2 mai 1684. Les 165 filles envoyées en 1670 se marient avant l'hiver (lettre de Colbert à Talon, 1671, AC, B3, fᵒ 23).

(103) Voir la lettre de l'intendant du 12 novembre 1684 où il est question de six misérables servantes trouvées sur le pavé à La Rochelle, « qui ne

que celles de la Pitié ne sont pas assez robustes pour résister au climat et à la culture des terres (104). « L'expérience fait voir, écrit Marie de l'Incarnation, que celles qui n'y [dans les villages] ont pas été élevées ne sont pas propres pour ici étant dans une misère d'où elles ne peuvent se tirer (105). » Et c'est pourquoi Colbert demande à Harlay de trouver des villageoises dans son diocèse.

Donc problèmes de santé d'abord. Celui des mœurs, des antécédents est bien secondaire. Les filles « débauchées » sont renvoyées, en entendant par là celles qui sont enceintes à l'arrivée (106). Les recruteurs doivent s'assurer qu'elles ne sont pas déjà mariées, et pour le reste, l'État s'en remet à l'autorité des maris. Avec raison d'ailleurs, car l'immigration de ces filles ne s'accompagne d'aucun désordre. Elles sont jeunes et leur passé ne peut pas être lourd (107). Elles échappent sans doute à des misères plus grandes que celles qui ont poussé leurs maris hors de France. Qu'elles soient envoyées par les directeurs de l'Hôpital général ou par des parents qui veulent s'en décharger, elles se retrouvent sur une terre isolée dans une misérable cabane avec un homme qu'elles ne connaissent pas, sans avoir rien choisi, mais elles ont gagné une certaine sécurité dans l'aventure. Ces femmes viennent souvent vider leurs querelles devant le bailli, mais leurs injures et calomnies ne touchent que le présent. Dans un cas seulement, l'une d'elles est accusée

manqueront point de trouver à se marier dans le pays » (AC, C11A6, f⁰ 401).

(104) Colbert à l'archevêque de Rouen, 27 février 1670, à propos des filles de la Pitié, AC, B2, f⁰ 15 v⁰.

(105) Cité par Gustave Lanctôt, *op. cit.*, p. 213.

(106) Le gouverneur d'Argenson dénonce l'insolence d'un marchand rochelois (Péron), qui a fait passer « une fille débauchée actuellement grosse et qu'il savait être en cet état. Je l'ai condamné à la ramener à La Rochelle, à tous les dépends [...] et à 150 livres d'amende... » (lettre du 14 octobre 1658, copie Faillon, X, 136).

(107) Colbert à Talon, 1671, AC, B3, f⁰ 23. Dans l'ensemble, si les archives judiciaires peuvent éclairer tant soit peu la qualité de cette immigration, la conduite de ces femmes est peut-être meilleure que celle des Canadiennes, vingt ans plus tard. Pas de prostitution dénoncée en ces premières années; plusieurs cas d'injures, calomnies, coups et blessures comme nous pouvons nous y attendre; un meurtre imputé à une fille recrutée par l'Hôtel-Dieu.

d'avoir eu la fleur de lys en France, et c'est une fille de la colonie qui ose le dire (108).

Pour les officiers, les jeunes gens plus délicats, l'État amena à grands frais un petit nombre de filles bien nées, les « demoiselles » qui sont logées dans les couvents le temps qu'on les courtise et tirent chacune jusqu'à 600 l. sur le fonds de la colonie (109). Les marchands établis et les ecclésiastiques profitent de la demande pour inviter des jeunes filles de leur famille et plus d'une pauvre cousine trouva ainsi un parti avantageux.

Ce sont deux immigrations parallèles que les contemporains ne confondent pas.

6. L'armée et la marine.

a) les hommes.

L'importance des effectifs militaires au Canada et les conséquences qui s'ensuivent pour la société ont été récemment mises en lumière par W. J. Eccles (110). Observé à Montréal, le phénomène prend encore plus d'ampleur. Des vingt-quatre compagnies qui sont envoyées dans la colonie en 1665, cinq sont cantonnées dans l'île et cinq autres sont employées à bâtir des forts dans les environs. C'est à peine si la seigneurie compte une centaine de maisons, ou familles établies, lorsque le gouvernement émet la première ordonnance pour le logement de ces gens de guerre (111).

Le ministre avait décidé d'utiliser le régiment de Carignan-

---

(108) L'accusatrice, Roberte Gadois, est condamnée aux réparations et à 20 l. d'amende après le rapport négatif du chirurgien. Bailliage, procès-verbal du 28 septembre 1676 (copie Faillon, KK, 328).

(109) État des gratifications, 26 mars 1669, AC, B1, fᵒˢ 110 vᵒ-112; mémoire de Talon, 10 novembre 1670, C11A3, fᵒ 83 vᵒ.

(110) W. J. Eccles, « The Social, Economic and Political Significance of the Military Establishment in New France », *CHR*, LII, 1 (mars 1971), pp. 1-22.

(111) Ordonnance de M. de Courcelles du 25 octobre 1665 (E.-Z. Massicotte, Répertoire des arrêts). Trois cents hommes environ ont leur quartier d'hiver à Montréal, et 7 à 800 circulent dans l'île durant les autres saisons.

Salières pour peupler le Canada, mais attendit que les intéressés fussent sur place pour leur communiquer la décision (112). Il fallait d'abord compléter les compagnies décimées par la campagne d'Italie. De Marsal en Lorraine, où il avait commencé à se réorganiser, le régiment fut acheminé vers La Rochelle et Brouage, d'où il devait s'embarquer au printemps pour une campagne de quinze à seize mois (113). Les capitaines et les sergents recruteurs provoquèrent des désordres dans tout le pays. En janvier, les plaintes se multiplièrent dans la généralité d'Orléans (114). A la fin de février, aucune compagnie n'étant encore complète, le racolage s'intensifia et réussit à soulever la colère des villes et villages d'Aunis. Un sergent fut assassiné à Saint-Jean-d'Angely, et on dut y établir un corps de garde pour freiner les violences des habitants contre les officiers (115). Le régiment complété l'année suivante dans le Poitou (116) va passer trois ans au Canada, en même temps que quatre autres compagnies détachées, et lorsque ces troupes retournent en France en 1668, elles laissent derrière environ le tiers de leurs effectifs, 400 hommes, ce qui ne dépasse pas le nombre d'engagés recrutés par la Compagnie des Indes occidentales durant ces mêmes années (117). L'État a recours à un autre enrôlement pseudo-militaire en 1669 qui amène quelque 300 colons (118).

(112) R. Roy et G. Malchelosse, *Le régiment de Carignan*, Montréal, 1925, p. 24. Il était important de dissimuler ces vues avant l'embarquement, mais les lettres du ministre laissent entendre, à mots couverts, que la décision était déjà prise (Minutes d'une lettre de Louvois à M. de La Galissonnière, service historique de l'Armée (France), A1, vol. 191, f° 228).

(113) Lettre de Louvois à M. de La Tour, 6 janvier 1665, *ibid.*, f° 44.

(114) Considérant que le régiment est destiné au Canada, Sa Majesté a bien voulu user d'indulgence envers les recruteurs, écrit Louvois à La Galissonnière, le 27 janvier 1665, *ibid.*, f° 228.

(115) Voir les lettres du ministre à De Launay, prévôt des maréchaux de Saint-Jean-d'Angely, 28 février 1665; à M. Du Chaunay, commissaire des guerres, 28 février, 15 et 30 mars 1665; aux syndics de cette même ville, 17 mars 1665, *ibid.*, f°s 445, 446, vol. 192, f°s 88, 93 et 96.

(116) Louvois à Colbert du Terron, 15 février 1666, *ibid.*, vol. 199, f° 467.

(117) On avait espéré davantage, comptant sur les officiers pour donner l'exemple aux soldats. Ils pouvaient, s'ils insistaient, revoir la France, mais y coucheraient sur la paille, menace Colbert. (Lettre dans Clément, vol. 3, p. 395, citée par P.-E. Renaud, *Les origines économiques du Canada*, p. 243).

(118) Soit 333 soldats et bas-officiers, d'après W. J. Eccles, *art. cit.*, p. 3. Voir les gratifications accordées à ces nouvelles recrues, 11 février 1671, AC, B3, f° 19.

A Montréal, en 1681, nous dénombrons 31 soldats et bas-officiers réformés du régiment de Carignan (119). A supposer que ceux qui sont démobilisés vers 1669 et 1670 soient pareillement représentés, les ex-militaires n'occuperaient encore que le cinquième des feux de la seigneurie.

Entre eux et la masse de la population venue comme domestiques, faut-il faire des distinctions? Les derniers soldats enrôlés furent sans doute les premiers réformés, ce qui fait que, dans l'ensemble, ces hommes ont le même âge, viennent des mêmes régions et ont connu les mêmes expériences (120). Dans la majorité des cas, l'arrière-plan social est identique, mais c'est parmi les soldats seulement que nous rencontrons des exceptions : des fils de bourgeois, de marchands, de notaires, qui ne se seraient pas abaissés jusqu'à l'engagement civil (121). Ainsi trouve-t-on trois ex-soldats du régiment de Carignan, fils de bourgeois, établis comme marchands à Montréal en 1681 (122).

Les conditions offertes à ces premières recrues militaires qui veulent se faire colons, sont meilleures que celles consenties aux engagés. La durée de leur service n'a été que de trois ans pour les uns, et moins encore pour ceux du second groupe. Ils n'ont rien à rembourser et reçoivent, avec leur congé, une somme de 100 l. pour s'établir (123).

Le Canada ne conserve qu'une faible garnison jusqu'à la reprise des hostilités avec les Iroquois et le début des campagnes intercoloniales. A partir de 1683, il reçoit des compagnies détachées qui relèvent de la marine et non du département de la guerre (124). Entre 1685 et la fin de la guerre de la Ligue

(119) D'après la liste de Roy et Malchelosse, *op. cit.*, pp. 85-111. Il n'existe aucun rôle de soldats réformés.

(120) Parmi les démobilisés, quelques rares individus, originaires des provinces de l'est, auraient joint le régiment avant son arrivée en Aunis.

(121) Selon Corvisier, les fils de notables forment en 1716,6,9 % du corps, et la proportion va en diminuant (André Corvisier, *op. cit.*, pp. 484-485). Ils auraient été relativement plus nombreux au début du règne de Louis XIV.

(122) Soit Pierre Perthuis, François Noir et François Pougnet, qui tiennent boutique sitôt réformés.

(123) W. J. Eccles, *art. cit.*, p. 3.

(124) *Ibid.*, p. 5. Lettre de La Barre, 12 novembre 1682, AC, C11A6, fos 59-65.

d'Augsbourg, les effectifs militaires oscillent entre 1 100 et
1 600 hommes, soit une trentaine de compagnies plus ou moins
complètes (125). Les deux tiers de ces hommes sont cantonnés
dans l'île de Montréal et les environs (126). La présence de
600 à 800 soldats, parmi une population de 1 500 à 2 000 habitants, marque toute cette période. Au début du XVIIIᵉ siècle,
le corps diminue, mais pas moins de 300 hommes continuent
à cantonner dans la région immédiate (127).

Les compagnies franches de la marine sont utilisées dans les
ports de la métropole et dans les colonies. Plus encore que pour
l'armée, le recrutement tend à se régionaliser et à se rapprocher
des anciennes levées massives d'engagés (128). Mais les engagements sont-ils aussi librement souscrits? On peut en douter,
sachant que les autorités ferment volontiers les yeux pendant
ces années de guerre et laissent agir les racoleurs comme bon
leur semble (129). Ceux destinés aux colonies sont envoyés
dans l'île d'Oléron et gardés à vue jusqu'à l'embarquement (130).
D'autre part, la qualité de ces recrues de la marine est sans nul
doute inférieure à tout ce qui a précédé. Alors que naguère les
compagnies, les armateurs et les particuliers avaient intérêt à
choisir des hommes sains, capables de supporter la traversée
et de fournir un travail accordé à leurs gages, ce souci disparaît
dès que c'est l'État qui lève les hommes, qui supporte le coût
de la mortalité durant le voyage, des maladies et infirmités dans

(125) Projet de M. de Callières, janvier 1689, AC, C11A10, fᵒ 26. On a
d'abord trente-cinq compagnies de cinquante hommes, puis trente-deux et
enfin vingt-huit, à partir de 1689, de façon à ce que chacune reste complète.

(126) En 1689, il y a jusqu'à vingt-deux compagnies campées autour de
la ville. Lettre de Champigny, 6 juillet 1689, *ibid.*, vol. 10, fᵒˢ 233-235. Voir
aussi vol. 12, fᵒ 87 vᵒ. et fᵒˢ 99-100.

(127) Le nombre d'officiers reste intact mais la troupe s'éclaircit, car il
n'y a pas eu de renforts pendant la guerre de succession d'Espagne. Lettre
du gouverneur et de l'intendant, 15 novembre 1713, *ibid.*, vol. 35,
fᵒ 4.

(128) Au début, l'intendant convertit les hommes inaptes au service en
domestiques et les remplace par des engagés robustes débarqués la même
année. Mais après 1685, il semble que la marine s'accommode de tout ce
qui vient. Lettres de Denonville, 4 mai 1685, et de De Meulles, 28 septembre 1685, *ibid.*, vol. 7, fᵒ 21vᵒ et fᵒ 150.

(129) André Corvisier, *op. cit.*, pp. 149-150.

(130) W. J. Eccles, *Frontenac, the Courtier Governor*, pp. 214-215.

la colonie. Les gouverneurs et intendants ne cessent de se plaindre de l'état lamentable des recrues (131).

Le congédiement systématique pour peupler le pays cesse d'être pratiqué dès que la situation militaire commence à se détériorer. Ce sont les administrateurs locaux qui prennent d'abord l'initiative de suspendre les congés absolus et, en 1686, le ministre leur en fait le reproche (132). Ils invoquent les dangers imminents, le manque de nouvelles recrues pour remplacer ceux qui désirent s'établir, lesquels, ajoutent-ils, sont en général les meilleurs soldats (133). Versailles se rend à ces raisons, et les congédiements sont suspendus jusqu'à la fin de la guerre, ce qui est d'ailleurs attesté par le mouvement de la population civile durant cette période (134). Quelques-uns cependant sont autorisés à se marier tout en restant dans les troupes (135). D'après les registres paroissiaux, il y aurait à Montréal environ 5 mariages de soldats chaque année entre 1686 et 1689, peu ou pas jusqu'en 1696, et une poussée de 44 mariages dans les deux années qui suivent la paix de Ryswick, ce qui semble confirmer que les mariages n'ont pas été autorisés pendant la guerre. Nous savons qu'au XVIIIe siècle, l'évêque interviendra en faveur du mariage des soldats, contre la volonté

---

(131) « C'est pitié de les voir », écrit le gouverneur le 6 novembre 1688, AC, C11A10, f°s 9-11. La mortalité en mer semble très élevée. En 1693, un sixième des recrues meurent en mer, ce que les autorités considèrent comme normal (*ibid.*, vol. 12, f° 211v^o) En 1685, c'est peut-être le tiers qui manquait à l'arrivée. Nous n'avons pas les rôles d'embarquement et de débarquement pour faire cette étude.

(132) *Ibid.*, vol. 8, f° 43 v°.

(133) Réponses aux lettres du Canada, 8 mars 1688, *ibid.*, vol. 10, f° 17.

(134) Il y a eu quelques rares congés accordés jusqu'en 1689, mais ces soldats n'ont pas reçu la gratification promise (*ibid.*, vol. 10, f°s 233-234). Une lettre de l'intendant du 13 octobre 1697, demandant au ministre s'il peut permettre aux soldats de se marier et de s'établir, indique bien que tout congé était depuis longtemps suspendu.

(135) Lettre de Denonville et Champigny, 6 novembre 1688, *ibid.*, vol. 10, f°s 9-11.

(136) Mandement de l'évêque Saint-Vallier de 1721, cité par E. Salone, *La colonisation de la Nouvelle-France*, Paris 1905, p. 345. Lors d'un interrogatoire dans un procès pour conduite scandaleuse, Antoine Boyer de l'île de Ré, en garnison à Montréal depuis quatre ans, se défend en invoquant qu'on ne l'a pas autorisé à se marier, comme promis. (Procès-verbal du 30 octobre 1715, bailliage (copie Faillon HH 89).

de leur capitaine, afin de préserver la morale et limiter le nombre de bâtards (136). C'est peut-être aussi à la pression des curés qu'il faut attribuer les rares mariages contractés durant les guerres du XVIIe siècle (137).

Si on invoque toujours la défense de la colonie pour justifier la présence et le coût d'une garnison aussi considérable, d'autres intérêts ont joué davantage. Cette armée est en fait très rarement employée à la guerre, laquelle est menée par les miliciens et les Indiens. L'administration reconnaît qu'il n'y a pas le cinquième des soldats qui soient capables de suivre ceux-ci par les bois et les rivières (138). Elle en tire bien quelques services paramilitaires, et ce sont des auxiliaires utiles pour le maintien de l'ordre. Mais la troupe cantonnée dans le bas pays aurait été à peu près inactive si les officiers n'avaient pas organisé un système pour tirer parti de cette oisiveté.

Il est assez courant en France de laisser travailler chez les particuliers les soldats qui sont en quartier d'hiver ou en garnison (139), mais il ne semble pas que le régime ait été nulle part institutionnalisé comme il le fut au Canada pendant près d'un siècle, et dans la plus parfaite illégalité. Avec la permission de son capitaine, le soldat peut travailler chez l'habitant et recevoir, en plus de sa pension, des gages mensuels n'excédant pas 12 l. Il peut aussi travailler comme journalier à 15 sols par jour (140). Cette autorisation, il ne l'obtient qu'à la condition de céder sa paie à son capitaine, et il semble même que certains officiers auraient aussi tenté de prélever une partie des gages de leurs hommes (141). La solde du soldat est de 6 sols, de 4 sols 6 deniers une fois déduit l'habillement. La ration se monte à 3 sols, ce qui lui laisse une somme nette de 1 sol 6 deniers par jour, ou 33 sols par mois (142). Celui qui travaille

---

(137) Voir la lettre du curé de Lachine au gouverneur, pour solliciter une autorisation de mariage en faveur de Saint-Olive, soldat et apothicaire, annexée au contrat de mariage, 1er décembre 1701, notaire P. Raimbault,

(138) Lettres de Frontenac et Champigny, 10 novembre 1695 et 13 octobre 1697, AC, C11A13, f° 302, et C11A15, f° 83.

(139) André Corvisier, *op. cit.*, pp. 828-830.

(140) Ordonnance de De Meulles, 26 avril 1685, P.-G. Roy, *Ordonnances, commissions, etc.* vol. 2, pp. 96-97.

(141) Lettre de Frontenac, 19 octobre 1697, AC, C11A15, f° 43.

(142) Lettre de Champigny, 5 novembre 1687, *ibid*, vol. 9, f° 202.

chez l'habitant reçoit cinq fois cette somme. Quant au capitaine qui réussit à opérer cette retenue sur les 50 hommes de sa compagnie, il en tire 1 350 l. par an au minimum, puisqu'entre lui et les administrateurs certains accords peuvent intervenir pour partager la valeur de la ration quotidienne mise au compte du roi (143). Quant à ces derniers, ils se réservent généralement la spéculation sur l'habillement, également avantageuse puisque les soldats qui travaillent au-dehors n'ont pas le droit de porter leurs uniformes (144).

Malgré les dénonciations de l'évêque (145), les avertissements répétés du ministre, gouverneurs, intendants et capitaines y gagnent trop pour renoncer à la pratique. Ils répondent que la retenue sert à payer les habitants qui montent la garde à la place des soldats (146), mais le plus souvent font la sourde oreille, assurant au ministre que ses soldats et sa colonie s'en portent mieux, sans insister sur la retenue, le point litigieux.

Et finalement, l'État tolère, quitte sans doute à se montrer plus avare dans les gratifications aux officiers.

Il s'ensuit des conséquences économiques sérieuses : des dépenses militaires trop considérables pour permettre d'affecter une partie du budget à des entreprises civiles utiles, une accumulation de capital dans les mains de quelques officiers qui, comme nous le verrons, rentrent le plus souvent en France, et surtout un échec au peuplement.

Ces soldats réformés au compte-gouttes ont remplacé les engagés de naguère. Les habitants ne sont plus astreints à payer les traversées, à entretenir un domestique pendant la morte saison, puisque les soldats leur fournissent la main-d'œuvre d'appoint nécessaire. La proportion d'engagés qui se fixaient dans la colonie était d'environ 50 %, mais il n'y a pas 20 % des soldats de la marine qui passent au Canada avant 1715 qui

---

(143) Auquel cas, toute l'opération rapporte environ 4 000 l.

(144) W. J. Eccles, *op. cit.*, pp. 219-220.

(145) *Ibid.*, p. 218. Lettre de l'évêque (1695), blâmant les Sulpiciens de ne pas être assez sévères pour les capitaines coupables, et les incitant à leur refuser l'absolution. APC, M. G.17, A7, 2, 1, vol. 1, p. 192.

(146) Lettre de l'intendant, 4 novembre 1693, AC, C11A12, f° 213.

deviennent colons (147). Lorsque les licenciements sont différés, ceux-là mêmes sont trop âgés pour le bien de la colonie (148).

En 1697, l'intendant a tout de même encouragé les soldats à s'établir, en réinstaurant la gratification d'une année de solde. Mais il se heurtait à la mauvaise volonté des capitaines et « à l'ardeur que la plus grande partie [des soldats] a de repasser en France dans l'espérance d'une plus grande liberté » (149). Dans l'ensemble, les résultats furent médiocres, tout comme pendant la guerre de Succession d'Espagne, bien que les hommes, qui ne participèrent à aucune des campagnes, eussent été en principe aptes à recevoir leur congé (150). Pour Montréal cependant, qui semble avoir reçu la quasi-totalité de ces licenciés, il s'agit de quelque 400 nouveaux colons entre 1696 et 1715, la vague d'établissement la plus importante depuis la fondation. Après la guerre, le problème du peuplement revient à la surface, et le débat s'engage entre ceux qui voudraient revenir au système des engagés et ceux que satisfait le recrutement militaire. Le conseiller Ruette d'Auteuil propose que les 28 compagnies soient immédiatement réformées sur place et que la demande de main-d'œuvre qui ne peut manquer de s'ensuivre, soit comblée avec des engagés (151). Il n'a pas gain de cause contre la ligue des administrateurs et officiers. Non seulement les compagnies ne sont pas réformées, mais elles sont complétées, politique qui annule d'avance l'effet du renouvellement des ordonnances aux armateurs de la métropole, les obli-

---

(147) Environ 3 000 soldats passent dans la colonie entre 1683 et 1700. Il en meurt peut-être le quart. Des invalides repartent presque tous les ans et il y a beaucoup de déserteurs. Nous savons, d'autre part, que l'accroissement réel de la population n'est guère supérieur à l'accroissement naturel.

(148) La guerre a duré treize ans. Ceux qui quittent la troupe en 1697 ont près de 40 ans. En 1749, Pehr Kalm décrit des soldats nouvellement congédiés qui ont entre 40 et 50 ans. (*Voyage de Kalm en Amérique*, Montréal, 1880, p. 3.)

(149) Lettre de Champigny, 14 octobre 1698, AC, C11A16, f⁰ 39; lettre de Frontenac, 19 octobre 1697, *ibid*, C11A15, f⁰ 43.

(150) Guy Frégault, « La Nouvelle-France, territoire et population », *Le XVIIIe siècle canadien. Études*, pp. 50-51.

(151) Mémoire de Ruette d'Auteuil, 9 décembre 1715, et addition au mémoire, en 1719, AC, C11A34 et 40, f⁰ 256; E. Salone, *op. cit.*, pp. 339-342.

geant à transporter des hommes de travail dans la colonie (152).
On s'engage dans le XVIIIe siècle sans rien changer au système.

b) *Les officiers.*

Lorsqu'il fait passer le régiment de Carignan au Canada en
1665, Colbert exerce de grandes pressions sur les officiers pour
qu'ils s'établissent et servent d'exemples à leurs soldats. « C'est
là pour eux le véritable moyen de mériter les grâces de Sa
Majesté (153). » Trente-trois, soit un peu moins du tiers, se
laissent d'abord convaincre et de ce nombre, 8 semblent être
revenus sur leur décision quelques années plus tard (154).
Des 5 qui se fixent à Montréal, 3 seulement persévèrent (155).
Pourtant les encouragements n'avaient pas fait défaut. L'intendant leur distribue généreusement des seigneuries et, pour eux,
les seigneurs de Montréal taillent des arrière-fiefs dans leur
domaine (156). Les générosités ne s'arrêtent pas là. Pour les
aider à se marier, l'État leur distribue des gratifications substan-
tielles (157). S'ils montrent quelque intérêt pour mettre leurs
terres en valeur, ils obtiennent facilement une aide additionnelle (158). Comme les filles de bonne condition sont rares
dans le pays, l'État en fait venir quelques-unes à grands frais
et les dote généreusement. Certains vont se pourvoir en France
en même temps qu'y régler leurs affaires, mais dans l'ensemble,
ces officiers que l'on réforme sont pauvres et comptent sur la

(152) Ordonnances de 1714 et de 1716, citées par E. Salone, *op. cit.*,
p. 343.
(153) Lettre de Colbert à Talon, 1671, AC, B3, fo 23.
(154) D'après la liste de Roy et Malchelosse, confrontée avec les dictionnaires généalogiques et biographiques.
(155) Carion, Dugué et Gabriel de Berthé. La plupart des officiers de
Carignan reçoivent des seigneuries dans les environs de Montréal, mais
élisent domicile dans la ville.
(156) Une vingtaine de fiefs leur sont distribués. R. C. Harris, *The
Seigneurial System in Early Canada*, Québec, 1967, pp. 39-40.
(157) La gratification initiale est d'environ 500 l. Le capitaine Pécaudy
reçoit 600 l. pour s'être marié. La Mothe de Saint-Paul touche 1 500. l.
Voir divers états des fonds et gratifications pour les années 1668-1669, AC,
C11A3, fos 35-36, et B1, fo 110 vo et fo 112; B3, fo 19.
(158) Trois cents livres pour aider M. de Chambly à bâtir son moulin.
Lettre du 26 mars 1669, AC, B1, fos 110 vo-112.

prodigalité du roi pour compléter la pension ordinaire et assurer, après leur mort, la subsistance de leur famille (159). En échange de ces faveurs, ils forment les cadres de la milice à côté des anciens gentilshommes du pays. Comme ceux-ci d'ailleurs, ce sont des gens de bonne naissance, mais dans les deux groupes il s'en trouve qui n'ont, pour faire valoir cette noblesse, que des titres fort contestables. A la suite de l'édit de révocation générale de septembre 1664, environ la moitié retrouve son nom sur les rôles de taille et entreprend des procédures pour faire perpétuer des privilèges mal établis (160). Le roi se montre volontiers complaisant pour ceux qui consentent à rester au Canada et accorde des lettres de confirmation de noblesse « à la condition toutefois qu'il demeure en notre dict pays de la Nouvelle-France » (161).

Il est difficile de savoir combien d'officiers des troupes de la marine passèrent au Canada avant 1715. Il en vint d'abord une centaine avec les 35 premières compagnies, puis d'autres pour occuper les emplois vacants. Le taux de remplacement est assez rapide. Dans la seule année 1691, sur 84 officiers en pied, nous comptons 12 décès et 14 congés pour la France (162). La mortalité est ici exceptionnellement forte, mais le nombre de départs définitifs est normal (163). Supposons un minimum de 8 départs annuels (par décès, congés et nominations à l'état-major), ce sont 250 emplois qui sont créés en trente ans ; ajoutés aux postes initiaux, ils représentent au moins 300 offi-

(159) Lettre de La Barre, 14 novembre 1684, C11A6, f° 363; lettre du capitaine Duplessis Faber au maréchal de Vauban, 16 septembre 1698, dans *La correspondance de Vauban relative au Canada*, Québec, 1968, p. 19.

(160) P.-G. Roy, *Lettres de noblesse, généalogies, érections de comtés et baronnies insinuées par le Conseil souverain de la Nouvelle-France*, 2 vol., Beauceville, 1920, *passim*. Voir le cas des officiers de Saint-Ours, Pécaudy, Damours, etc. Les titres remontent rarement au-delà du XVIᵉ siècle. Ceux qu'on menace d'annuler sont du XVIIᵉ siècle. Il s'agit, dans l'ensemble, d'une petite noblesse d'office, non héréditaire.

(161) Jean-Vincent Philippe, natif de Normandie, obtient, en 1671, la confirmation des lettres accordées à son père en 1654, à cette condition expresse. Voir P.-G. Roy, *op. cit.*, et une lettre de l'intendant touchant cette affaire, 10 novembre 1670, AC, C11A3, f° 88.

(162) État des emplois vacants, 15 octobre 1691, AC, C11A11, fᵒˢ 221-224.

(163) En 1689, il y a deux morts et neuf congés pour la France. *Ibid.*, fᵒˢ 102-103.

ciers qui ont vécu quelques années au Canada durant cette période (164).

L'État ne leur offre ni congé absolu, ni gratification extraordinaire, ni seigneurie pour les inciter à s'établir (165). Plusieurs se marient au Canada cependant (166), mais ces mariages ne les empêchent pas de repartir avec leur famille poursuivre leur carrière en France ou dans une autre colonie. Quelques-uns, toutefois, s'installent dans le pays. L'extrême mobilité du corps a facilité leur avancement et leur promotion dans l'état-major de la colonie ou au commandement d'un poste éloigné, emplois avantageux qui les stabilisent (167). A la fin du xviie siècle, 7 officiers de la marine nés en France, ont des biens-fonds dans l'île de Montréal et, en 1715, 15 sont recensés dans la ville, comme locataires ou propriétaires (168).

Avec le temps, le recrutement extérieur du corps des officiers diminue puis disparaît tout à fait. On commence assez tôt à combler les emplois vacants avec des gens du pays. Pour des raisons d'économie, l'intendant va d'abord y faire entrer quelques gentilshommes miliciens, à qui il peut ainsi supprimer les pensions et gratifications qui grèvent le budget (169). On fait un pas de plus lorsqu'on commence à envoyer les fils de la

(164) Compte tenu des emplois accordés aux Canadiens, encore peu nombreux au xviie siècle, que nous avons défalqués de cette évaluation sommaire.

(165) Les officiers de la marine établis à Montréal au xviie siècle n'ont pas de seigneuries. Plusieurs tiennent des terres à cens.

(166) Plus de la moitié des officiers de marine qui se marient dans la colonie avant 1700 quittent ensuite le pays. D'après les relevés du *Dictionnaire* de Mgr Tanguay.

(167) Pour retenir un bon officier, il faut lui trouver une place dans l'état-major. C'est le cas du capitaine de Monic, nommé major des troupes en 1691, mais qui finira quand même par rentrer en France, où il meurt après un bref commandement à Terre-Neuve. (Lettre de Frontenac, 14 août 1691, AC, C11A11, f° 108; *Dictionnaire biographique du Canada*, tome II, pp. 503-504, biographie de J. F. Thorpe.)

(168) D'après le rôle des censitaires de 1697, ASSM; un rôle d'imposition de 1715, APC, M. G. 17, A7, 2, 1, vol. 2, pp. 487 *sqq*. Les officiers élisent rarement domicile dans les côtes, et on peut croire que les quinze recensés dans la ville représentent à deux ou trois exceptions près la totalité des officiers français établis dans la région.

(169) Lettre de De Meulles, 12 novembre 1684, suggérant cette économie au ministre, AC, C11A6, f° 402.

noblesse locale en France y recevoir une formation d'officier et à les intégrer au retour dans les troupes régulières. Au début du XVIIIe siècle, environ le tiers des officiers qui servent au Canada sont nés dans le pays. Vers 1740, le corps, entièrement recruté localement, sera devenu une sorte de caste où les emplois passent de père en fils (170).

Tel qu'il a fonctionné, l'encadrement des troupes de la marine n'a pas contribué au peuplement et devint rapidement un facteur de dépeuplement. Le corps ne put pas absorber la deuxième et surtout la troisième génération, issues de la gentilhommerie locale, et elles s'éparpillèrent dans les ports de France et dans les autres colonies.

7. *Les marchands.*

Par contrat passé à Paris le 29 mars 1658, le fils et la fille d'un greffier des commissions extraordinaires du Conseil, s'associent « au trafic de marchandises que [les parties] achepteront en France pour les faire conduire et voiturer avec eux en l'isle de Montréal près Québec en Canada; et, à cet effect, elles ont mis en la dicte société chacun la somme de mil livres tournois... » (171).

Médéric Bourduceau, sa femme, sa sœur et le mari de celle-ci, arrivent ensemble à Montréal quelques mois plus tard. Ce sont deux hommes d'une trentaine d'années qui ont d'abord travaillé à la Martinique comme facteurs d'une petite société pour le commerce du tabac, financée par Bourduceau père et Gabriel Souart, bourgeois parisien entré assez tard au Séminaire de Saint-Sulpice (172). Celui-ci vient établir la communauté à Ville-Marie en 1657 et les Bourduceau suivent dans le même sillage. Ils apportent au Canada un petit capital, l'expérience

---

(170) *Ibid*, vol. 7, f°s 94-95, vol. 9, f°s 192-193. Voir W. J. Eccles, *art. cit.*, pp. 7-8.

(171) Association entre Médéric Bourduceau et Anne-Françoise Bourduceau, femme séparée de biens de Louis Artus, Ec., 29 mars 1658, AN (France), minutier central, LXXXVIII, Richer et Monnet, notaires.

(172) Comptes entre Artus de Sailly et M. Bourduceau, M. not., 17 janvier 1600. Basset.

des affaires, des relations avec les milieux de la métropole engagés dans le commerce colonial, et ils s'appuient localement sur un homme en place.

Il y a là quatre éléments qui peuvent caractériser l'immigration marchande, mais nous retenons seulement les trois derniers comme critères d'identification de ce groupe. L'apport de capital, quand il existe, n'est jamais considérable et entre celui qui traverse avec quelques balles de drap et de pacotille et cet autre qui arrive sans aucun bien, mais avec l'assurance d'un poste de commis chez un marchand de la colonie ou de représentant pour un métropolitain, la marge est en vérité bien étroite, et le premier n'est pas nécessairement le plus favorisé. L'expérience sert davantage et les vrais atouts, ce sont les relations.

Montréal n'est pas un bon poste d'observation pour étudier cette immigration. Québec accueille d'abord les marchands français qui déplacent momentanément ou définitivement la base de leurs opérations, alors que Montréal n'est qu'une ville de l'intérieur, souvent la deuxième étape dans le voyage outre-mer, et n'attire pas les plus considérables.

Ceux que nous y rencontrons sont originaires des grandes villes de France. Fils de marchands, notaires, greffiers, huissiers, receveurs de toutes sortes, de bourgeois de Cognac, Bordeaux, La Rochelle, Paris ou Lyon, ils se situent dans cette large couche intermédiaire qui sépare le peuple et la grande bourgeoisie. Il en vient aussi, mais en moins grand nombre, des gros villages de la vallée de la Seine, familles de marchands ruraux, d'aubergistes, de petits officiers seigneuriaux (173). Chez les uns et les autres, on a cessé de travailler de ses mains depuis une génération au moins. Aussi, lorsque l'aventure coloniale est un échec, les voyons-nous repartir, mais jamais accepter de devenir tout bonnement paysans (174).

Il y a peu de biens dans toutes ces familles et peu de facilité pour en accumuler là d'où elles viennent, car une modeste

---

(173) Nous connaissons leur origine lorsqu'ils se marient dans la colonie par le contrat et l'acte de mariage. Il n'y a pas de raison de croire que ceux qui sont mariés à l'arrivée viennent d'un milieu différent.

(174) Départs de Raymond Amyault, A. Hattanville, les Bourduceau, C. Tardif, Hilaire Bourgine, les frères Arnaud, Simon Després, Antoine Galiber, etc. Passages fugitifs ou séjours prolongés, rien n'y change.

réussite suffit à les attacher à la colonie. Quelques-uns emmènent femmes et enfants (175), d'autres viennent d'abord seuls puis retournent les chercher, et un bon nombre se marient dans la colonie. Mais, dans tous les cas, la mobilité reste très forte et ces charges ne sont pas un obstacle aux retours.

Les réseaux de parenté sont à l'origine de cette immigration. Le déplacement se fait par blocs familiaux et sur les quelque cent marchands que nous voyons défiler à Montréal au XVIIe siècle, très rares sont ceux que des liens antérieurs à l'immigration ne rattachent pas, soit à un colon déjà établi, soit à un autre marchand arrivé à peu près en même temps. Dans certains cas, ce sont de véritables clans et il faudrait un patient travail pour retrouver les chaînons, les cousinages éloignés, d'un côté et l'autre de l'Atlantique.

On peut citer l'immigration des frères Testard, Normands alliés aux Godfroy déjà établis aux Trois-Rivières; celle des Leber, frères, sœurs et cousins; des familles Messier et Lemoyne qui s'empressent de joindre le premier du groupe qui a réussi; les Hazeurs, nouveaux convertis de Brouage qui essaiment tous à la fois dans la colonie; les Perthuis d'Amboise aussi répartis entre Québec et Montréal; le clan lyonnais des Patron, deux officiers réformés et deux marchands, oncle et neveux qui apparaissent à peu près ensemble à Montréal vers 1675; les frères Arnaud de Bordeaux, etc.

Grâce au parent qui l'a précédé, le marchand obtient du crédit, bâtit sa clientèle. Grâce à celui qui est en France, il trouve un fournisseur. Pour se lancer dans le commerce colonial, il faut avoir derrière soi ou bien une réputation solide auprès des grands négociants de la métropole, ou bien cet encadrement familial qui en tient lieu (176). Les marchands qui passent à Montréal tout comme leurs correspondants à La Rochelle, au Havre ou à Bordeaux, sont de petites gens, et leur seule force

(175) Par exemple, Louis Charbonnier, fils d'un bourgeois de Cognac, arrivé avec sa famille en 1675; Charles Alavoine, passé à la fin du siècle aussi avec femme et enfants.

(176) M. Delafosse, « Le trafic franco-canadien (1695-1715). Navires et marchands à la Rochelle », communication présentée au premier colloque d'histoire coloniale, Ottawa, novembre 1969, *passim*.

réside dans cette cohésion familiale qu'ils ne cessent de cimenter par des alliances à chaque nouvelle génération (177).

En 1681, sur les 35 marchands établis à Montréal, la moitié sont venus pour faire commerce et se rattachent au groupe que nous venons de décrire. L'autre moitié se compose d'immigrants de toutes catégories : les officiers et gentilshommes occupent une large place, quatre anciens soldats, quatre anciens domestiques, complètent l'éventail. Pour eux, la première expérience a été acquise dans la colonie. Trente ans plus tard, les origines s'estompent dans la seconde génération. L'immigration marchande n'est plus qu'un filet qui a du mal à se tailler une place si elle ne bénéficie pas de protections hors de l'ordinaire (178).

8. L'origine des immigrants.

A partir des actes de mariage relevés dans l'île de Montréal pour la période 1643-1715, qui mentionnent la résidence des parents, nous connaissons la paroisse d'origine de 616 immigrants masculins . Plusieurs historiens et généalogistes ont effectué des relevés analogues pour l'ensemble de la colonie (180) et notre analyse régionale ne s'écarte pas sensiblement de l'image générale. Comme il se doit, ce sont les régions proches du port d'embarquement qui ont fourni le plus de colons. Un mémoire de 1664 vante les qualités des Normands, Percherons, Picards qui, avec les gens du voisinage de Paris, sont dociles, industrieux, avec beaucoup de religion et de fermeté d'esprit,

---

(177). Bernard Bailyn met en relief l'importance des liens familiaux dans l'organisation du crédit sur lequel repose le commerce colonial. (*The New England Merchants in the Seventeenth Century*, Cambridge, 1955, pp. 34-38. Voir aussi P. Léon, *Marchants dauphinois, dans le monde antillais du XVIIIe siècle*, Paris, 1963, pp. 30-31.)

(178) Sur ces questions, voir *infra*, deuxième partie, chap. II, « Forains et colons ».

(180) A. Godbout, *Origine des familles canadiennes-françaises. Extrait de l'État civil français*, Lille, 1925; et « Nos ancêtres au XVIIe siècle », *RAPQ* (1951-1960), *passim;* Paul Émile Renaud, *op. cit.* pp. 274-284.

mieux nourris et plus aptes au travail que « les hommes des provinces de deçà ». Selon la même source, ceux qui s'embarquent à La Rochelle auraient fort mauvaise réputation : gens « de peu de conscience, quasi sans religion, fainéants... trompeurs, débauchés, blasphémateurs... » (181). Mais les liaisons commerciales et autres entre le Canada et la Normandie se relâchent après 1663. La Rochelle est le principal port d'embarquement et c'est essentiellement dans les provinces de l'ouest que sont recrutés les soldats du régiment de Carignan et ceux des compagnies franches de la marine qui s'ajoutent aux engagés amenés par les armateurs. La prépondérance numérique des immigrants de l'Ouest est particulièrement marquée à Montréal. Presque les deux tiers de notre échantillon sont originaires d'un secteur restreint qui s'étend depuis la Garonne jusqu'aux confins des pays de la Loire. Les Sulpiciens préfèrent recruter leurs meuniers et autres hommes de métier autour de Paris, et leur économe croit que seule l'Auvergne, sa province, peut fournir de bons vachers, bergers et fromagers (182). Mais ils trouvent plus facilement en Poitou des candidats pour le Canada.

Cette immigration est à 65 % d'origine rurale, et la démarcation entre ruraux et urbains est facilitée par le fait que les villes qui ont fourni des colons comptent parmi les très grandes agglomérations (183), telles que, par ordre de contribution : Rouen, Paris, La Rochelle, Poitiers et Bordeaux. Seulement 10 % sont originaires de petits centres de 10 000 habitants et moins, classés comme « villes » par l'abbé Expilly (184). La majorité vient de ces bourgs et hameaux du bocage où la forêt est toujours proche, l'habitat souvent dispersé, les jachères

(181) « Pour le Secours qu'il plust au Roy donner au Canada l'an 1664 », AC, C11A2, f°s 93-95.

(182) Lettres de M. de Tronson, mai 1679, 4 juin 1680 et 15 mai 1682, ASSP, XIII, pp. 145, 158, 287.

(183) André Corvisier trouve 63,4 % de ruraux dans un contrôle de troupes de 1716 (*op. cit.*, pp. 389-390). Cole Harris, se basant sur une liste de 286 immigrants établis un peu partout au Canada, trouve une proportion de ruraux un peu inférieure, soit 60 %. (R. C. Harris, « The French Background of Immigrants to Canada Before 1700 », *Cahiers de géographie du Québec*, XVI, 38 (septembre 1972), p. 317.)

(184) *Dictionnaire géographique, historique et politique des Gaules et de la France*, Paris, 1762.

irrégulières et les contraintes collectives faibles ou inexistantes (185). Les grandes plaines céréalières dénudées et surpeuplées du nord et de l'est, ne contribuent pas à ce peuplement colonial, et quels qu'aient été les préjugés des administrateurs, ce sont ces gens des pays ingrats « de deçà » qui créent les campagnes, du moins à Montréal, alors que ceux du nord, plus urbanisés, se cantonnent surtout dans le commerce et les métiers.

Il ne semble pas y avoir eu de problèmes de communication entre ces immigrants d'origines diverses. Les parlers locaux s'estompent et les observateurs du début du xviiiᵉ siècle louent à l'unanimité le français d'usage courant, que sans doute les femmes (en majorité parisiennes), l'armée, le clergé et les brassages à l'intérieur de la zone des fourrures, ont contribué à généraliser (186).

Le relevé des signatures des actes de mariage des immigrants donne un taux d'alphabétisation supérieur à celui que nous pourrions attendre d'une population originaire de zones de moindre développement, situées en dessous de la ligne Avranches-Genève (187). Pour un total de 491 cas, 38,4 % des hommes signent. La proportion de signatures féminines est également forte, soit 31,7 %, mais elle repose sur 129 cas seulement, un échantillon trop faible pour être concluant. Ces taux s'appliquent aux immigrants qui se sont mariés entre 1647 et 1715, donc qui sont nés entre 1620 et 1690. La distribution des mariages est assez égale, et l'alphabétisation à peu près la même au début et à la fin de la période.

L'immigration est toujours sélective. Ceux qui partent sont susceptibles d'être mieux armés que ceux qui acceptent de rester dans des conditions difficiles. Plus entreprenant, capable d'initiatives de bon aloi tout comme de comportements dangereusement négatifs, l'immigrant est souvent moins bien adapté à son

---

(185) Pierre Goubert, « Les cadres de la vie rurale », dans F. Braudel, et E. Labrousse, *Histoire économique et sociale de la France, 1660-1789*, Paris, 1970, pp. 104-111.

(186) Voir Lionel Groulx, *Histoire du Canada français*, Montréal, 1960, tome I, pp. 163-164, citant La Potherie et Charlevoix.

(187) Michel Fleury et Pierre Valmary, « Les progrès de l'instruction élémentaire de Louis XIV à Napoléon III », *Population* (1957), 1, pp. 71-92.

milieu d'origine (188) et, de ce fait, l'éventail des conduites dans le pays d'accueil est d'abord plus large que dans le pays de départ, jusqu'à ce que le temps le nivelle et façonne un nouveau type de conformisme. Les antécédents régionaux ont sans doute leur importance, mais il ne faut pas trop attendre des traits hérités, assez flous, confondus dans la nouvelle expérience commune.

(188) Voir C. Gini, « La théorie des migrations adaptives », *Études européennes de population*, Paris, INED (1954), pp. 422-432.

CHAPITRE III

LES TRAITS DÉMOGRAPHIQUES

1. *La structure de la population.*

Les dénombrements par tête de 1666 et 1681 permettent d'observer la composition de la population par âge, sexe et pays d'origine, pendant et au lendemain de la forte vague d'immigration (1). En 1666, 56 % des habitants sont des immigrants, et la première génération née dans la colonie n'a pas encore atteint l'âge adulte. Quinze ans plus tard, les gens du pays forment les deux tiers de la population et la proportion s'élève rapidement. Même si les Français qui s'établissent dans l'île entre 1690 et 1715 sont presque aussi nombreux que ceux de la première vague d'immigration, ce nouvel apport se noie dans la population autochtone en pleine expansion (2).

Le déséquilibre entre les deux sexes se résorbe lentement. Le rapport de masculinité pour tous les âges est de 163 % en 1666. Jusque-là, l'émigration féminine a été parcimonieuse et nous comptons 131 célibataires masculins de vingt ans et plus, mais aucune fille, si nous excluons celles qui sont dans les couvents. En 1681, le rapport de masculinité est tombé à 133 %, mais il y a encore presque 10 garçons pour une fille dans les groupes d'âge de vingt ans et plus.

Si nous observons la répartition par sexe, basée sur l'ensemble

---

(1) Voir en annexe les tableaux B et C, et les graphiques 2 et 3.
(2) En 1715, la proportion d'immigrants se situe entre 10 et 15 % de la population totale.

des recensements échelonnés entre 1681 et 1739 (3), nous voyons que le point d'équilibre atteint vers 1695 avec 51,6 % d'hommes se maintient artificiellement jusque vers 1710, grâce à la recrudescence d'immigration essentiellement masculine. Par la suite, la proportion de femmes est supérieure, ce qui est normal, mais l'instabilité du rapport global est plus difficile à interpréter. En décomposant cette population en trois groupes, nous nous heurtons à de curieuses anomalies dans la répartition des sexes chez les moins de quinze ans, suffisantes pour nous faire douter de l'exactitude des recensements. Supériorité masculine constante dans cette catégorie jusqu'en 1710, suivie d'une chute brusque du nombre de garçons. Comme ce groupe compte pour environ 40 % de la population totale, cette chute, qu'elle soit réelle ou imputable aux lacunes des dénombrements, accentue le renversement du rapport entre les sexes dans l'ensemble de la population. Ce renversement n'est donc pas tout entier attribuable à l'émigration des Canadiens. Celle-ci serait en grande partie responsable des oscillations dans le rapport entre célibataires masculins et féminins de quinze ans et plus. Il est certain qu'une mortalité masculine normalement plus élevée ne suffit pas à expliquer la supériorité des effectifs féminins. Le déséquilibre est encore plus fort qu'il apparaît, puisque nous mettons en rapport des filles appartenant en gros au groupe d'âges quinze à vingt-deux ans et des garçons d'un groupe d'âge beaucoup plus large étant donné leur célibat prolongé, soit quinze à vingt-huit ans. Les départs définitifs pour les postes de l'Ouest et la Louisiane semblent avoir surtout joué autour de 1713, 1719 et 1726-1727. La population de Montréal est particulièrement sensible à ces appels de l'extérieur, mais il ne faut pas exagérer l'importance de cette saignée que l'immigration masculine, tout au long du xviiiᵉ siècle, si faible soit-elle, réussira tout de même à compenser. Dans l'ensemble de la colonie, la proportion des hommes se maintient aux environs de 51 %, de 1734 à la fin du siècle (4), nonobstant les soubresauts enregistrés dans la région de Montréal.

(3) Voir en annexe, le tableau A et le graphique 4.
(4) Jacques Henripin, *La population canadienne au début du XVIIIᵉ siècle*, Paris 1954, pp. 18-20.

Le rapport entre les personnes mariées et veuves des deux sexes laisse voir, de façon à peu près constante, un plus grand nombre de veufs, ce qui traduit d'abord une forte mortalité féminine à la suite des accouchements et, en second lieu, les difficultés que les veufs éprouvent à convoler, difficultés qui se prolongent même lorsque les célibataires féminins sont en surnombre (5).

La structure par âge en 1666 et en 1681 reflète essentiellement le mouvement migratoire et les oscillations de la courbe des mariages et des naissances qu'il commande. Les deux classes creuses qui séparaient les modes de la pyramide de 1666 se sont modifiées, en se déplaçant vers le haut. L'immigration a comblé le déficit chez ceux de trente à trente-quatre ans, mais non pas dans la classe immédiatement inférieure. Sachant que l'âge moyen des immigrants se situe entre vingt et vingt-cinq ans, nous avons là une preuve de plus que les apports de l'extérieur ont été à peu près nuls après 1671. Ce creux est un peu plus prononcé du côté des hommes, comme il l'était déjà d'ailleurs en 1666. Le rétrécissement de la pyramide entre vingt et vingt-neuf ans n'est que la conséquence du faible nombre de naissances avant 1661 et de l'arrêt de l'immigration. Nous croyons que c'est à tort que H. Charbonneau et ses collaborateurs, en observant la pyramide des âges de toute la colonie qui présente la même allure, en ont déduit une déperdition attribuable à la course des bois (6).

En 1681, cette population est encore très jeune. A la fin du siècle, toute l'immigration antérieure à 1671 a atteint cinquante ans, et l'immigration postérieure n'est pas assez importante pour bouleverser les rapports entre ces grandes catégories d'âge (7),

(5) Dans les dénombrements français, on trouve normalement davantage de veuves. Pierre Goubert, *Beauvais et le Beauvaisis, de 1600 à 1730*, Paris, 1960, p. 38.

(6) Hubert Charbonneau, Yolande Lavoie et Jacques Légaré, « Le recensement nominatif du Canada en 1681», *Histoire sociale*, 7 (avril 1971), p. 84. D'ailleurs ces coureurs de bois, habitants ou fils d'habitants, nous les connaissons bien et voyons qu'ils sont recensés dans leur famille, même s'ils sont absents.

(7) Un rapport de 30 à 35 % entre les moins de quinze ans et la population totale est ce que l'on rencontre ordinairement au XVIIIᵉ siècle en

les seules que les recensements permettent de distinguer. Ils laissent deviner une pyramide très large à la base et promptement étriquée, ce qui reflète un taux de reproduction brute élevé et un taux de mortalité également très fort (8).

TABLEAU 7

Composition, par âge, de la population de l'île de Montréal entre 1681 et 1732

Années	Population 100 %	Pourcentage par groupes d'âge		
		0-14 ans	15-49 ans	50 ans et plus *
1666.........	659	46,6	53,9	4,5
1681.........	1 388	45,9	46,3	7,7
1692-1695 ...	1 750 (moyenne)	41,2	47,4	11,3
1714-1716 ...	4 200 (moyenne)	43,8	47,0	9,3
1730-1732 ...	6 750 (moyenne)	42,2	46,3	11,3

(*) Les recensements n'isolent que les hommes dans cette dernière catégorie. En supposant un nombre égal de femmes, nous obtenons des pourcentages approximatifs, sans doute inférieurs à la réalité.

2. *Les mariages.*

Depuis la fin du XVIIe siècle jusqu'au milieu du siècle suivant, les taux bruts de nuptialité pour l'ensemble de la colonie

France et dans bien des paroisses au XVIIe siècle. (J. Bourgeois-Pichat, « Évolution de la population française depuis le XVIIIe siècle », *Population*, 4 (1951), pp. 661-666; J. Ganiage, *Trois villages de l'Ile de France*, Paris, 1963, pp. 35-37; R. Noël, « La population de la paroisse de Laguile », *Annales de démographie historique* (1967), pp. 197-226; Marcel Lachiver, *La population de Meulan du XVIIe au XIXe siècle*, Paris, 1969, p. 43; Pierre Valmary, *Familles paysannes au XVIIIe siècle en Bas-Quercy*, Paris, 1965, pp. 60-61.)

(8) Dans cette population, la proportion des personnes âgées de soixante ans et plus peut atteindre 5, 5 % au maximum.

seraient de l'ordre de 185 à 210 pour 10 000 habitants (9). La faiblesse de la population dans l'île de Montréal, l'importance des
mouvements migratoires et la présence des soldats non recensés sont autant de facteurs qui nous interdisent de revenir
sur ces données mais, sans risquer des calculs périlleux, l'étude
de la nuptialité nous livre quelques renseignements précieux.

Le mouvement des mariages (10) permet de circonscrire les
deux vagues d'immigration, celle antérieure à 1680 comprenant
un tiers d'éléments féminins, celle qui suit la paix de Ryswick,
composée essentiellement de soldats. Comme on s'établit
rarement au Canada à moins d'y prendre femme, ces nouveaux
mariés de la seconde période forment la presque totalité de
l'immigration célibataire, partant de l'immigration totale, celle
des personnes mariées étant devenue négligeable. Avant 1690,
compte tenu du fait que peu de garçons de Montréal sont en
âge et en état de se marier, il n'est pas étonnant de voir les nouveaux arrivés accaparer les filles de la colonie. Notons que les
jeunes Canadiens manifestent peu de goût pour les filles venues
de France, mais leur propension au mariage est trop faible pour
en tirer des conclusions. La mobilité géographique des Canadiens est à peu près nulle durant cette première période.

La seconde est plus intéressante et révèle certains comportements inattendus. Le tiers des filles et peut-être les deux cinquièmes des conjointes, si nous ajoutons les veuves d'origine
inconnue, continuent d'épouser des immigrants (11). 62 %
des épouses et seulement 32 % des époux ont des parents
domiciliés dans la seigneurie. Tout se passe comme si les filles
préféraient les étrangers, ce qui, économiquement et socia-
lement, est une explication indéfendable. Le célibat définitif, lié souvent à l'émigration, et surtout la mortalité
excessive des jeunes gens employés au commerce et à la guerre,
sont les principales hypothèses à retenir, car les déplacements
à l'intérieur de la colonie ne semblent pas très importants.

---

(9) Jacques Henripin, *Tendances et facteurs de la fécondité au
Canada*, Ottawa, 1968, p. 5.
(10) Voir tableau 8 et le graphique 5 en annexe.
(11) Le graphique 6, en annexe, illustre la répartition des mariages
entre Canadiens et immigrants, par décennie, dans la paroisse Notre-Dame.

TABLEAU 8

*Répartition des mariages célébrés dans l'île de Montréal selon le lieu d'origine des conjoints *.*

Lieu d'origine des époux	Lieu d'origine des épouses							
	France	Ile de Montréal	Juridiction		Colonies anglaises	Indiennes	Inconnu	Total
			de Montréal	des Trois-Rivières et Québec				
1647-1689								
France	206	161	6	16	—	3	9	401
Ile de Montréal ..	2	42	6	3	—	—	1	54
Juridiction de Montréal	—	—	—	—	—	—	—	—
Juridiction des Trois Rivières et de Québec	2	8	—	1	—	—	—	11
Colonies anglaises .	—	—	—	—	—	—	—	—
Indiens	—	—	—	—	—	—	—	—
Inconnu	—	2	—	—	—	1	11	14
TOTAL	210	213	12	20	—	4	21	480
1690-1715								
France	14	169	33	68	6	1	52	343
Ile de Montréal ..	—	223	13	15	2	—	14	267
Juridiction de Montréal	—	41	6	7	3	—	6	63
Juridiction des Trois Rivières et de Québec	—	61	2	13	—	1	9	86
Colonies anglaises .	1	3	—	—	4	—	—	8
Indiens	—	1	—	—	—	1	1	3
Inconnu	—	19	2	1	—	—	41	63
TOTAL	15	517	56	104	15	3	123	833

Source : Registres paroissiaux de l'île de Montréal.

(*) Lorsque le conjoint est dit « soldat » ou « ancien soldat », nous le considérons comme un immigrant, même si le domicile des parents n'est pas mentionné. Les conjoints d'origine inconnue sont surtout des veufs et des veuves. Au moins les deux tiers des femmes dans cette catégorie sont en fait originaires de l'île de Montréal.

Seulement 7 % environ des garçons et des filles mariés dans l'île de Montréal sont venus des côtes limitrophes, dans un rayon d'une vingtaine de kilomètres. Il en vient davantage des régions plus éloignées des Trois-Rivières et de Québec et apparemment les filles se déplacent tout autant, voire davantage, que les garçons. Pourtant la ville n'est pas assez considérable pour faire un tel appel de servantes. Peut-être, sont-elles attirées par la présence des soldats, profitant de quelque parent dans l'île pour se faire héberger. La démarche n'est pas impossible et elle est même facilement démontrable dans les couches supérieures de la société. Pour rencontrer de jeunes officiers, plus d'une fille de conseillers de Québec vient passer une saison à Montréal.

Par suite de l'immigration, le pourcentage d'endogamie stricte dans l'île de Montréal est faible, soit 26,7 % entre 1690 et 1715, mais dans la petite paroisse rurale de la Pointe-aux-Trembles, il atteint déjà 50 %, ce qui laisse voir l'amorce d'une forte cohésion paroissiale (12).

a) L'âge au mariage.

Au XVIIIe siècle, Jacques Henripin trouve un âge moyen au mariage de 26,8 ans et de 21,9 ans pour les célibataires masculins et féminins. Nous obtenons à Montréal, pour les premiers mariages contractés entre 1696 et 1715, un âge moyen de 28,6 pour les hommes et de 21,0 pour les filles (13). Celles-ci se marient jeunes, trois ans plus tôt qu'en France d'une manière générale, mais avec des hommes un peu plus âgés que la moyenne française (14). Le mariage relativement précoce des filles a sans doute

(12) On comparera la mobilité observée à Montréal avec celle de Meulan à la même époque, où 40 % des conjoints et 60 % des conjointes sont nés dans la ville. M. Lachiver, *op. cit.*, pp. 94-95. Voir aussi Hubert Charbonneau, *Tourouvre-au-Perche aux XVIIe et XVIIIe siècles. Étude de démographie historique*, et Marcel Couturier, *Recherches sur les structures sociales à Châteaudun*, Paris, 1969, pp. 130-136.

(13) Soit 390 époux et 381 épouses. Les âges ne sont inscrits fidèlement dans les registres qu'à partir de cette date. Nous n'utilisons ici que les actes de la paroisse de Notre-Dame, plus complets que ceux des paroisses rurales.

(14) Pierre Goubert, « Le régime démographique français au temps de Louis XIV », dans F. Braudel et E. Labrousse, *op. cit.*, p. 29. A Dedham,

influencé plus que tous les autres facteurs réunis, le taux de fécondité élevé de cette population (15). Si nous pouvons parler de mariage généralisé pour l'ensemble des filles de la colonie, il faut cependant faire une réserve pour celles de la paroisse de Notre-Dame, parmi lesquelles deux communautés opèrent un prélèvement relativement fort, soit une centaine de religieuses, que nous pouvons juxtaposer aux 700 filles originaires de la seigneurie qui se marient avant 1715.

L'âge des filles au mariage va sans doute en augmentant depuis l'établissement de la colonie. Ainsi, l'âge moyen de vingt et un ans établi à Montréal entre 1696 et 1715 s'accorderait avec les 21,9 ans calculés par Jacques Henripin, entre 1700 et 1760. Dans les débuts, la pénurie de femmes a suscité des comportements exceptionnels (16). On marie des fillettes qui ne sont pas encore nubiles. Nous relevons, dans le recensement de 1666, quatorze ménages formés lorsque l'épouse était encore trop jeune pour concevoir, avec une première naissance qui se situe entre deux et six ans après la bénédiction nuptiale. Lorsque l'épouse n'a pas encore atteint douze ans, qui est l'âge minimum autorisé par le droit canonique, et que le fait vient à se savoir, l'Église procède à une seconde cérémonie (17). S'appuyant sur les casuistes qui croient qu'un homme peut connaître une fille dès qu'elle est pubère, l'évêque, ayant jugé la demoiselle Carion grande et forte pour ses onze ans, permet au curé de Notre-Dame de bénir le mariage et au futur

au Massachusetts, l'âge moyen des filles et des garçons au premier mariage est respectivement de 22, 5 et 25, 5 ans (K. A. Lockridge, « The Population of Dedham Massachusetts, 1636-1736 », *Economic History Review*, 2e série, XIX (1966), p. 329).

(15) Avec l'intervalle intergénésique de 23 mois seulement. Voir J. Henripin, *La population canadienne au début du XVIIIe siècle*, p. 66, tableau XVIIIb.

(16) Que nous ne pouvons malheureusement pas quantifier, car l'âge des époux n'apparaît pas alors sur les registres. Seules les fiches de famille nous permettraient de savoir si ces mariages d'enfants furent très communs.

(17) Cas de Marguerite Sédillot, qui a onze ans lors de son premier mariage à Jean Aubuchon. Elle accouche pour la première fois cinq ans plus tard. (Mgr C. Tanguay, *Dictionnaire généalogique des familles canadiennes-françaises*, vol. 1.)

mari de le consommer, si le curé et la famille le croient à pro-pos (18).

Parfois ces mariages arrangés par les parents tournent court. La veuve Crevier poursuit Jacques Fournier pour 58 l. qu'elle lui a avancées « dans le temps que [sa] dicte fille fut remise avec luy pour trois mois afin de voir si la consommation de leur mariage s'ensuivrait » (19). Lorsque la fille est encore plus jeune, les parents négocient la future union devant notaire, sans aller à l'église. Marguerite Seigneuret a huit ans lors de son contrat de mariage avec Louis Godefroy de Normanville, écuyer. Une union flatteuse pour les parents Seigneuret qui instituent le futur gendre leur héritier universel à la condition qu'il ne meure pas avant la consommation du mariage (20). Ces quelques exemples étaient empruntés au milieu des marchands et des officiers, mais nous relevons aussi celui d'un habitant et sa femme qui promettent de « bailler par mariage » leur fille âgée de neuf ans lorsqu'elle pourra être reçue et admise au sacre-ment, en attendant quoi le preneur demeurera avec eux et fera valoir leur terre (21). En somme, certains parents profitent de la rareté des filles pour en tirer certains avantages sociaux et économiques.

Quoi qu'il en soit, cette pénurie se résorbe et en dépit des pressions officielles, notamment l'arrêt du roi qui enjoint aux garçons de se marier à vingt ans et aux filles à seize ans (22), l'attitude des femmes tend à se rapprocher des normes de l'époque.

(18) Lettre de l'évêque au curé de Notre-Dame de Montréal, 12 jan-vier 1684, enregistrée dans le registre paroissial : mariage de Jacques Lemoyne et de Jeanne Carion.

(19) La fille avait douze ans lors de ce mariage en 1657, qui fut sans doute annulé, puisque lui et elle se remarient, avec de nouveaux conjoints, en 1663. *JDCS*, procédure du 3 novembre 1663; C. Tanguay, *op. cit.*, vol. 1, pp. 150 et 239.

(20) Notaire Ameau (1661), *JDCS*, vol. 2, p. 863. En 1683, Marguerite poursuit pour faire annuler ce contrat.

(21) Marché entre Mathurin Thibaudeau et François Brunet, M. not., 9 décembre 1669, Basset. Le mariage n'aura pas lieu. En 1673, Brunet épouse une autre fille, à peine plus âgée.

(22) Avec une gratification de 20 l. le cas échéant. Arrêt du 3 avril 1669, AC, B1, fᵒ 113. Nous n'avons rencontré aucun mariage répondant à ces conditions.

Le fossé est encore plus grand entre les vœux des administrateurs et le comportement des hommes. Commençons par défalquer les immigrants de nos calculs, soit 173 cas, pour lesquels nous obtenons un âge moyen de 30,6 ans. Sachant qu'entre 1696 et 1715, il s'agit surtout de soldats démobilisés, cette moyenne nous semble relativement faible (23). Ceci ramène l'âge des nouveaux mariés canadiens à 27,2 ans. Qu'en conclure, sinon que les conditions économiques dans la colonie ne permettent pas plus qu'en France de fonder un foyer plus tôt.

b) *Les remariages.*

Noyés dans un nombre anormalement élevé de mariages, les remariages semblent peu nombreux, mais la proportion donnée dans le tableau 9, soit 18,5 % du total des unions, passe à 27,0 % dès que la structure de la population se normalise, ce qui traduit la brève durée des mariages (24). Au XVIIe siècle, ce sont les femmes surtout qui contractent plus d'un mariage, soit 15,7 % d'entre elles, par rapport à 4,3 % des hommes. Ce renversement de la tendance généralement observée, conséquence de la supériorité des effectifs masculins, n'est aussi qu'un phénomène passager mais lent à disparaître (25). La situation économique du veuf qui perd sa femme tôt, sans avoir eu le temps d'améliorer son habitation, n'est pas plus avantageuse que celle des célibataires et, si des enfants survivent, ses chances s'amenuisent d'autant. Par contre, la situation est très favorable aux veuves et non pas seulement en raison du déséquilibre entre les deux sexes. Les curés sont généralement avares de renseigne-

(23) Ceci tend à démontrer que les derniers recrutés, les moins bien rompus à la vie militaire, sont ceux qui demandent d'être réformés.

(24) 27 % est la proportion donnée par Jacques Henripin pour le XVIIIe siècle (*La population canadienne au début du XVIIIe siècle*, p. 95). La brièveté des unions est mise en relief par M. Baulant dans une étude sur la région de Meaux, où le rapport est de 30 % (« La famille en miettes. Sur un aspect de la démographie du XVIIe siècle », *Annales E. S. C.* (juillet-octobre 1972), pp. 959-968).

(25) Au XVIIIe siècle, le pourcentage de remariages pour les hommes est de 18, 5, et pour les femmes, de 14, 1 (J. Henripin, *op. cit.*, pp. 95-101).

ments lorsqu'il s'agit d'un remariage. Dans 68 cas seulement, sur un total de 186 mariages de veuves avec un célibataire, avons-nous l'âge des conjoints. Dans 44 % des cas, l'épouse est dans un groupe d'âge supérieur, dans 23,5 % les conjoints

TABLEAU 9.

Nombre de mariages
suivant l'état matrimonial antérieur des époux (1647-1715).

Hommes	Femmes		Ensemble
	célibataires	veuves	
Célibataires	1 071 (81,5 %)	186 (14,2 %)	1 257 (95,7 %)
Veufs	37 (2,8 %)	19 (1,5 %)	56 (4,3 %)
Ensemble	1 108 (84,3 %)	205 (15,7 %)	1 313 (100 %)

TABLEAU 10.

Composition par tranche d'âge des mariages
entre veuves et célibataires. Paroisse Notre-Dame (1658-1715).

Age des veuves	Age des époux						Total des cas
	— 25	25-29	30-34	35-39	40-44	45 ans et plus	
— 25	1	3	2	1	—	—	7
25-29	4	3	3	3	2	—	15
30-34	5	3	5	2	—	—	15
35-39	1	5	2	—	5	—	13
40-44	—	1	2	1	1	1	6
45 et plus	2	—	—	2	2	6	12
Total des cas..	13	15	14	9	10	7	68

sont à peu près du même âge. Ces veuves qui se remarient ont en moyenne 34,5 et leur nouvel époux, 32 ans seulement (26). Leur premier mari serait mort vers 44 ans, après une quinzaine d'années de vie commune, les laissant avec trois ou quatre enfants vivants, dont l'aîné peut avoir douze ans, une terre d'au moins vingt arpents en labours, dont le nouveau mari pourra jouir une bonne douzaine d'années avant d'avoir à rendre compte aux héritiers. Celui-ci est un immigrant dans les quatre cinquièmes des cas qui, en optant pour une veuve, s'épargne quinze années de défrichement et de difficultés. Il y a toutes raisons de croire que les veuves étaient recherchées et qu'elles tiraient parti de leurs avantages pour épouser un homme encore jeune et non chargé d'enfants. Les rares mariages entre veufs et veuves sont concentrés dans la tranche d'âge de 40 ans et plus (27). Les veufs de tout âge qui épousent une célibataire, doivent la prendre jeune, car à vingt-cinq ans à peu près toutes les filles sont mariées.

c) *Le mouvement saisonnier* (28).

Environ les deux tiers des nouveaux mariés sont des immigrants. Dans la plupart des cas, la décision de s'établir dans la colonie est subordonnée à un projet de mariage. Libéré de son service domestique ou militaire, le garçon n'a qu'une saison, d'avril à novembre, pour commencer le défrichement et bâtir une maison. Dans les campagnes françaises, les travaux des champs laissent un peu de répit aux paysans, et il est normal d'observer une pointe de mariages en juillet. Il n'y a pas de détente pour le colon. Il attend le mois de novembre, la première neige et le froid, qui permettent aussi à ses beaux-parents de tuer sans risque le cochon gras. Les plus téméraires reportent les noces en janvier ou février, mais qui sait si la fille ne se lassera pas d'attendre? En gros, nous croyons que ce sont là les compor-

---

(26) Henripin obtient de même 34 ans en moyenne pour les veuves, mais 28, 3 ans seulement pour les maris (*ibid.*).

(27) Henripin obtient pour cette catégorie 50, 3 ans pour les hommes et 43, 9 pour les femmes (*ibid.*, p. 96).

(28) Voir tableau 11 et, en annexe, le graphique 7.

tements qui commandent le mouvement saisonnier des mariages, qui seuls peuvent expliquer son extraordinaire amplitude. Car, en laissant de côté les abstentions du carême et de l'avent qui obéissent aux prescriptions de l'Église, l'écart entre les creux du printemps et de l'été et la pointe de novembre est de 375 %. Au siècle suivant, les nouveaux mariés seront surtout des fils du pays, et l'influence des travaux agricoles proprement dits se fera sentir dans les creux d'août et septembre, dans une amplitude plus faible entre ces mois et la pointe de novembre. La population sera un peu moins asservie aux conditions physiques de l'existence (29). Ajoutons enfin que les voyages en forêt n'influencent pas le mouvement. Quantité de départs pour la traite ont lieu en septembre et en octobre. Ces hommes sont absents jusqu'au printemps suivant au moins. Ceux qui ne font que le voyage d'été rentrent dès la fin d'août. Bref, il est impossible d'établir une concordance et il est d'ailleurs logique de penser que les garçons ne s'absentent pas pendant la période de fréquentation ni le lendemain de la cérémonie.

TABLEAU 11.

Indice du mouvement saisonnier des mariages
Ile de Montréal (1646-1715).

Mois :	1	2	3	4	5	6	7	8	9	10	11	12	Total
Nombres absolus .	148	120	38	80	67	80	65	76	100	141	310	77	1 302
Nombres journaliers	4,7	4,3	1,2	2,6	2,1	2,6	2,0	2,6	3,3	3,4	10,3	2,4	42,6
Indice mensuel ...	1,32	1,21	0,33	0,74	0,59	0,73	0,57	0,73	0,92	1,26	2,90	0,68	12,0

3. *Les naissances.*

Au XVIIIe siècle, le taux de natalité de la colonie se maintiendrait entre 53 et 57 °/₀₀ (30). Ce sont des taux du même ordre que nous obtenons à Montréal avant 1686. A partir de

(29) Jacques Henripin, *op. cit.*, pp. 92-95.
(30) J. Henripin, *Tendances et facteurs de la fécondité au Canada*, p. 7. A supposer que les recensements soient exacts. Récemment l'auteur a

cette date et pendant les deux décennies qui suivent, nous constatons à la lecture du graphique 5 (31) une brusque accélération des mariages et des naissances. Le nombre d'enfants qui viennent au monde est tel qu'il est impossible de le rapporter à la population moyenne de cette période sans sombrer dans le ridicule. Pourquoi aurions-nous à Montréal une natalité supérieure à celle de l'ensemble du pays, laquelle semble déjà remarquable? Nous pouvons invoquer les déplacements de population causés par la guerre, des baptêmes d'enfants appartenant aux familles des seigneuries de la rive sud, qui vers 1690-1692 viennent se réfugier dans la ville. Mais la montée en flèche des naissances commence avant et se poursuit au delà de ces bouleversements (32). Il nous apparaît plus important de considérer que Montréal s'est peuplé presque d'un seul coup vingt-cinq ans plus tôt, de sorte que pratiquement toutes les filles atteignent en même temps l'âge du mariage et celui où la fécondité est la plus forte. La concordance entre la poussée des mariages et celle des naissances est en soi rassurante. Enfin, les épidémies successives, très violentes à Montréal, auraient, en fauchant une grande proportion des nouveau-nés, entraîné une diminution générale des intervalles intergénésiques (variant sans doute normalement entre vingt-trois et vingt-quatre mois comme au xvIII^e siècle), d'où la multiplication des naissances au lendemain de chacune d'elles.

Le quotient obtenu en divisant le nombre de naissances légitimes par le nombre de mariages, pour toute la période 1647-1715, est de 5,0 (33). Au xvIII^e siècle, Henripin trouve pour l'ensemble des familles complètes et incomplètes, une moyenne de 5,6 enfants. Qu'un comptage dans les registres paroissiaux

proposé une nouvelle méthode d'évaluation de la population. Il obtient des dénominateurs plus forts, partant des taux plus bas et plus réguliers sur une longue période, mais l'incertitude demeure. J. Henripin et Yves Péron, « La transition démographique de la Province de Québec », dans H. Charbonneau et coll., *La population du Québec : études rétrospectives*, Montréal 1973, pp. 23-44.

(31) Voir le nombre annuel des naissances, etc., en annexe.

(32) Les curés ne donnent à peu près jamais de renseignements sur le domicile des parents des baptisés.

(33) Soit 6 559 naissances légitimes divisées par 1 312 mariages.

touche une plus grande proportion de familles incomplètes que l'étude du démographe, basée sur un dictionnaire généalogique, voilà qui est normal. Il y a un certain mouvement des jeunes ménages hors de la seigneurie, mais n'est-il pas compensé par les naissances des couples de l'extérieur qui viennent se réfugier à Montréal? Notre moyenne est identique à celle obtenue par Pierre Goubert dans une vingtaine de paroisses du Beauvaisis au XVIIᵉ siècle, au moyen de la même méthode sommaire, et elle rejoint le rapport communément trouvé dans la France d'Ancien Régime. Lorsque nous considérons ce quotient en regard des taux de fécondité aussi élevés que ceux de la population canadienne (34), en regard aussi de l'âge des femmes au mariage encore exceptionnellement bas à cette époque, il saute aux yeux que les familles « complètes » sont relativement rares.

« Après avoir visité avec soin presque toutes les habitations du Canada, écrit un intendant en 1684, j'ay trouvé partout des familles très nombreuses. Les Pères et Mères ont d'ordinaire dix ou douze Enfans et assez souvent quinze, seize, dix-sept, et les ayant interrogés bien des fois combien il leur en estait mort, la plus part m'ont répondu aucuns, et d'autres m'en ont nommé quelques uns qui ont esté noyez. Il en périt plus de cette manière que par la mort naturelle (35). » Les administrateurs du XVIIᵉ siècle accumulent les observations de ce genre qui font bon effet à Versailles. La pension de 300 l. et 400 l. aux familles de 10 et 12 enfants vivants, non compris ceux qui sont dans les couvents, n'a certainement pas grevé le budget colonial (36).

Il est impossible de cerner cette question sans avoir fait la reconstitution des familles. Néanmoins, l'impression générale est que la proportion de ménages ayant eu de 10 à 13 enfants

---

(34) Un TRB de 4, 4 (J. Henripin, *La population canadienne au début du XVIIIᵉ siècle*, p. 74). Voir aussi G. Sabagh, « The Fertility of the French-Canadian Women During the Seventeenth Century », *The American Journal of Sociology*, XLVII (1942), pp. 680-690.

(35) Mémoire de De Meulles (1684), AC, F3, vol. 2, fᵒ 204 vᵒ.

(36) Arrêt du roi pour accorder une pension aux familles nombreuses, 3 avril 1669, AC, B1, fᵒ 113. En 1671, l'État distribue 4 000 l. sous ce poste, ce qui représente une douzaine de cas accumulés (état du 11 février 1671, *ibid.*, vol. 3, fᵒ 18 vᵒ).

serait beaucoup plus forte qu'au siècle suivant (37), ce qui s'accorde avec le mariage prématuré des filles dans les débuts. D'après le recensement nominal de 1681, quatre familles de Montréal sont éligibles pour la pension. Les mères ont eu leur premier enfant entre treize et dix-huit ans, les époux ont survécu jusqu'à l'âge de la stérilité et les enfants ont fait preuve

TABLEAU 12.

Indice du mouvement saisonnier des naissances et des conceptions à Montréal (1646-1715).

Mois présumé de la conception..	4	5	6	7	8	9	10	11	12	1	2	3	Total
Mois de la naissance	1	2	3	4	5	6	7	8	9	10	11	12	
Nombre absolu ..	590	628	648	559	541	505	467	569	597	581	501	498	6 684
Nombre journalier	19,32	23,14	20,90	18,63	17,45	16,83	15,06	18,38	19,90	19,00	16,70	16,00	221,31
Indice mensuel .	1,04	1,25	1,13	1,04	0,94	0,91	0,81	0,99	1,07	1,03	0,91	0,86	12

d'une endurance extraordinaire. Ce sont deux familles d'artisans et deux familles de notables (38), et c'est naturellement ce dernier groupe qui a le plus de chances de battre les records. Notons cependant que les naissances n'y sont pas plus rapprochées. La coutume de placer les enfants en nourrice n'a pas cours dans la colonie, sauf dans le cas du décès de la mère.

La courbe du mouvement saisonnier (39) montre que le

(37) Nous nous basons sur l'observation des 217 familles recensées en 1681, complétée par les données du dictionnaire de Tanguay qui énumère les naissances dans ces mêmes familles.

(38) Celles de Gilles Lauson, Étienne Campeau et Charles Lemoyne. Les d'Ailleboust y auraient droit, n'était l'entrée au couvent de quatre filles.

(39) Voir le tableau 12 et, en annexe, le graphique 8.

printemps est la saison de pointe pour les conceptions. Le mois de mai vient en tête, puis juin. Avril et juillet se situent aussi au-dessus de la moyenne. Il est intéressant de noter que pour l'ensemble de la population canadienne au XVIIIe siècle, le mouvement des conceptions culmine en juin (40). Parce que le printemps apparaît environ trois semaines plus tôt à Montréal qu'à Québec, notre maximum se situe au mois de mai. Est-il besoin de meilleure preuve que la nature commande le rythme de la vie (41)? La seconde pointe de décembre est la continuation de la hausse amorcée en novembre et reflète le mouvement des premières conceptions que nous n'avons pas pu dégager de l'ensemble. L'eussions-nous fait que l'élan des mois doux serait encore plus apparent.

Ajoutons que le fait que les enfants soient conçus entre avril et août, infirme l'opinion largement répandue que les habitants abandonnent leur terre pour courir les bois. Le voyage dans l'Ouest se fait surtout entre mai et août, et nous constatons que la grande majorité des hommes mariés sont alors assidus auprès de leur femme.

La proportion de naissances illégitimes est plus élevée à Montréal que dans le reste de la colonie, soit 1,87 %. En France, dans les régions rurales, la moyenne se situe autour de 1,0 %. Au Canada, selon Mgr Tanguay, le taux général irait en augmentant, passant de 0,2 à 1,2 entre 1700 et 1760. Montréal ville de garnison, aurait donc le quasi-monopole. Peut-être que les filles mères des côtes environnantes viennent exposer leurs enfants en ville, car il y a un bon nombre d'enfants trouvés parmi ces 125 cas (42).

Les enfants sont généralement baptisés le lendemain de leur

---

(40) Jacques Henripin, *op, cit.*, pp. 42-44.

(41) « Il n'est pas impossible, écrit Pierre Goubert, de suivre ainsi du Midi au Nord, et de l'Ouest à l'Est, les dates successives d'apparition du printemps. » (Cité dans F. Braudel et E. Labrousse, *Histoire économique et sociale de la France, 1660-1789*, p. 34.)

(42) Il faudrait citer les nombreux procès-verbaux du bailliage, relatifs aux enfants trouvés, morts ou vivants. A plusieurs reprises, le bailli ordonne la publication au prône de l'Édit d'Henri II de 1556 sur les filles « célant leur état et supprimant leur fruit ». Voir E.-Z. Massicotte, *Répertoire des arrêts, passim.*

naissance, souvent le jour même. Il faut sans doute attribuer cette bonne observance des règlements de l'Église au zèle des Sulpiciens, car il semble qu'ailleurs dans la colonie, dans les côtes éloignées, les parents se contentent d'ondoyer les nouveau-nés pour éviter le trajet jusqu'à l'Église. Une ordonnance de l'évêque à ce sujet en 1664 et une seconde en 1677 qui menacent ces parents d'excommunication laissent croire que la coutume est répandue (43). Montréal semble avoir échappé à ces négligences. Parmi les baptisés européens non nouveaunés, nous relevons des soldats récemment convertis, des prisonniers originaires de la Nouvelle-Angleterre, des enfants français qui sont nés pendant le séjour de leurs parents dans les colonies anglaises. Il y a souvent, dans ces baptêmes tardifs, des séquelles difficiles à saisir de l'immigration huguenote en Amérique après la révocation de l'Édit de Nantes.

4. *Les morts.*

Les Canadiens ont écrit l'histoire d'une population heureuse et lorsque nous lisons les meilleures monographies françaises, les études des démographes de l'INED, cette histoire de crises, de morts, d'équilibre fragile ne nous concerne guère. Au Canada, on nous l'a répété, les filles ont de l'ardeur, les enfants prolifèrent, le temps est bon et la mort prend ses distances.

« L'air de ce pays, écrit la Mère Marie de l'Incarnation, étant très sain, on voit peu d'enfants mourir dans le berceau (44). » Les administrateurs, comme nous l'avons déjà vu, renchérissent : « Les pères et mères y élèvent si heureusement leurs enfants qu'ils n'en perdent que par accident et presque jamais par maladie (45). » A Montréal, la Sœur Bourgeois, venue pour

---

(43) Mandement de l'évêque du 5 février 1672, qui doit être lu au prône, dans toutes les paroisses, tous les six mois. Copie dans les registres de la paroisse Notre-Dame (mars 1677).

(44) Cité par Jacques Henripin, *op. cit.*, p. 104.

(45) Lettre de De Meulles, 4 novembre 1683, AC, C11A6, f° 182, et lettre de La Barre, *ibid.*, f° 144.

faire l'école aux filles, est déçue mais reste optimiste : « On a été environ huit ans, écrit-elle, sans pouvoir garder d'enfants à Montréal. Ce qui donnait bonne espérance puisque Dieu prenait les prémices (46). »

Les démographes ne font que commencer à regarder la mortalité d'un peu plus près. Pourtant, Jacques Henripin avait ouvert la voie en évaluant le taux de mortalité infantile au XVIIIᵉ siècle à 245,8 %ₒ (47), mais l'auteur accepte sans sourciller les taux de mortalité générale de 17 et 18 %ₒ avant 1700, et 24 à 25 %ₒ de 1700 à 1740. C'est, écrit-il, la jeunesse de cette population, la quasi-absence de vieillards qui explique cette faible mortalité et les taux augmentent lorsque la structure d'âge se normalise, c'est-à-dire à partir de 1730 environ (48).

Cette explication est loin d'être satisfaisante. Cette forte natalité, cette pyramide à base élargie, ne sont-elles pas précisément des facteurs de vulnérabilité? Est-il raisonnable de croire que les Canadiens mouraient moins au XVIIᵉ siècle qu'ils ne le feront un siècle plus tard, alors que le taux de mortalité générale culmine à 34,7 %ₒ vers 1775, période de prospérité relative, avant que ne s'amorce la très lente descente vers les normes contemporaines. Assurément non, et nous croyons qu'un des traits fondamentaux de cette société en formation nous échapperait si nous ne tentions, même avec des moyens de fortune, de mesurer la place occupée par la mort.

Le sous-enregistrement des décès en général avait déjà été constaté par Hubert Charbonneau, en confrontant les recensements et les chiffres des registres paroissiaux de la colonie entre 1665 et 1668 (49). On pouvait croire cependant que ces omissions avaient disparu à mesure que les paroisses s'organisaient et se stabilisaient. Nous voyons qu'il n'en est rien, du moins pour ce qui touche la mortalité du bas âge, car c'est certainement le quart des enfants qui meurent dans l'année qui suit leur

(46) ASSP, MSS, Bretonvilliers, carton B.

(47) Jacques Henripin, *op. cit.*, p. 106.

(48) *Ibid.*, pp. 15, 103; aussi, *Tendances et facteurs de la fécondité au Canada*, p. 7.

(49) Hubert Charbonneau, Yolande Lavoie et Jacques Légaré, « Recensements et registres paroissiaux du Canada durant la période 1665-1668 », *Population* (1970), 1, pp. 97-124.

naissance au XVIIᵉ comme au XVIIIᵉ siècle. Les taux de mortalité générale que nous obtenons après ce redressement supposent que tous les décès de personnes de plus d'un an ont été enregistrés, ce qui est loin d'être sûr. S'il n'est pas impossible que quelques décès de soldats non identifiés comme tels se soient

TABLEAU 13.

Mortalité infantile et mortalité générale,
dans l'île de Montréal entre 1676 et 1715 (*).

Période	1676-1685	1686-1695	1696-1705	1706-1715
Population au milieu de la période	1 375	1 360	2 700	3 750
Nombre annuel moyen de décès de un an et plus..	15	39	52	68
Nombre annuel moyen des décès de 0-1 an ...	7	19	30	38
Nombre annuel moyen de naissances	72	109	186	212
Taux de mortalité infantile d'après les décès enregistrés	9,8 %	17,2 %	10,9 %	18,0 %
Nombre annuel moyen de décès 0-1 an, selon un taux de 24,6 %	18	27	46	52
Nombre annuel moyen de tous les décès corrigé ..	33	66	98	120
Taux de mortalité générale corrigé..........	2,4 %	4,85 %	3,6 %	3,2 %

(*) Avant 1676, les âges au décès manquent trop souvent.

mêlés à ceux de la population civile, l'erreur est compensée par l'absence des sépultures des jeunes gens, miliciens et coureurs de bois, morts loin de la paroisse. Enfin, des curés qui négligent si facilement les nourrissons sont-ils tellement plus attentifs aux enfants d'un an à peine? Bref, nos taux sont peut-être encore inférieurs à la réalité, particulièrement celui de la décennie

1676-1685. Nous reconnaissons que ces calculs ne valent guère lorsque les variations du dénominateur sont aussi brusques que celles qui se produisent entre 1695 et 1705, et nous souhaitons que les spécialistes reprennent cette importante question à la base.

5. *Des temps difficiles.*

Les malheurs de cette fin de siècle apparaissent déjà nettement sur le graphique 5 (50) qui traduit fidèlement les données de l'état civil : cinq pointes aiguës de mortalité en trente ans. Observons les deux plus fortes (51), celles de 1687 et de 1703, en retenant que nous aurions 10 à 15 décès de plus chaque année, ou 3 ou 4 par trimestre, si les registres étaient plus fidèles. Mais ce n'est pas tant le nombre de décès qui nous importe ici que la nature de ces crises et les distorsions qu'elles pourraient infliger aux courbes des mariages et des conceptions.

Entre 1687 et 1693, la guerre, la maladie et la disette s'abattent sur Montréal. Un curé décrit le fil des événements : « Le massacre et le saccagement de la Paroisse de Lachine qui avait été précédé par une espèce de peste ou maladie contagieuse qui en 1687 avait enlevé 1 400 personnes au Canada fut suivie d'une famine qui a duré plusieurs années (52). »

Les bateaux apportent la rougeole qui frappe en septembre 1687, décuple la mortalité ordinaire pendant trois mois et disparaît aussi brusquement qu'elle était venue (53). La mortalité fait plus qu'annuler les naissances de cette même année. Elle emporte 6 % de la population civile de Montréal et décime les Indiens et les soldats, ce qui n'apparaît pas sur nos courbes. Entre 1689 et 1694, les Iroquois sèment la désolation dans les côtes et sur ce fond de malheur viennent se greffer trois mauvaises

(50) En annexe.

(51) Graphiques 9 et 10, annexe.

(52) (Vachon de Belmont), *Histoire de l'eau-de-vie en Canada*, pp. 16-17.

(53) Sœur Morin, *Annales de l'Hôtel-Dieu de Montréal rédigées par la sœur Morin*, p. 187. Lettre de Champigny, 6 novembre 1786, AC, C11A9, f°s 4-18.

récoltes. Grande cherté des grains, grande misère mais pas de famine et pas la moindre trace d'une crise démographique de type ancien (54). La régularité des oscillations des conceptions et des mariages ne se dément pas.

De 1699 à 1714, l'île de Montréal vit en paix mais la misère règne. Éruption de fièvre au printemps de 1699 qui dure tout l'été. En 1703, il s'agit d'une « maladie de petite vérolle pourpre et flux de sang » qui frappe en janvier, culmine en avril, traîne jusqu'en juillet et emporte 1 000 à 1 200 individus dans la colonie tant Français qu'Indiens habitués (55). A Montréal, la mortalité est de 12 fois la moyenne du premier semestre, et c'est environ 8 % de la population européenne qui périt. Cette fois, on voit nettement fléchir la courbe des conceptions en avril, alors que normalement, c'est au cours de ce mois que s'amorce le mouvement de hausse saisonnière. Mais la reprise est immédiate. Entre ces deux épidémies, deux années de disette qui n'affectent pas les trois courbes démographiques bien que, les témoignages abondent, la misère soit grande (56).

Il reste que pendant un quart de siècle, nous avons une alternance ininterrompue de mauvaises récoltes et de « contagions » (57). Selon un missionnaire, la petite vérole frapperait davantage les gens du pays, Blancs et Indiens, que les immigrants (58), ce qui va de soi pour ceux-ci mais demanderait à être vérifié pour les premiers. Mais l'insensibilité de ce pays aux disettes n'est peut-être pas aussi absolue qu'il y paraît. Sans doute, la structure agricole égalitaire et les aliments d'ap-

(54) Pierre Goubert, *Beauvais et le Beauvaisis*, pp. 46-47.

(55) Lettre de MM. de Gallières et Beauharnois, 27 avril 1703, AC, C11A21, f°s 41-43.

(56) Lettre de M. Leschassier, 22 mars 1701 et 20 mai 1706, ASSP, XIV, pp. 229, 36-38.

(57) Elles sont en général identifiées comme de vagues « pestes ». Contre la vraie peste, les administrateurs emploieront les grands moyens. Une ordonnance de 1721 oblige tout navire en provenance de la Méditerranée de mouiller à 50 km en aval de Québec (AC, C11A124). En 1734, l'Hôtel-Dieu enduit les joints des cercueils qui sortent par les rues pour éviter qu'une fièvre maligne se répande dans la ville. (M. Mondoux, *L'Hôtel-Dieu, premier hôpital de Montréal*, p. 285.)

(58) R. G. Thwaites, éd., *Relation des Jésuites*, vol. 19, cité par A. G. Bailey, *The Conflict of European and Eastern Algonquin Cultures, 1504-1700*, pp. 94-95.

point que procurent la chasse et la pêche en atténuent les conséquences, mais la population est souvent réduite aux grains de
mauvaise qualité, aux soupes aux pois, au pain d'avoine, insuffisance accentuée par la carence vitaminique durant le long
hiver (59). Plus mal nourris alors qu'à l'ordinaire, les Canadiens offrent un terrain propice aux épidémies. Elles reviennent
souvent mais tuent modérément ces colons, qui ont aussi
l'immense avantage de n'être pas entassés.

En temps normal, les sépultures se répartissent assez également tout au long de l'année, et c'est à peine si nous décelons
une légère hausse en automne (60). Les curés donnent rarement
la cause des décès, signalant seulement à l'occasion les morts
violentes assez fréquentes, en particulier les noyades. Dans les
registres de la paroisse de Lachine, nous trouvons plus de détails.
On y meurt de « tournoyments de tête persistants », d'hydro-
pisie, d'abcès crevé dans le corps, de flux au ventre, de pleurésie,
de paralysie, de langueur, de suffocation et dysenterie surtout
chez les enfants. Le ministre ayant demandé quelles étaient les
maladies les plus fréquentes en Nouvelle-France, le gouverneur
cite dans l'ordre : les écrouelles chez les Indiens et quelques
habitants, les vers, les « cours au ventre », les « gouttes froides
qui viennent ordinairement après estre tombé dans l'Eau en
hyver » et les « descentes de boyaux » (61). Nous savons aussi
qu'il y a du scorbut, particulièrement dans les postes de l'Ouest
où, entre 1688 et 1689, il décime les garnisons (62).

La nomenclature fantaisiste révèle l'importance des carences
alimentaires et l'état sanitaire lamentable. Nous songeons entre
autres à ces viandes gelées au début de l'hiver et conservées
ensuite sans sel dans le grenier (63), que l'on mange sans doute
lors même que plusieurs dégels les ont avariées. Ajoutons qu'il
n'y a pas de médecin à Montréal, que des sages-femmes et des

(59) Voir *infra*, 3e partie, chap. I.
(60) Le sous-enregistrement nous interdit de commenter ce qui n'est
peut-être qu'une apparence.
(61) Lettre de Denonville, 8 mai 1686, AC, C11A8, fos 16-17.
(62) Sur 240 soldats et ouvriers de Cataracoui et Niagara, l'intendant
dénombre 180 morts en deux ans. Lettre de Champigny, 8 août 1688,
ibid, vol. 10, fos 121 vo-122.
(63) Mémoire de De Meulles, 1684, AC, F3, vol. 2, fo 204.

chirurgiens qui ne sauraient même pas remettre les membres disloqués, d'où, rapporte le gouverneur, le grand nombre d'estropiés (64).

Le tableau est sombre mais certes pas aussi tragique que ceux que nous offre la France de Louis XIV.

Conclusion : le bilan.

Pendant un siècle, la population de Montréal s'accroît à peu près au même rythme que celui de la colonie, avec certains décalages dans les points d'inflexion (65). Il faut observer cette évolution sur une longue période pour pouvoir l'interpréter adéquatement. C'est d'abord un développement harmonieux. La forte croissance naturelle prolonge l'élan de l'immigration, ce qui donne un taux moyen d'accroissement annuel de 8,5 % pour la période d'établissement 1650-1686. Suit une décennie de déperditions, plus fortement ressenties à Montréal que dans le reste du Canada. La guerre et la maladie se conjuguent pour provoquer une chute brutale. Les miliciens, les ouvriers des forts de l'Ouest meurent en grand nombre, et bien des hommes entraînés dans des campagnes ou des explorations lointaines ne reviennent pas. Au xviiie siècle, la population canadienne augmente à un rythme régulier de 2,5 % annuellement. L'île de Montréal commence par réparer ses pertes et, stimulée par l'immigration, la remontée est très rapide, après quoi elle s'aligne momentanément sur le reste de la colonie. Mais à partir de 1725 environ, elle ne cesse de perdre du terrain avec un taux moyen de croissance de 0,7 % par année jusqu'à la fin du siècle. Comme l'augmentation naturelle n'y est probablement pas plus faible qu'ailleurs, nous pouvons conclure à un déficit migratoire constant.

Pour expliquer ces mouvements, il faut distinguer les populations urbaine et rurale, ce que les recensements ne font pas. Nous soumettons ici nos propres évaluations, à peu près justes pour le xviiie siècle, assez grossières pour la période antérieure (66).

(64) Lettre de Denonville, citée à la note 61.
(65) Voir le graphique 1, en annexe.
(66) Nous exposons les bases de ces calculs dans un article, savoir les dénombrements seigneuriaux qui permettent de rectifier une erreur cou-

Montréal n'a jamais été un bourg greffé sur des campagnes. C'est une création marchande, un comptoir dans les débuts, et toute la population vit d'abord dans « le lieu désigné pour la ville », un espace de 120 arpents, tôt délimité par une palissade. Elle s'adonne à la traite et à la culture de petites parcelles dans l'enclos et aux alentours. A partir de 1665 environ, les habitants commencent à se disperser et les nouveaux établissements, essentiellement agricoles, se peuplent dès lors plus rapidement que le noyau urbain. Pendant les quarante années qui suivent, l'élément rural forme à peu près les deux tiers de la population à l'étude, puis ces campagnes s'immobilisent cependant que la ville continue à croître, mais très faiblement. Vers 1715-1730, la proportion de citadins est de 45 %.

Nous touchons ici à deux traits séculaires, caractéristiques de l'économie de la Nouvelle-France. D'abord l'absence d'industrie interdit une véritable croissance urbaine régulière. En temps d'immigration massive, en temps de guerre lorsqu'elle accueille des réfugiés des côtes environnantes, comme par exemple entre 1690 et 1696, la ville se gonfle brusquement, mais à long terme elle est incapable d'absorber de nouveaux effectifs ni même son propre excédent naturel. C'est pourquoi, Montréal est vite dépassé par les campagnes qui s'ouvrent dans la seigneurie. Mais, comme nous le verrons, le système agricole concourt à la sclérose démographique de la zone rurale. C'est la seconde constante qui explique le déficit migratoire du XVIIIᵉ siècle. Les seconde et troisième générations de Montréalais poussent les défrichements hors de l'île, dans la plaine qui s'étend sous les premières terrasses des Laurentides jusqu'aux confins des seigneuries de la rive sud. L'ouverture de la Louisiane, la création de postes permanents au Détroit, à Michillimakinac, aux Illinois, opèrent de lourds prélèvements, à partir de 1725 surtout, sur les effectifs urbains et ruraux de Montréal. Cette petite ville, vouée aux seules opérations commerciales et au chômage endémique, n'avait rien pour les retenir.

rante, à savoir la forte croissance urbaine en Nouvelle-France. (L. Dechêne, « La croissance de Montréal au XVIIIᵉ siècle », *RHAF*, 27, 2 (septembre 1973), pp. 163-179).

DEUXIÈME PARTIE

LE COMMERCE

Introduction.

Traditionnellement, les histoires de la Nouvelle-France accordent plus de place aux circonstances extérieures ou périphériques qui entourent l'existence de cette colonie qu'aux réalités internes, et parmi celles-ci, elles ont de tout temps privilégié la recherche des fourrures et l'expansion territoriale. Un seul chapitre suffit généralement à rendre compte de la colonisation, appréhendée sous un aspect institutionnel.

Pour qui veut renouveler la perspective et atteindre la formation sociale, jusqu'ici laissée dans l'ombre, la tentation est grande de s'appuyer sur les meilleures études régionales françaises qui ont si bien mis à jour les articulations entre la production, la distribution des biens et les rôles sociaux. Et ainsi, après le peuplement, les yeux rivés sur nos modèles, nous avions, dans une première démarche, enchaîné avec l'agriculture. Mais nous faisions fausse route. « En une France d'abord paysanne, écrit Goubert (1), j'ai essayé de connaître les paysans. En des villes où dominaient les ' arts mécaniques ' et ' la vile populace ', je n'ai pas voulu limiter mon enquête aux grands marchands... » Nous écririons volontiers : en un Canada d'abord marchand, il faut essayer de connaître les marchands et quand les facteurs déterminants sont exogènes, que toute l'économie d'une région

(1) Pierre Goubert, *Beauvais et le Beauvaisis, de 1600 à 1730*, p. 7.

est modelée par les changements qui surviennent dans le monde qui l'environne, il est impossible de limiter l'analyse aux forces internes embryonnaires. A vouloir fuir les sentiers battus par la tradition historiographique, nous risquions l'incohérence.

Nous sommes en face de deux productions. La plus ancienne et la plus considérable, celle de la fourrure, ne nous apparaît qu'au niveau de l'échange. Les rapports entre les producteurs indigènes et le marchand sont établis depuis plus d'un siècle, lorsque mûrit à Montréal le premier champ de blé et cette préséance dans le temps se prolonge. Notre point de départ est donc le commerce, les instruments, les ventes, les achats, les profits, le capital marchand, substrat sur lequel s'élabore la première organisation sociale.

CHAPITRE PREMIER

LES ÉLÉMENTS FONDAMENTAUX DU COMMERCE

1. *La situation de Montréal.*

L'île de Montréal est au carrefour des routes d'eau . En remontant la « grande rivière » (3), le voyageur rejoint le lac Ontario et les autres immenses nappes d'eau qui, en enfilade, s'enfoncent à l'intérieur du continent. Pour éviter le détour par le sud et atteindre plus rapidement le lac Michigan et la route du Bas-Mississippi, le lac Supérieur et la Mer de l'Ouest (4), il suit la rivière des Outaouais et par la Mattawa, le lac Nipissing, débouche au nord du lac Huron. Route plus sûre, à l'abri des Iroquois et des Anglais, au bout de laquelle le poste de Michillimakinac apparaît très tôt comme la plaque tournante du commerce intérieur. Outre ces deux voies majeures vers l'ouest ramifiées par des affluents dans toutes les directions, Montréal dispose d'une ligne d'eau vers le sud, soit la rivière Richelieu qui rejoint l'Hudson, les marchands hollandais d'Albany et le port de Manhattan à 550 kilomètres. Enfin, la voie normale vers l'Atlantique, celle que le jeu des premières prises de possession a imposée : le Saint-Laurent, véritable bras de mer qui pousse les effets de la marée jusqu'à 50 kilomètres en aval de

(3) C'est ainsi que l'on désigne communément le fleuve Saint-Laurent.
(4) Nom donné aux prairies, où les Français commencent à circuler au début du XVIIIe siècle.

Montréal. Québec est à deux mois de la France à l'aller, et il n'en faut ordinairement qu'un pour le retour (5).

Au long du parcours intérieur, Montréal n'est pas une simple escale avantageusement située, mais un point de transbordement, la dernière limite de la navigation sans portage. En amont, le fleuve, comme l'Outaouais qui se prolonge au nord de l'île par la rivière des Prairies, n'est que successions de dilatations et de rapides. Ce réseau hydrographique d'une extrême jeunesse cherche son ancien lit, obstrué par les dépôts glaciaires, déblaie le passage à travers les fonds meubles jusqu'au prochain verrou, l'affleurement rocheux qui brise sa course. Les eaux retenues creusent, s'étalent pour former des « lacs », puis se resserrent et bondissent sur les « saults ». Entre le lac Saint-Louis qui baigne la tête de l'île et la ville, une dénivellation de treize mètres, appelée Sault-St-Louis, suivie d'un dernier rapide moins tumultueux, après quoi le fleuve navigable commence (6). Au total, un portage de 13 kilomètres. Il ne s'agit pas seulement de haler les barques, il faut les abandonner au pied du courant et charrier les cargaisons jusque dans la ville. Puis, des boutiques des marchands, tout ce qui est destiné au marché de l'Ouest est à nouveau charroyé jusqu'au-dessus du Sault-St-Louis, au poste d'embarquement que les habitants narquois surnommèrent Lachine, au temps où les explorateurs partaient à l'aviron pour Cathay. Seuls les canots d'écorce, ces embarcations algonquiennes souples et légères, sont capables de porter les balles d'étoffe, les barils et les caisses de quincaillerie jusque dans les pays d'En-Haut. Ce changement de navigation contribua longtemps à la fortune de Montréal qui cesse très tôt de n'être qu'un comptoir pour devenir un lieu de transit et de distribution, un entrepôt de marchandises et de fourrures entre la mer et le continent.

(5) Marcel Trudel, *Histoire de la Nouvelle-France*. Tome I : *Le comptoir* (Montréal, 1963), pp. 375-376. M. Delafosse compte aussi deux à deux mois et demi pour le trajet de La Rochelle à Québec, et moins d'un mois au retour. (M. Delafosse, « Le trafic franco-canadien (1697-1715). Navires et marchands à La Rochelle », communication présentée au premier colloque d'histoire coloniale, Ottawa, novembre 1969.)

(6) Raoul Blanchard, *Montréal, esquisse de géographie urbaine* (Grenoble, 1947), pp. 39-48.

Il faut normalement de quatre à six jours pour remonter le fleuve de Québec à Montréal, dans des chaloupes ou de grosses barques qui font escale pendant la nuit (7). Ces embarcations n'excèdent pas 80 tonneaux et la plupart sont beaucoup plus petites (8). Montréal n'a pas de quai où les navires pourraient accoster et, bien qu'il n'y ait pas de véritables obstacles à la navigation, on conserve jusqu'au XIXᵉ siècle l'habitude de transborder les marchandises à Québec d'abord. Le premier chemin entre Québec et Montréal, jalonné d'innombrables passages de rivières, à gué et à bac, ne sera terminé qu'en 1735, et le fleuve demeure longtemps la seule voie de transport commercial, lequel est, de ce fait, interrompu cinq mois par année. Dans l'île de Montréal, les chemins sont partout impraticables. Les habitants reportent à l'hiver, autant qu'ils le peuvent, les charrois de grains et de bois, mais c'est au printemps qu'il faut transporter les balles de marchandises jusqu'au lac Saint-Louis, sur 10 kilomètres de fondrières, dans lesquelles s'enlisent les charrettes et les bœufs. C'est pourquoi le projet de canaliser la petite rivière Saint-Pierre est conçu dès 1679, ce qui aurait permis de charger les canots aux portes de la ville et réduit les coûts des charrois. Il ne s'agissait que d'élargir le cours d'eau pour créer un passage de douze pieds de largeur et quatre pieds de profondeur. Mis en chantier par les Sulpiciens, le projet est abandonné puis repris sous la direction d'un ingénieur royal en 1700. Il faut finalement renoncer, faute de pouvoir creuser dans le banc de grès et de calcaire qui prolonge les affleurements à l'origine des rapides et empêche les eaux de circuler par le canal durant l'étiage (9).

(7) Pehr Kalm, *Voyage de Kalm en Amérique*, pp. 59 et 183; E. R. Adair, « The Evolution of Montreal during the French Regime », *CHAR*, XXIII (mars 1942), p. 31.

(8) Les Sulpiciens utilisent une barque de 35 pieds de quille avec un petit ravalement pour servir de chambre, ce qui représente environ 40 tonneaux (marché du 17 août 1670, M. not., Basset). Faute de fret suffisant, le marchand J. Leber dut retirer une barque plus considérable destinée à ce cabotage. (Lettre de l'intendant De Meulles, 24 septembre 1685, AC, C11A7, fᵒ 138 vᵒ.) La barque *La Marie*, propriété de deux marchands montréalais, qui circule entre Québec et Montréal en 1715, n'a que 30 tonneaux (M. not., 4 septembre 1715, Le Pailleur).

(9) Pierre Rousseau, *Notes historiques sur le canal et le moulin de Lachine*, étude manuscrite, APC, M-1654.

Les canots mettent environ deux mois pour atteindre Michillimakinac par la route du nord, avec plus de trente portages entre Lachine et le lac Huron, sans compter les « décharges », c'est-à-dire les endroits où l'embarcation momentanément allégée peut sauter les rapides. Dans les portages, plus nombreux à l'aller qu'à la descente, le canot est hissé à terre et transporté à dos d'homme. Au total, peut-être 50 déchargements et rechargements (10).

Les premiers canots ne transportent que trois hommes et environ 1 000 livres pesant de fret. Vers 1715, des canots de 30 à 40 pieds de longueur, avec quatre à cinq hommes pour la manœuvre, chargent jusqu'à 3 000 livres (11). Quand les conditions le permettent, on hisse une voile et les avironneurs ménagent leurs forces. Quelques barques sont utilisées sur les grands lacs, à des fins militaires surtout, mais le canot reste, jusqu'à la seconde moitié du XIXᵉ siècle, le moyen de transport le mieux adapté, le plus rapide. On circule depuis le mois de mai, le danger des embâcles et des crues printanières passé, jusqu'au début de décembre.

C'est aussi le canot qui sert à transporter les voyageurs à Québec en moitié moins de temps que n'en prennent les barques (12). En hiver, ils circulent en traîneau le long des berges et sur le fleuve gelé. Un bon attelage de chiens peut tirer jusqu'à quatre personnes, à la condition de faire plusieurs étapes (13). Les conditions du voyage s'améliorent lorsque la multiplication des chevaux dans la colonie permet à tous ceux commandés par leurs affaires de voyager en carriole, équipage plus haut sur les patins et mieux protégé (14). Ville de l'intérieur, Montréal reste

(10) G. P. de T. Glazebrook, *A History of Transportation in Canada*, (Toronto, 1964), tome I, p. 27; H. A. Innis, *The Fur Trade in Canada* p. 59.

(11) Lettre de Denonville, 20 novembre 1686, AC, C11A8, fº 142 ; C. de Rochemonteix, *Relations par lettres de l'Amérique septentrionale, années 1709 et 1710*, p. 11.

(12) Sept jours pour conduire un prisonnier à Québec et revenir à Montréal, à quatre avirons (1706), *JDCS*, vol. V, p. 308.

(13) Procès-verbal de mars 1683, bailliage, 1ʳᵉ série, reg. 2 (copie Faillon FF 52).

(14) Sur les chevaux, voir 3ᵉ partie, chap. v.

longtemps très isolée, difficile d'accès, dépendante de Québec qui intercepte les relations avec la France, mais rien ne lui dispute son hinterland démesuré.

2. *Les particularités du système monétaire.*

a) *Les monnaies.*

Dès les débuts de la colonie, les espèces monétaires qui d'aventure y sont apportées, circulent pour 133 1/3 % de leur cours en France (15). Cette différence de cotation, rigide jusqu'en 1720, corollaire de la dévaluation de la monnaie de compte coloniale, n'est pas tant la conséquence de la rareté de l'argent au Canada qu'un couvert pour une opération de change profitable. Les premières compagnies de commerce perçoivent certains droits dans la colonie, dont le plus important est un prélèvement de 25 % sur les exportations de castor (16). En contrepartie, elles sont astreintes à défrayer les charges administratives de la colonie. Le montant de ces charges qu'elles font passer le plus souvent sous forme de marchandises, est évalué sur le pied de la livre coloniale, ou de l'écu valant 4 livres. Pour des appointements de 120 l., la compagnie ne verse que 30 écus. Concrètement, les marchandises supportent d'abord une augmentation d'environ 50 % couvrant les frais de transport et bénéfices divers et une hausse additionnelle de 33 1/3 % sur le prix de revient dans la colonie, correspondant au rehaussement des espèces. Le système est dénoncé par les particuliers et les communautés portés sur l'état de la colonie, mais sanctionné par divers règlements entre 1654 et 1672 (17). Lorsque le

(15) « Pour le danger qu'elles courent sur Mer », écrit un Jésuite en 1636, cité par E. Salone, *La colonisation de la Nouvelle-France*, p. 127. La pratique est donc bien antérieure à 1661. Elle naît probablement dans les premières années de l'administration de la Compagnie des Cent Associés.

(16) *Infra*, pp. 160 *sqq.*

(17) Mémoire de 1663, cité dans Adam Shortt, *Documents relatifs à la monnaie, au change et aux finances du Canada sous le régime français*, 2 vol. (Ottawa 1929), vol. 1, p. 8; mémoire pour servir de réponse de la part des officiers et communautés du Canada à messieurs les fermiers généraux (1675), AC, C11A4, f°s 118-120.

commerce des fourrures à l'intérieur devient officiellement libre en 1664, la fiction reçoit l'appui des marchands qui vendent les produits importés de France sur le pied de la livre coloniale et exigent le paiement en castor au pair avec la livre tournois (18). Ainsi, la livre pesant de castor fixée à 110 sols, monnaie du Canada grevée d'un droit de sortie de 25 % ou 27 sols 6 deniers, est reçue par le marchand pour 82 sols 6 deniers et il obtient une lettre de change pour la même valeur tirée sur le fermier en France. Par ce moyen, il fait retomber le droit de sortie sur les intermédiaires qui lui fournissent les fourrures (19).

Il va de soi que le haussement des espèces n'entraîne pas une hausse du pouvoir d'achat dans la colonie, tous les produits étant pareillement surévalués. Entre marchandises et produits du cru, l'opération ne fait ni gagnants ni perdants, et le 33 1/3 % de bénéfice additionnel est annulé lorsque les marchandises sont payées en numéraire. Mais au XVIIᵉ siècle, ce ne sont là que des échanges marginaux par rapport au commerce des fourrures, la réalité sous-jacente qui commande le système monétaire. Face à l'enchérissement général, est-il possible qu'ils aient été de bonne foi ces administrateurs qui prétendent que le haussement des espèces doit attirer et retenir celles-ci dans la colonie (20)?

Le débat qui s'était engagé sur ces problèmes vers 1675, entre les financiers de la ferme du Canada et les commis du contrôleur général (21), rebondit au début du XVIIIᵉ siècle avec l'effondrement du prix du castor et la faillite des finances. En 1717, il est facile au Conseil de la marine d'abolir la hausse officielle qui n'avait plus de raison d'être depuis qu'on avait

(18) Mémoire du Conseil de la marine, 12 avril 1717, cité par Adam Shortt, *op. cit.*, pp. 376-392.

(19) L'évêque dénonce la pratique comme usuraire. Tout se passe, écrit-il, comme si les marchands avançaient les marchandises de traite à la grosse aventure, alors qu'ils ne partagent aucun risque. Mandement de Mgr de Saint-Vallier, 3 mars 1700, ASSM (copie Faillon H 645).

(20) Arrêt du Conseil d'État, 18 novembre 1672, dans Adam Shortt, *op. cit.*, p. 36. La mesure eut pour effet d'attirer des monnaies de cuivre sans valeur, que les marchands coloniaux refusaient même au pair. Procès-verbal du 10 janvier 1667 et 28 novembre 1679, *JDCS*, vol. I et II.

(21) Mémoire par les cautions de Jean Oudiette et les objections de M. Savary, AN (France), G7, vol. 1312, articles 62 et 63.

renoncé à lever le droit de 25 % sur les fourrures dépréciées (22). Aucune baisse des prix nominaux des marchandises n'accompagne l'établissement de la parité (23). Le bénéfice que camouflait la dévaluation de la livre coloniale apparaît dorénavant au grand jour : c'est la marge dévolue au détaillant canadien. Bien au contraire, dans cet échange castor-marchandises, la profusion et la dépréciation subséquente du premier terme valorise le second et les prix des importations augmentent. Seuls ceux des produits coloniaux semblent avoir momentanément fléchi.

La rareté de la monnaie métallique est générale à l'époque, mais plus accentuée encore dans les colonies. Certaines années, avant 1689, une partie des fonds de la colonie est versée en numéraire (24). Les communautés qui ont des rentes dans la métropole en font venir (25). Quelques marchands sans doute transforment en espèces une faible partie du produit des lettres de change sur le bureau du castor, mais d'ordinaire, ils réinvestissent tout dans le commerce et les retours sont en marchandises. Le problème est bien plus l'insuffisance des rentrées que la soi-disant fuite du numéraire par suite d'une balance commerciale défavorable. La colonie vit de peu, ne s'équipe pas et ses marchands paient leurs achats d'avance par lettre de change à La Rochelle. Sans être jamais tout à fait absente, la monnaie n'est qu'un moyen de paiement parmi d'autres. Les pièces rencontrées dans les inventaires après décès des marchands, celles « comptées et dénombrées » devant notaire lors du paie-

(22) Déclaration du roi du 5 juillet 1717, dans Adam Shortt, *op. cit.*, p. 398.

(23) Parité officielle seulement, puisque les espèces de France vont circuler au-dessus de leur valeur nominale, mais au gré du marché. Cette étude reste à faire.

(24) La majeure partie en marchandises et denrées métropolitaines vendues avec profit dans la colonie. L'administration y trouve son avantage. Voir le mémoire de l'intendant Talon du 10 novembre 1670, priant Colbert de ne pas céder aux pressions des marchands qui réclament du numéraire, dans Adam Shortt, *op. cit.*, p. 30. Pour les conséquences sur l'agriculture locale, voir *infra*, troisième partie, chap. VI.

(25) En 1680, sur un fonds annuel de 10 000 l. environ, les Sulpiciens reçoivent le tiers en pistoles d'or, le reste en marchandises. Lettre de M. Tronson, 20 mars 1680, ASSP, XIII, p. 201.

ment d'une dot (26), d'une vente de terre, d'un prêt consenti
pour « voyage en l'ancienne France » (27), sont d'or et d'argent,
presque toujours d'origine française (28). Quant aux pièces de
billon fabriquées à l'intention des colonies, nous n'en trouvons
pas trace (29). Les liards et les sols marqués traînent un peu
partout.

Les rentes seigneuriales, les impôts et les fermages sont
acquittés en nature et en services. Avant 1665, nous avons plusieurs contrats dans lesquels le blé, la fourrure, les terres ou le
bétail sont échangés directement, sans passer par la monnaie
de compte. Ce troc est encouragé par la stabilité des prix, stabilité due à la rareté chronique et aux interventions du Conseil
pour taxer le blé. La valeur du castor commence à baisser vers
1664 et le cours du blé libéré en 1665 ne tarde pas à flancher (30).
Ce type de transferts bilatéraux disparaît dès lors du secteur
agricole. Restent les divers paiements stipulés en nature, grains,
fourrures ou marchandises importées, mais pour une valeur
exprimée en livres et qu'on aurait tort d'assimiler au troc.
Peu à peu, ceux-ci même tendent à disparaître dans les transactions immobilières, d'une part parce que la baisse de longue
durée du blé n'encourage personne à le recevoir, d'autre part
parce que la masse des habitants ne participe plus à la traite
et ne possède pas de fourrures. Ils font place aux espèces son-
nantes parfois, aux virements, aux billets privés et publics le

(26) J.-B. Migeon, bailli et marchand, verse en écus blancs une dot de
3 000 l. Contrat de mariage, M. not., 20 avril 1692, Antoine Adhémar.

(27) Il faut du numéraire pour voyager en France, envoyer ses enfants
s'y faire instruire, etc. C'est en pièces d'or et d'argent que les héritiers
français de François Pougnet, marchand à Montréal, réalisent l'actif de
la succession. *Ibid.*, 1er octobre 1691.

(28) Sur la foi de quelques ordonnances réglant le cours des piastres au
Canada, E. Lunn et d'autres historiens ont conclu à la prolifération des
monnaies étrangères, conséquence du commerce illicite. Mais le numéraire
était aussi rare dans les colonies anglaises et la contrebande se faisait
en nature. C'est plutôt *via* la France que quelques pièces espagnoles en-
traient en Nouvelle-France. (E. Lunn, *Economic Development in New
France 1713-1760*, thèse de Ph. D. en histoire, McGill, 1947, non publiée.)

(29) Ces pièces ont été surtout dirigées vers les Indes occidentales.
Voir Lacombe, *Histoire monétaire de Saint-Domingue et de la république
d'Haïti jusqu'en 1874*, Paris, 1958.

(30) *Infra*, deuxième partie, chap. VI.

plus souvent (31). Notons que lorsque le gouverneur écrit au ministre que le castor est la monnaie du pays et que les habitants le thésaurise, il ne cherche qu'à empêcher les commis de la Compagnie des Indes occidentales de visiter les domiciles et entrepôts et saisir les peaux que plusieurs marchands, dont ses propres associés, font passer en Europe en fraude. Trois cents inventaires après décès nous ont démontré que personne n'accumule de fourrures. La thésaurisation du castor ou autres moyens d'échange, présentée par les historiens comme un trait caractéristique de cette société et qui repose sur des témoignages aussi fragiles, ne peut pas être retenue (32).

L'insuffisance monétaire affecte moins et n'alourdit guère le secteur commercial qui repose sur un double échange de fourrures-marchandises : castor-standard (33), entre l'Indien et le traitant, qui exprime chaque unité de marchandises selon un cours tout à fait indépendant de la valeur marchande de la fourrure en Europe; remboursement des avances de marchandises en nature, entre le traitant et le marchand, selon la valeur des fourrures sur le marché métropolitain, c'est-à-dire en passant par l'unité de compte monétaire (34).

Celle-ci échappe donc aux fluctuations monétaires locales et, à première vue, ce commerce semble flotter au-dessus de la colonie de peuplement qui se développe à ses côtés, mais il s'y rattache par le crédit multiforme qui se répand dans toutes les couches de la population, quoique cette liaison manque de souplesse. Dans la mesure où le marchand veut dégager une partie de ses profits de cette activité et diversifier ses opérations, la pénurie chronique et souvent aiguë d'espèces métalliques ne peut que le gêner.

(31) Avant 1663, sur 38 ventes de terres relevées, 28 paiements sont stipulés en nature; 38 sur 57 en 1667-1670; 10 sur 31 en 1680-1681; 1 sur 27 en 1690 et zéro en 1700.

(32) Lettres de Frontenac, 2 novembre 1672 et 12 novembre 1690, AC, C11A3, f° 245 et vol. 11, f° 347. Jean Hamelin, *Économie et société en Nouvelle-France*, p. 37; W. J. Eccles, *France in America* (Toronto-Montréal, 1972), p. 114; et autres auteurs.

(33) Nous hésiterions à employer le mot troc, car les Européens traitent surtout avec des tribus intermédiaires. Ce sont des échanges différés plus complexes. Cette question est reprise plus loin.

(34) Contrairement au sucre des Îles, le castor n'est pas utilisé comme standard ni dans les échanges entre colons ni dans ceux avec la métropole.

b) *Le crédit public.*

L'émission de « billets de cartes », inaugurée par l'intendant en 1685, n'a pas été pensée en fonction de l'économie générale, pour accélérer la circulation, aider la population à effectuer de petits paiements à l'intérieur, éviter une dépression, conséquence du manque de numéraire (35). Ce n'est qu'un expédient pour régler les dettes de l'administration, payer les troupes, tous les fournisseurs et artisans créanciers de l'État. En France, les finances publiques entrent dans une mauvaise période et les fonds de la colonie, soit quelque 300 000 l. traversent irrégulièrement. A la fin du siècle, rien ne passe : ni espèces, ni marchandises. Et l'intendant, qui avait réussi à peu près à couvrir les premières émissions, continue de fabriquer des billets au rythme de ses besoins, lesquels ne sont assignés ni sur des propriétés, ni sur des rentrées fiscales, mais reposent sur la capacité de l'État d'acquitter éventuellement ces promesses (36). Dans une économie aussi restreinte, une dette publique gonflée jusqu'à 2 millions de livres en 1714, ne peut que déchaîner l'inflation. Elle représente en gros 100 l. de papier *per capita* et peut-être la moitié de la fortune coloniale à cette époque.

Ce sont des billets de petite dénomination (37), que les soldats, les ouvriers des fortifications répandent dans les villes et les

(35) La période antérieure à 1685 est peut-être trop courte pour conclure, mais notons que les espèces métalliques ne renchérissent pas, que le prix des marchandises ne baisse pas, phénomènes qui ne manqueraient pas de se produire si les moyens de paiement dont disposait la colonie, avaient été vraiment insuffisants. Voir à ce sujet, Roger W. Weiss, « The Issue of Paper Money in the American Colonies 1720-1774 », *Journal of Economic History*, XXX (décembre 1970), pp. 770-785. L'auteur nie que la situation monétaire ait été tellement plus défavorable dans les colonies qu'en Angleterre et que les expériences de papier-monnaie aient été inévitables.

(36) Des émissions de papier-monnaie furent également lancées dans les colonies anglaises pour financer les expéditions militaires, avec des résultats désastreux. Mais, dans les colonies du centre, le système des Land Banks fonctionna relativement bien. Cette dernière expérience diffère totalement des procédés irrationnels employés au Canada. Voir Theodore Thayer, « The Land-Bank System in the American Colonies », *Journal of Economic History*, XIII (1953), pp. 141-159.

(37) Allant de 1 à 32 l. On continua à les appeler « cartes », bien que l'intendant ait cessé très tôt d'utiliser les cartes à jouer, expédient pour les premières émissions.

campagnes et qui finissent toujours par s'accumuler dans les coffres des marchands. Ceux-ci les rapportent à l'intendant et reçoivent du numéraire, des marchandises ou des bordereaux de castor du fermier, dans les débuts, puis des billets sur le trésorier de la marine en France. La confiance ne règne pas. En 1689, paraît la première d'une série d'ordonnances pour obliger les marchands à recevoir les cartes à leur valeur nominale, sous peine de 100 l. d'amende. En 1690, ceux de Montréal continuent de les prendre à la moitié de leur valeur et plusieurs créanciers les refusent. Nouvelles menaces (38). Pour éviter les sanctions, on va renchérir le prix des marchandises, quel que soit le moyen de paiement. L'escalade des prix commence. Les billets et lettres de change sur le Trésor, émis en échanges des rentrées de cartes, sont de moins en moins payés à l'échéance, et les négociants ne les acceptent « qu'avec beaucoup de répugnances » (39). A plusieurs reprises entre 1691 et 1709, les marchands, pour autant que les maigres rentrées de numéraire le leur permettent, avancent des fonds à l'intendant moyennant sans doute un profit de 33 1/3 sur le change et l'assurance que leurs créances seront privilégiées. Mais lorsque ces lettres de change particulières cessent d'être honorées, à l'instar des créances communes sur les cartes, ils refusent de prêter, et l'intendant n'a pas d'autre ressource que d'émettre des cartes pour la totalité du budget (40).

Les correspondants et fournisseurs de La Rochelle obligent les marchands canadiens à garantir personnellement les créances sur l'État que ceux-ci envoient en paiement. Mais malgré ces difficultés, ils ne peuvent fermer leur boutique aux porteurs de cartes, ni renoncer à conclure des marchés de fournitures avan-

---

(38) Arrêt du 7 janvier 1689, *JDCS*, vol. 3; ordonnance du 19 novembre 1689 de l'intendant, et du 19 novembre 1690 du bailli de Montréal, bailliage, 2e série, vol. 2; acte de protestation par N. Gervaise contre Isaac Nafréchoux 6 septembre 1690, *ibid.*

(39) Lettre de l'intendant, 21 septembre 1692, AC, C11A12, fo 55 vo.

(40) Lettre du même, au sujet d'un emprunt de 200 000 l. aux marchands de la colonie, 12 octobre 1691, dans Adam Shortt, *op. cit.*, p. 96; lettre du ministre à Lubert, 16 février 1695, *ibid.*, p. 100; autre lettre de 1710 dans laquelle l'intendant explique la nécessité d'émettre pour 244 092 l. t. de cartes, les marchands refusant de prêter (*ibid.*, pp. 206-207).

tageux avec l'intendant, d'autant moins que la demande de castor s'effondre durant ces mêmes années. Les lettres de change décriées sont commercées publiquement sur la place. Le gouverneur les escompterait à 8 % (41). Lorsque le Trésor commence à les convertir en billets, qui vont se perdre dans la masse de papier qui circule dans le royaume (42), les marchands refusent carrément cet anonymat dangereux et, à tout prendre, décident de miser sur les cartes qui ont l'avantage de n'avoir pas d'échéance fixe (43). Elles circulent vite, brûlent les doigts. Les transactions foncières se multiplient, les débiteurs se précipitent pour amortir leurs rentes et les créanciers forcés d'accepter le rachat battent les campagnes pour trouver de nouveaux emprunteurs (44). Le trésorier de la colonie écrit que « les négociants surchargés de monnaie de cartes ont l'année dernière et celle-ci [1714] mis tout en usage pour s'en deffaire par des entreprises de pesche, des bâtiments de mer et de terre, des bois d'écarissage et de sciage, de la mâture... » (45). Il est certain que les seigneuries des environs de Montréal, jusque-là en friche, commencent à s'équiper vers cette époque.

Les prix des marchandises subissent des fluctuations inégales, sporadiques et excessives depuis 1690, qui sont la conséquence à la fois de la dépréciation des cartes, de la mévente du castor et de la rareté des arrivages faute de moyens de paiement à l'extérieur, et tout ceci se greffe sur les désordres financiers de la métropole. Les denrées ne sont pas encore affectées, ce qui

(41) « Mémoire de l'estat présent du Canada », 1712, *ibid.*, fᵒ 224-226.

(42) Voir Paul Harsin, « La finance et l'État jusqu'au système de Law », dans F. Braudel et E. Labrousse, *op. cit.*, pp. 270-276.

(43) « Les lettres de change sur le trésorier de la Marine sont fort décriées, écrit l'intendant, puisque les négociants préfèrent des cartes à ces lettres nonobstant le besoin extrême qu'ils ont de faire des remises en France. » (Lettre du 12 novembre 1712, dans Adam Shortt, *op. cit.*, p. 232). Guy Frégault (dans « Les finances canadiennes », *Le XVIIIᵉ siècle canadien. Études*, pp. 310 *sqq.*) fait une bonne analyse de cette crise mais, surchargée de détails, elle épouse trop étroitement le point de vue de l'intendant.

(44) C'est le cas des Sulpiciens de Montréal. Lettres au procureur de la communauté à Paris, juin 1716, APC, M.G.17, A7, 2, 1, vol. 2, pp. 472-473 et 514.

(45) M. de Monseignat, 8 novembre 1714, dans Adam Shortt, *op. cit.*, p. 282.

illustre le fossé qui sépare les activités marchandes de l'économie agricole, où une baisse de longue durée ponctuée par des crises cycliques suit son cours.

En 1712, l'administration délibère sur les moyens de retirer ces cartes de la circulation, un passif de 2 millions qui ne pèse pas lourd dans une dette publique de près de 2 milliards et demi. La solution est vite trouvée : les porteurs rapporteront les cartes et recevront des rentes sur l'Hôtel-de-Ville et les généralités du royaume (46). Malgré « les moyens que Sa Majesté a estimé qu'il faut mettre en usage pour les y obliger », les Canadiens, qui n'ont que faire de ces rentes, exigent du numéraire (47). Ils suggèrent un autre arrangement, que l'intendant transmet à la Cour et qui est accepté de guerre lasse par le Conseil en 1714 : les cartes seront remboursées en espèces à la moitié de leur valeur. « La pitoïable espérance de ne perdre que la moitié de son bien, lorsqu'on estimait le tout perdre ne laisse pas de ranimer le courage des marchands », écrit l'un d'eux (48). En réalité, la hausse des prix anticipe depuis longtemps les retombées de cette dépréciation. Dès que l'accord du Conseil est connu dans la colonie, tous les prix doublent, y compris les denrées coloniales et les salaires (49). Ceux des marchandises importées atteignent des sommets prodigieux. Mais le retrait étalé sur cinq ans se fait d'abord difficilement. Desmaret est incapable de rembourser la première tranche en espèces et remet aux porteurs des billets de la Caisse Legendre qui n'auraient cours que pour 60 % de leur valeur (50). La Rochelle garde les lettres de change, assigne le trésorier général de la marine et n'envoie pas de marchandises. Les Canadiens ripostent en

(46) Maurepas à Vaudreuil et Bégon, 26 juin 1712, *ibid.*, p. 220; délibérations du Conseil de la marine, 3 juillet 1713, *ibid.*, p. 238.

(47) Le ministre prévoyait une diminution progressive sur le cours des cartes pour forcer les rentrées. Lettre du Conseil de la marine à Bégon, 22 mars 1714, *ibid.*, p. 262.

(48) Mémoire de Ruette d'Auteuil, 9 décembre 1715, *ibid.*, pp. 324-325.

(49) La lettre est datée du 22 mars 1714 (*ibid.*, pp. 266-270). Le prix du blé double en mai, à Montréal. Ce n'est pourtant qu'en 1717 que l'État ramène le cours officiel des cartes restantes à 50 % de leur valeur nominale. La déclaration sanctionne un état de fait qui dure depuis trois ans. L'intendant s'est bien gardé de publier cette dernière déclaration qui aurait pu entraîner un nouveau renchérissement (*ibid.*, pp. 398 et 432).

(50) Requête du trésorier Gaudion (1715), *ibid.*, p. 306.

retenant les cartes prescrites et menacent de ne plus vendre autrement qu'en « troc de pelleteries » (51). Mais à la fin, de retard en retard, toutes les cartes sont remboursées en numéraire, les dernières en 1718 par la banque de Law (52). Les prix retrouvent un niveau normal au début de 1719.

Face à cette crise du crédit public, ces petits marchands ont réagi en corps et, avec beaucoup de cohérence, ont transformé à leur avantage ce qui aurait pu être une catastrophe. Il est plus difficile d'évaluer les conséquences sur la population en général. L'intendant souligne le piètre sort des employés de Sa Majesté, ce qui va de soi venant de l'un d'eux, mais connaissant leurs activités mercantiles, il est permis de croire qu'ils en sortent indemnes (53). Sans nul doute les communautés religieuses, qui détiennent de nombreuses créances sur les terres, ont été touchées. Les cartes ont circulé chez les paysans; beaucoup se sont libérés de leurs dettes. Les campagnes comptaient bien peu de créanciers et certainement aucun thésauriseur (54). En accentuant l'écart entre leur production et les importations indispensables, l'inflation a pu accélérer le mouvement vers l'autarcie, mais elle ne l'a pas déclenché.

3. *Les fourrures.*

a) *Le castor : prix et monopole.*

Au XVIIᵉ siècle, le Canada n'exporte à peu près que des fourrures, et le castor occupe environ les 4/5 de ces cargaisons. Le tableau 14 résume sommairement les variations de prix et de volumes.

Nous n'avons pas de données précises pour la période anté-

---

(51) L'intendant au ministre, 7 novembre 1715, AC, C11A35, fᵒ 135 vᵒ.
(52) Le Conseil de la marine à Law, 18 décembre 1718, dans Adam Shortt, *op. cit.*, p. 456.
(53) Vaudreuil et Bégon au ministre, 16 septembre 1714, *ibid.*, p. 272.
(54) Jean Hamelin considère que les habitants créanciers et thésauriseurs sont dans la masse des perdants (*op. cit.*, p. 43). Mais il faudrait d'abord démontrer qu'une telle catégorie existe. Les colons qui ne produisent pas assez pour subsister font des journées de travail. Or, on embauche davantage et les gages doublent en même temps que le prix du blé. Leur misère n'est sans doute pas plus grande.

TABLEAU 14. — *Prix de la livre de castor, entre 1659 et 1725, et volume approximatif des exportations de castor en France.*

Période	Prix courant au Canada	Droit de sortie (%)	Prix officiel au Canada	Prix de vente en France	Volume des exportations annuelles en France (en livres)
1647-53		50			
1653-58	210 s (gras)	25			
1659-64	135 s (gras) 90 s (sec)	25	280 s (gras) 120 s (sec)		30 à 40 000
1664-74	et baisse progressive	25			
1675-77	67 s 6 d (gras) toutes qualités	25	90 s toutes qualités	170 s à Paris	50 à 60 000
1677-96	82 s 6 d (gras) 52 s 6 d (sec)	25	110 s (gras) 70 s (sec)	226 s (gras) / 110 s (sec)	70 à 80 000 / 100 à 160 000
1696-1706	78 s 9 d (gras) 40 s (sec)		même que le prix courant		(200 000)
1706-10	[20 s] 30 s (sec)		même que le prix courant		60 à 70 000
1710-14	30-40 s (gras) 30 s (sec)		60 s (gras)		à la hausse
1715-19	57-80 s (gras) 28-32 s (sec)		80 s (gras) 40 s (sec)		à la hausse
1720-22	70-76 s (gras) 34-38 s (sec)	5 plus 15 à l'entrée en France			à la hausse
1722-25	76 s (gras) 38 s (sec)	5		90-100 s (gras) / 60 s (sec) (à la Rochelle)	140,000 et plus

Sources : A partir de 1675, la série C11A des archives des colonies donne tous les prix, et nous ne notons que les cotations extrêmes durant une période donnée pour plus de clarté. Après 1710, les fluctuations sont rapides et nous ne notons que les cotations extrêmes durant une période donnée pour plus de clarté. Le tableau ne fait en somme que reprendre, sous une forme concise, l'ensemble des données éparpillées dans l'ouvrage de H. A. Innis, *The Fur Trade in Canada.* Nous connaissons le prix de vente en France pour une brève période, d'après les pièces comptables des fermiers du Domaine d'Occident (AN, France, G7, 1312, art. 91). Les prix de La Rochelle sont dans E. Lunn, *op. cit.*, et sont toujours inférieurs à ceux du marché parisien où le castor est écoulé. Le prix courant au Canada est la valeur officiellement réglée entre l'État et le fermier, moins le droit de sortie. C'est le prix auquel le castor est prisé dans les inventaires et circule dans la colonie.

rieure à 1659. Montréal vient à peine d'être fondé et ne compte que huit « habitants » (55), lorsque la Compagnie des Cent Associés afferme le commerce à un groupe de marchands coloniaux qui monopolise à la fois les échanges avec les Indiens et les exportations dans la métropole. Cette « Communauté des Habitants » est une sorte de société par actions qui groupe tous les habitants de la colonie divisés en trois classes, selon leur mise de fonds (56). Les souscripteurs doivent toucher les dividendes mais, en attendant, toute participation directe au commerce leur est interdite (57). Les Indiens apporteront les fourrures aux magasins et des commis iront les recueillir au delà des trois îlots de population que sont Québec, Trois-Rivières et Montréal. Dès 1647, les officiers de cette société sont forcés d'assouplir leurs règlements afin d'accélérer les rentrées et de contrôler la contrebande que de telles mesures ne pouvaient qu'encourager. Les habitants sont autorisés à servir d'intermédiaires auprès des Indiens. Les magasins de la Communauté avancent les marchandises et rachètent le castor en prélevant un droit de 50 % en nature (58). Le prix payé aux habitants est de ce fait relativement faible, ce qui aurait été largement compensé par les termes d'échange avec les indigènes. Or, à mesure que les Amérindiens se familiarisent avec les produits européens, ces termes sont de moins en moins favorables aux colons, et pour pouvoir compter sur leur collaboration et les empêcher de divertir leurs fourrures chez les Hollandais, la Communauté doit se montrer plus généreuse. A partir de 1653, les receveurs ne prélèvent qu'un droit

(55) Homme libre, domicilié dans la colonie. Voir quatrième partie, chapitre II, § 8.

(56) Les considérables, les médiocres et le commun. Quatre habitants de Montréal sont dans la première classe, soit le gouverneur et des gentilshommes qui ne persévèrent pas dans la colonie. Articles accordés entre la Compagnie des Habitants et M. de la Dauversière, 18 février 1645, APC, M.G.17, A7, 2, 3, vol. 1, p. 28.

(57) Ordonnance de 1645 qui défend la traite aux habitants, soldats, ouvriers, matelots et autres. Si les hivernants veulent des fourrures pour se vêtir, elles leur seront fournies au magasin à prix raisonnable. (P.-G. Roy, *Ordonnances commissions*, etc., I, p. 6.

(58) Le droit de sortie aurait été de 25 % du temps de la Compagnie des Cent Associés, qui laissait alors le commerce libre à l'intérieur de la colonie, puis doublé en 1647 et ramené à 25 % en 1653. AC, C11A4, fᵒ 118-120, 175-178, et C11A1, fᵒ 494-495, cité dans H. A. Innis, *op. cit.*, p. 40.

de 25 % et le castor circule dans la colonie pour ce qu'il vaudra au porteur qui le présentera au bureau, soit 10 l. 10 s. pour les peaux de première qualité en 1659, valeur qui se maintient apparemment jusqu'en 1664 (59). Le commerce intérieur reste entravé puisque, en principe, seuls les magasins de la Communauté peuvent importer les marchandises de traite (60). Mais à voir la facilité avec laquelle les stocks individuels pénètrent dans la colonie, il faut conclure que les premiers à enfreindre le règlement sont les principaux actionnaires. La Société connaît des revers, en particulier à la suite des guerres iroquoises qui certaines années interrompent les plus gros arrivages. Elle ne parvient plus à acquitter les charges administratives auxquelles elle est tenue, et les dirigeants et promoteurs la laissent dériver vers une quasi-faillite, cherchant, chacun pour soi, à consolider leurs affaires. C'est l'avènement progressif de la liberté de commerce à l'intérieur comme à l'extérieur, l'arrivée des importateurs rochelois à Québec et l'émergence du marchand indépendant dans la colonie (61).

Vers 1664, la valeur du castor tombe brusquement sur le marché européen et continue à décroître jusqu'en 1675. La Compagnie des Indes occidentales a succédé à celle des Cent Associés, et la Communauté des Habitants disparaît en même temps. Le nouvel arrangement sanctionne la liberté de commerce à l'intérieur et, en 1666, l'étend au commerce extérieur. La Compagnie et ses sous-fermiers abandonnent aux particuliers, marchands, métropolitains et coloniaux, le privilège d'importer des marchandises de traite (62) et d'exporter les fourrures en

(59) Prix cités par le gouverneur d'Argenson, lettre du 4 août 1659 (copie Faillon, X140, fº 70) et mémoire récapitulatif de La Chenaye (1670), AC, C11A3, fº 150-151. Ils correspondent à ceux que nous retrouvons dans deux inventaires après décès de mai et juillet 1663, M. not., Basset).

(60) Voir l'ordonnance de 1649 touchant les marchandises de contrebande, soit tous les articles communément utilisés dans la traite (P.-G. Roy, *Ordonnances, commissions*, etc., I, p. 10.

(61) H. A. Innis, *op. cit.*, p. 40; M. Delafosse, « La Rochelle et le Canada aù xviiª siècle », *RHAF*, IV, 4 (mars 1951), pp. 476-484.

(62) Tant que les détenteurs du monopole assument, du moins officiellement, l'importation des marchandises de traite, celles-ci sont taxées. Voir le tarif des marchandises distribuées par la Compagnie des Indes occidentales en 1665, AC, C11A2, fº 170. Les prix de détail cessent d'être réglés l'année suivante et la liberté d'importation est désormais acquise.

France, ne se réservant que le droit de sortie de 25 % sur le castor et de 10 % sur les cuirs d'orignaux (63). Au bout d'une décennie pendant laquelle les prix du castor font une chute de 66 %, les Canadiens acceptent avec empressement de renoncer partiellement à cette liberté et à l'insécurité qui en découle. Le roi afferme en 1674 tous les droits du Domaine d'Occident, y compris ceux levés au Canada, à un groupe de financiers qui va se charger en même temps de l'exportation du castor en France. Le marché est conclu à des conditions fort avantageuses pour les colons, puisque les preneurs s'engagent à acheter toutes les peaux qu'ils leur fourniront, à un prix établi d'avance qui, après un léger ajustement en 1677, demeure rigide jusqu'à la fin du siècle. Les Canadiens ont l'assurance d'un débouché permanent, à l'abri de la conjoncture, et n'ont plus qu'à s'employer à stimuler la production (64).

Le marché du castor s'engorge à la fin du siècle. Il y a mévente, les prix européens s'écroulent et les fermiers veulent diminuer le prix d'achat. Le 1ᵉʳ octobre 1699, les négociants coloniaux forment une société pour exploiter les droits et privilèges canadiens rattachés à la ferme du Domaine d'Occident. Si la marge de profits doit être réduite, raisonnent-ils, il n'y a plus de place pour les intermédiaires. En se substituant aux intérêts métropolitains pour la vente des fourrures en France, en éliminant toute concurrence à l'intérieur de la colonie, les profits réalisés tout au long de la chaîne qui lie l'Indien aux chapeliers vont se concentrer en une seule main. La compression des coûts amortira les conséquences de la chute des prix. Le capital investi dans l'entreprise est fourni par des financiers parisiens, soit près d'un million, qui correspond au stock de fourrures invendues racheté par la société (65). Les habitants sont contraints

(63) Le fait que la Compagnie des Indes occidentales compte uniquement sur les droits de sortie sur les fourrures, un faible droit d'entrée sur les marchandises et les revenus du domaine royal, pour acquitter les charges de la colonie (environ 36 000 l. en 1665, E. Salone, *La colonisation de la Nouvelle-France*, pp. 279-281), indique que les profits réalisés dans la revente du castor en France, qu'elle abandonne spontanément aux colons sans contrepartie, ne sont pas exorbitants.

(64) Voir Guy Frégault, « La compagnie et la colonie », dans *Le XVIIIᵉ siècle canadien. Études*, pp. 243-244.

(65) *Ibid.*, pp. 244 *sqq.*

de participer à la mise de fonds au prorata de leur capacité (66) et de l'emploi qu'ils occuperont, sans quoi « ils ne pourront se mêler du commerce des pelleteries » (67) et même ces « actionnaires » ou cautions travaillent en principe pour la société, à gages ou selon certains arrangements dont nous ignorons les modalités. C'est une période confuse durant laquelle la situation du marché ne cesse de se détériorer, le monopole intérieur est enfreint, chacun voyant à se mettre à couvert. Tandis que les dettes et les procédures s'accumulent à Paris, les conséquences de la surproduction que cette initiative téméraire avait un instant masquées, s'abattent sur les marchands. Le fermier qui, en 1706, prend la succession de la compagnie de la colonie reçoit le castor à la moitié de sa valeur antérieure et contingente la production. Les affaires traînent. Le marché des fourrures à Londres est touché aussi, mais moins sévèrement, et les Canadiens obtiennent un meilleur prix pour leurs peaux à Albany. L'ampleur de la contrebande est telle que l'on voit en 1706 le castor circuler pour 1 livre à Montréal, alors que le receveur à Québec ne le prend plus, et pour 4 l. en 1715, alors que le prix officiel n'est que de 3 l. (68).

Le marché se rétablit lentement. Les autorités font tout ce qu'elles peuvent pour hâter le relèvement des prix et ramener

(66) La valeur des actions est de 50 l. et ceux qui en achètent vingt ont voix aux assemblées. Il y a sept directeurs élus. Le capital qui se monte à 339 000 l. sur papier, n'est pas versé. Il représente pour la compagnie une dette active qui peut servir de garantie collatérale. Dans l'ensemble. les marchands de Montréal s'engagent pour des sommes minima, sans rapport avec leur chiffre d'affaires antérieur et qui ne peuvent les mettre en péril. Seize sur vingt-cinq souscrivent 1 000 l. et moins.

(67) Arrêt du 31 mai 1701, dans *Édits, ordonnances royaux*, vol. I, p. 286. Jamais les défenses d'intercepter les Indiens qui apportent leurs fourrures dans la colonie n'ont été appliquées avec autant de rigueur. Voir les perquisitions déclenchées au printemps et à l'été 1701, bailliage, procès-verbaux d'avril à août, *passim*. Les ordonnances sont péremptoires : « Défendons à tous les habitants de la colonie de quelque qualité et condition qu'ils soient et particulièrement aux marchands du gouvernement de Montréal de fournir ou équiper directement ou indirectement aucuns canots tant français que sauvages domiciliés... à peine de 500 l. d'amende et confiscation... » (Ordonnance de Beauharnois, 20 juin 1703, enregistrée au bailliage de Montréal).

(68) Livres de compte d'Alexis Monière, marchand, *passim*, APC, M-847.

les traitants à Québec et les Indiens qui, dans leur orbite, pouvaient glisser vers les Anglais. En 1717, la Compagnie d'Occident puis celle des Indes se chargent des exportations (69) en se réservant le droit de modifier annuellement, s'il le faut, le prix d'achat du castor à Québec, lequel finit par rejoindre le niveau nominal de 1677-1686 vers le milieu du XVIIIᵉ siècle. Les variations sont fréquentes mais peu prononcées. L'impôt de 25 % a disparu dans la crise. Plutôt qu'un lourd droit de sortie sur les marges de bénéfice réduites qui ne pouvait qu'inciter à la contrebande, l'État préfère taxer toutes les fourrures à la source, par le biais du permis de traite et l'amodiation des postes de l'Ouest (70). Il perçoit directement ces revenus (71) et les droits canadiens qui demeurent rattachés au Domaine d'Occident sont si insignifiants que les fermiers les abandonnent au ministère de la Marine en 1732 (72).

(69) Hormis une brève tentative en 1720-1722 pour laisser l'exportation libre avec un droit d'entrée en France d'environ 15 %. Le droit est jugé trop élevé et les Canadiens préfèrent revenir au système du monopole métropolitain.

(70) Ne reste à la sortie qu'un droit de pesage de 5 %. La nouvelle forme d'imposition est inégalement répartie et plus difficile à saisir que l'ancienne. Aussi n'y a-t-il pas vraiment correspondance entre les prix nets coloniaux du castor aux XVIIᵉ et XVIIIᵉ siècles. Au lieu d'un droit uniforme que les colons défalquaient automatiquement, nous avons une augmentation des coûts ordinaires, une fiscalité camouflée que chaque traitant doit porter individuellement à son débit.

(71) Ainsi, le commerce illicite avec les colonies anglaises, qui demeure assez important, n'affecte pas les recettes que l'État tire de ce commerce. Seule la Compagnie des Indes est perdante. L'administration lui prête son concours occasionnellement pour enrayer la contrebande, mais il faudrait davantage que quelques perquisitions et procès pour contrecarrer l'intérêt des marchands. N'est-ce pas en grande partie dans ce but que la compagnie développe à partir de 1730 environ un commerce d'importation de marchandises de traite, concurrençant à la fois les magasins anglais et les importateurs canado-rochelois. A la fin du régime, il nous semble qu'elle assume la majeure partie de ces importations. Qui sait ce qu'il en aurait été de l'occupation française des territoires de l'Ouest sans cette initiative, l'expansion et le commerce étant intimement liés. Ce problème dépasse le cadre de notre travail mais devra un jour faire l'objet d'une étude attentive où les liaisons entre la marchandise et la politique apparaîtront au grand jour.

(72) E. Salone, *op. cit.*, p. 411.

b) *Les peaux et les pelleteries.*

Le commerce des autres fourrures, négligeable dans les débuts, s'affirme à mesure que celui du castor se dégrade. Hormis un droit de sortie de 10 % sur les seules peaux d'orignaux, ces exportations ne sont ni taxées, ni contingentées, ni monopolisées. Alors que le castor est surtout dirigé vers la chapellerie, industrie fortement concentrée, le reste de la production, éparpillé dans de petites entreprises de transformation ou réexporté sur divers marchés, échappe aux brusques fluctuations. Des prix dispersés que nous avons pu recueillir, il ressort que dans l'ensemble la valeur nominale demeure stable entre 1660 et 1725 et, pour certaines catégories, il y a une nette tendance à la hausse (73). Le volume de ces exportations augmente et plus vite encore leur valeur relative dans les exportations globales qui peut atteindre 75 % entre 1706 et 1720 lorsque le castor s'avilit (74). En se repliant sur ce commerce plus sain, plusieurs marchands réussissent à sauver leurs affaires et, lorsque la situation générale se rétablit, les peaux et pelleteries continuent à occuper une place importante (75).

Lorsqu'on parle simplement de « peaux », sans plus spécifier, il faut entendre l'orignal ou l'élan, la peau la plus recherchée

(73) La très grande variété dans les catégories, les dimensions et les qualités, ne permet pas de recueillir plusieurs cotations pour un produit uniforme, bien réparties dans le temps. Les peaux et pelleteries sont rares dans les inventaires des marchands avant 1700, ce qui prouve que ce commerce est marginal, et nous prive d'une base solide pour établir la comparaison avec les prix du XVIIIᵉ siècle. Mais il ne fait pas de doute que, entre autres, les cuirs d'orignaux, la martre, le renard, le « chat » ou raton laveur, sont à la hausse. Nous n'observons aucune baisse nominale dans les autres catégories.

(74) Dans les rentrées chez le marchand Monière et dans quelques stocks inventoriés entre 1706 et 1717, le castor est à peu près absent. Voir le graphique 12, en annexe.

(75) Les peaux et pelleteries autres que le castor comptent pour 50 à 75 % et parfois plus dans la valeur des arrivages de fourrures à La Rochelle en provenance de la Nouvelle-France. Mais il faudrait défalquer les exportations de la Louisiane. Malgré tout, celles du Canada restent assez importantes, peut-être entre le quart et la moitié de la valeur de ses exportations globales de peaux et fourrures. (E. Lunn, *op. cit.*, p. 464).

et la plus chère (76). Viennent ensuite celles du cerf et du che-
vreuil, plus petites et plus fragiles. Le caribou (77) est plus rare
et les peaux de bison des prairies ne seront exportées en grande
quantité qu'après 1715. Les inventaires mentionnent des peaux
en parchemin ou sans apprêt, d'autres blanchies ou passées
à la mode du pays (78). Notons aussi celles du loup-marin, du
marsouin, de la « vache marine » ou phoque, qui sont passées
au maroquin et exportées et avec lesquelles les artisans de la
région de Québec fabriquent des courroies et harnais de toutes
sortes, vendus en partie dans la colonie (79). Il y a donc une
petite industrie de transformation greffée au commerce des
peaux.

Le mot pelleterie est employé par les marchands dans son
sens précis pour désigner les peaux dont on fait des fourrures,
ce qui exclut le castor transformé en feutre et celles vendues
pour le cuir. Dans l'ensemble du stock, les pelleteries viennent
en dernière place pour le volume et la valeur. Par ordre décrois-
sant d'importance commerciale, énumérons la martre, le raton
laveur ou chat, la loutre et l'ours (80).

Alors que les ballots de castors livrés aux marchands sont
examinés sommairement, puisqu'ils ont l'assurance de les
revendre au fermier, les peaux et les pelleteries sont inspectées
minutieusement (81). Les pièces viciées sont rejetées ou reçues
au rabais, la diminution portant sur le volume et non sur le prix
du marché lequel est, pour une saison donnée, arrêté par le corps

(76) Le mot basque « orignal » a été adopté au Canada à la fin du XVIe
siècle.

(77) Mot d'origine algonquienne désignant une sorte de renne qui, à
l'époque, descendait jusque dans la vallée du Saint-Laurent.

(78) Nous n'avons pas de documents qui nous renseignent précisément
sur les méthodes utilisées dans les tanneries locales. Les peaux des animaux
domestiques destinées au marché intérieur sont corroyées. Les voyageurs
transportent régulièrement de l'alun aux Outaouais, ce qui semble indiquer
que les peaux des animaux sauvages destinées à l'exportation sont sommairement apprêtées dans certains postes. Voir J. Savary des Bruslons, *Dictionnaire universel de commerce*, à l'article « Ellend ».

(79) Les détaillants de Montréal achètent ces articles à Québec.

(80) Voir l'énumération du tableau 15.

(81) La prisée des fourrures au retour des Outaouais est faite en présence
de deux témoins qui représentent les intérêts des voyageurs si ceux-ci sont
absents.

Tableau 15.

*Prisée des fourrures reçues par Chartier et Lespérance
et le prix fait par les sieurs Lamarque, Mailhot et Gamelin,
Montréal (11 août 1724).*

Catégorie de fourrures	Quantité		Prix à l'unité	Valeur (en livres)
Castor gras	1 122	livres	4	4 488
Castor gras, d'été	20		2.10 s	50
Castor sec	220		1.18	411
Castor sec, d'été	62		1	62
Total : castor	1 424	livres		5 011
	ou 950	pièces		ou 57 %
Orignaux	48	pièces	16	688
Orignaux passés	2	—	8.10	17
Cerfs	4	—	10	40
Chevreuil	5 3/4	livres	1.15	10.3
Total : peaux	56	pièces		755.3
				ou 8 %
Martres : 1re qualité	620	pièces	3	1 860
2e qualité	30	—	2.5	74.5
3e qualité	41	—	1	41
Loutres : 1re qualité	51	—	2.10	127.10
2e qualité	46	—	1	46
Ours : grands	60		4	240
moyens	8		3	24
Oursons : grands	22		2	44
petits	14		1.5	17.10
Pécans	86		3	258
Loups-cerviers	3		16	48
Loups-cerviers, mauvais..	1		8	8
Pichious du Sud.........	3		2	6
Renards rouges	17		3	51
Loups	4		2.10	10
Chats	177 pour 160		.18	144
Total : pelleteries	1 183 pièces			2 999.5
				ou 35 %
Total de la prisée ...				8 765.8
				ou 100 %

Source : APC, M-847. Notons que dans cet exemple, choisi pour sa variété, les peaux n'occupent qu'une place restreinte. En général, les proportions sont inversées, d'avantage d'orignal et moins de pelleteries.

des marchands, selon une entente tacite généralement observée (82). Ces fourrures finissent par se ramasser en quelques mains seulement, celles des marchands coloniaux les plus importants qui les exportent à leur compte, celles des métropolitains qui les prennent comme partie de leurs cargaisons de retour.

4. *Les produits d'Europe.*

a) *consommation indigène et coloniale.*

Les marchandises qui viennent d'Europe alimentent d'abord le marché indigène et les changements dans la composition des stocks, observés entre la période initiale et la suivante, reflètent d'abord les transformations de ses habitudes de consommation.

Nous voyons diminuer rapidement l'importance relative des objets servant à la parure et augmenter parallèlement celle des articles qui répondent à des besoins précis, ce qui traduit l'adaptation à la civilisation matérielle européenne. L'évolution dans la valeur relative des vêtements importés illustre aussi la mise sur pied d'une petite activité manufacturière dans la colonie. Celle-ci produit assez tôt les denrées nécessaires à sa stricte subsistance, mais elle reste tributaire de la France pour tout le reste : divers produits ouvrés, fer et sel. L'analyse détaillée des ventes effectuées par un marchand au cours de la décennie 1715-1724 permet de compléter les données sommaires du tableau 16, de dégager les habitudes de consommation des deux communautés, indienne et coloniale (83). A partir de cette image globale, il y a quelques enseignements à tirer d'une revue des diverses catégories de marchandises (84).

(82) Lorsque Alexis Monière commence sa carrière de marchand-équipeur, il coupe parfois les prix pour attirer la clientèle. Mais, en règle générale, toutes les obligations portent que les marchandises seront remboursées en pelleteries « au prix des marchands de cette ville », prix qu'ils maintiennent de concert.

(83) Graphique II en annexe. Il s'agit des ventes à crédit seulement, mais tout indique que celles au comptant sont exceptionnelles.

(84) Les contemporains emploient absolument le terme « marchandises » pour désigner les articles importés, mais nous l'avons étendu à l'ensemble des articles vendus par les marchands.

1) *les produits textiles.*

Les textiles finis tiennent la première place. La fabrication domestique qui se développe vers la fin du siècle est essentiellement greffée sur la production locale. Celle de la laine d'abord

TABLEAU 16.

Valeur relative des diverses catégories de marchandises d'après les stocks des marchands de Montréal (1650-1720).

Catégories de marchandises	Avant 1664 (%)	1680-1720 (%)
Draps, toiles, mercerie	10	40
Couvertures	—	2
Vêtements :		
a) de fabrication française	20	—
b) de fabrication française et coloniale .	—	11
Outils, clous.......................	20	4
Fer	—	3
Fusil, poudre, plombs, etc.	20	12
Ustensiles de fer, étain, cuivre; terrines, etc.	8	6
Verroterie, grelots, miroirs, bagues; aiguilles, peignes, teintures et autres menus objets	20	5
Vin et eau-de-vie	—	8
Denrées et tabac importé	—	4
Chaussures et sabots	—	2
Divers	2	3
TOTAL	100	100

Source : Minutes notariales. Soit dix inventaires pour la période antérieure à 1664 et vingt-sept pour les années 1680-1720.

par quelques propriétaires de troupeaux qui en tirent un « drap du pays » qu'ils écoulent eux-mêmes. C'est le cas du marchand Leber qui a dans son magasin plusieurs pièces de ce drap, rouge ou bleu (85). Les seigneurs de Montréal qui sont les plus gros éleveurs de la colonie, ont sans doute organisé assez tôt la transformation et le débit de leurs laines. Mais ce sont là des initiatives individuelles isolées. Lorsqu'au début du XVIIIe siècle les habitants commencent à cultiver le lin et le chanvre et à garder des moutons, il s'agit essentiellement d'une production pour la consommation familiale, qui fait vivre quelques tisserands (86), mais ne passe pas par la boutique du marchand. Durant la période que nous avons observée, nous ne croyons pas que les fabrications coloniales comptent pour plus de 5 % du volume des tissus vendus à Montréal. Bref, aucune production généralisée en vue du marché et, à plus forte raison, aucune importation de matières premières à des fins industrielles.

Dans les tissus finis, les lainages comptent pour 80 à 90 %. Le drap est le principal article de la traite. Celui qu'on monte aux Outaouais est généralement mal identifié : drap tout court, étoffe iroquoise, écarlatine, etc., et lorsque les textes sont plus explicites : drap de Limbourg, de Tarascon, de Carcassonne et Montauban, plus rarement de Poitou et de Normandie. Avec ces étoffes épaisses et chères, on charge dans les canots quelques tissus plus légers, de moindre valeur : revesche, étamine, molleton et autres serges (87). Le drap est détaillé

---

(85) Pour une valeur de 1 200 l., soit un tiers de son stock de draps. Inventaire après décès de Jacques Leber, M. not., 1er-30 décembre 1706, Raimbault.

(86) Inventaire de J. Coiteux, 7 février 1715, M. not., Senet. La famille a fait tisser quatre aunes de droguet et six aunes de toile par un artisan de la ville. Il y a vingt-cinq métiers à Montréal, en 1714, selon l'intendant. Lettre au ministre du 12 novembre 1714, AC, C11A34, f°s 388-389. Madame de Repentigny crut, en utilisant une main-d'œuvre bon marché, soit des prisonniers ramenés des colonies anglaises, mettre un pied un atelier plus profitable, mais sans le soutien des marchands, l'entreprise ne pouvait être rentable. J. N. Fauteux, *Essai sur l'industrie au Canada sous le régime français* (2 vol., Québec, 1927), vol. II, pp. 465-470.

(87) Il semble que le sud-ouest de la France fournit la majeure partie de ces draps, mais il serait vain, avec des nomenclatures aussi imprécises, de chercher à établir une carte précise de la provenance. Comme pour les toiles, nos listes confrontées avec les renseignements puisés dans J. Savary ne peuvent que fournir de vagues indications. Il est facile de confondre le type de l'étoffe avec le lieu de fabrication. La région de Castres, par exemple, écoule la majeure partie de ses draps au Canada. (Pierre Rascol, *Les paysans de l'Albigeois à la fin de l'Ancien Régime*, Aurillac, 1961, p. 63).

en « couvertes » que l'Indien préfère à ses propres vêtements de peaux, plus chauds peut-être, mais lents à sécher (88).

Nous trouvons dans les stocks du XVIIe siècle des couvertures de laine proprement dite, fabriquées en Normandie et à Paris, mais ces faibles quantités semblent destinées surtout au marché local. Les Anglais introduisent un certain type de couvertures sur le marché indigène et, lorsque le marché français des fourrures se ferme au début du XVIIIe siècle, les Canadiens le répandent en fraude dans leurs propres circuits commerciaux (89). Dix ans plus tard, les couvertures taillées par les Français dans les pièces d'écarlatine traditionnelle, ne sont plus pour les Indiens qu'une piètre contrefaçon du produit auquel ils se sont habitués. Pour ne pas perdre la clientèle et mettre fin à la contrebande, la Compagnie des Indes est autorisée à importer l'étoffe anglaise via La Rochelle, jusqu'à ce que les ateliers de Montpellier réussissent à produire une imitation acceptable. C'est un problème qui absorbe longtemps l'attention du ministère puisqu'il affecte les manufactures et le commerce métropolitain, mais qui n'a pas de retombée sur le revenu colonial (90).

On écoule aussi sur le marché indigène des « capots », chemises, « manches sauvages » et « bas de traite ». Déjà en 1680, les marchands font façonner ces vêtements dans la colonie, réalisant ainsi un profit additionnel sur la transformation. Les capots et les manches sont de serge commune, les chemises d'une toile écrue dite « de traite » (91). Il y a trois tailles pour les hommes, deux pour les femmes, une pour les enfants. Ensemble, vêtements, couvertures et tissus non ouvrés, repré-

---

(88) C. de Rochemonteix, *Relations par lettres de l'Amérique septentrionale, années 1705 et 1710*, p. 63. La couverture mesure ordinairement 1 1/2 aune par 1 1/4.

(89) H. A. Innis, *The Fur Trade in Canada*, pp. 79 *sqq.* et 85. Voir aussi AC, C11A91, fos 47-48.

(90) Cette contrebande est très profitable aux marchands de Montréal, écrit l'intendant Bégon en 1715, AC, C11A35, fo 326. Les profits réalisés par la Compagnie des Indes et les négociants de La Rochelle, entre 1717 et 1731, dans la réexportation du drap anglais, ne sont sans doute pas satisfaisants, d'où les efforts pour exciter l'intérêt des manufacturiers. (E. Lunn, « The Illegal Fur Trade of New France, 1713-1760 », *CHAR*, 1939, pp. 61-76).

(91) APC, M-847.

sentent les deux tiers de la valeur des marchandises européennes consommées par les Indiens (92).

L'éventail des étoffes vendues dans la colonie est beaucoup plus large. On y débite peu de ces draps méridionaux de bonne qualité et davantage de reveshes, crépons, molletons, cadis, étamines, carisés, camelots, mazamets, serges d'Aumale, pinchinas, espagnolettes, tirelaines, etc., tous lainages de moindre valeur (93). Dès 1700, l'habitant dispose d'un droguet du pays plus chaud que la plupart de ces importations, mais continue d'acheter les toiles chez les marchands. Celles-ci comptent pour plus de la moitié des ventes au détail. Nous retrouvons, en première place, les mêmes toiles grossières utilisées pour la traite : toile de chanvre grise, jaune ou blanche avec le « mélis » et la « toile herbée » (94), puis des toiles plus fines, de Roux, de Morlaix, de Rouen, Paris, Beaufort, de Laval, de Hollande, etc. Ajoutons les batistes, taffetas, brocarts, mousselines, cotons, indiennes vraies ou fausses, les soieries, que les meilleurs marchands conservent en petite quantité dans leur boutique pour accommoder une clientèle restreinte. Ce sont les mêmes qui vendent de la mercerie fine, galons, rubans, boutons, fil d'or et d'argent, dentelles et broderies.

On importe aussi à l'usage des habitants de la bonneterie fabriquée dans les régions de l'ouest de la France : gants, bonnets et surtout le bas commun du Poitou et le bas drapé de Saint-Maixent, plus cher (95). Nous ne retrouvons pas dans les

(92) La proportion est semblable à celle observée dans les cargaisons chargées à Nantes et aux ports de Rouen et du Havre pour la côte de Guinée et autres comptoirs d'Afrique au XVIIIᵉ siècle. (Gaston Martin, *Nantes au XVIIIᵉ siècle. L'ère des négriers*, Paris, 1931, p. 47; Pierre Dardel, *Navires et marchandises dans les ports de Rouen et du Havre au XVIIIᵉ siècle*, Paris, 1963, pp. 139-141).

(93) Ce sont les désignations qui reviennent le plus souvent dans les ventes et les inventaires, mais nous pourrions allonger la liste considérablement.

(94) S'entend des étoffes qui sont fabriquées avec des herbes réduites en filasse et ensuite filées, dans les Indes orientales et occidentales. J. Savary, *op. cit.*, p. 314. Il s'agit ici d'une toile importée de France et fabriquée nous ne savons où. On tenta des expériences semblables dans la colonie avec les orties, qui ne dépassèrent guère le stade de l'artisanat domestique. Lettre de madame de Repentigny, 13 octobre 1705, AC, C11A22, fº 343.

(95) Au cours du XVIIIᵉ siècle, le Canada est le principal débouché de la bonneterie orléanaise en particulier, et la perte de la colonie précipitera

stocks des marchands les bas de fabrication locale, ceux des frères de l'Hôpital général par exemple, que les habitants achètent directement aux artisans. Dans les débuts, les marchands de Montréal commandaient en France ou à Québec des habits masculins et du linge, mais après 1680, il n'y a pas d'autres effets d'habillement dans les stocks que ces articles de laine avec quelques mouchoirs de fil, écharpes de taffetas, une quantité insignifiante de chapeaux de feutre et de bas de soie.

II) *les armes à feu et munitions.*

Dans un voyage de traite ordinaire, la valeur des fusils, des plombs, balles et de la poudre, se situe autour de 15 % de la valeur totale de l'équipement (96). Cette proportion est constante tout au long de la période. La poudre, à raison d'une douzaine de barils de 50 livres par voyage, est de loin l'article le plus important, tant en volume qu'en valeur dans cette catégorie. Les autorités de la colonie veillent à ce que les nations alliées soient bien armées, aussi cette partie du commerce a-t-elle un caractère semi-officiel. Les importations de poudre semblent être faites surtout sur les vaisseaux du roi; les marchands l'achètent dans ses magasins et, de ce fait, l'État contrôle assez étroitement les prix. Il y a un « fusil de traite » standard monté par les armuriers de la colonie. Dès les années 1680, on commence à entretenir des forgerons ou arquebusiers dans les postes de l'Ouest pour réparer les armes, fabriquer des balles, etc., afin de ne pas dépendre uniquement des envois des marchands. Le gouverneur fait fréquemment distribuer des armes et des munitions aux alliés, à titre gratuit (97). L'Indien utilise ces armes à feu davantage pour la guerre que pour la chasse, laquelle se fait encore en grande partie selon les méthodes traditionnelles.

la décadence de cette industrie. Voir Georges Lefebvre, *Études orléanaises. Contributions à l'étude des structures sociales à la fin du XVIIIe siècle* (Paris, 1962), p. 103.

(96) Sont aussi compris dans cette catégorie les battefeux, tirebourres, pierres à fusil, etc.

(97) Voir, par exemple, l' « État des marchandises distribuées aux Sauvages éloignés en 1693 », AC, C11A12.

Dans le bas pays, au début de l'établissement, la distribution des armes et des munitions aux habitants passe par les marchands et quelques forgerons et armuriers. Petit à petit, ce sont ces derniers qui accaparent cette partie du commerce, importent et montent les fusils communs, fondent le plomb pour fabriquer les balles, rachètent des ferrailles pour la mitraille. Vers la fin du siècle, le marchand ne garde qu'un petit stock de fusils, quelques pistolets, généralement des armes de qualité supérieure (98), et continue à débiter le plomb (99). Notons aussi que jusqu'à la fin de la guerre de la Ligue d'Augsbourg, les administrateurs, qui exigent que les habitants soient armés pour protéger leurs habitations, interviennent à plusieurs reprises pour forcer les marchands à accepter du blé, taxé pour la circonstance, en paiement des fusils qu'ils vendent dans la colonie (100). L'intendant va même jusqu'à importer des fusils communs pour les vendre aux habitants au prix de France, sans profit, ou les prêter à ceux qui ne peuvent faire la dépense. Autant d'interventions qui expliquent pourquoi ces ventes sont négligeables sur le marché local. Même les envois aux Outaouais apparaissent souvent comme un service pour le bien commun de la colonie plutôt que comme une source de bons profits.

III) *la quincaillerie et autres ustensiles.*

Pour la traite, un seul ustensile qui compte pour 4 ou 5 % de la valeur totale des stocks : la « chaudière » ou grand chaudron de cuivre, aisément transportable, qui dès les premiers contacts avec les Européens a transformé les techniques traditionnelles de cuisson (101). Le marché indigène absorbe aussi

(98) D'après les inventaires des chargements pour le Canada au XVIIIᵉ siècle, ces armes viennent principalement de Saint-Étienne. (Pierre Dardel, *op. cit.*, p. 154).

(99) Pour Alexis Monière, les ventes d'armes et de plomb dans la colonie ne représentent que 0,6% du chiffre d'affaires. Voir graphique 11, en annexe.

(100) Lettre de Frontenac au ministre, 14 novembre 1674, AC, C11A4, fᵒ 64; ordonnance du gouverneur forçant les marchands Aubert et Leber à accepter le blé à 50 sols le minot en paiement des fusils, 24 octobre 1682 (E.-Z. Massicotte, *Répertoire des arrêts;* lettres des intendants du 2 juin 1683 et du 12 juin 1686, AC, C11A6, fᵒ 169, et vol. 8, fᵒ 63).

(101) Les Indigènes faisaient bouillir les aliments dans des vaisseaux d'écorce et de bois, au moyen de pierres chaudes jetées dans le li-

une grande quantité de couteaux de toutes espèces, des ciseaux et des alênes, des fers de flèches, lames d'épées et enfin beaucoup de haches, casse-tête, tranches et grattes. Le tout est importé tout au long de la période hormis les quatre derniers articles, plus frustes, que les forgerons commencent à fabriquer dès 1660. Il y a des stocks de fer et d'acier chez les marchands, et certains artisans commandent directement la matière première en France (102). Vers 1720, les équipeurs de Montréal achètent des forgerons toutes les haches et autres outils de fer qu'ils envoient aux Outaouais.

Ce sont les artisans du pays qui fournissent aux habitants les outils d'agriculture et de menuiserie élémentaires, et la majeure partie de leurs ustensiles (103). Les marchands gardent le monopole de l'importation et de la vente des clous, des ustensiles de cuisine qui ne sont pas à portée du peuple et, surtout, de l'étain commun, détaillé à la livre sous forme de plats et couverts (104). Mais comme ces derniers articles sont, après usage, fondus et retransformés par les artisans (105), le marché de produits ouvrés importés reste limité. Vers 1700, les terrines du pays sont plus répandues dans les habitations que les poteries françaises.

Bref, dans cette catégorie, la faiblesse économique des habitants et la petite production artisanale tendent à restreindre les importations massives de produits finis. Il y a toujours un débouché, quoique faible, pour des articles de qualité supérieure, pour les produits de luxe, tels que verrerie, faïence et porcelaine que les meilleures boutiques gardent en petites quantités.

quide (H. A. Innis, *op. cit.*, p. 18). Ils exigent une chaudière légère et refusent celles mi-cuivre, mi-fer que les traitants tentent de leur imposer (AC, C11A93, f° 4).

(102) Au milieu du XVIIIe siècle, le Canada commence à produire du fer. L'importation de produits ouvrés n'a jamais tout à fait été interrompue. Il y a encore des haches dans une cargaison en partance du Havre pour le Canada en 1742 (P. Dardel, *op. cit.*, p. 153).

(103) Dès les années 1670, ce n'est qu'exceptionnellement que nous relevons des poêles à frire, des marteaux, des pioches, etc., dans les stocks et jamais de chaînes, socs de charrue et autres ferrements utilisés dans les habitations.

(104) Dans la catégorie outils et ustensiles vendus aux habitants, c'est de loin l'étain qui occupe la première place.

(105) Indiqué par la présence de moules à cuillers et autres.

IV) *l'eau-de-vie et le vin.*

Un missionnaire qui dénonce les méfaits de l'eau-de-vie
parmi les Indiens et ne cherche donc pas à minimiser la licence,
évalue les expéditions dans les postes de l'Ouest à une quaran-
taine de barriques, année moyenne vers la fin du XVIIe siècle (106).
Il n'y a donc pas là un débit considérable pour les marchands,
et c'est d'ailleurs ce qui ressort de la comptabilité de Monière
vingt ans plus tard. L'eau-de-vie ne représente que 4 à 5 % de
la valeur totale de ses équipements (107). En principe, ce qu'on
monte aux Outaouais est destiné aux garnisons des postes et à
l'usage des voyageurs, puisqu'il est interdit d'en débiter aux
Indiens. En réalité, l'eau-de-vie joue un rôle important dans la
traite, non pas tant comme moyen d'échange que façon de
gagner l'amitié des Indiens, de cimenter les marchés conclus
avec ceux-ci, de fêter un départ pour la chasse ou d'heureux
retours qu'on souhaite répéter à la prochaine saison. En ces
occasions, les traitants versent à boire gratuitement et ces
libéralités doivent être mises au compte des frais généraux du
voyage. A l'opposé, un coureur de bois peut réaliser un profit
démesuré sur la vente d'un pot d'eau-de-vie coupée d'eau dans les
postes de l'intérieur où la provision est toujours inférieure à la
demande (108). Il est impossible de mesurer ces abus et encore
moins de connaître les quantités de rhum achetées illégalement
chez les Anglais, mais, à cette époque encore, le désordre traduit
surtout l'avidité des petits traitants, non accrédités auprès des
marchands, qui n'ont guère autre chose à offrir aux Indiens
que ces quelques pots d'alcool (109). Pour qui veut bâtir une

(106) Nous supposons qu'il s'agit de la barrique d'un quart de tonneau,
soit environ 210 litres par barrique. D'après Vachon de Belmont, *Histoire
de l'eau-de-vie en Canada*, article 9.

(107) Ce qui correspond en moyenne à 200-250 litres d'eau-de-vie pour
un équipement de deux canotées, valant quelque 10 000 l., que conduisent
deux voyageurs et leurs quatre engagés, lequel voyage dure de douze à
seize mois.

(108) Lettre de Champigny, 4 novembre 1693, AC, C11A12, f° 285. Le
pot d'eau-de-vie valant au plus 4 livres dans la colonie s'y vendrait pour 50 l.
voire 100 l. s'il faut croire l'intendant.

(109) Les expéditions d'eau-de-vie à l'intérieur augmentent rapidement
au XVIIIe siècle. Vers 1800, lorsque la concurrence entre les traitants est à

clientèle solide, inciter les Indiens à chasser pour son compte et s'assurer des retours réguliers, le commerce de l'eau-de-vie ne peut être que complémentaire.

Les profits que les importateurs en tirent n'ont cependant pas ce caractère aléatoire, car ils traitent rarement directement avec les indigènes, mais détaillent l'eau-de-vie aux voyageurs au même prix qu'aux habitants de la colonie. Les principaux aubergistes et cabaretiers placent leurs commandes en France ou achètent des armateurs à Québec. Ils doivent supporter la concurrence des marchands qui, comme eux, débitent au pot et à la pinte (110). C'est ainsi que les habitants se procurent ce qu'ils traitent aux Indiens domiciliés et visiteurs. Dans la colonie, on vend deux fois plus de vin que d'eau-de-vie. C'est un commerce au débit rapide, d'où les faibles quantités relevées dans les stocks. Il y a quelques tentatives pour fixer les prix de détail, mais ceux-ci obéissent davantage au mouvement des arrivages (111).

On importe des vins de Bordeaux en majeure partie, du rouge surtout, parfois des vins d'Espagne. L'eau-de-vie semble venir en totalité de la Charente et de l'Aunis (112).

v) *la verroterie et autres marchandises de traite.*

Les grains de verre de diverses couleurs appelés rasade et vendus à la livre (113), les grains de porcelaine en collier, les bagues ornées de pierres fausses, les grelots, les miroirs de fer-

son comble, ce sont des quantités considérables qui partent de Montréal pour le Nord-Ouest, pouvant atteindre 10 et même 20 % de la valeur des équipements. (P. A. Pendergast, *The XY Company, 1798-1804*, thèse de Ph. D., Université d'Ottawa, 1957, *passim.*)

(110) Avec la seule différence que les boissons achetées chez le marchand ne sont pas consommées sur place. Ordonnance de l'intendant Raudot, décembre 1705 (copie Faillon GG 192).

(111) Arrêts du Conseil souverain des 22 octobre 1664 et 22 avril 1665, *JDCS*, vol. 1, pp. 286, 333; ordonnance du bailli de Montréal du 5 mai 1688, bailliage (copie Faillon HH 15).

(112) Voir Roger Dion, *Histoire de la vigne et du vin en France, des origines au XIXe siècle*, Paris, 1959, pp. 442-460, sur la production des eaux-de-vie en Charente.

(113) La rasade est aussi utilisée dans le commerce de Guinée et du Sénégal. Voir P. Dardel, *op. cit.*, pp. 128-143 et J. Savary, *Dictionnaire universel du commerce.*

blanc, les peignes de buis ou d'ivoire, etc., font partie de tous les équipements, mais leur valeur relative dans l'ensemble des stocks baisse depuis le milieu du XVIIᵉ siècle. Vers 1720, cette pacotille ne compte plus que pour 3 % de la valeur des marchandises écoulées sur le marché indigène. Les ventes de vermillon comprises aussi dans cette catégorie sont stables quoique jamais très considérables. Le tabac utilisé pour la traite est essentiellement le tabac noir du Brésil, importé via La Rochelle et rarement le tabac blanc domestique.

VI) *autres importations pour le marché colonial.*

Ce n'est qu'au milieu du XVIIIᵉ siècle qu'on tente d'établir des salines au Canada (114). Pendant toute la période que nous avons observée, la pénurie de sel est endémique et c'est pourquoi le commerce est sévèrement réglé. La majeure partie des importations est réservée pour les pêcheries sédentaires du golfe et les conserveries d'anguilles (115). L'État nomme un garde-sel pour surveiller la distribution et empêcher les marchands de stocker (116). Le Conseil et les intendants voudraient que tous les navires qui viennent dans la colonie soient lestés de sel, mais comme les cargaisons sont toujours plus importantes à l'aller qu'au retour, ces exigences sont vaines (117). La vente du sel dans les magasins du roi, les règlements sur les prix chaque fois que la colonie est menacée de disette, limitent les profits que les marchands pourraient réaliser sur cette denrée (118). Nous observons que les habitants de Montréal font peu de salaisons, comptant surtout sur la longue saison de gel pour la conservation des aliments. La production de beurre et de viande

---

(114) Ordonnance de l'intendant Hocquart, 25 février 1747 (*Édits, Ordonnances royaux*, tome II, p. 390; J.-N. Fauteux, *op. cit.* vol. II, pp. 401-404).

(115) Lettre de Frontenac et Champigny au ministre, 15 septembre 1692, AC, C11A12, fᵒ 10 vᵒ.

(116) Lettre de Frontenac, 19 octobre 1697, *ibid.*, vol. 15, fᵒ 50, et vol. 16, fᵒ 17.

(117) Voir les arrêts du Conseil des 8 juillet et 27 août 1664, *JDCS*, vol. I, pp. 226 et 269.

(118) On perquisitionne chez les particuliers, on exige que les surplus soient rapportés chez le garde-sel (ordonnance du lieutenant général de Montréal, 22 novembre 1704, bailliage, copie Faillon GG 235).

salés pour le marché, le ravitaillement des postes et l'exportation sont entravés par cette pénurie et les prix généralement élevés qui en découlent (119).

Les meilleurs marchands importent une variété de produits fins destinés à une clientèle restreinte, tels le vinaigre, l'huile d'olive, le poivre et autres épices, des prunes dans l'eau-de-vie et les raisins, le riz, le café, le fromage de Hollande, etc. Aucune de ces denrées n'a été relevée dans les inventaires après décès du commun des habitants. Au xviie siècle, les importations de sucre ou de cassonade sont rares, la production locale à partir de la sève d'érable peu développée. Ce n'est pas encore un article de consommation courante (120). L'alun, importé d'abord en quantités infimes, commence à apparaître dans tous les stocks à partir de la fin du siècle, soit parallèlement au développement rapide des tanneries auxquelles il est surtout destiné et à la fabrication domestique des étoffes. Les habitants fabriquent leur savon mais les marchands continuent d'importer un produit plus fin pour le marché urbain.

C'est le papier qui tient la première place dans la catégorie divers. Ajoutons les abécédaires, les vitres, les rasoirs et autres objets hétéroclites de faible débit.

b) *les prix.*

Entre le prix coûtant des marchandises en France et le prix de détail à Montréal, il y a ordinairement une augmentation de 100 % (121). La rigidité des prix nominaux des produits

(119) Le sel est vendu au minot ou en barrique dans la colonie, et rien ne nous permet de préciser le contenu de ces mesures pour pouvoir confronter les prix coloniaux avec ceux de Brouage, par exemple. (M. Delafosse et C. Laveau, *Le commerce du sel de Brouage aux XVIIe et XVIIIe siècles*, Paris, 1960).

(120) La fleur d'une plante appelée « cotonnier » fournit aussi un sucre que certains préfèrent à celui des érables (C. de Rochemonteix, *op. cit.*, p. 16). S'il y a des ruches, les inventaires ne les mentionnent pas. Le sucre de canne, comme la mélasse et le rhum, se répandent dans la colonie lorsque le commerce avec les Iles devient régulier, soit après 1720.

(121) Au xviie siècle, les prix sont établis comme suit : 50 % de « bénéfice » sur la facture de France et un autre 33 1/3 % sur le résultat de la première opération, « à cause de l'augmentation des monnaies au Canada ». Cette dernière abolie, les marchands n'en continuent pas moins au

manufacturés, observée dans la métropole (122), est peut-être accentuée dans la colonie, la marge de profit étant assez ample pour absorber les légères fluctuations. Le sel et le vin sont beaucoup plus sensibles à la conjoncture, et c'est pourquoi ils sont l'objet d'interventions fréquentes de la part des autorités. Sauf avant 1666, époque où les compagnies de commerce monopolisent les importations (123), les autres marchandises ont libre cours, c'est-à-dire que les marchands s'entendent tacitement pour fixer le tarif pour une saison donnée. Lorsque des forains tentent de gâcher les prix, les marchands établis, par l'entremise du Conseil souverain, font promulguer le tarif alors en vigueur (124). Il est difficile de parler du mouvement des prix à partir de sources aussi peu sûres que les inventaires après décès (125), d'unités et de qualités généralement imprécises. Les désordres monétaires achèvent de brouiller l'image. Même en supprimant la période troublée par les émissions de cartes, soit 1690-1720, il faudrait aller plus avant dans le XVIIIᵉ siècle pour savoir si les hauts prix rencontrés dans les livres de vente de Monière et quelques inventaires vers 1722-1725, ne font que refléter le gonflement de ceux de la métropole ou supportent une augmentation accrue (126). Nous observons, entre le temps

XVIIIᵉ siècle à doubler la facture de France. La règle ne s'applique pas aux liquides facturés à part. Il y a aussi 100% d'augmentation sur les marchandises sèches dans le commerce de Bordeaux avec les Iles (J. Cavignac, *Jean Pellet, commerçant de gros, 1694-1772*, Paris, 1967, p. 195).

(122) Pierre Goubert, *Beauvais et le Beauvaisis*, p p. 500 *sqq.*

(123) Arrêts du Conseil souverain du 17 novembre 1663, 17 janvier 1664 et 4 février 1665, *JDCS*, vol. I.

(124) Par exemple, procès-verbaux des 1ᵉʳ février et 26 avril 1683, *JDCS*, vol. II, pp. 860-862, 870. Sur ce problème de la concurrence imparfaite, voir *infra*, chapitre II, § 2 et 4.

(125) Cependant, si la prisée est en deçà du prix courant dans le cas des biens meubles des particuliers (*infra*, 4ᵉ partie, chapitre II, § 1), les stocks sont évalués au prix courant à Montréal. Voir, entre autres, les inventaires de J. Legras et J. Leber. M. not., 24 janvier 1704, A. Adhémar et 1ᵉʳ décembre 1706, Raimbault.

(126) Puisque les prix métropolitains restent élevés jusqu'à la politique de déflation de 1724-1725. Voir Paul Harsin, « La finance et l'État jusqu'au système de Law », dans F. Braudel et E. Labrousse, *Histoire économique et sociale de la France*, pp. 297-298. Comme nos cotations sont très diffuses, il aurait fallu dépouiller toute une autre série d'inventaires à partir de 1726, ce qui ne cadrait pas avec les limites de ce travail.

de Colbert et la période 1721-1725, une hausse nominale considérable, qui varie selon les produits mais ne se situe jamais en deçà de 20 % (127). Quelle qu'en soit l'origine, cette augmentation des importations est réelle pour les habitants car, dans le même temps, le niveau moyen du prix du blé qu'ils donnent en échange a baissé d'environ 30 % et le prix de leurs services est demeuré stable.

5. *Les frais et les bénéfices.*

« La pacotille rapporte ordinairement 700 % de profit, écrit La Hontan vers 1690, parce qu'on écorche les Sauvages (128). » Le calcul est juste mais n'a de sens que si nous dégageons le profit net et décomposons les opérations. Il y a deux transactions bien distinctes dans ce commerce : des produits européens sont échangés contre des fourrures et celles-ci sont vendues en France pour une somme d'argent. Le tableau 17 illustre l'enchaînement à l'aide d'un exemple concret. Nous avons séparé les étapes pour plus de clarté, mais il est évident qu'un même individu peut jouer plusieurs rôles.

C'est la première transaction qui produit les bénéfices les plus importants et les plus sûrs. Si le Canada était resté un comptoir comme celui de la Baie d'Hudson, ils auraient été concentrés en une seule main, mais la création d'une colonie de peuplement a suscité des forces qui, en dépit des efforts des compagnies, ont fait échec aux monopoles, et ces profits se répartissent entre plusieurs intermédiaires.

Supposons 5 livres de plomb valant 15 sols à La Rochelle et vendues 30 sols à Montréal. Une marge de 50 % suffit à couvrir le coût du transport au Canada et, dans les meilleures années,

---

(127) Pour déceler cette tendance, nous avons relevé entre 1660 et 1685, puis entre 1722-1725, au moins une vingtaine de prix dans chacune des périodes de produits communément vendus et susceptibles de se rapprocher d'un certain standard, soit le vin, l'eau-de-vie, les clous à plancher et à bardeau, le drap de traite, la toile de Mélis, le carisé, la livre de cuivre (chaudron) le tabac noir, le poivre, les bas de Saint-Maixent, la grande chemise de toile de chanvre, le grand capot commun. Tous ces produits sont à la hausse.

(128) La Hontan, *op. cit.*, vol. 1, pp. 70-71.

TABLEAU 17. — *État approximatif des marges de bénéfice moyennes dans le commerce du castor durant le dernier quart du XVIIᵉ siècle (a).*

Étapes	Prix coûtant	Coût moyen	Prix de revient	Prix de vente	Profit net max. Nbre absolu	Profit net max. (%)
Pour l'importateur	Marchandise en France 15 s	Fret, assurances, droits d'entrée, manutention, entrepôts, etc. 30 % ou 4,5 s (b)	19,5 s	Au marchand-équipeur 22,5 s	3 s	15
Pour l'équipeur (détaillant)	Marchandise à Québec 22,5 s	Transport à Montréal, coulage, manutention, entreposage, etc. 13 % ou 3 s (c)	25,5 s	Au voyageur 30 s	4,5 s	18
Pour le voyageur	Marchandise à Montréal 30 s	Achat du congé, gages, canots, vivres et autres coûts du voyage dans l'Ouest 100 % ou 30 s (d)	60 s	A l'Indien. Échange pour 1 livre de castor valant 67 s	7 s	12
Pour l'équipeur	1 livre de castor valant à Montréal 67 s	Entrepôt, transport à Québec, etc. 2 s (e)	69 s	A l'exportateur (le droit de sortie de 25 % étant défalqué du prix officiel de 90 s) 67 s	(perte 2 s)	(perte 3 %)
Pour l'exportateur (fermier du domaine d'Occident)	1 livre de castor valant à Québec 67 s	Fret, assurances, manutention, commission, transport La Rochelle-Paris, commissions. Déchets à la vente. Prix du bail. Frais généraux, immobilisation, dépréciation. 150 % ou 67 s (f)	134 s	Aux chapeliers parisiens 168 s	34 s	25

Notes du tableau 17.

(c) Les prix cités sont exacts. Nous connaissons, par les inventaires et les livres de comptes, la marge d'augmentation entre le prix coûtant et le prix de vente aux différentes étapes. Cette marge, 50 % à l'importation et 33 1/3 % dans la vente au détail (entre 30 et 40 % de 1715 à 1725), est invariable pendant la période envisagée ici et s'applique à toutes les marchandises « sèches ». Le prix du castor est une moyenne arithmétique entre la valeur d'une livre de castor gras et une livre de castor sec (voir le tableau 14). Par contre, l'évaluation des coûts est une tentative. Nous ajoutons à la suite les éléments qui l'appuient.

(d) Le taux de fret *ad valorem* sur les marchandises « sèches » au XVIIIe siècle varie entre 8 et 10 % en temps de paix. Il correspond à une somme de 50 à 80 l. par tonneau d'encombrement et semble être demeuré assez stable jusqu'au milieu du XVIIIe siècle. Le fret est relativement plus élevé sur le vin et l'eau-de-vie. Voir AC, C11A12, fo 76; procès-verbal du 10 juin 1664, *JDCS*, vol. I; E. Lunn, *op. cit.*, p. 380. En temps de guerre, en 1692 par exemple, le fret atteint 120 l. le tonneau (AC, C11A12, fo 10).

Au XVIIIe siècle, la prime d'assurance maritime se situe un peu en deçà de 10 %. Certaines cargaisons sont assurées aux trois quarts de leur valeur, d'autres, point du tout. Le taux grimpe aisément à 20 % en temps de guerre (*ibid.*).

Il y a un droit d'entrée de 10 % sur le vin et l'eau-de-vie et de 5 sols par livre sur le tabac, mais pas de droit de sortie en France sur les marchandises destinées aux colonies (AC, C11A10, fo 171-174). Les autres frais généraux sont plus difficiles à évaluer, mais il nous paraît légitime de fixer l'ensemble de ces coûts à 30 % du fret entre Québec et Montréal excède 3 % *ad valorem* (voir, entre autres, l'inventaire de J.-B. Beauvais, M. not., 17 avril 1705, A. Adhémar). Les marchandises ne sont pas assurées pour cette partie du voyage, semble-t-il. Même si le marchand a un recours contre le capitaine de la barque, les pertes et avaries grèvent toujours plus ou moins ses bénéfices. Ajoutons les charrois dans l'île et les frais fixes réduits au minimum, puisque ces marchands entreposent et tiennent boutique à domicile, et nous obtenons un coût moyen de 12 à 13 % dans les meilleures circonstances.

(e) Le prix du congé, environ 1 000 l. représente 33 % de la valeur d'une canotée de marchandises. En calculant tous les frais de ces voyages de traite de douze à dix-huit mois, à partir par exemple des livres d'Alexis Monière, nous ne croyons pas exagéré de fixer les frais, y compris le congé, à une somme au moins égale à la valeur des marchandises de traite. La notion de coûts décroissants ne s'applique évidemment pas dans ces entreprises.

(f) Au XVIIIe siècle, le receveur prend livraison des fourrures à Montréal, ce qui élimine cette charge additionnelle pour les marchands.

(g) S'appuyant sur un mémoire du XVIIIe siècle (AC, C11A37, fo 494), H. A. Innis évalue à 10 sols par livre de castor les frais de transport de Québec à Paris. Pour le XVIIe siècle, tenant compte des taux plus élevés de fret et d'assurances, des diverses commissions versées chemin faisant, des difficultés de la circulation intérieure, nous croyons pouvoir doubler cette évaluation. Selon un mémoire des fermiers, les déchets à la vente seraient de l'ordre de 10 % (AC, C11A12, fo 174-179 vo). Les fermiers versent 350 000 l. par an à l'État, mais ils font diverses recettes, notamment sur le sucre des îles, et nous n'avons pas les éléments pour isoler chacun des postes de leur comptabilité. En portant à 100 % l'ensemble formé par cette contribution et tous les autres coûts variables et fixes, la marge de bénéfice reste assez considérable pour nous permettre de croire que cette estimation n'est pas exagérée.

lorsque ces coûts correspondent à ceux de notre modèle, il peut y avoir jusqu'à 15 % de profit net dans l'importation. Mais sur une longue période traversée par les guerres, les prises, les naufrages, les dégâts en mer, compte tenu de la dépréciation du capital, de la mévente occasionnelle, des mauvaises dettes, etc., on peut ramener à 10 % le taux moyen d'intérêt sur le capital investi, ce qui est conforme aux normes du grand commerce à cette époque (129). Une seconde augmentation de 30 à 40 % couvre les frais de transport à Montréal, la manutention et tous les services qui entrent dans la préparation d'un équipement pour les Outaouais. La marge de profit est entamée par les retards et les pertes que provoquent les guerres indigènes, les contractions de l'agriculture et les crises d'insolvabilité générale qui s'ensuivent. Les risques sont grands et nous ne croyons pas que le taux moyen de profit net, dans ces transactions de détail puisse excéder 10 % année moyenne. Il y a une limite inférieure aux revenus de l'importateur et du détaillant, fréquemment atteinte dans ce siècle agité, à partir de laquelle ou bien ils abandonnent, ou bien ils cherchent à cumuler les deux opérations pour élargir les possibilités de compensation (130). Pour ce faire, il faut avoir à la fois une situation solide à La Rochelle et une connaissance exacte de la clientèle coloniale, double prérequis qui commande les associations.

Ensuite, ces 5 livres de plomb sont échangées pour une livre de castor. La valeur relative de la fourrure varie selon la nature des marchandises offertes en contrepartie. Elle varie aussi dans le temps et dans l'espace, mais tend vers un standard qui, une fois établi en une région donnée, ne bouge à peu près plus. E. E. Rich et Abraham Rothstein, qui ont travaillé dans les livres de la Hudson Bay Company, observent que les termes d'échange

---

(129) Voir R. Grassby, « The Rate of Profit in Seventeenth Century England », *English Historical Review*, LXXXIV (1969), pp. 721-751 ; K. G. Davies, *The Royal African Company* (Londres, 1960), pp. 335-343 ; Ralph Davis, *Aleppo and Devonshire Square. English Traders in the Levant in the 18th Century* (Toronto-Londres, 1967), pp. 226-242 ; Pierre Vilar, *La Catalogne dans l'Espagne moderne. Recherches sur les fondements économiques des structures nationales* (Paris, 1962), vol. 2, p. 139 *sqq.*

(130) L'individu qui, en outre, transporte la pacotille sur son propre navire, a évidemment un avantage additionnel.

sont presque rigides pendant tout le XVIIIe siècle (131). Ils étaient sans doute beaucoup plus favorables aux Européens au début du XVIIe siècle, dans ces premières rencontres fortuites où l'Indien se laissait dépouiller pour quelques babioles, mais celui-ci devient vite un fournisseur, un intermédiaire qui répand les produits européens à l'intérieur. De ces nouveaux besoins naissent de nouvelles conditions d'échange, moins favorables aux Blancs et les disparités régionales s'effacent à mesure que le réseau commercial se ramifie. La valeur des fourrures ainsi adoptée dans un large périmètre n'est pas déterminée par l'offre et la demande. Elle ne reflète pas la concurrence entre traitants français et anglais ou ceux d'une même nation. On gagne et on conserve la clientèle avec des traités, dans le jeu difficile des alliances, avec les tributs ou des distributions gratuites de poudre, colliers, tabac et alcools, avec la fidélité à la parole donnée, l'adresse et la bravoure et la qualité de sa marchandise. Mais, un fusil valant 5 castors, qui veut faire une meilleure affaire doit reculer le champ de ses opérations au delà des circuits des intermédiaires, ce partant augmenter les coûts de l'entreprise et tôt ou tard le commun standard envahit cette aire nouvelle (132). A elle seule, l'expansion territoriale ne peut répondre à la concurrence des produits anglais qui pénètrent à l'intérieur depuis New York et la Baie d'Hudson. Les Français doivent ajuster leurs échanges, délivrer des marchandises sur le même pied que leurs rivaux, nonobstant la différence dans les prix coûtants qui, progressivement, joue de plus en plus en faveur de l'Angleterre et oblige les Canadiens à compenser par un accroissement des exportations une marge de profit réduite.

(131) E. E. Rich, « Trade Habits and Economic Motivation Among Indians », *CJEPS* (1960), pp. 35 *sqq.*; Abraham Rothstein, « Karl Polanyi's Concept of Non Market-Trade », *Journal of Economic History*, XXX (mars 1970), n° 1, pp. 117-126. Ce commerce se rapproche de celui des esclaves sur la côte ouest de l'Afrique où S. Berbain constate que les prix ne varient jamais (*Le comptoir français de Juda au XVIIIe siècle*, cité par A. Rothstein, *op. cit.*).

(132) H. A. Innis, dans *The Fur Trade in Canada*, lie à cet effort pour prendre contact avec des tribus encore ignorantes des produits européens, toute l'avance des traitants canadiens jusqu'au Pacifique. Par contre, l'auteur raisonne trop souvent comme si ce commerce était régi par les lois du marché.

Même si nous ne connaissons pas les conditions d'échange entre les traitants français et les Indiens (133), il est donc possible de les évaluer grossièrement à partir du commerce de la Baie d'Hudson (134). Quelques recoupements avec des bribes d'information fournies par nos archives justifient la transposition (135). Lorsqu'il est troqué contre de la poudre, des plombs, des couvertures, des chaudrons de cuivre, le castor revient à 30 sols la livre environ. Il est meilleur marché lorsqu'il est échangé contre du tabac, du vermillon, des miroirs de fer-blanc, des pierres à fusil, des tirrebourres, etc., c'est dire que l'Indien ne reçoit alors qu'une valeur variant de 6 à 20 sols, et plus cher lorsqu'il achète des vêtements. Le traitant doit offrir toute la gamme des marchandises, même celles qui produisent peu de profits, mais comme le drap, le cuivre et les munitions représentent ensemble les deux tiers du débit, il est légitime de considérer que 30 sols est la valeur moyenne de la livre de castor à la fin du XVIIᵉ siècle dans tout le territoire exploité (136).

Le castor rapporté à Montréal sert à rembourser les marchandises sur le pied de 67 sols la livre (137). Des 37 sols restants, il faut déduire les frais du voyage, les vivres, l'équipement, les gages des hommes le cas échéant, ainsi que le coût de ces permis

---

(133) Aucune comptabilité donnant le détail des échanges entre Indiens et traitants de la Nouvelle-France n'a été retrouvée.

(134) Nous utilisons les équivalences présentées par Abraham Rothstein à la « Fur Trade Conference », Winnipeg, octobre 1971. Voir du même, *Fur Trade and Empire : an Institutional Analysis*, thèse de Ph. D. en sciences économiques, Université de Toronto, 1967.

(135) Le traitant Tonty rapporte que la livre de castor vaut 1 1/2 aune de drap près de Michilimakinac en 1719. Ceci correspond exactement à la valeur enregistrée à Albany, Baie d'Hudson (AC, C11A124, p. 265). Voir aussi les équivalences fournies par Nicolas Perrot pour la poudre, les fusils et le plomb, dans *Mémoire sur les mœurs et coutumes et religion des Sauvages*, ... p. 134.

(136) A la fin du régime français, un observateur écrit : « Tout se vend par échange, tant de couvertures pour tant de castors. Le tarif est fixe, on peut y tenir la main; il est à environ 100 % de profit. » (Premier mémoire sur les impôts que le Roy veut imposer sur le Canada (vers 1755), ASSP, MSS, R1200).

(137) Une peau de castor pèse en moyenne une livre et demie. 67 sols est un moyen terme entre 82 sols pour le castor gras et 52 sols pour le sec. Le droit de sortie est ainsi automatiquement déduit de la marge de profit des voyageurs.

de traite délivrés par les autorités (138), ce qui laisserait un bénéfice de 10 à 15 % sur la somme investie dans l'entreprise. Lorsque cette opération de troc est conclue dans les territoires éloignés, elle exige au moins trois participants, et le profit net de chacun d'eux est nécessairement inférieur à celui du marchand qui a avancé les marchandises, sans quoi les coûts d'option ne justifieraient pas l'existence d'un groupe d'équipeurs-détaillants. Mais la marge est étroite et dans plus de la moitié des cas, ceux-ci sont aussi parties prenantes dans les retours de fourrures. Soit que le marchand achète seul le permis et le fasse exploiter par des voyageurs, dans lequel cas il retire la moitié du surplus et n'assume pas les frais de l'expédition (139); soit que marchand et voyageurs achètent conjointement le permis et alors l'équipeur ne touche qu'une fraction du surplus, proportionnelle à sa mise de fonds, et supporte une partie des coûts (140). Tout au long du XVIIIe siècle, l'équipeur s'associe de plus en plus étroitement au voyage, jusqu'à ce que le voyageur cesse tout à fait d'être un client et devienne le « winter partner ».

Le marchand rapporte au bureau du fermier le castor qu'il a recueilli, opération sans profit puisqu'il reçoit une lettre de change pour la même valeur qu'il a déjà versée aux voyageurs. Mais c'est en accumulant les fourrures, au delà de ce qu'il a avancé pendant l'année courante, qu'il peut accroître ses moyens de paiement dans la métropole et étendre graduellement ses affaires (141).

(138) La valeur marchande de ces permis ou « congés » est d'environ 1 000 l. pour le passage d'une canotée de marchandises de 3 000 l. Mais on fraude couramment, en envoyant plus d'une canotée pour un seul congé. Voir les ventes de congés dans les minutes notariales : Basset, 14 et 25 juin, 21 juillet 1686; A. Adhémar, 9 juin 1694 et 22 mai 1698; autres ventes en 1692, 1697, 1698 dans AC, C11A12, fos 7, 15 et 81; La Hontan, *op. cit.*, pp. 85-86.

(139) Convention entre la fabrique Notre-Dame de Montréal et trois voyageurs, 22 février 1682, APND, boîte 1, chemise 17.

(140) Convention entre J.-J. Patron, marchand, et deux voyageurs, pour l'exploitation solidaire d'un congé. (M. not., 14 mai 1683, Maugue).

(141) Les voyageurs sont tenus de rapporter en droiture toutes leurs fourrures à l'équipeur qui prélève son dû conformément aux termes de l'obligation et généralement leur rachète tout le surplus. Ordonnance de

Reste enfin la dernière transaction, le profit final sur les retours en France qui appartient au détenteur du monopole sur le castor. Une fois déduits les frais réguliers les plus apparents, il reste encore une importante marge de bénéfices sur laquelle cependant pèsent bien des impondérables découlant de la mévente, des caprices des chapeliers, que seul un organisme qui dispose de réserves considérables peut supporter (142). Les profits des fermiers du Domaine d'Occident représentés ici, ne se maintinrent pas et il n'y a pas lieu de croire que la Compagnie des Indes occidentales retira du castor plus que les autres grandes entreprises commerciales, soit 10, peut-être 15 % de profit net en moyenne. Les petits marchands canadiens renoncent au bénéfice sur la vente des peaux et pelleteries en France, faute de pouvoir supporter le transport et l'immobilisation (143). Les plus considérables en font l'exportation et, dans le seul exemple que nous ayons rencontré, le bénéfice net, peut-être exceptionnel, sur une de ces cargaisons est de 21% (144).

Les profits spectaculaires isolés non plus que les catastrophes du début du XVIIᵉ siècle, qui sont les seuls éléments qui retiennent les administrateurs voués aux rapports annuels et conséquemment mis en relief par les historiens qui les suivent à la trace, ne doivent pas nous masquer les rendements normaux de ce commerce, distribués de part et d'autre de l'Atlantique. La nature du produit interdit une véritable expansion qui ferait appel à de grands capitaux. C'est à l'échelle de cette bien modeste mono-activité que la colonie se développe.

---

l'intendant De Meulles, 17 mai 1685 dans E.-Z. Massicotte, *Répertoire des arrêts*. Voir, par exemple, l'obligation de P. Deniau à Alexis Monière, (M. not., 5 septembre 1714, J.-B. Adhémar).

(142) « Considérations sur l'État présent du Canada », octobre 1758, dans *Collection de mémoires et relations sur l'histoire ancienne du Canada*, p. 13.

(143) A. Monière paie son fournisseur de La Rochelle avec 106 loutres qui lui sont crédités au prix courant dans la colonie (livres de comptes, 1719, APC, M-847). Ceci prouve amplement que le monopole sur l'exportation du castor ne change pas les données fondamentales.

(144) Comptes de la veuve Lemoyne avec A. Pascaud en 1691 et 1695. Cf. *infra*, tableau 20.

CHAPITRE II

LES RAPPORTS DE PRODUCTION

Les rapports qui lient les uns aux autres les hommes qui participent au commerce, demeurent très flous et incertains aussi longtemps que les éléments structuraux de l'économie ne sont pas constitués. L'organisation commerciale ne se consolide qu'au XVIIIᵉ siècle et tout ce qui précède, simple agitation en apparence, n'est qu'une série de réactions aux changements extérieurs, un processus d'adaptation rapide et saccadé. Ayant exposé d'abord les fluctuations conjoncturelles déterminantes, il devient plus facile de suivre la chronologie de la mise en place, de retrouver la logique interne qui commande l'organisation.

1. *L'évolution des rôles dans le commerce.*

a) *1642-1668 : le commerce par les habitants.*

« Je vous diré pour nouvelles que les Iroquois et Sanontouais Ivernent à Montréal et que présentement Je leur ay donné de quoy aller à la chasse... », écrit une femme à son fournisseur à Québec (1). La fourrure est à portée de la main et

(1) Lettre de Marie Pournin à M. Baston, datée de Montréal, 2 octobre 1662, ANQ, dépôt de Montréal, copie dans la collection de pièces détachées. Auparavant, les habitants de Québec avaient aussi bénéficié des mêmes facilités : « Mulier quaedam mediocris quaerentibus quanti negotiata fuerat : ' Mille et quinquentis tantum ', respondit, nummis. » (Lettre du

sans quitter son habitation, chacun peut, dès que le monopole des fermiers se relâche, traiter directement avec les résidents et les visiteurs indigènes qu'on attire, exaspère et redoute à la fois. En attendant des dividendes qu'ils ne toucheront jamais, les habitants profitent des termes d'échange avantageux de cette époque qui laissent, en dépit du lourd prélèvement de la compagnie, un résidu net appréciable. Il n'est pas de colon qui n'ait en sa possession quelques couteaux, une poignée d'alênes, prêts à être troqués à la première occasion (2). C'est l'appât qui décide les engagés à se faire colons, qui lie plus fortement au poste l'homme libre que le serviteur privé de ces avantages. Protégé par la distance et son existence précaire, Montréal n'a pas de peine à intercepter les fourrures qui descendent irrégulièrement de l'Ouest et peut compter bon an mal an sur celles que lui fournissent les Indiens domiciliés (3). En 1662, Pierre Pigeon peut s'établir sur sa concession avec un actif en fourrures et en marchandises de 1 200 l. Dès lors, Pigeon n'est qu'un paysan qui, après seize ans de labeur, ne laisse en mourant à sa famille guère plus que ce que deux ans de traite lui avaient naguère rapporté (4). Il y avait peu d'espoir pour un garçon ambitieux de se placer rapidement parmi la gentilhommerie marchande de Québec, mais Montréal lui offrait toutes les possibilités. Charles Lemoyne, fils d'un aubergiste de Dieppe, interprète, ancien domestique des Jésuites, arrive assez tôt pour s'y tailler la part du lion. D'autres suivent, venant de Paris, Rouen ou La Rochelle, qui peuvent de saison en saison faire fructifier un apport initial de quelques centaines de livres à peine. Petits marchands qui savent gagner des pro-

---

sr. Denys l'aîné, Québec, 28 octobre 1651, présentée par Lucien Campeau, « Un témoignage de 1651 sur la Nouvelle-France », *RHAF*, XXIII, 4 (mars 1970), pp. 601-612).

(2) Comme en témoignent les inventaires après décès de cette période.

(3) « Les habitants de Montréal voudront avec le temps (comme ils en donnent de bonnes marques) faire leur traite à part et empêcher que les Sauvages qui viennent d'en haut ne descendent aux Trois-Rivières et à Kébec et c'est mettre la guerre civile dans le pays... » (Lettre du gouverneur Voyer d'Argenson, 4 août 1659, ASSP, copie Faillon X 141).

(4) Inventaire des effets apportés par P. Pigeon lors de son mariage, 6 novembre 1662, M. not., Basset; inventaire à la mort de la veuve, 11 octobre 1686, ANQ, Montréal, clôtures d'inventaires.

tections, soldats-gentilshommes bien apparentés, commandent les marchandises en France, cumulent tous les profits et peu à peu les occasions échappent au commun des habitants. Par des avances de marchandises de plus en plus considérables et grâce à l'appui des missionnaires, quelques marchands monopolisent la production des Indiens domiciliés, tandis qu'avantageusement installés sur la place ils raflent tout ce que les visiteurs apportent à la foire du mois d'août. Si l'habitant veut ramasser quelques miettes, lui reste-t-il d'autres moyens que d'attirer chez lui ces hôtes de passage pour les enivrer et les dévêtir? La chute des prix du castor précipite ce mouvement de concentration, qui marque le retrait progressif de la majeure partie de la population d'une activité qui avait soutenu ses premiers établissements.

b) *1668-1681 : l'anarchie.*

La baisse des cours du castor est aussi le principal facteur de la ruée des hommes et des marchandises dans l'Ouest, déclenchée entre 1665 et 1670. La paix conclue avec les Cinq Nations a rendu la route moins périlleuse au moment où le Canada reçoit presque d'un coup 3 000 soldats et engagés. Les Outaouais, fournisseurs des Français, ont contourné le lac Supérieur, des traitants sur leurs talons, et rencontré des nations prêtes à troquer leurs fourrures pour trois fois rien. La fièvre s'empare de la colonie. Tout converge pour déplacer le commerce, et si la foire de Montréal réussit à survivre jusqu'à la fin du siècle, le volume des fourrures qu'on y traite va en diminuant.

Le commerce est désormais l'affaire des professionnels, mais les fonctions des participants demeurent mal définies. Au sommet, le rôle déterminant, le jeu trouble des gouverneurs et autres administrateurs dont les intérêts particuliers s'articulent à travers un savant dosage d'arrêts, d'ordonnances, de délations et condamnations exemplaires contre le commerce illégal mené sous le couvert d'opérations défensives « dans la profondeur des bois ». Ne nous étonnons pas qu'aucune pièce comptable ou notariée ne soit restée pour nous permettre de quantifier la collusion (5). Au-dessous, la masse des marchands de tout acabit. En 1681, pour une population de 1 350 habitants, dont 270 chefs d'habitation, on dénombre à Montréal 39 marchands. La pléthore est éloquente, tout comme le rythme rapide de remplacement dans les rangs du métier, creusés par les disgrâces, les faillites, les départs et des replis sur des occupations moins hasardeuses. Deux figures dominent. Les fortunes, que Lemoyne et son beau-frère Leber édifient durant ces années de désordre, sont parmi les plus solides que connaîtra cette colonie. Cinq autres importateurs ont transporté leurs affaires à Montréal (6). Quelques Montréalais se détachent du bloc des petits boutiquiers. Les marchands bien établis continuent de traiter directement avec les Indiens des alentours et la clientèle de la foire qu'ils vont intercepter adroitement en haut de l'île (7). L'examen de quelques fortunes montre que ces opérations forment encore la meilleure partie de leur commerce, car les profits ne sont ni partagés, ni grevés de frais (8). Le marchand peut aussi avancer des marchandises aux coureurs de bois qui vont, au mépris des règlements, chercher les fourrures à la source. Ce sont d'abord les forains qui alimentent ce commerce

(5) Tous les administrateurs du haut en bas de l'échelle sont intéressés à divers degrés dans le commerce. La démonstration a été bien menée par W. J. Eccles pour les gouverneurs Frontenac et de La Barre en particulier. Il faut l'étendre aux autres gouverneurs et à tous les intendants, officiers de justice, commis de la marine, des trésoriers généraux et des fermiers du Domaine. Comme le remarque justement J. F. Bosher, il n'y a pas lieu de dénoncer la « corruption » de tel ou tel fonctionnaire, mais d'examiner plus attentivement cette structure administrative de l'Ancien Régime où l'entreprise privée et le secteur public se chevauchent et se confondent. (W. J. Eccles, *Frontenac, the Courtier Governor;* John F. Bosher, « Government and Private Interest in New France », *Canadian Public Administration,* X (1967), pp. 244-257).

(6) François Charon, Simon Mars, François Hazeur, Jean Gitton et Charles Aubert.

(7) Charles Lemoyne et Jacques Leber ont d'excellentes relations avec les Jésuites et les Sulpiciens et deux magasins stratégiquement placés, l'un à la pointe ouest de l'île, l'autre sur la rive sud, à proximité de la mission du Sault-Saint-Louis.

(8) Pierre Picoté laisse à sa mort 6 500 l. de créances, dont les deux tiers sur des Indiens, considérés comme de bonnes dettes, et un tiers sur des Français, la plupart insolvables, déclare la veuve. (Inventaire du 13 mars 1679, M. not., Basset).

clandestin (9). Tant que les peaux descendent encore dans la colonie, ceux qui les contrôlent hésitent à devenir prêteurs, car l'opération est moins profitable et plus risquée. Avant que la pénurie de fourrures les contraigne à utiliser les aventuriers, ils commencent par les dénoncer, ainsi que leurs fournisseurs, car ce sont des concurrents (10). Mais 33 % d'intérêt sur des milliers de livres valent mieux que 150 % de bénéfice sur des arrivages de plus en plus rares, et ainsi naît ce commerce dangereux qui repose sur la confiance, la capacité de se protéger en haut lieu, de savoir juger les hommes à qui on confie, sans possibilité de recours au tribunal, des marchandises d'une valeur considérable.

S'il faut en croire les intendants, il y aurait 500 à 800 hommes qui circuleraient dans les bois vers 1680 (11). C'est beaucoup plus que ce que le volume des fourrures exportées peut justifier. A supposer que les administrateurs n'exagèrent pas l'ampleur du désordre, il y aurait parmi ces coureurs de bois tout au plus une centaine de garçons qui font des affaires sérieuses pour le compte des marchands, qui partent avec des stocks de 1 000 l. à 2 000 l. et renvoient les fourrures dans la colonie par des voies détournées. Ce personnel spécialisé, en voie de formation, comprend quelques soldats au service de leurs commandants et une majorité de fils d'habitants qui ont fait leur apprentissage au temps où la traite était une commune occupation et qui acceptent moins facilement que leurs pères vieillissants d'en être exclus.

Quant au reste, ce sont des anciens soldats ou engagés qui sitôt affranchis s'enfoncent dans les bois avec un petit ballot de marchandises avancées par un marchand imprudent (12).

(9) On ne voit pas encore à cette époque, dans les inventaires après décès des marchands, des avances de marchandises tant soit peu considérables consenties à des particuliers.

(10) E. R. Adair, « The Evolution of Montreal During the French Regime », *CHAR* (1942), pp. 27-28.

(11) Lettre de l'intendant Duchesneau, 13 octobre 1680, AC, A11A5, f° 161; mémoire de Patoulet, *ibid.*, f° 320.

(12) N'allons pas, avec Salone, rapporter le nombre de coureurs de bois avancé par l'intendant au nombre d'hommes mariés recensés dans la colonie (500/1475) et conclure à tort que le tiers des colons a déserté ses terres. En réalité, il n'y a pas cent fils d'habitants dans les bois, et ceux-ci

Ils s'éparpillent à l'intérieur, vivent de l'hospitalité des Indiens, revendent quelques fourrures à ceux qui ont des facilités pour les ramener dans la colonie, s'aventurent parfois avec leurs hôtes jusque chez les Anglais (13). Sans famille ni relations dans la colonie, ils risquent la pendaison (14). Aussi, las de cette errance peu rémunératrice, les voit-on profiter des amnisties périodiques pour revenir prendre le premier bateau pour la France ou une habitation dans la colonie. Il y a tous ceux qui meurent sans laisser de traces et quelques-uns, qui savent faire reconnaître leurs aptitudes et leur probité, viennent grossir le nombre des coureurs de bois accrédités auprès des marchands. En 1684, le marchand Aubert croit pouvoir compter sur quelque 200 coureurs de bois pour faire campagne contre les Iroquois (15). Les rangs des hors-la-loi s'éclaircissent; un corps d'intermédiaires commence à émerger.

c) *1681-1700 : l'organisation.*

Malgré les bénéfices qu'ils en tirent, les administrateurs ne sont pas sans constater les dangers du désordre. Le premier à s'en plaindre est le fermier du castor, car la crainte d'encourir des amendes encourage la contrebande, sans compter qu'en passant par Albany, les traitants évitent le droit de sortie (16). Le receveur fait pression sur le Conseil pour poursuivre les coupables. Le favoritisme a créé des associations clandestines

sont d'ailleurs célibataires. Le gros contingent des aventuriers est formé d'individus non « habitués », jamais recensés. C'est une perte de colons potentiels tout au plus, si nous postulons que, sans l'attrait des profits faciles, ces jeunes gens ne se seraient pas prévalu du voyage de retour gratuit en France, auquel ils avaient droit, ce qui est loin d'être sûr. (E. Salone, *La colonisation de la Nouvelle-France*, p. 56).

(13) E. E. Rich, *The Fur Trade and the Northwest to 1857*, Toronto, 1967, p. 76.

(14) On en pendit au moins un, pour l'exemple. Lettre de Frontenac, 14 novembre 1674, AC, C11A4, fo 70.

(15) W. J. Eccles, *Canada Under Louis XIV*, Toronto, 1964, pp. 122-124; AC, C11A5, fo 359; E. E. Rich, *op. cit.*, p. 52.

(16) En 1681, l'intendant dénonce la vente de 20 000 livres de castor aux Anglais, soit le cinquième du volume reçu à Québec, opération qui aurait été menée par une petite société comprenant un marchand de Montréal, deux coureurs de bois et le gouverneur général. (Mémoire de Duchesneau, 13 novembre 1681, AC, C11A5, fos 322-323).

et les officiers et marchands, qui en sont exclus, font corps pour protester (17). La fraude quasi institutionnalisée excite le peuple à la désobéissance. A Montréal, des jeunes gens armés de bâtons manifestent contre les ordonnances et, redoutant de pires violences, les notables serrent les rangs (18). L'insécurité des créances, qui résulte de l'illégalité, fait réfléchir les marchands, et l'intendant traduit la commune inquiétude lorsqu'il écrit qu'il faut retenir les traitants dans la colonie « parce que par là ils assurent le fonds de leurs debtes » (19).

Le système de 25 permis de traite est institué en 1681. Il promet de mettre fin à l'anarchie en légalisant les départs; il va permettre aux marchands de prélever une part des profits du voyage en plus de leur intérêt sur les avances et à l'État, de rejeter sur le commerce le paiement de pensions et gratifications à charge du roi. Chaque année, 25 bénéficiaires, familles nobles nécessiteuses, officiers méritants et communautés religieuses sont autorisés à envoyer une canotée de marchandises aux Outaouais.

En 1682, la liste comprend 16 officiers en service ou à la retraite, 2 veuves d'officiers, 3 gentilshommes et seigneurs et la fabrique Notre-Dame pour 2 permis (20). Ces privilégiés qui ont reçu le congé gratuitement, le font exploiter par trois traitants moyennant une part dans les bénéfices, ou encore le vendent immédiatement pour un prix forfaitaire à un marchand. On rencontre toutes les modalités de cession et de participation (21).

En dernière analyse, ce sont les équipeurs qui contrôlent le

---

(17) *JDCS*, vol. II, pp. 570-577 et 299.

(18) Lettre de Duchesneau, 10 novembre 1679, AC, C11A5, f⁰ 38, et aussi C11A6, fᵒˢ 112 *sqq.*

(19) Lettre du même, 10 novembre 1679, *ibid.*, vol. 5, f⁰ 51 v⁰.

(20) Il en manque deux pour faire le compte. En principe, les congés annuels doivent être enregistrés au greffe de la juridiction où ils sont émis, c'est-à-dire à Montréal en majeure partie. Ces registres semblent avoir été perdus, et nous avons retrouvé cette liste de 1682 sur feuille volante, dans un recueil de documents (ANQ, NF21, vol. 15). Notons que la liste publiée dans *RAPQ* (1921-1922), pp. 189-225, est tout à fait incomplète pour le xviiᵉ siècle.

(21) Le marchand qui fournit le permis et participe aux bénéfices sur les retours est dit « bourgeois du congé ».

système et souvent l'intendant vend directement ces permis aux plus considérables, car ce sont ceux qui savent choisir leurs hommes, qui se laissent moins tenter par la contrebande et qui, au moment où recommencent les hostilités entre les Iroquois et les nations alliées, savent opportunément se plier aux circonstances militaires, différer les rentrées pour obéir aux ordres (22).

Bien plus de 25 canots circulent dans les pays d'En-Haut. L'intendant qui multiplie les émissions de permis (23), les détenteurs qui, d'un seul congé font deux voyages et plus (24), contribuent également à achever la ruine de la traite dans le bas pays (25).

Le commerce commence cependant à se structurer. Le corps des marchands est sensiblement réduit. A la fin du siècle, nous ne comptons pas plus d'une vingtaine de marchands domiciliés à Montréal (26), dont la moitié fait ses propres affaires en France. La plupart de ceux-ci étaient déjà en place dans la période précédente, mais la partie inférieure de la profession s'est renouvelée et comprend surtout des nouveaux habitants, venus en partie de France, en partie des juridictions de Québec et des Trois-Rivières. Tous sont essentiellement des équipeurs, car la foire achève de mourir et les Indiens des missions décimés par la maladie et régulièrement conscrits pour la guerre chassent peu. Les simples détaillants s'approvisionnent ordinairement chez les exportateurs rochelois de Québec. Parfois, ils leur servent de commis. Il n'y a pas de commerce de gros à Montréal. Les importateurs locaux détaillent eux-mêmes les

---

(22) Lettre de Denonville, 8 mai 1686, AC, C11A8, fᵒˢ 21-22.

(23) Le produit des ventes de permis est affecté à la défense depuis 1688. Pour accommoder tous les pensionnés, l'intendant doit leur délivrer des congés gratuits au-delà des vingt-cinq vendus pour alimenter son budget. (AC, C11A12, fᵒˢ 6-7).

(24) Lettre de Denonville, 8 mai 1686, *ibid.*, vol. 8, fᵒˢ 21-23.

(25) A cause de ces abus, le système des congés est aboli en 1696, rétabli entre 1716 et 1719 et de façon définitive en 1728 (E. Salone, *op. cit.*, pp. 392-393).

(26) Sur un total de 439 censitaires urbains et ruraux, d'après le livre des tenanciers du Séminaire de Montréal, ASSM. Le relevé des obligations consenties aux équipeurs confirme les données du rôle.

marchandises ou l'avancent au prix du marché à d'autres marchands.

Un nouveau groupe est apparu : les voyageurs. L'appellation, qui naît vers 1680, est un titre que revendiquent les anciens coureurs de bois qui ont mérité la confiance des marchands et mettent à leur service leur expérience et leurs bonnes relations avec les indigènes de l'intérieur. Plusieurs petits marchands de naguère, faute de pouvoir s'insérer dans cette organisation plus complexe, ont rejoint leurs rangs. Les officiers et les meilleurs marchands mettent leurs fils à l'école des anciens coureurs de bois. Ces voyageurs travaillent toujours en société de trois ou quatre (27). Les contrats d'association, les reconnaissances de dettes pour la traite, commencent à faire l'objet d'actes notariés. L'aventure est devenue une profession. A la fin du siècle, les marchands peuvent se féliciter : le fonds de la dette est assuré, les voyageurs achètent des propriétés et, à l'âge de la retraite, ils seront « bourgeois de cette ville ».

Depuis longtemps, ce commerce a cessé d'être une occupation d'appoint pour le peuple. Il faut plusieurs années d'expérience et un bon crédit pour devenir voyageur, et les fils de colons qui s'engagent dans cette voie ont tendance à en faire une carrière (28). Cependant, une nouvelle forme de participation commence à poindre : l'engagement pour la traite. Quelques commandants de postes exercent un monopole sur le produit de la chasse que font les Indiens installés sur leur territoire (29). Pour monter les marchandises et redescendre les fourrures, ils engagent des garçons à qui il est interdit de faire

(27) Contrat type d'une société de voyageurs : Paul Bouchard, Jean Coton Fleur d'Épée et François Bigras s'associent pour aller au pays des Outaouais et font les conventions suivantes : ils monteront une canotée de marchandises lesquelles seront en communauté et traitées du mieux qu'ils pourront; les dépenses du canot, marchandises, vivres et gages (un engagé complète l'équipage) seront payées sur la masse de ladite communauté; la perte s'il s'en trouvait, « ce que Dieu ne veuille », sera supportée par tiers et les profits, « qu'il plaira à Dieu de leur donner », seront pareillement partagés entre lesdites parties. (M. not., 30 mai 1714, A. Adhémar).

(28) Rappelons ce que l'analyse du mouvement saisonnier des conceptions nous démontre : les habitants mariés participent rarement à ce commerce lointain. Cf. *supra*, p. 128.

(29) La Mothe Cadillac au Détroit, Laforest et Tonty aux Illinois.

la traite pour leur compte. Quelques fils de paysans trouvent là une occupation saisonnière. Durant cette période, nous comptons, année moyenne, une centaine de départs pour l'Ouest, dont très peu d'engagés encore. Comme les voyageurs prolongent leur absence au delà d'une année, il y a à tout moment, autour des grands lacs, 200 individus, non comptées les garnisons des postes.

d) *1700-1725 : vers la consolidation.*

Le mouvement des hommes vers l'ouest s'intensifie au début du siècle pendant les années où le commerce est géré par la compagnie de la colonie. Celle-ci utilise le système de l'engagement sur une grande échelle et, jusqu'en 1705, plus d'une soixantaine de jeunes gens font ainsi chaque année le voyage aller et retour au Détroit du lac Érié, moyennant des gages modiques (30). Aussi nombreux sont les voyageurs indépendants qui, en dépit des contrôles que la compagnie entend exercer sur le commerce intérieur, échappent à l'embrigadement et se dispersent au delà des postes surveillés. Car la frontière des fourrures vient de faire un grand bond. La Louisiane s'ouvre en 1699 et, si les 60 Canadiens qui s'installent à la Mobile avec d'Iberville, y sont arrivés via la France, c'est par le Mississippi que se fait le remplacement progressif (31). Si dispersées que soient les entreprises de Le Sueur, Juchereau, celles des Jésuites et du Séminaire des Missions étrangères, c'est autant de jalons, de refuges, de portes ouvertes pour des voyages sans retour. Naguère, les coureurs de bois devaient tôt ou tard réintégrer la colonie, mais voilà de nouvelles issues. Le voyageur qui a ruiné son crédit à Montréal peut espérer un recommencement en Louisiane.

Pour la seconde fois en un demi-siècle, c'est avant tout l'effon-

---

(30) Voir *infra*, § 5, pour l'étude de ces conditions.

(31) Marcel Giraud, *Histoire de la Louisiane*, Paris, 1953, vol. I, pp. 45-47 et 136. En 1702, malgré les départs et la mortalité, on recense encore soixante Canadiens à la Mobile. Des traitants hivernent autour des missions des Illinois. Les jeunes Montréalais, qui accompagnent Juchereau sur la Ouabache, ne reviennent pas tous.

drement du cours du castor qui va, bien plus que ces errances, modifier les rapports de production à peine ébauchés. De 1706 à 1712, les signes de marasme sont clairs : diminution des importations de marchandises qui se traduit par la chute du nombre d'obligations consenties par les voyageurs; baisse et, certaines années, quasi-absence des engagements d'hommes de peine; plafonnement du nombre de marchands à Montréal (32). Le commerce illicite, que nous ne pouvons pas mesurer, supplée dans une certaine mesure au manque à gagner et permet à la structure commerciale de se maintenir malgré tout.

Ensuite le commerce se rétablit, mais il va devoir s'adapter à des marges de bénéfices réduites. Le groupe des voyageurs évolue vers la concentration. Lorsque le volume des exportations recommence à croître, nous voyons réapparaître, à une très grande échelle, le système de l'engagement pour la traite. Ce sont les voyageurs, maîtres du canot, qui au lieu de prendre un associé comme naguère, font appel à des salariés. Les progrès techniques favorisent cette évolution. Le canot, qui ne portait normalement que trois hommes au XVIIe siècle, en requiert cinq pour la manœuvre en 1725, six et davantage après 1740. Le ravitaillement dans les postes est mieux organisé (33). La main-d'œuvre augmente avec la production et aussi l'éloignement progressif de la source des fourrures. Le nombre de voyageurs reste stable et, encore groupés en société, ils commandent de véritables petites flottilles qui font la navette entre les postes et Montréal. En 1717, nous comptons 151 départs pour l'Ouest, dont 61 engagés. En 1727, 146 engagés et près de 300, dix ans plus tard (34). En dépassant le cadre chronologique de notre étude, nous avons pu vérifier que la tendance à la concentration amorcée au début du XVIIIe siècle n'est pas un phénomène éphémère, mais marque le début de la prolétarisation progres-

---

(32) Ces observations sont fondées sur le relevé des actes notariés relatifs à la traite : engagements, obligations, contrats de société, etc. Nous avons relevé tous ces actes jusqu'en 1717 inclusivement, puis ceux des années 1727, 1737 et 1747, à titre de sondage. En 1709, par exemple, il n'y a que quarante-cinq départs officiels pour l'Ouest, dont cinq engagés et seulement dix-huit marchands qui consentent de petites avances.

(33) H. A. Innis, *The Fur Trade in Canada*, chapitre 5, *passim*.

(34) Voir *infra*, § 5 et graphique 15.

sive du personnel de la traite. Il y a une centaine de voyageurs, année moyenne, qui se recrutent de l'intérieur ou parmi les familles de marchands et d'officiers dont ils se rapprochent toujours davantage. Ils s'intitulent marchands-voyageurs. La profession semble bien fermée par le bas.

Il est difficile de déceler une tendance à la concentration chez les équipeurs (35). La mort a éliminé les figures dominantes du dix-septième siècle et, au lendemain de la crise, nous avons affaire à un personnel plus nombreux, presque entièrement renouvelé, composé surtout de marchands médiocres qui se bousculent pour occuper les places vides. Mais dès 1720, les effectifs se stabilisent de nouveau autour de la vingtaine et ceux qui ont survécu à la mêlée sont en majorité des hommes nés dans le pays, des fils de marchands de Montréal, Québec et Trois-Rivières. Quatre immigrants de fraîche date font bonne figure, dont l'un, Pierre Lestage, s'installe dès son arrivée au premier rang (36).

Les officiers militaires avaient toujours été plus ou moins mêlés au commerce (37), mais leur rôle s'affirme davantage après 1700. Par l'émission et la vente de permis pour l'approvisionnement des postes qu'ils commandent (38), ils soutirent une partie du profit des traitants. Enfin, la pratique d'affermer le produit de la traite aux commandants, dans le territoire qui est sous leur juridiction, consacre leur participation directe. Les liens entre les marchands et cette petite noblesse, encore très lâches au XVIIᵉ siècle, vont se resserrer à mesure que les intérêts

(35) Vers 1664, la chute du prix du castor avait eu des répercussions plus profondes. Mais les profits des marchands ne portent plus que sur les marchandises et sont donc relativement moins affectés que ceux des voyageurs par la baisse du prix des fourrures. Rien ne pousse le corps des marchands à serrer les rangs et comme, en général, leur chiffre d'affaires est limité par leur crédit dans la métropole, une augmentation du volume total des exportations correspond à un nombre accru de marchands.

(36) Mais suivi de près par des Canadiens comme Charly, Soumande, Neveu, etc.

(37) Généralement avec assez peu de succès, dans des rôles subalternes, associés aux voyageurs, débiteurs des marchands. Bref, dans les débuts, ils n'ont pas encore une fonction précise et doivent s'insérer de force dans les rouages et rivaliser les uns avec les autres.

(38) Voir, entre autres, les permis délivrés à Louvigny, endossés et vendus (M. not., 12 mars 1717, J.-B. Adhémar).

des deux groupes se rejoignent. L'officier a besoin du crédit du marchand pour exploiter son territoire et le marchand a besoin de l'autorisation de l'officier pour y pénétrer. La promotion commerciale du corps des officiers établis dans la colonie, phénomène social majeur (39), est un fait accompli dans le deuxième quart du XVIIIe siècle (40).

2. Le crédit, un instrument de liaison.

A côté du commerce, l'agriculture se développe à son propre rythme. Les premiers défrichements furent amortis avec les profits des fourrures et il y a plus d'un traitant désabusé parmi les paysans, plus d'un fils d'habitant parmi ces coureurs de bois que les marchands embrigadent. Mouvement des hommes d'un secteur à l'autre doublé par un mouvement des produits. Mais si nous devions nous en tenir à l'image de la répartition foncière qui traduit normalement ailleurs les dépendances réciproques entre ville et campagnes, nous aurions vite conclu que ce commerce se déroule en marge du pays qu'il traverse. Ce serait une exagération et nous n'aurions d'ailleurs pas expliqué pourquoi il tend à en être ainsi. Les comptes des marchands sont un miroir plus fidèle de la nature et de l'importance des liaisons.

a) La nature des paiements.

Le marchand de Montréal est d'abord un marchand de fourrures. Nous n'avons pas d'exemple d'un individu qui aurait commencé par débiter ou colporter des étoffes et des clous aux habitants et, ses affaires grossissant, serait devenu équipeur pour la traite. Le contraire est la norme. Autour du commerce

---

(39) Cf. *infra*, quatrième partie, chapitre II, § 8.

(40) Cameron Nish, dans *Les bourgeois-gentilshommes de la Nouvelle-France 1729-1748* (Montréal, 1968), perçoit le phénomène au moment où il est bien engagé et ne cherche donc pas à expliquer ce qui lui apparaît comme une donnée sociale première et non pas comme le résultat de l'évolution économique elle-même, ce que seule l'étude de la période antérieure permet de dégager.

des fourrures, un marchand qui fait de bonnes affaires réussit à gagner une certaine clientèle locale. Cette partie du commerce n'est jamais très considérable, mais elle épaule et consolide la première activité. Les livres de comptes d'un marchand nous fournissent une illustration.

TABLEAU 18.

*Répartition de la clientèle d'un marchand
et volume des ventes à chaque catégorie
(1715-1724).*

Les clients		Montant des ventes (en livres tournois)	%
Catégories	Nombre		
Voyageurs équipés par le marchand	22	60 000	60
Engagés pour la traite et autres voyageurs qui font des achats occasionnels	34	11 470	11
Officiers militaires et leurs familles	16		
Artisans qui paient en travail...................	10		
Artisans qui paient en articles de leur fabrication	19	28 495	29
Créanciers du marchand ...	12		
Habitants de la ville et des côtes	148		
TOTAL	261	99 965	100
Autres marchands avec qui sont faites des transactions sans ou à moindre profit ...	13	5 293	

Source : Livres de comptes d'Alexis Monière, APC, M-847 et M-848.

Tout ce commerce repose en somme sur 22 individus à qui Monière avance régulièrement au cours de la décennie des équipements allant de 2 000 à 9 000 l. Fils d'un petit marchand des Trois-Rivières, Monière fut d'abord voyageur pendant une dizaine d'années. En 1715, à l'âge de trente ans, il commence à équiper ses anciens compagnons tout en continuant à voyager avec eux quelque temps encore. Sa femme tient la boutique quand il s'absente, mais durant ces premières années, la clientèle locale ne représente pas 10 % de son chiffre d'affaires. Elle grossit petit à petit, grâce aux relations créées autour de la traite : anciens engagés qui s'établissent sur une terre; familles des voyageurs demeurant dans la ville; artisans et paysans qui apportent des produits et des services pour les équipements. Les quelque 5 000 habitants de l'île de Montréal ne constituent qu'un marché secondaire.

L'analyse de la nature des paiements fait ressortir le caractère personnel du commerce, ses fragilités et ses points d'appui dans la colonie (41). Les voyageurs paient en fourrures et la prédominance des peaux et pelleteries n'est caractéristique que de cette courte période. En tout autre temps, nous aurions un plus grand pourcentage de castor. Il arrive toutefois que les retours ne suffisent pas et le marchand accepte de l'argent (cartes ou espèces), des effets de commerce ou reprend une partie de ses marchandises. Les engagés sont ordinairement payés en fourrures par les voyageurs et c'est en même nature qu'ils remboursent les petites avances que leur consent l'équipeur : cinq pots d'eau-de-vie, un fusil, des chaussures, une cassette de marchandises.

Les paiements effectués par les habitants offrent plus d'intérêt. Après le retrait des « cartes », la monnaie métallique réapparaît et on s'étonne de constater que, malgré tout, elle est le moyen de paiement le plus commun (42). Les artisans, les officiers surtout, règlent fréquemment leurs achats en fourrures et ce sont ces derniers qui fournissent à Monière des permis de traite qui leur sont crédités pour leur valeur marchande. Pendant cette décennie, Monière loue une maison puis en achète une.

---

(41) Voir le graphique 12 en annexe. APC, M-847 et M-848.
(42) Les paiements en espèces sont assez importants proportionnellement aux autres, car ces rentrées d'or et d'argent ne portent que sur les cinq dernières années. Tant que les cartes sont en circulation, la monnaie métallique se cache, ce qui est normal.

A la mort de sa femme, les derniers-nés vont chez une « nourricière » et les aînées au couvent. Pour ces transactions et services, Monière ouvre un crédit à ses créanciers et leur débite des marchandises au fur et à mesure de leurs besoins. Il en est de même des autres services qui se rapportent au commerce : charrois, pension des hommes dans les auberges, etc. Les habitants paient en grains, viandes, beurre, œufs, bois de chauffage, produits qu'ils apportent le plus souvent, non chez le marchand, mais chez un autre client, la boutique étant un petit centre de redistribution. Jean commande de la farine à Monière qui la lui fait livrer par Jacques ; ou encore, Jean donne ordre à Jacques, son débiteur, de verser la somme en blé à Monière qui à son tour demande à Jacques de livrer ce blé directement à Pierre, etc. Ainsi, les dettes se compensent par des écritures et bien peu de ces paiements en nature franchissent le seuil de la maison du marchand. Il n'y a pas de profits, hors l'élargissement progressif du réseau d'échange, chaque nouveau crédit correspondant à une vente éventuelle de produits importés.

Si nous pouvons généraliser à partir de cette comptabilité, la production artisanale échappe totalement au contrôle des marchands. Forgerons, tanneurs, tonneliers ou menuisiers, paient leurs achats de marchandises en articles de leur fabrication, mais les possibilités d'échanges réciproques sont, dans ce cas, plus restreintes (43). Ces articles sont utilisés en grande partie dans les équipements de traite et vendus aux voyageurs au même prix que le marchand les a reçus. Nous n'avons relevé que deux cas où des forgerons, préalablement en dette envers le marchand, sont forcés d'accepter ses conditions, soit travailler à la façon avec le fer fourni par Monière, exécuter des commandes précises de faucilles, haches, étrilles, etc., sur lesquelles le marchand réalise un bénéfice. Mais au bout d'une année, la dette est éteinte et ils reprennent leur indépendance. On ne saurait mieux illustrer l'absence de liaison entre le capital

---

(43) Trois cordonniers soldent leur compte avec le tanneur qui leur fournit le cuir en livrant, à son acquit, des chaussures à Monière. Le produit est moins fluide que le blé et, tôt ou tard, le marchand exige un autre mode de paiement. Voir les comptes de Poidevin, Sansterre et Moreau, cordonniers, et de Bélair, tanneur, de Lavallée, forgeron, etc.

commercial et la production locale (44). Seules les « tailleuses » sont au service du marchand qui prélève la plus-value sur des « besognes » de chemises et capots, qu'il vend aux voyageurs avec 10 à 15 % de bénéfice. Ce qu'elles en retirent est dérisoire, mais il faut croire que cette main-d'œuvre féminine est abondante et que nombre de femmes, veuves ou épouses de maris absents, n'ont pas d'alternative (45).

Dans une large mesure, les paiements en nature complètent les équipements de traite : les farines transformées en biscuits, les barriques de lard salé pour la subsistance des voyageurs; les caisses et les tonneaux pour l'emballage; les haches, grattes et autres outils pour le troc, ainsi qu'une certaine quantité de tabac blanc du pays. Sur la revente de ces produits, compte tenu de la manutention, le marchand fait peu ou pas de bénéfice (46). En somme, n'importe qui peut ouvrir une boutique, vendre de la pacotille, recueillir des fourrures, les échanger pour des lettres de change et répéter l'opération. Il est peut-être plus facile d'obtenir un petit crédit initial auprès des fournisseurs métropolitains que de gagner la confiance de voyageurs adroits et honnêtes. Pour attirer et conserver la clientèle de cette poignée d'hommes qui font sa fortune, le marchand doit leur dispenser tous les services, engager l'équipage, voir à leur hébergement avant le départ, organiser les charrois, acheter et faire radouber les canots, préparer les provisions, se procurer les permis, etc. (47). S'il sait huiler tous les rouages de l'opération,

(44) Voir, sur cette question, Maurice Dobb, *Études sur le développement du capitalisme* (Paris, 1969).

(45) Monière fournit régulièrement du travail à six femmes. L'une d'elles façonne une centaine de « capots » par année à 15 sols pièce. Il lui faudrait en coudre deux par jour pour gagner le salaire d'un manœuvre, rythme impossible avec ces étoffes grossières et lourdes. La façon d'une chemise est de 6 sols. Dans une grande capote, il entre 3 1/2 aune de serge, valant 4 livres au détail, et ajoutons 1 livre pour le fil, les boutons, etc. Ce vêtement est vendu par le marchand 17 l. 10ˢ, ce qui représente un profit net de 11 % sur la fabrication. Voir les comptes des nommées Nelsont, Homénie, Payet, etc.

(46) Nous notons une faible marge de bénéfice sur le lard et le tabac, mais aucun profit apparent sur la farine.

(47) Ces services deviennent de plus en plus importants à mesure que la position du voyageur s'améliore. Au XVIIᵉ siècle, il descend à Montréal et peut voir lui-même à l'organisation du prochain voyage. Déjà vers

il garde sa clientèle. S'il lésine et surcharge pour des produits que les traitants pourraient acheter à meilleur compte directement des habitants et des artisans, il est réduit à transiger avec des aventuriers et il risque de ne jamais récupérer ses avances.

Observons le dernier poste du tableau 18, les transactions avec d'autres marchands. Régulièrement, Monière a recours à un confrère (48) pour livrer une commande. Les stocks sont réduits, un certain article fait-il momentanément défaut, il l'emprunte à son voisin et vice versa. Ces échanges n'entament en rien le bénéfice des détaillants, puisque les marchandises circulent entre eux au prix coûtant dans la colonie. Il n'y a qu'un prix de détail à Montréal, les marchands travaillent en collaboration et, en apparence, la concurrence n'existe pas. Elle s'exerce pourtant non pas au niveau des prix mais sur le plan des services décrits plus haut et de pratiques qui peuvent receler autant d'âpreté et parmi lesquelles il faut citer, en premier lieu, la délation (49).

Retenons enfin que le marchand tire tous ses revenus de la vente des produits importés et que de ce fait, il est indifférent, voire hostile à une initiative manufacturière qui pourrait éventuellement déprécier sa marchandise. Tout ce qui pourrait être produit à moindre coût au Canada ne saurait supporter un bénéfice semblable à celui qu'il retire des produits européens et, dût-il même se faire producteur, il lui faudrait réduire ses profits pour aligner ses prix sur ceux des autres marchands. C'est la contradiction séculaire au cœur du développement de ce pays que les affaires de ce petit marchand illustrent parfaitement.

1717, bien des voyageurs demeurent à Michillimakinac et se reposent sur leur équipeur pour recevoir les fourrures, préparer les envois, organiser le transport.

(48) Guillet, Trottier-Desauniers et ses filles, le garde-magasin du roi, Catignon, sont ceux qui reviennent le plus souvent.

(49) Puisque tous les marchands équipent illégalement, sans permis, à un moment ou l'autre et qu'il suffit de rapporter aux autorités avec preuves à l'appui ces agissements pour voir son concurrent condamné à une lourde amende.

b) *Le crédit à court terme.*

i) *Les livres de comptes.*

La tenue de la comptabilité est rudimentaire et ceci semble rester la règle jusqu'à la fin du xviiie siècle dans toutes les petites entreprises commerciales, individuelles ou sociétés générales en simple participation, menées par les Canadiens et les marchands anglais qui prendront leur place (50). Point de partie double, de compte capital et d'inventaire (51) pour un marchand comme Monière, mais un « brouillart » ou livre-journal, avec feuilles parafées et cotées conformément à l'ordonnance (52), complété par des livres de comptes courants des clients avec index. Les transactions directes avec les Indiens sont toujours tenues dans un registre séparé, de même que les comptes des voyageurs et les affaires avec les fournisseurs, comme l'indique la nomenclature des titres et enseignements des inventaires après décès du xviie siècle. Les promesses sont créditées aux clients dans les livres et réunies en liasses. Le cas échéant, tout paiement partiel est porté au dos (53). Faut-il conclure à une ignorance générale des techniques du grand négoce qui porterait préjudice aux affaires de ces marchands? Non, car l'organisation du commerce n'exige pas de techniques plus poussées et lorsqu'il faut rendre compte à un associé, la méthode s'affine, on fait des inventaires périodiques, et les

(50) Comptabilités des marchands de fourrures de la seconde moitié du siècle, APC, M-848-853, M-1005; P. A. Pendergast, *The XY Company, 1798-1804*; voir aussi G. V. Taylor, « Some Business Partnership at Lyon, 1785-1793 », *Journal of Economic History*, XXIII (1963), pp. 46-70.

(51) Dans les livres de comptes courants, sont reportées les entrées du journal, sur deux feuillets opposés, avec arrêté de comptes périodiques. La description des livres dans les inventaires après décès montre qu'il n'y a pas de comptes personnels. Voir R. de Roover, « Aux origines d'une technique intellectuelle : la formation et l'expansion de la comptabilité à partie double », *Annales E.S.C.*, IX (1937), pp. 171-193.

(52) « Au nom de Dieu et de la Très Sainte Vierge soit commencé le présent Livre Journal de Vente à Credit et argent Resus pour servir à moy Moniere a montreal Ce 15e octobre 1715 », APC, M-847.

(53) Bref, les mêmes méthodes archaïques qui scandalisent Pierre Deyon, *Amiens, capitale provinciale*, Paris, 1967, p. 99.

comptes de l'entreprise conjointe sont balancés (54). Les marchands qui commencent comme facteurs d'intérêts métropolitains apportent un certain bagage technique et plusieurs, dans la colonie, mettent leurs fils en apprentissage en France. Monière est un de ceux qui, en guise d'apprentissage, ont passé leur jeunesse à courir les bois. Il laisse sans doute un exemple de comptabilité particulièrement fruste : la calligraphie et l'orthographe sont exécrables, mais les calculs sont justes, même à travers\les multiples opérations de change qui compliquent sa tâche.

Enfin, le mécanisme de circulation, tel qu'il apparaît dans les livres, est souple. En plus des ventes et paiements par personnes interposées, il faut ajouter toutes les écritures qui ne correspondent à aucun mouvement effectif immédiat de denrées, fourrures ou numéraire : un client est crédité sur l'ordre de son débiteur, et le compte de celui-ci débité d'autant (55).

II) *les dettes commerciales.*

Au temps où les ordonnances défendaient aux marchands d'équiper les coureurs de bois, les écritures privées, livres-journaux et billets supportaient seuls tout le crédit du commerce intérieur et répondaient mal à ces besoins. Même lorsque le marchand savait justifier ses avances sans encourir de sanctions pénales pour obtenir un titre exécutoire (56), il lui était souvent difficile de faire la preuve de promesses écrites de sa main, que les débiteurs, souvent analphabètes, ne pouvaient signer (57). Enfin, ces cédules que l'on transportait parfois

(54) Voir par exemple les comptes de société entre la veuve Lemoyne et Antoine Pascaud, M. not., 5 décembre 1690, Basset.

(55) Pratique que nous pouvons opposer à des mécanismes plus rigides qui existeraient dans certaines régions françaises à la même époque. Pierre Guichard observe que dans l'Andance, « toute opération sur papier n'est que la traduction d'un transfert effectif en monnaie » (« Évolution socio-économique de la région d'Andance », dans P. Léon, *Structures économiques ...dans la France du Sud-Est*, Paris, 1966, p. 182).

(56) Un marchand qui avance des marchandises à un coureur de bois risque une forte amende. Voir les 1 500 l. imposées à Soumande, par sentence du 17 octobre 1707, *JDCS*, vol. V, p. 690. Le dénonciateur ou ceux qui font la capture en touchent la moitié.

(57) Les cédules privées n'emportent hypothèque que du jour où l'écriture est reconnue en jugement (Olivier Martin, *Histoire de la coutume de la prévôté et vicomté de Paris*, Paris, 1922, vol. 2, p. 580). Pour un exemple de contestation, voir M. not., 31 juillet 1684, Basset.

jusqu'au fond des bois pour en faire le recouvrement, pouvaient se perdre. Dès que le système des congés légalise les
avances pour la traite, toutes ces transactions font l'objet
d'actes authentiques. Le billet à ordre n'est plus qu'un instrument pour les petits prêts à la consommation, la consolidation
d'un compte en souffrance et, avant tout, une promesse utilisée
entre les marchands. Ceux-ci ne s'adressent presque jamais
aux notaires pour leurs affaires et comme ces billets une fois
réglés sont rendus au débiteur, qui d'ordinaire les détruit,
il ne nous reste pour connaître la position des marchands
de Montréal vis-à-vis de leurs fournisseurs que les déclarations
de dettes dans les inventaires après décès.

A partir de 1685, les avances aux voyageurs sont consignées
dans des obligations. Ces actes notariés sont l'instrument de
crédit par excellence pour la traite et un simple relevé dans les
répertoires fournit une image suffisamment approchée de la
conjoncture du commerce, du nombre de voyageurs équipés
à chaque année et du volume des marchandises débitées. Les
obligations encombrent le greffe des notaires spécialisés dans
les affaires commerciales alors que ceux qui desservent la
clientèle rurale n'en reçoivent guère (58). La formule est toujours la même : deux ou trois voyageurs s'engagent solidairement à rembourser des marchandises de traite d'une valeur
de x livres, lesquelles leur ont été avancées avant la passation
du contrat, pour un voyage qu'ils doivent entreprendre incessamment. Le paiement sera fait au retour, dont la date
approximative est spécifiée (59), en castor au prix du bureau
et en pelleteries au prix qu'en offriront alors les marchands
de la ville (60), à peine de tous dépens, dommages et intérêts,
sous l'obligation et hypothèque de tous leurs biens, meubles
et immeubles présents et à venir et, par privilège spécial, des

(58) Ce sont principalement Adhémar, père et fils, qui travaillent pour
les traitants. Voir André Vachon, *Histoire du notariat canadien 1621-1960*
(Québec, 1962).

(59) Formule du type : « en août prochain venant ou au plus tard au
début d'octobre... ».

(60) Dans la moitié des cas, l'obligation spécifie la valeur des fourrures
de chacune des deux catégories, ainsi que la qualité du castor requise :
sec, gras, etc.

fourrures qui proviendront dudit voyage (61). Les parties élisent domicile légal dans la ville (62). Il s'agit là d'avances pouvant atteindre 5 000 à 10 000 l., rarement consenties à un seul individu mais à une société de voyageurs (63). Le marchand recouvre la totalité de sa créance, même si l'un d'eux manque à sa promesse, et c'est aux coassociés lésés de poursuivre ensuite (64). Le crédit est de dix-huit mois en moyenne : les marchandises vendues au printemps sont remboursées à la fin de l'année suivante. Les voyageurs sont tenus de rapporter les fourrures en droiture chez leur équipeur (65), qui est préféré à tout autre créancier, mais après les engagés qui ont participé au voyage (66). Le marchand consent aussi des avances moins considérables, allant d'une trentaine de livres à 300 ou 400 livres, aux voyageurs individuellement et à leurs engagés. C'est ce que chacun peut emporter pour son usage et quelques profits personnels. En général, les voyageurs se portent caution pour leurs hommes et les gages sont versés seulement après que ceux-ci ont remboursé le marchand (67).

Sur la courbe des débits et crédits cumulés, tirée des livres de Monière, nous constatons que les rentrées de fourrures se font régulièrement, le point de rattrapage n'étant pas très

(61) Quand il y a plusieurs créanciers, celui qui a fourni les marchandises qui ont produit les fourrures contestées, prend d'abord son dû si l'autre créancier qui détient une obligation antérieure n'a pas obtenu de sentence. D'où la nécessité de faire diligence. (Procès-verbaux des 19 octobre 1682 et 7 mars 1689, *JDCS*, vol. II et III). Lorsqu'il y a une sentence, le dernier équipeur, qui a passé outre, doit répondre de la dette envers le premier créancier.

(62) Chez un autre marchand ou à l'adresse de celui de leurs associés domicilié dans le ressort du notaire.

(63) Du moins au XVIIe siècle.

(64) Voir par exemple la demande de Jean Plattier contre André Héneau pour la part contenue dans une obligation solidaire, soit 2 214 l. (Bailliage, 2e série, registre 2, f° 169 v°).

(65) Selon les termes de l'obligation et tel que les ordonnances le rappellent. Le marchand qui intercepte les fourrures hypothéquées ruine son crédit dans la colonie.

(66) Les gages sont évidemment privilégiés. Voir le procès-verbal du 9 octobre 1681, bailliage, 1re série, registre 1.

(67) L'échéance de ces petites obligations est beaucoup plus rapprochée, les engagés ne faisant ordinairement que l'aller et retour, soit une absence de trois à quatre mois.

éloigné de l'échéance moyenne de dix-huit mois (68). Mais
ce marchand mène de petites affaires avec une grande prudence
et, entre 1717 et 1724, le commerce est dans une phase de reprise. Nous avons maints exemples antérieurs de longues
immobilisations, de défauts de paiement, qui entraînent la
faillite des marchands (69). Le montant de la dette dépasse
souvent toute la valeur réunie des biens présents et à venir
de ces hommes. Les héritiers de Maricourt n'attendent plus
rien de Joseph Lorrain, « disparu au Mississippi depuis sept
ans », hormis la saisie éventuelle de ses droits successifs, sans
commune mesure avec la créance de 5 000 l. qu'il a laissée
derrière lui (70). Ces risques diminuent au fur et à mesure que
l'aventure se transforme en carrière, mais il a longtemps fallu
prévoir les tentations de désertion et supporter les longs retards, particulièrement lorsque les guerres interrompaient
périodiquement les communications entre Montréal et son
arrière-pays.

Le faible nombre de saisies montre qu'il y avait peu à en tirer.
Le marchand est patient. Il fait la demande peu après l'échéance
pour faire courir l'intérêt et obtient sentence contre son débiteur. La prescription est de trente ans et il ne lui reste plus
qu'à attendre que la situation de son débiteur s'améliore. Si
celui-ci abandonne la traite et prend une terre, tôt ou tard, il
aura un peu de biens. Le marchand peut alors transformer
l'obligation en rente constituée et même, au besoin, faciliter
l'établissement en avançant le capital nécessaire, moyennant
une constitution de rente qui porte à la fois sur l'ancienne
dette annulée par ce contrat et la nouvelle avance (71). S'il

(68) Voir graphique 13, en annexe. Les quittances ne sont généralement
pas portées sur la minute de l'obligation, mais sur la grosse, de sorte que
nous ne pouvons pas, à partir des greffes des notaires, connaître les délais
de paiement. C'est pourquoi nous avons utilisé les rentrées chez un marchand
en particulier.
(69) Ceux qui arrivent directement de France et qui ne connaissent pas
les garçons de la colonie, sont plus vulnérables.
(70) Inventaire après décès de P. Lemoyne de Maricourt, M. not., 9 décembre 1703, A. Adhémar.
(71) Charles de Couagne, qui a consenti des avances inconsidérées aux
traitants, a recours à ce moyen pour mettre une partie de ses créances à
couvert. Voir M. not., A. Adhémar, 3 janvier et 9 juillet 1703, 23 janvier 1699; P. Raimbault, 15 juillet 1700, etc. Infra, p. 236 sqq.

s'agit d'un voyageur professionnel, momentanément en difficultés, nous voyons les marchands consentir une nouvelle avance quand l'endettement préalable n'est pas considérable et même lui accorder mainlevée sur les saisies, s'il peut remonter dans l'Ouest rétablir ses affaires (72). Mais la conversion de l'hypothèque générale en hypothèque spéciale offre davantage de garanties aux marchands qui peuvent supporter l'immobilisation et transigent avec des traitants qui ont des racines dans la colonie. Par exemple, une obligation consentie en 1693, suivie d'une demande et d'une condamnation par défaut quinze mois plus tard, est acquittée en 1699 (73). Nous ne croyons pas qu'il s'agisse là d'un cas exceptionnel pour cette période. Ce qui apparaît d'abord à l'examen des comptes comme une négligence des marchands est une mesure dictée par la sagesse, car à vouloir trop précipiter, ils risquent de décourager les débiteurs et tout perdre.

Les sentences contre les voyageurs sont relativement peu nombreuses dans les archives du bailliage (74) et, en attendant les recouvrements, tous ces papiers circulent.

III) *les lettres de change.*

Les plus communes, celles que les habitants appellent des « lettres de castor », sont tirées sur le bureau du fermier dans la métropole pour valeur reçue en castor à Québec. Ce sont de simples mandats de paiement qui circulent peu à Montréal. Si les petits marchands les cèdent à leurs fournisseurs dans la colonie plutôt que de les faire parvenir à un correspondant rochelois et attendre les retours, ces opérations ne donnent pas lieu à des actes notariés. Nous rencontrons plus souvent des transports de lettres de change créées par l'État ou des particuliers, tirées sur France et même sur Québec ou sur Mont-

---

(72) Accord entre de Couagne et Alexandre Turpin, *ibid.*, 8 juillet 1699, A. Adhémar.

(73) Entre P. Perthuis, marchand, et P. Millet, voyageur, *ibid.*, 3 septembre 1699.

(74) Ce genre de poursuites ne compte pas pour 10 % des quelque trois cents affaires qui passent chaque année devant le juge, entre 1688 et 1698, ce qui est peu compte tenu du poids de ce commerce dans la vie économique.

réal depuis Québec (75). Les premières sont escomptées à l'occasion. Les porteurs les endossent et les utilisent comme moyen de paiement dans la colonie et si l'échéance est lointaine, le cessionnaire exige que le cédant lui verse un intérêt jusqu'à ce que la lettre soit acquittée (76). Les traites sur les particuliers coloniaux ou métropolitains sont plus rares, si nous exceptons les communautés qui en font régulièrement usage pour tous leurs transferts de fonds (77). La lettre de change joue un rôle tout à fait secondaire dans les relations entre marchands, par contraste avec la prolifération des simples promesses de paiement, ce qui ne doit pas nous étonner (78). Ajoutons que lorsque le tiré, État ou fermier, est en difficulté, les marchands coloniaux doivent fournir à leurs mandataires métropolitains des garanties collatérales (79).

iv) *le crédit sur compte courant.*

Les inventaires après décès ne se réfèrent jamais à des livres de caisse et tout porte à croire que les ventes au comptant sont exceptionnelles. Normalement, les comptes doivent être acquittés dans les trois mois. Le marchand cesse de vendre aux clients qui n'ont pas réglé dans ce délai, au moins partiellement. En fait, tout se règle en plusieurs versements et le marchand veille à ce que la dette des habitants n'excède pas 30 à 40 l. (80). Le peuple fait tous ses achats en novembre, une fois les travaux agricoles terminés (81). Ce sont surtout des

(75) Voir un exemple de lettre tirée par un marchand de Québec sur un Montréalais, 5 avril 1696, bailliage, 2e série, registre 3, fo 394 et 396 vo.

(76) Vente par les Sulpiciens à Pierre Raimbault, procureur du roi, février 1716, M. not., J.-B. Adhémar.

(77) L'Hôtel-Dieu crée des lettres sur Paris au profit des marchands de Montréal pour valeur reçue en marchandises dans la colonie. Voir le livre de comptes de la communauté, 1696-1726, *passim.*

(78) J. Meuvret, « Manuels et traités à l'usage des négociants aux premières époques de l'âge moderne », *Études d'histoire économique,* Paris, 1971, pp. 231-250.

(79) Voir, entre autres, l'inventaire de la succession de J.-B. Bauvais, 17 avril 1705, M. not., A. Adhémar; celui de Jean Legras, 24 janvier 1704, *ibid.*

(80) D'après les comptes d'Alexis Monière et le détail des créances sur compte courant dans les inventaires après décès des marchands.

(81) Voir le mouvement trimestriel des ventes et des paiements sur le graphique 14, en annexe.

étoffes que les femmes transformeront durant l'hiver, des clous pour les travaux de menuiserie, etc. Il y a quelques achats épars durant l'hiver, aucun en été. Les règlements se font aisément jusqu' en mars avec des livraisons de blé nouveau, de porc et de bois de chauffage. Environ les trois quarts des comptes sont acquittés ainsi dans les délais (82). Ceux qui ne sont pas réglés en avril restent en souffrance jusqu'à l'automne, et sont arrêtés un an après la création de la dette (83). Si l'habitant réussit à solder, il peut se réapprovisionner pour l'hiver. Sinon, il signe une cédule, un simple billet lorsqu'il s'agit d'une petite somme, et le marchand ne lui avance pas d'autres marchandises avant le règlement qui peut tarder longtemps.

Il y a dans ce mouvement saisonnier des ventes et des rentrées une complémentarité heureuse du commerce local et celui des fourrures. Le marchand accumule durant l'hiver les denrées, les articles de fabrication locale; il reçoit les produits de France en automne et encore tôt au printemps et le tout est emporté par les voyageurs au cours du mois de mai. La réception des fourrures, la préparation de quelques canotées pour l'automne occupe son été, après quoi il descend la fourrure à Québec, règle ses affaires, regarnit sa boutique pour les ventes de novembre.

v) *autres formes de crédit à court terme.*

Les dettes de l'habitant sont portées dans des billets et parfois des obligations qui revêtent une forme particulière. Le prêt est « payable de jour en jour à la volonté du créancier et une hypothèque spéciale est stipulée expressément (84). Ces obligations sont utilisées soit pour consolider les dettes

---

(82) Nos observations portent sur des années normales. Lorsque les récoltes sont déficitaires, les délais sont sans doute beaucoup plus longs.

(83) La prescription pour ce type de créances est d'un an, d'après l'ordonnance de 1673, mais le compte arrêté et signé par le débiteur n'est prescrit qu'après trente ans, comme les billets et obligations, toujours d'après la même ordonnance. *Œuvres de Pothier annotées et mises en corrélation avec le code civil et la législation actuelle* (10 vol., Paris, 1847), vol. II, articles 706 à 713.

(84) Clause de style puisque l'hypothèque générale a, dans un acte notarié, le même résultat. (Olivier Martin, *op. cit.*, tome II, p. 580.)

que le débiteur a contractées envers le marchand ou envers des tiers qui ont transporté leurs créances au marchand (85), soit pour un prêt d'argent consenti sur-le-champ, le plus souvent pour acquitter l'achat d'une terre (86). Il semble qu'il s'agisse d'ordinaire de terres de peu de valeur, à peine défrichées, incapables de supporter une rente. Comment les habitants dans ces conditions peuvent-ils s'acquitter d'une telle promesse lorsque le prêteur en fait la demande? L'intérêt de celui-ci apparaît plus clairement : l'obligation commence à porter intérêt quand il le juge à propos (87) et le principal ne cesse jamais d'être exigible. C'est du moins ce qu'il en attend. Dans la même catégorie, notons aussi le prêt sur gage, pratiqué assez rarement, semble-t-il (88).

c) les rentes constituées.

L'intérêt des habitants était de constituer une rente, mais il n'était pas facile de trouver un bailleur de fonds si on en juge par l'absence des constitutions dans la plupart des fortunes marchandes. Cet instrument essentiel du crédit non commercial de la France du XVIIᵉ siècle pouvait difficilement se développer au Canada où la rente est rare et faible. D'autant moins que les groupes qui fournissent d'ordinaire les crédirentiers, officiers de justice et de finance, grands négociants au faîte de leur carrière, sont peu ou pas représentés (89). Les marchands arrivent mal à se dégager des créances de type commercial et lorsqu'ils le peuvent, il leur reste à trouver des débiteurs solides, de bonnes terres sur lesquelles ils peuvent placer leurs économies en toute quiétude.

(85) Voir par exemple les actes des 4 avril et 13 août 1699, (M. not., A. Adhémar).

(86) Voir l'inventaire après décès de Charles de Couagne où ces sortes de prêts sont assez nombreux, *ibid.*, 28 août 1706.

(87) Vraisemblablement la demande est faite dans l'année, mais nous ne saurions généraliser.

(88) Une tasse d'argent pour un prêt de 25 l. dans l'inventaire après décès du notaire Adhémar, M. not., 14 mai 1714, Le Pailleur; un gage chez Charles Lemoyne, *ibid.*, 27 mars 1685, Basset.

(89) Voir P. Deyon, *op. cit.*, pp. 560-561, et *infra*, troisième partie, chapitre IV, § 2, et chapitre VI.

Les fabriques, les communautés, les Sulpiciens surtout, prêtent sur rentes, suivies par quelques bourgeois tout à fait retirés des affaires, des notaires et surtout des veuves et des tuteurs qui ont des biens liquides à gérer.

Les constitutions étaient relativement plus nombreuses dans les commencements de Montréal et les marchands participaient à ces prêts. A partir de 1675-1680, elles ne représentent plus que 2 à 3 % du total des actes rédigés par les notaires (90) et les marchands en général cessent d'y avoir recours. La chute brutale de la valeur des terres, la dépression qui s'appesantit sur l'agriculture sont certainement à l'origine de cette désaffection. Ces premières rentes, souvent payables en blé, sont un piètre placement lorsqu'un prêt de 3 000 l. n'est plus garanti que par un fonds qui en vaut 1 500.

Les bouleversements monétaires du début du XVIIIᵉ siècle raniment la pratique. La circulation forcée des billets de carte incite les débiteurs à rembourser le principal et ceux qui le reçoivent malgré eux cherchent vite un nouveau débirentier pour s'en débarrasser (91). Les prêteurs essaient de se protéger en stipulant dans les contrats que le remboursement ne pourra se faire avant deux ou trois ans (92). Un grand nombre d'hypothèques qui pesaient sur les plus anciennes et meilleures terres de l'île ont pu être levées durant ces années d'agitation.

Les constitutions passées au Canada ne diffèrent en rien de celles de la métropole. Les rentes, au denier vingt, sont perpétuelles et rachetables, et la forme du rachat est spécifiée. Elles portent hypothèques générale et spéciale et, sauf dans les toutes premières années, elles sont payables en argent monnayé. La rente est généralement créée par un habitant qui achète une terre en valeur, de bon rendement ou une maison de ville, mais rarement au profit du vendeur. Le prêteur est un tiers qui

(90) D'après un comptage rapide, le nombre annuel d'actes notariés passe d'une centaine en 1680 à plus de quatre cents en 1700.

(91) Par exemple, une rente de 30 l. constituée moyennant le versement de 600 l. en cartes le 6 avril 1699 est remboursée en un seul versement de cartes en août 1704, M. not., A. Adhémar. Ou encore, une constitution pour 544 l. le 3 janvier 1703, remboursée totalement en cartes en août 1704, *ibid*.

(92) Contrats des 13 août 1716 et 14 septembre 1716, *ibid*., J.-B. Adhémar.

verse le principal à celui-ci en présence du notaire. Il s'agit d'un placement. Les rentes constituées servent aussi à apurer des dettes immédiatement exigibles. Rentes « volantes » vites remboursées ou transportées, constituées pour annuler une obligation en souffrance ou une poussière de petites dettes que le prêteur acquitte au nom du constituant (93).

Beaucoup moins répandues qu'en France, les constitutions ne sont pas un indice pour évaluer le poids de la ville sur les campagnes. C'est un instrument de crédit parmi d'autres, le plus solide de tous sans doute, et dans une économie aussi fragile, leur rareté relative ne doit pas nous surprendre.

d) *Intérêt et usure.*

Puisque tout intérêt sur argent et marchandises est réputé usure, celle-ci est normalement pratiquée au Canada, sans dissimulation. Nous avons déjà parlé de ces obligations « à la grosse aventure » dans les avances de marchandises de traite consenties aux voyageurs, représentant un taux de 33 1/3 % que l'évêque dénonce comme illicites et usuraires en même temps que les baux à cheptel où la perte de l'animal retombe entièrement sur le preneur. Le rapprochement est justifié par l'absence de risque dans les deux cas (94). Dans les obligations et billets signés par les habitants à la suite d'un arrêté de compte, le marchand incorpore 5 % d'intérêt (95). L'intérêt officiel, qui s'ajoute annuellement à partir du moment de la demande, est aussi au denier vingt et non composé, comme nous avons pu le vérifier. L'intérêt, variant de 5 à 10 % selon les cas, apparaît au grand jour dans le libellé des promesses

(93) Voir par exemple les achats de rente par Charles de Couagne, *ibid.*, 23 janvier, 20 mars, 6 avril 1699, 3 janvier et 9 juillet 1703, etc. Aussi toutes les rentes constituées en faveur des seigneurs, généralement pour acquitter des arrérages de droits seigneuriaux, des achats de terrains, etc.

(94) Mandement de l'évêque Saint-Vallier du 3 mars 1700, ASSM (copie Faillon H 645).

(95) Il nous a été possible de le vérifier en comparant la dette dans les livres de Monière et le montant de l'obligation consentie devant notaire pour la solder. Par exemple, obligation du 19 février 1702, M. not., J. David.

sous signatures privées (96). Les créances transportées pour
l'obtention d'un prêt sont fréquemment escomptées à des taux
usuraires (97). Les contraintes morales ne semblent pas avoir
pesé bien lourd dans la colonie et chacun tire ce qu'il peut
de ses avances, sans avoir nécessairement à camoufler ses
profits derrière le change ou la rente.

e) la mobilité des créances.

Tous ces papiers circulent facilement. La majeure partie
des paiements n'est qu'un transport de créance, sans transfert
effectif de numéraire ou autre marchandise. Les règlements
métalliques sont exceptionnels et, si nous excluons les retours
de la traite pour ne considérer que l'économie rurale, les paiements en nature viennent loin derrière les transports de billets,
rentes, obligations, droits et actions de toutes sortes. Telle
qu'elle nous apparaît, cette circulation est plus souple que ce
que Poitrineau a observé en Auvergne et Pierre Guichard
dans les campagnes du sud-est (98). Le débiteur passe le papier
gagé sur ses propres débiteurs et les dettes sont compensées,
à preuve les cédules à l'ordre de tel créancier que nous retrouvons dans les papiers du cessionnaire lors des inventaires
après décès. Dans certains cas, les créances qu'un marchand
détient ainsi sur les colons ne sont utilisées que comme ga-

(96) « Je payerai au Sieur Medart Mezeret à la fin du mois d'octobre de
l'année prochaine la somme de 1500 livres monnoye de ce pais. Valleur
reçue de luy. Laquelle somme ledit Sr Mezeret me laisse l'Interest a raison
de sept pour Cent... fait à Québec ce 18 octobre 1695 ». Billet décrit dans
l'inventaire après décès de Mézeret, 6 juillet 1696, M. not., Basset. Voir
un autre exemple de billet à 5 %, 29 août 1692, bailliage, 2ᵉ série, registre 2,
fº 545 et 548 vº. Aussi l'intérêt de 10 % prélevé par les seigneurs de Montréal
pour un prêt à court terme à Charles de Couagne, dans l'inventaire après
décès de ce dernier, 28 août 1706, M. not., A. Adhémar. Ce sont des taux
modiques si nous les comparons au 24 % prélevé sur 3 225 l. en espèces
avancées par Jean Philippe, écuyer, à Jean Arnaud, marchand, lequel doit
rembourser 4 000 l. en castor, intérêt que l'opération classique de change
sur le castor suffit à justifier, procès-verbal du 28 juin 1694, *JDCS*, vol. III.
(97) Voir M. not., 22 mai 1694, Basset.
(98) Abel Poitrineau, *La vie rurale en Basse Auvergne au XVIIIᵉ siècle
(1726-1789)*, Paris, 1965, pp. 496-501. Pierre Guichard, « Evolution socio-
économique de la région d'Andance », dans P. Léon, *op. cit.*, pp. 181-2.

rantie collatérale pour un emprunt à court terme assez considérable (99). Mais nous rencontrons surtout des transports véritables suivis d'une signification aux débiteurs cédés. Dans les transactions entre marchands, le cédant garantit le recouvrement, soit qu'il s'engage simplement à « fournir et faire valoir », c'est-à-dire que l'acceptant conserve un recours contre lui si le débiteur est insolvable (100), soit qu'il garantisse le recouvrement à l'échéance sans poursuite ou les frais que des poursuites pourraient occasionner (101). Dans la majorité des transports portant sur de plus petites sommes et contractés entre marchands et paysans entre eux, il y a subrogation pure et simple, sans clause de garantie (102).

A la longue, les papiers ont tendance à se concentrer dans les mains des marchands et toutes ces opérations entremêlées rendent l'image de l'endettement très confuse. Lorsque nous trouvons, par exemple, dans les titres d'un marchand une obligation de 300 l. signée par un habitant, il semble à première vue que celui-ci s'est livré à des dépenses excessives sans rapport avec sa situation. Mais, en réalité, il a consenti cette obligation pour se libérer de trois dettes, d'origine rurale et familiale, que ses créanciers avaient transportées au marchand et, jamais de son plein gré, ce paysan n'avait fait affaire avec le marchand (103). Enfin, la transformation constante des vieilles dettes en nouvelles cédules ne permet pas d'évaluer la longueur du crédit.

Les droits sur les successions échues et à venir constituent des

(99) Voir le prêt de 9 430 l. consenti par les seigneurs de Montréal à Charles de Couagne, moyennant le dépôt d'une valeur de 9 670 l. en rentes constituées, 28 août 1704 (inventaire après décès de Couagne, 28 août 1706, M. not., A. Adhémar); affaire de Jean Durand vs Jean Arnaud, mars 1697, bailliage, 2e série, registre 3, fos 549-551 vo.

(100) Transport fait au sieur Grandmesny, 31 mai 1714, M. not., J.-B. Adhémar.

(101) Transport de dix-sept obligations et billets par madame de Repentigny à Pierre Raimbault, 24 juillet 1714, ibid. Transport par de Couagne aux sieurs Peirre de Québec, Trehet de La Rochelle et Delisle de Tours, 1703-1705. On peut retracer cette affaire dans l'inventaire de Couagne et dans JDCS, vol. V, p. 54 sqq.

(102) Transport par P. Couillard de Lachine à Étienne Véron, marchand, 31 mai 1714, M. not., J.-B. Adhémar.

(103) Obligation de Jean-Baptiste Deniau, 13 août 1699, ibid., A. Adhémar.

effets de commerce d'usage courant. C'est le seul bien que le
jeune homme, qui s'établit sur une terre ou s'engage pour la
traite, peut offrir en garantie des avances requises. On vend
l'hérédité future bien que la coutume condamne cette pratique
comme contraire à la décence et aux bonnes mœurs (104).
Et même lorsque l'acheteur est un cohéritier, de transport en
transport, les droits aboutissent chez un marchand qui sera
présent lors du partage éventuel. Les marchands achètent les
droits sur des successions en France, des officiers surtout,
parfois des simples soldats, et, à la faveur des transports, les
négociants de La Rochelle détiennent des légitimes dans la
colonie (105). Tout se cède, jusqu'aux intérêts civils que des
héritiers peuvent faire valoir contre l'assassin de leur père,
un lieutenant des troupes de la marine repassé en France et
condamné par contumace (106). Et c'est sur ce magma de
créances que reposent les fortunes marchandes de la colonie
et, dans une large mesure, celles de leurs fournisseurs métropolitains.

Les comptes des marchands, les techniques utilisées, font
ressortir deux points : l'écart entre les facilités de crédit consenties aux traitants et les mesures restrictives à l'égard des colons.
L'examen des trésoreries paysannes sera plus concluant, mais
d'ores et déjà, il apparaît que les campagnes ne trouvent qu'un
faible appui chez ces marchands, qu'il leur est difficile d'emprunter, hors le temps de la folle inflation.

Malgré toutes les réticences que les marchands éprouvent à
l'égard des placements ruraux, il se trouve que les déplacements
des hommes entre l'agriculture et le commerce, établissement
des voyageurs et engagements des fils d'habitants pour la traite,
tout comme la mobilité des créances, finissent par transformer
une partie des avances commerciales en dettes paysannes. Par

(104) Pothier, *op. cit.*, vol. 3, pp. 205-206. Voir parmi d'autres exemples
les contrats du 26 mai 1692, M. not., Basset; du 25 juin 1690 *ibid.*, Pottier;
du 14 juillet 1700 *ibid.*, Raimbault; du 11 septembre 1697 *ibid.*, Basset, etc.

(105) Actes du 26 octobre 1703, *ibid.*, A. Adhémar; du 21 août 1667,
ibid., Basset.

(106) Les droits et intérêts sont vendus pour 520 l. par la famille de
Toussaint Hunault à un marchand de Montréal, qui les transporte à un
marchand de la métropole (acte du 10 octobre 1690, *ibid.*, Basset).

des cheminements tortueux, l'immobilisation inévitable est gagée sur le travail de la terre, sans que ces marchands aient voulu se départir même d'une fraction de leur capital roulant. La base agricole, étroite et fragile, finit par servir d'assiette au crédit commercial et, dans une certaine mesure, l'expansion du commerce est solidaire du sort de l'agriculture.

3. *Le marchand : composition du capital.*

Nous avons rassemblé dans le tableau 19 l'actif de 21 négoces (107), pour en étudier les composantes, en évitant de faire des moyennes qui n'auraient guère de sens avec un échantillon aussi restreint et disparate, à travers lequel néanmoins on peut trouver certaines constantes.

Les réserves monétaires sont faibles chez les meilleurs marchands et font souvent tout à fait défaut chez les autres. Le plus solide d'entre eux, Jacques Leber, possède à sa mort 5 077 l. en louis et écus d'or et pièces d'argent, ce qui représente le douzième de ses dettes actives (108), mais le cas est exceptionnel. Deux à trois mille livres de numéraire pour pallier quelque besoin particulier, dot ou voyage dans la métropole, voilà ce que nous rencontrons d'ordinaire. Il n'y a pas de thésaurisation sous cette forme et le fait, rapporté plus haut, que les marchands coloniaux n'hésitent pas à avancer des espèces à l'intendant tant qu'ils sont assurés d'être remboursés, tendrait à prouver que la monnaie ne leur est pas indispensable. Nous trouvons très peu de « billets de carte » chez les marchands, ce qui correspond à ce que nous savons déjà : aussitôt perçus, aussitôt cherche-t-on à s'en débarrasser.

L'importance du stock de fourrures varie selon la période de

(107) Plusieurs inventaires après décès de marchands, que nous utilisons à d'autres fins dans la dernière partie de cette étude, ne donnent pas le détail de l'actif engagé dans le commerce et n'ont pu servir à l'analyse qui suit.

(108) Inventaire du 1er décembre 1706, M. not., notaire P. Raimbault. Le numéraire est aussi insignifiant dans les fortunes laissées par les marchands d'Amiens, entre 1672 et 1703. Cf. Pierre Deyon, *op. cit.*, pp. 106-108.

TABLEAU 19.

Composition du capital circulant, d'après 21 inventaires de marchands

Date	Nom	Total des valeurs actives (*) brutes (100%)	Passif (**)	Monnaie (%)	Billets de cartes (%)	Fourrures en stock (%)	Lettre de change (%)	Marchandises en stock (%)
1686 (août)	C. de Couagne	64 917	32 900	0,08		5,9		24,9
1706 (août)	C. de Couagne	224 058	53 256					0,05
1687 (mars)	C. Lemoyne	85 754	8 755	3,3		2,8	6,3	40,0
1691 (février)	Veuve de Lemoyne	98 932		0,5		1,6	26,5	
1693 (déc.)	J Leber	303 895	48 923	1,9	2,5	8,6	34,8	13,3
1706 (déc.)	J. Leber	176 250	21 541	3,8	0,4	12,2	31,7	6,0
1697 (mai)	Veuve Leguay	34 747	1 248	0,9	1,3	2,3		41,1
1712 (avril)	J.-B. Charly	32 000	1 000		0,4	23,4	47,5	3,3
1708 (juillet)	J. J. Lebé	25 370	15 200		0,3	7,2		20,1
1691 (mars)	Lemoyne Sainte-Hélène	22 428	1 120	2,9	0,1	3,1		
1687 (janv.)	J. Mailhot	21 436	10 741	0,6		0,7		36,6
1697 (juillet)	J. Mailhot	15 696	1 276	0,6	0,9	2,8		10,4
1690 (oct.)	F. Pougnet	13 821	5 360					72,1
1705 (avril)	J.-B. Bauvais	12 896	5 140				18,9	9,1
1679 (mars)	P. Picoté	11 432	6 580			2,9		41,6
1683 (déc.)	P. Carion	11 980		3,0		2,0		47,0
1685 (nov.)	J.-F. Hazeur	6 042	2 493	2,8		0,8		93,4
1689 (nov.)	D. Sabourin	6 176	482			1,7		67,8
1691 (sept.)	J. Patron	10 635	2 915					0,4
1704 (sept.)	C. Juchereau	14 626	12 701					
1705 (mai)	B. Arnaud	12 078	15 944					13,2

(*) Ce qui ne comprend ni le mobilier ni les immeubles.
(**) Ajouté à titre d'indication sur la solidité des valeurs actives.

(1679-1712) (*en monnaie du pays, 1 livre = 15 sols tournois*).

Marchandises en cargaisons (%)	Créances aux livres		Créances sur billets (%)	Créances sur obligations (%)	Hypothèque (obligations) (%)	Total des créances à court terme dans la colonie (%)	Rente constituée (%)	Actions (%)	Divers (%)
	Français (%)	Indiens (%)							
	63,6		3,1	2,2		68,9			
	8,2		5,4	59,6	4,8	78,0	22,1		
3,2	23,3	5,8	1,2	0,7		31,0		5,1	Navire : 8,1
21,3	38,9					38,9		11,0	
	9,0	2,2				35,8	0,3		Navire : 3,3
	26,8	2,8	5,4	12,9		47,9			En France : 24,6
0,4	13,3		21,5	17,5		52,3			
	25,1					25,1			
	28,0		15,5	28,4		71,9			
1,7	4,4		73,2	3,1		80,7		7,1	
	26,2	2,3		33,4		61,9			
	6,8		4,2	74,0		85,0			
	25,6					25,6			
	11,3	35,1	12,0	13,4		71,8			
	18,5	36,8				55,3	1,6		
	48,0					48,0			
	3,0					3,0			
	3,7		2,2	20,0		25,9			
			9,4	90,2		99,6			
	68,0		10,7			78,7	21,1		
	7,6		52,0	27,1		86,7			

l'année. La valeur en lettre de change représente ordinairement les fourrures de la dernière saison. Avec les marchandises en stock ou cargaisons attendues, ces éléments forment la partie tangible du commerce, le bien « le plus clair » d'une succession. Chez un marchand en pleine activité, les valeurs en fourrures, lettres de change, (profits déjà réalisés), et en marchandises, (profits immédiatement réalisables), ne doivent pas être inférieurs à la moitié et, mieux encore, aux deux tiers de l'actif. La moitié des fortunes représentées dans notre échantillon, quoique petites offrent de ce point de vue des traits rassurants. Le cas Mailhot est un bon exemple de détérioration. La valeur de ses stocks tombe de 37 à 13 % en une décennie. En 1697, il a payé ses dettes, mais il a ruiné son crédit. Il cesse d'équiper pour la traite et termine sa vie comme voyageur. Les marchands Beauvais, Lebé, Patron, Juchereau et Arnaud sont assaillis par les créanciers ou déjà en faillite. L'équilibre entre ce qui circule vite et la lourde masse des créances nous renseigne davantage sur la santé d'un commerce que le rapport entre actif et passif, car le danger qui guette ces marchands n'est pas tant l'endettement, puisqu'ils règlent normalement leurs achats d'avance, mais l'immobilisation dans de mauvaises dettes qui annonce les emprunts désespérés, les transports de créances qu'ils ne pourront faire valoir et la saisie finale.

Lorsque J.-B. Charly fait dresser un inventaire, à la mort de sa femme en 1714, il déclare 4 968 l. de bonnes dettes, 3 086 l. de dettes douteuses et 3 378 l. de dettes perdues (109). Accordons le bénéfice du doute à la moitié des secondes et avançons qu'une proportion de mauvaises créances de 40 % est peut-être assez près de la réalité pour l'ensemble de ces actifs. Celui qui n'a que le tiers de son capital immobilisé dans les créances commerciales en abandonne 15 % en cours de route; celui qui immobilise les deux tiers risque de perdre 25 à 30 % de ses avances.

Comparons deux cas extrêmes, soit Leber et Couagne. Tous deux sont morts en 1706 à un âge avancé. Ce sont des fortunes

(109) Nous n'avons pas comptabilisé ces dernières pour J. B. Charly. Voir aussi les apostilles sur l'état des créances de la succession Aubuchon, (17 février 1688, M. not., Maugue).

assez considérables selon les standards de la colonie, essentiellement mobilières, qui roulent encore, comme c'est le cas de toutes
les successions que nous avons observées. Il ne semble pas
qu'on puisse jamais réussir à se retirer complètement des
affaires (110). Dans les deux cas, le passif n'a rien qui puisse
inspirer des inquiétudes, mais là s'arrête la ressemblance.
Leber (111) est resté fidèle aux premières pratiques commerciales. Les avances aux voyageurs sont portées dans les livres,
sans plus, soit 48 000 l. Il a encore des échanges directs avec
les Indiens des alentours, 4 400 l. ; des billets et des obligations
pour 32 400 l. Il est légitime de considérer les dettes sur compte
courant pour lesquelles nous n'avons évidemment pas le détail,
comme récentes (112). Les deux tiers des créances sur billets
et obligations ont été consenties dans l'année courante. Bref,
les dettes actives douteuses ne représentent que 15 % de l'ensemble des créances détenues dans la colonie, lesquelles ne
comptent pas pour la moitié du capital roulant.

Tout autres sont les affaires de Couagne, venu plus tard
dans le commerce (113) et qui, depuis les débuts, vogue toutes
voiles dehors. Il meurt après une maladie d'au moins une année
pendant laquelle les affaires vont à l'abandon : 18 500 l. de
créances sur comptes courants, 144 800 l. sur billets et obligations, 48 700 l. en constitutions de rentes. Les dernières années
à part, nous pouvons considérer comme douteuses 75 % des
créances commerciales, soit toutes celles créées plus de deux ans
avant sa mort. Il est difficile d'expliquer la démarche de ce marchand et surtout de comprendre comment il a pu marcher à un

(110) Pierre Goubert (dans *Les Danse et les Motte de Beauvais, familles
marchandes sous l'Ancien Régime*, Paris, 1959, pp. 74-75) fait la même observation à propos de fortunes beaucoup plus considérables et solides.

(111) Originaire de Pitres, diocèse de Rouen, venu au pays comme marchand en 1657 (biographie par Yves Zoltvany, *DBC*, vol. II, pp. 389-390).

(112) Soit moins de douze mois pour les débiteurs de la colonie, de dix-
huit à vingt-quatre mois pour les voyageurs. Tout délai supérieur à ces
échéances normales aurait entraîné une obligation ou un billet et annulé le
crédit dans les livres.

(113) Charles Renaud, dit de Couagne (il n'utilise jamais son véritable
nom dans la colonie) est originaire de Clion, en Bourbonnais. Il fut d'abord
maître d'hôtel du gouverneur Frontenac qui, sans doute, facilita ses premières entreprises.

tel rythme, accroître les avances de marchandises jusqu'à 60 000 l. certaines années, malgré la lenteur des rentrées qui va en s'accentuant depuis 1696, sans être littéralement traqué par ses fournisseurs. Ceux-ci s'agitent, bien sûr (114), mais il n'est nullement question de saisies. Les créances vont se promener longtemps d'un côté et de l'autre de l'Atlantique et les héritiers surnageront. Il faut croire que les us et coutumes du grand commerce sont beaucoup plus élastiques que nous pourrions l'imaginer.

Il est facile de voir pourquoi de Couagne a laissé ses affaires en si piètre état. Ce ne sont pas tant les retards des voyageurs et des habitants qui causent le blocage, mais des avances considérables à des marchands et à des officiers, commandants des postes (115). Il a voulu faire commerce de gros en vertu de quelque arrangement avec les directeurs de la compagnie de la colonie qui nous échappe (116). En s'appuyant sur la couche inférieure des marchands, toujours à la frontière de l'insolvabilité, sur les officiers qui, en général, sont un mauvais risque, il s'enlise au moment où les meilleurs marchands conscients de la chute inévitable du marché du castor resserrent le crédit et se tiennent à l'écart jusqu'au dénouement de la crise. Une partie de son avoir est tout de même à l'abri sous forme d'immeubles et de constitutions qui, versées fidèlement, lui procurent un revenu de quelque 3 000 l. pendant les dernières années difficiles de sa vie.

D'autres actifs reproduisent à une échelle réduite ces mêmes équilibres et déséquilibres. La veuve Leguay gère seule depuis 1691 un commerce modeste mais solide et ses créances perdues

(114) Voir ses transactions avec Peirre, Trahet, Delisle, *supra*, note 101.

(115) Soit 13 575 l. avancées à cinq petits marchands en 1700, 11 065 l. consenties à Tonty en 1701, 7 000 l. à Nicolas Demers, un boutiquier qui a déguerpi en abandonnant femme et enfants en même temps que ses créanciers, 6 000 l. à Janvrin-Dufresne, 4 000 l. à Milot, marchand de Lachine, etc. Or, en temps normal, tous ces petits marchands s'approvisionnent à Québec et en France et règlent leur facture d'avance.

(116) Soit qu'il ait été un sous-entrepreneur officieux de la compagnie, soit encore qu'il ait tenté frauduleusement de circonvenir le monopole des directeurs en organisant un système parallèle de distribution, nous ne saurions dire, mais ses entreprises, durant cette période, entament dangereusement un commerce antérieurement solide.

et douteuses ne représentent pas plus de 12 % de ses avances sur une période de douze années d'activité (117). Mais nous comptons dans l'ensemble davantage de commerces aventureux, qui démarrent trop vite avec des dettes douteuses en guise de mise de fonds et qui, tôt ou tard, ne peuvent plus rencontrer les échéances. Entre 1642 et 1725, il n'y a guère qu'une dizaine de marchands qui ont fait valoir un capital de 50 000 l. et plus. Trois d'entre eux, Jean Soumande, Pierre Lestage et Antoine Pacaud, sont de la classe des Leber, Lemoyne et Couagne (118).

Car une fois passés les profits euphoriques des temps des découvreurs, il est difficile de franchir la large brèche qui sépare les quelques grosses affaires de la masse des petites entreprises qui n'ont que 10 000 à 30 000 l., plus ou moins liquides, à faire fructifier. Si, comme nous le croyons, il y a environ 10 % de profits annuels, une fois les frais de production déduits, il faut vingt-cinq ans pour gonfler à 50 000 l. une mise initiale de 5 000 l., si tous les profits sont réinvestis dans l'achat de nouvelles marchandises. Or il est nécessaire dans les premières années d'en divertir une partie pour s'établir et, tant que les revenus du capital fixe et autres immobilisations ne sont pas suffisants pour combler les besoins de consommation, le marchand continue à prélever sur ses bénéfices commerciaux. Aussi sont-ils peu nombreux ceux qui réussissent à se hisser au-dessus de la moyenne et, au fur et à mesure que l'on avance dans le temps, les possibilités de devenir marchand de fourrures, sans capital initial, se rétrécissent. Après dix ans, Alexis Monière a un chiffre d'affaires de 19 000 l. Il a réinvesti presque tous ses profits dans le commerce, faisant porter sur une longue période les dépenses personnelles et familiales (119).

(117) Elle épouse en avril 1697 Pierre You, un aventurier dans le sillage de La Salle, qui sait gagner des protections et continue à gérer le commerce, fort heureusement, semble-t-il.

(118) Aussi, Charron, Migeon, Perthuis, Charly fils et peut-être J.-J. Patron et Jean Quenet, auxquels il faudrait ajouter les marchands de Québec qui ont des affaires à Montréal comme Aubert, Hazeur, etc.

(119) Ses dépenses courantes sont insignifiantes et incorporées au roulement de l'entreprise. Il étire le paiement d'une maison sur six ans. Tout est réglé en marchandises, ce qui lui permet de grossir son revenu tout en acquittant ses dettes.

A l'occasion, des bailleurs de fonds viennent relancer ces commerces essentiellement individuels, fonds qui sont versés sous forme de castor, de marchandises, voire de dettes actives. Ces prêts prennent la forme d'une constitution de rentes au denier légal (120) ou d'un placement ordinaire à intérêt fixe un peu plus élevé (121). Généralement, ce sont des biens de famille prêtés ou utilisés le temps d'une curatelle qui viennent ainsi grossir l'actif du marchand et les règlements de compte donnent souvent lieu à d'âpres et confuses procédures (122).

La nature et la faiblesse générale de ces capitaux expliquent pourquoi les rentes constituées sont si rares, car ce n'est qu'au delà d'un certain seuil rarement atteint que le marchand peut entamer son roulant. Deux marchands seulement ont des intérêts hors de Montréal (123). Si Québec prend déjà et prendra de plus en plus des initiatives hors du circuit des fourrures, Montréal reste étranglé dans son arrière-pays et ses ballots de castor.

Nous citons, en terminant, la seule pièce comptable qui permet de suivre l'évolution d'un commerce sur une courte période (124). A la mort de son mari, la veuve Lemoyne confie ses affaires à Antoine Pacaud, marchand à Montréal et à La

---

(120) Placement de 2 600 l. en valeurs non spécifiées par le tuteur des héritiers de Jacques Bizard chez Bertrand Arnaud, marchand, 13 août 1700, M. not., A. Adhémar.

(121) Le tuteur des héritiers de Mathieu Fay, habitant de Laprairie, a « placé » 600 l. en castor chez le marchand Soumande, à 7 % d'intérêt (6 octobre 1693, *ibid.*). Un Sulpicien donne 1 000 l. en marchandises de traite à deux jeunes Indiens, lequel fonds sera jusqu'à leur majorité placé chez un marchand qui le fera valoir (6 juillet 1669, *ibid.*, Basset).

(122) Une grande partie des dettes passives des marchands, la moitié au moins, ont été contractées envers la famille. Voir par exemple, dans l'inventaire de Couagne, les 17 175 l. de dettes à son beau-père et son beau-frère sur un passif total de 32 900 l. (7 août 1686, *ibid.*, Maugue).

(123) Les intérêts à la Baie d'Hudson ont rapporté de gros dividendes aux Lemoyne dans les premiers temps qui compensent largement pour la perte de ces « actions » (dont la valeur nominale est d'ailleurs insignifiante), lorsque les Anglais reprennent leur contrôle sur les postes de la Baie. Leber et Lemoyne ont longtemps possédé des navires qui voyagent entre la France, le Canada, l'Acadie et les Antilles. Avec les guerres, et l'âge venant, ils abandonnent l'armement. Leber a eu aussi des barques pour la pêche et le cabotage (AC, C11A4, fº 56).

(124) Le tableau 20 a été tiré des actes des 6 février 1691, 14 juillet et 5 décembre 1695 de la succession Lemoyne (M. not., Basset).

TABLEAU 20. — *État des actifs engagés dans la société formée entre la veuve Lemoyne et Antoine Pacaud (1687-1690). Avec l'état des recouvrements, établi en 1695 (en livres tournois).*

Capital apporté par la veuve Lemoyne septembre 1687	Actif au 31 décembre 1690	État des recouvrements (1695)
Dettes actives (102 créances sur des habitants de la colonie) .. 5 318	Dettes actives antérieures à la société 5 297	 180
Actif en marchandises, pelleteries et lettres de change sur les fermiers du Domaine d'Occident. 44 441	Dettes actives de la société 8 683	...... 5 586
Intérêts dans la société de la Baie d'Hudson 8 456	Cargaison de morue sèche pour la France 1 898	Produit de la vente 1 854
CAPITAL INITIAL 58 215	Cargaisons (4) de marchandises pour le Canada 13 929	Valeur à l'arrivée (pertes en mer en partie recouvertes par l'assurance) 13 313
	Stock de fourrures à Montréal .. 1 200	Produit de la vente 2 177
Recettes :	Lettres de change (15) sur les fermiers du Domaine d'Occident (castor) 18 577	...... 18 577
2/3 à la famille Lemoyne .. 22 121	Billets sur les trésoriers généraux . 1 087	...... 1 087
1/3 à Antoine Pacaud 11 061	Intérêts dans la société de la Baie d'Hudson 8 193	...... 2 030
TOTAL 91 397	Avances faites à la veuve Lemoyne 5 406	...... 5 406
	Avances (en marchandises) à un fils Lemoyne (tuteur de ses frères et sœurs) 25 854	...... 25 854
	Intérêts dus sur les avances 833	 833
	Argent en caisse 440	 440
	TOTAL DE L'ACTIF 91 397	77 337
		Dettes actives non recouvrées : 8 214 / Pertes : 6 823 ...... 15 037
		92 374
		Profits non comptabilisés en 1690 977
		91 397

Rochelle. C'est une société type, association capital-travail.
Les Lemoyne apportent les fonds, marchandises, fourrures
et lettres de change, le tout réputé argent comptant, avec un
certain nombre de créances. L'association est pour trois ans
et à la dissolution, une fois le capital initial déduit, les profits
accumulés sont partagés entre les parties à raison de deux tiers
pour le bailleur de fonds. Les pertes, le cas échéant, sont
assumées dans les mêmes proportions.

En trois ans, cette société a produit 33 182 livres. Le capital
des Lemoyne a rapporté sur papier 11,3 % d'intérêt annuel
et, en tenant compte des difficultés dans le recouvrement des
créances, le taux de bénéfice net se situe entre 7,5 et 9 %. Ceci
rejoint nos estimations générales.

4. *Forains et colons.*

*Sur la requête à nous présentée par les principaux habitants
de Montréal contenant qu'il aurait plu à Sa Majesté de gratifier
les seuls et véritables habitants de ce pays du droit et privilège
de traiter avec les Sauvages, à l'exclusion des marchands forains
qui venant de France et apportant des marchandises qu'ils peuvent
donner à meilleur marché que les dits habitants qui les achètent
d'eux, leur otent par ce moyen tout le profit qu'ils pourroient
faire de la traite..., parce que les dits marchands entreprennent
de traiter avec les Sauvages sous différents prétextes frauduleux,
achetant des habitations de nulle valeur qu'ils ne tiennent compte
d'entretenir ni augmenter, ou s'associent avec quelques habitants,
et se servant de leurs noms pour faire la traite, ce qui avait été
défendu...* (125).

Cette requête et d'autres semblables laissent supposer un net
clivage entre colons et métropolitains que l'examen des faits
et des groupes ne confirme pas. Le capital initial ou le crédit
qui en tient lieu est français et la source d'accumulation primi-

---

(125) Requête des principaux habitants de Montréal au gouverneur
Frontenac, suivie d'une ordonnance de ce dernier, 14 juillet 1674 (bailliage,
copie Faillon QQ 57).

tive est d'abord le travail des Indiens. La frontière de l'impérialisme est à l'ouest de Montréal. Tant que l'assise coloniale n'est pas elle-même source de profits au moins équivalents à ceux de la traite, tant que les habitants du pays prélèvent une bonne part de ceux-ci, il n'y a pas de fondements pour une véritable opposition de ce type, mais simplement un champ assez flou où se heurtent et se combinent les intérêts individuels, les sociétés fugaces qui font la commune appropriation (126).

Dès 1650, en vertu des congés accordés par la Compagnie des habitants, des marchands et armateurs métropolitains, rochelois surtout, commencent un trafic régulier avec le Canada. Delafosse a identifié ces intérêts que l'on peut facilement ramener à une demi-douzaine d'individus à l'origine. C'est un commerce peu considérable et, peut-être pour cette raison moins aléatoire, moins menacé que celui des Iles. Notons deux traits caractéristiques : la faiblesse relative de ces marchands, toujours plus ou moins dépendants des grands négociants et banquiers de La Rochelle et de Paris, et la constance de leurs relations avec le Canada (127). Vers 1715, au bout de quelque cinquante années de trafic assidu et de séjours prolongés dans la colonie, de véritables clans familiaux se sont formés dont les membres opèrent indistinctement des deux côtés de l'Atlantique (128). Les inventaires après décès que Delafosse examina à La Rochelle et ceux de leurs parents morts à Montréal montrent des fortunes semblables, variant entre 50 000 l. et quelques centaines de mille livres. Les créances des Canadiens sur La Rochelle sont sans doute aussi nombreuses que celles de leurs associés rochelois sur Montréal (129). Ils agissent comme correspondants les uns des autres et c'est hors de ce groupe, chez des négociants qui

(126) Pour une discussion de ce problème, voir Richard Pares, « The Economic Factors in the History of the Empire », *Economic History Review*, 1ere série, VII, 2 (mai 1937), pp. 119-144, et *Yankees and Creoles. The Trade Between North America and the West Indies Before the American Revolution* (Londres, 1956).

(127) M. Delafosse, « La Rochelle et le Canada au xviie siècle », *RHAF*, IV, 4 (mars 1951), pp. 469-511, et « Le trafic franco-canadien (1695-1517) ».

(128) *Loc. cit.*

(129) Dans les affaires des Leber, Lemoyne, Soumande, Hazeur et Pacaud, nous observons cette réciprocité parfaite des rapports commerciaux.

n'ont jamais armé pour le Canada, qui ne sont jamais venus menacer directement les affaires locales mais qui financent ces intérêts communs, qu'il faut plutôt chercher les correspondances verticales (130). Tant que le marchand est engagé dans le commerce, la non-liquidité d'une grande partie de son actif limite cette « fuite de capitaux » si souvent invoquée (131). Ce n'est qu'au moment de la retraite, à la mort le plus souvent, lorsque les héritiers tentent de liquider l'entreprise, que le capital prend une couleur locale, selon que ces derniers sont concentrés dans la métropole ou dans la colonie et ne poursuivent pas le négoce paternel (132).

Mais à côté de ces maisons canado-rocheloises, il y a la masse des petits marchands établis dans la colonie et tous ceux qui, avec un prêt à la grosse, s'embarquent pour tenter leur chance et rentrent chez eux aux premiers revers (133). Ces trois groupes se livrent une petite guerre permanente pour accaparer, conserver ou assaillir les positions de l'adversaire.

Voyons quelles sont ces positions à Montréal vers 1670-1685. Lemoyne et Leber dominent le commerce. Ils importent la marchandise, traitent avec les Indiens, équipent des voyageurs,

(130) Ceci vaut pour la période qui s'étend jusque vers 1725. Pendant les guerres du XVIIIᵉ siècle, attirés par les contrats de fournitures aux armées, de gros armateurs bordelais se ruent littéralement sur le Canada et supplantent aisément les Canado-Rochelois. Voir James Pritchard, « Maritime Traffic Patterns Between France and New France to 1760 », communication présentée au congrès de l'Association historique du Canada, juin 1972.

(131) En 1683, Jean Gitton de La Rochelle réclame le statut d'habitant en invoquant le commerce qu'après son père il mène en ce pays et qui « l'y a si fort engagé qu'il s'y voit des debtes et effects pour plus de 120 000 livres. En sorte qu'il a pris la Résolution de s'y Establir... » (JDCS, vol. 2, pp. 873-874.)

(132) Jean Grignon meurt à La Rochelle, laisse trois enfants, dont deux filles mariées au Canada et un fils qui épouse une Canadienne et continue le commerce. Charles Lemoyne meurt à Montréal, une bonne partie de la succession sert à lancer les fils dans diverses entreprises commerciales à l'étranger, à acheter une seigneurie de 94 000 l. près de Rochefort, etc. Comment évaluer la part de ces capitaux commerciaux qui directement ou indirectement se fixent dans la colonie?

(133) M. Delafosse, « La Rochelle et le Canada au XVIIᵉ siècle ». La liste est longue de ces petits marchands qui disparaissent après quelques saisons désastreuses : Raymond Amyault, Dupuis, Jean Boudor, Hattanville, Guillaume Boutillers, Jacques Passard, Louis Boucher Bouval, Pierre Bailly, Jean Arnaud, etc.

avancent à l'occasion des marchandises aux autres marchands, mais ce ne sont pas des grossistes. Il y a encore de la place pour une trentaine de petite marchands qui placent leurs commandes en France ou s'approvisionnent chez les Rochelois de Québec. Tout va bien tant que ces derniers ne viennent pas faire le détail à Montréal. Les principaux ne veulent pas partager la position acquise, les intermédiaires y voient avec raison une concurrence déloyale. Moins dangereux, mais encombrants, sont les aventuriers métropolitains qui viennent en été écouler leur pacotille à Montréal, réduisant d'autant la part des retours échue aux médiocres. D'où les règlements imposés par « la meilleure partie des marchands habitués » qui obligent tous ceux qui veulent faire le détail aux Indiens d'acheter une propriété valant au moins mille livres dans la colonie et d'y résider depuis deux ans.

Les Québécois tout autant que les forains menacent les privilèges territoriaux des Montréalais, mais les conditions exigées par les ordonnances, lors même que la valeur de la propriété est portée à deux mille livres (134), ne sont pas de nature à empêcher les plus gros importateurs d'y venir traiter et équiper des coureurs de bois. Les Charron, les Hazeur, Simon Baston, Moyse et Gédéon Petit, Alexandre leur père, Simon Mars, Jean Gitton, Charles Aubert, Guillaume Changeon, n'ont aucune peine à acquérir du bien dans la seigneurie et quand vient l'été et le temps de la foire, ils montent à Montréal tenir boutique sur le terrain de la commune (135). La présence annuelle de ces sept ou huit gros marchands étrangers à la ville est un autre facteur qui concourt à priver tout à fait les traitants occasionnels de ces profits saisonniers (136), mais elle

---

(134) En se mariant dans la colonie, les marchands peuvent abréger la période de probation et éviter le lourd cautionnement. Voir les règlements des 1er avril 1674, 14 juin 1676, 13 avril et 11 mai 1676 et 1er février 1683, E. Z. Massicotte. *Répertoire des arrêts.*

(135) Voir la requête de Simon Mars « pour obtenir les privilèges accordés aux bourgeois et habitants... », faisant valoir sa propriété de Montréal évaluée à 2 400 l. (*JDCS*, vol. 2, 28 juin 1677); celle de Jean Gitton qui vient d'acquérir une maison de 2 500 l. à Montréal (*ibid.*, pp. 873-874); les poursuites contre Jacques de Faye, neveu de Mars (*ibid.*, pp. 874-875).

(136) Mais non pas étrangers à la colonie. Ceux qui font le plus d'affaires à l'intérieur sont Québécois de longue date : Aubert, Hazeur et

n'entame pas la position solide de Lemoyne et de Leber et les liens commerciaux et familiaux se resserrent toujours davantage entre ces importateurs. Seuls les petits marchands forains continuent d'être interdits de séjour à Montréal entre le premier juin et le 31 octobre (137), et il ne leur reste qu'à se mettre au service des plus considérables comme coureurs de bois ou à rentrer en France.

Les données générales ne changent guère avant le deuxième quart du XVIIIe siècle. Périodiquement, nous voyons se reformer l'alliance momentanée des détaillants, qui dénoncent les importateurs qui empiètent sur leur secteur, et des intérêts en place, forains d'hier, qui forts de l'appui des habitants cherchent à éliminer ces nouveaux concurrents (138). Enfin, que l'un des marchands accrédités, habitant de naissance ou d'adoption, réussisse grâce à un heureux arrangement avec les banquiers de Paris à tirer vers lui plus que sa part, sitôt les autres marchands lésés font bloc pour dénoncer l'accapareur (139).

En somme, le monopole est légitime s'il repose sur une base d'intérêts coloniaux et métropolitains suffisamment représentative, et le seul conflit permanent est celui qui oppose les plus faibles aux plus forts. L'évolution joue inexorablement contre la profession réglée, ce corps de marchands que les ambitions

---

Charron. Ce sont ceux que dénoncent les marchands de la ville dans des requêtes que W. J. Eccles a interprétées à tort comme des signes de la mainmise des forains sur la traite (*The Canadian Frontier*, p. 124).

(137) Règlement du Conseil du 1er février 1683, *JDCS*, vol. 2, pp. 860-862.

(138) Extrait d'un mémoire du 1er avril 1718 des négociants du Canada assemblés pour l'utilité de leur commerce dénonçant les forains qui détaillent leurs marchandises pendant l'hiver, font sortir de l'argent de la colonie et ne contribuent en rien à ses dépenses (AC, C11A124, fo 365 ou fo 140 : double pagination).

(139) Il est intéressant de voir tous les marchands de Montréal, y compris ceux qui sont arrivés la veille (Jean Pauthier, F. Poisset qui vit en France, Du Chouquet, Pierre Biron) ligués contre Antoine Pacaud, marchand à Montréal depuis trente ans qui, grâce à un accord avec Néret et Gayot de Paris, est en position de « trafiquer » les lettres de change des autres marchands et de monopoliser l'importation (lettre du 5 octobre 1716, dans Adam Shortt, *Documents relatifs à la monnaie, au change et aux finances du Canada sous le régime français* pp. 354-356).

particulières disloquent par l'intérieur, qui n'a de cohérence que lorsqu'il est menacé de l'extérieur (140).

5. *Les voyageurs et les engagés pour la traite.*

L'habitude de consigner toutes les transactions relatives à la traite dans des contrats notariés, sociétés, prêts, embauche, est uniformément implantée au début du XVIIIe siècle et les répertoires des notaires peuvent être considérés comme de véritables registres d'enregistrement des allées et venues dans

TABLEAU 21.

Nombre d'individus engagés dans le commerce des fourrures, entre 1708 et 1717, classés selon leurs fonctions.

Catégorie	Nombre	
Marchands équipeurs	68	
Officiers militaires	29	
Voyageurs indépendants	(448)	668
Engagés pour la traite	(220)	

l'Ouest. Pour les historiens de la Nouvelle-France, la participation massive de la population à cette activité est un fait indiscutable, auquel ils rattachent d'ordinaire certains comportements soi-disant caractéristiques : abandon des terres, mauvaise agriculture, insubordination, immoralité, etc. (141). Avant de

(140) Contre l'État qui veut les forcer à prendre des rentes en France en échange des cartes et qui n'honore pas ses promesses, contre les fermiers du Domaine d'Occident, les marchands du Canada, de La Rochelle et d'ailleurs n'ont qu'une seule voix.

(141) Jugements fondés ordinairement sur les dénonciations des intendants, celles de Duchesneau en particulier, un esprit chagrin et un observateur superficiel, celles de Champigny, qui dramatise pour parer les reproches. Voir en particulier les travaux de W. J. Eccles déjà cités.

discuter ces traits de mentalité, nous avons cherché à mesurer l'impact de la traite sur les colons au moyen d'un relevé systématique de tous les individus engagés à titres divers dans le commerce intérieur, pendant la décennie 1708-1717. Nous obtenons un échantillon de 668 hommes qui, au cours de cette période, font un ou plusieurs voyages dans les pays d'En-Haut, ce qui suffit, croyons-nous, pour dégager le profil du voyageur (142).

a) *les départs pour l'Ouest.*

Nous comptons au total 1 120 départs durant ces dix années, concentrés surtout entre 1713 et 1717 (143). Les oscillations annuelles prononcées dépendent en partie de la durée du voyage. Nous obtiendrions une courbe plus unie en procédant par unité de vingt-quatre mois au lieu de douze. Les départs de voyageurs qui travaillent à leur compte, encore les plus nombreux, se répartissent à peu près également entre le printemps (avril-mai) et l'automne (octobre-début novembre). Ils rentrent à Montréal en août et septembre, hivernent généralement dans la colonie une année sur deux. La majorité des engagés partent au printemps pour revenir vers la fin de l'été, un voyage de quatre

(142) Pour obtenir une image assez nette et représentative, il a fallu choisir une période où l'acte authentique est communément utilisé et dépasser le creux de la crise. Tous les actes des notaires de Montréal et des environs ont été utilisés. Des sondages dans les greffes des notaires de Québec montrent que les engagements, obligations pour la traite sont extrêmement rares et, le cas échéant, les parties passent généralement une transaction complémentaire à Montréal, où nous les rejoignons. Les contractants ont été mis sur fiches et identifiés ensuite à l'aide des travaux des généalogistes, Tanguay en particulier. Nous avons pu compléter les renseignements sur les Montréalais avec notre propre fichier. A la seconde génération, il est encore relativement aisé d'identifier les Canadiens. Il n'y a jamais plus d'une trentaine d'équipeurs chaque année. Plusieurs noms n'apparaissent qu'une fois au cours de la décennie. Ils ont été relevés avec ceux des marchands de Québec qui viennent équiper à Montréal. Les officiers dénombrés font presque toujours fonction de voyageurs, associés à ceux-ci et débiteurs des marchands. S'ils sont équipeurs, nous les assimilons aux marchands. Quelques individus apparaissent tantôt comme voyageurs, tantôt comme engagés, ce qui nous empêche de dénombrer exactement les deux catégories.

(143) Voir le graphique 15 en annexe.

mois aller et retour à Michillimakinac ou au Détroit. Comme ils n'ont guère l'expérience de la traite, les maîtres s'arrangent pour ne pas avoir à payer de longs séjours dans les postes et les utilisent surtout pour manœuvrer les canots.

TABLEAU 22.

Répartition des départs pour l'Ouest (1708-1717).

Catégories	Départs au printemps	Départs à l'automne	Total	Nombre de départs par individu		Total
				un seul	plus d'un	
Voyageurs .	453 (53,2 %)	400 (46,8 %)	853	472 (55,4 %)	381 (44,6 %)	853
Engagés ...	167 (62,6 %)	100 (37,4 %)	267	198 (74,2 %)	69 (25,8 %)	267
TOTAL ...	620	500	1 120	670	450	1 120

Au cours de cette décennie, le nombre de départs est à la hausse, mais en réalité ce n'est qu'une reprise depuis le creux de la dépression de 1705-1711. Si nous insérons les effectifs de cette période dans le mouvement long qui va de 1685 à 1750, nous notons qu'ils ne font que rejoindre le niveau déjà atteint

TABLEAU 23.

Fréquence des voyages de traite.

Nombre d'individus qui vont dans l'Ouest une fois ou plus, entre 1708 et 1713 (incl.)	373
De ce nombre, ceux qui font 1 seul voyage en 1708-1717	179
ceux qui font 2 voyages en 1708-1717	82
ceux qui font 3 voyages en 1708-1717	64
ceux qui font plus de 3 voyages en 1708-1717 ..	48
	373

avant la crise. Ce n'est que dans le deuxième quart du XVIIIᵉ siècle que la production de fourrures et le nombre d'individus
employés à les acheminer à Montréal font un brusque saut en
avant (144).

Nous obtenons une idée plus juste de la fréquence des voyages
pour un même individu en isolant ceux rencontrés pendant la
première moitié de la période observée. Pour une centaine
d'entre eux, la traite est l'unique occupation. Ce sont les voyageurs qui forment l'armature du commerce intérieur. Pour
le reste, il ne s'agit que d'une activité temporaire ou occasionnelle (145).

b) *Les hommes.*

Au début du XVIIIᵉ siècle, le rapport entre les hommes qui
circulent dans l'Ouest et l'ensemble de la population masculine
adulte varie autour de 2 %, année moyenne. Mais comme le
groupe se renouvelle sans cesse, au bout d'une décennie nous
avons 668 hommes ou 12 % de Canadiens qui ont participé
à la traite, plus ou moins assidûment (146). La participation
régionale est cependant très inégale. A elle seule, l'île de Montréal fournit 337 voyageurs, soit plus de la moitié de nos effectifs. Ceci représente le quart des hommes de la seigneurie, ce
qui prouve que nous n'avons pas eu tort d'étudier ce phénomène de très près car, après l'agriculture, c'est l'activité qui
utilise le plus de main-d'œuvre. Certaines régions fournissent

(144) Voir *supra*, section Id.
(145) A cette époque, il est encore possible, pour un traitant occasionnel,
de voyager à son compte, mais dix ans plus tard, tous ceux qui iront chercher dans l'Ouest un revenu d'appoint, tomberont dans la catégorie des
engagés.
(146) Voir le graphique 17 en annexe. Lorsque l'acte ne donne pas la
paroisse d'origine des contractants, nous les avons retrouvés dans le dictionnaire des familles de C. Tanguay. Si l'homme est marié, le lieu de baptême
de celui de ses enfants dont la date de naissance est la plus rapprochée de
notre date d'observation; s'il est célibataire, la résidence de ses parents à
la date la plus rapprochée, en nous guidant sur les autres naissances dans
cette famille, ou le lieu de sépulture des parents. Les cas douteux ont été
éliminés, soit 35, plus cinq Indiens et six résidents de Détroit. Il reste
622 hommes qui ont des attaches familiales dans diverses régions de la
colonie.

encore davantage proportionnellement à leur faible population. Le poste des Trois-Rivières vient en tête avec 54 % de la population masculine ayant fait au moins un voyage dans l'Ouest et nous enregistrons 30 % dans les seigneuries de la rive nord avoisinant Trois-Rivières (147). Plus près de Montréal, les seigneuries de la rive sud qui s'étendent entre Varennes et Châteauguay fournissent 108 voyageurs, ce qui donne les rapports très élevés de 21 et 30 % (148).

TABLEAU 24.

Le recrutement des voyageurs et engagés pour la traite par génération.

Immigrants	39
Deuxième génération	470
Troisième génération............	116
Indiens	5
Cas inconnus	38
TOTAL	668

Dans toutes les autres régions de la colonie, la course des bois fait très peu de recrues : 5 % dans le bas-Richelieu ; 6 % sur la rive nord du fleuve en face de Montréal ; 5 % dans la ville de Québec ; entre 1 % et 2,5 % dans les campagnes avoisinant Québec où le peuplement est le plus dense ; enfin, aucun traitant originaire ou résident des seigneuries du Bas-du-Fleuve. En somme, pour les deux tiers de la population coloniale occupant la majeure partie du territoire en valeur, la traite des fourrures est loin d'être une activité normale et coutumière. Ce n'est que très exceptionnellement qu'un paysan quitte l'île d'Orléans ou la côte de Beaupré pour s'aventurer aux Outaouais et dans bien des côtes plus reculées, ces absences sont un phénomène inconnu. La course des bois comme facteur déter-

(147) En particulier les côtes de Cap-de-la-Madeleine, Champlain et Batiscan.
(148) Boucherville est particulièrement bien représentée aux Outaouais.

minant du caractère de ce peuple nous apparaît donc comme une hypothèse plus que fragile (149).

Ces voyageurs sont en majorité des Canadiens, c'est-à-dire nés dans la colonie et la vague de nouveaux colons établis depuis la fin du XVIIᵉ siècle est proportionnellement sous-représentée. Ce sont ces derniers qui forment la majorité des nouveaux époux dans l'île de Montréal et les fils du pays qui retardent le moment de prendre une femme et une terre ou y renoncent *sine die*. Il y a une différence dans les comportements, renforcée par les facilités de crédit légèrement supérieures accordées aux fils des habitants. Les quelques hommes de la première génération représentés ici sont des soldats ou ex-soldats mariés dans la colonie.

TABLEAU 25.

Le recrutement des voyageurs et engagés pour la traite par famille.

Nombre de familles	Nombre de voyageurs
206 (nucléaires) qui ne fournissent qu'un voyageur	206
78 (nucléaires) qui fournissent deux voyageurs	156
29 (nucléaires) qui fournissent trois voyageurs	87
16 (élargies) qui fournissent quatre voyageurs	64
4 (élargies) qui fournissent cinq voyageurs	20
5 (élargies) qui fournissent plus de cinq voyageurs.....	53
338 TOTAL	586

Le recrutement des voyageurs se fait de proche en proche et la concentration régionale déjà observée résulte en partie d'une concentration familiale très marquée.

(149) Nous n'avons relevé que cinq Indiens parmi les engagés, mais il peut y en avoir d'autres parmi les trente-huit individus non identifiés. Ce sont des esclaves, semble-t-il, qui portent des noms français et, dans un cas au moins, l'employeur verse les gages au maître qui l'a fourni, au moment de la passation du contrat.

Les frères se suivent dans ce métier. Nous les voyons s'engager ensemble ou s'associer pour exploiter un congé. Nous avons pu reconstituer 25 groupes familiaux qui fournissent à eux seuls 137 voyageurs durant cette décennie. Nous sommes ici en présence de professionnels de la traite chez qui le métier se transmet de père en fils. La famille Cardinal de Montréal et plus encore celle des Rivard de Batiscan sont très représentatives de ce phénomène (150).

Si le quart de nos effectifs provient de familles où la traite est et semble toujours avoir été l'activité principale, nous pouvons indiquer sommairement quels sont les autres milieux où le recrutement est le plus fécond (151). La contribution urbaine est relativement très forte. Les familles d'artisans semblent être proportionnellement les mieux représentées. Deux facteurs jouent dans ce sens. Les charpentiers, par exemple, sont régulièrement employés par l'État pour divers travaux dans les postes de l'Ouest et les commerçants utilisent souvent les services des chirurgiens et des forgerons, arquebusiers (152). Ainsi naît l'habitude des voyages et des longs séjours aux Outaouais pendant lesquels ces gens de métier commercent aussi avec les Indiens. La traite pallie dans une certaine mesure le manque à gagner saisonnier, particulièrement aigu dans le secteur du bâtiment. Viendraient ensuite les familles des marchands. Tout d'abord ceux qui arrivent difficilement à soutenir la concurrence et sont refoulés vers des positions subalternes. La démarcation entre le voyageur et le petit marchand qui ne fait qu'un ou deux équipements par année, est imperceptible, et nous voyons souvent tel individu équipeur une année et

(150) Ajoutons les Deniau, Hubert-Lacroix, Tessier, Trottier, Saint-Yves et Vandry de Montréal, les Ménard, Réaume, Gareau, etc. Il y a trois frères Rivard mariés qui voyagent avec leurs fils et leurs neveux, soit quatorze individus au total engagés dans la traite entre 1708 et 1717 dans ce même groupe familial.

(151) Nos sources, dictionnaires généalogiques et autres, donnent rarement des renseignements sur les occupations. Nous connaissons assez bien la population de Montréal, mais non celle des autres régions.

(152) Ces derniers peuvent parcourir avec profit les bourgades indiennes où il y a toujours des armes et des ustensiles à raccommoder (Elizabeth J. Lunn, « The Illegal Fur Trade of New France 1713-1760 », *CHAR* (1939), p. 185).

voyageur l'année suivante jusqu'à ce qu'il réussisse à garder boutique ouverte ou l'abandonne à ses créanciers pour joindre pour de bon les rangs des traitants. Les fils des marchands de toutes catégories font partie du voyage. C'est là une phase normale de leur apprentissage. Grâce à la situation de leur père, ils commencent très jeunes, sous la conduite de voyageurs chevronnés. Lorsque nous les rencontrons pour la première fois dans un contrat d'obligation, ils ont à peine vingt ans et sans doute derrière eux plusieurs voyages non enregistrés (153). La seconde phase de leur apprentissage, dans une boutique de la colonie ou de La Rochelle, vient plus tard. Il en va de même des fils d'officiers qui commencent presque tous dans la vie comme voyageurs et poursuivent cette occupation jusqu'à ce qu'ils obtiennent un brevet de cadet ou d'enseigne dans les troupes. La liste d'attente est longue et, dans l'intervalle, ils courent les bois. Ajoutons les fils d'aubergistes, de notaires, d'huissiers; de tous ces milieux qui se considèrent supérieurs à la paysannerie et qui n'ont, pour ne pas déchoir, d'alternative que dans la traite, toujours en espérant la place laissée vacante par leur père ou tout autre genre de commission.

Les fils de cultivateurs sont évidemment nombreux, dans les rangs des engagés pour la traite surtout, mais si nous considérons que les ruraux forment environ 80% de la population coloniale, leur contribution est relativement beaucoup plus faible que celle des groupes énumérés plus haut. Une fois sorti des régions où les mécanismes d'entraînement jouent fortement, il semble bien que la concordance saisonnière des voyages de traite et des travaux agricoles ait empêché les habitants d'y chercher un revenu d'appoint.

Nous pouvons, en examinant la structure d'âges de ces voyageurs et leur attitude vis-à-vis du mariage, préciser certains traits (154). L'âge modal au premier voyage effectué durant notre période d'observation est de vingt-deux ans pour l'ensemble, de vingt et un ans pour le groupe des engagés seule-

(153) Par exemple, les fils Pachot, Mailhot, Milot, Robutel, Trottier, Gamelin, Lemoyne, Perthuis et autres qui sont voyageurs entre 1708 et 1717.

(154) Voir le graphique 16 en annexe.

ment (155). Un peu plus de la moitié de ces hommes ont entre vingt et trente ans. C'est un métier dur qui n'utilise pas de très jeunes gens et dont les revenus ne permettent guère les retraites prématurées. Ceux qui en font une carrière persévèrent jusqu'à

TABLEAU 26.

État civil des voyageurs et des engagés pour la traite (1708-1717).

Catégories	Effectifs		
Date de naissance connue	512		
Voyageurs mariés pendant la période d'observation		147	
Voyageurs qui se marient, mais date de mariage inconnue		29	
Voyageurs célibataires pendant la période d'observation		336	
Célibataires qui se marient après 1717 ..			70
Célibataires dont le sort nous est inconnu..			266
Date de naissance inconnue (non utilisés dans les catégories précédentes)	156		
TOTAL	668		

l'âge de cinquante ans, voire soixante ans, jusqu'au bout de leur vie comme dans toutes les autres occupations. L'âge moyen au premier mariage pour les 217 cas observés est de 28,7 ans, soit exactement le même que celui relevé chez les conjoints de la paroisse Notre-Dame au cours de la même période. La forte proportion de Montréalais, particulièrement de garçons de cette paroisse en partie urbaine dans notre échantillon, n'est pas étrangère à cette coïncidence.

(155) L'âge moyen, 29,2 ans, ne signifie rien puisque, pour un grand nombre, il ne s'agit évidemment pas de leur premier voyage. Étant donné la forte proportion de nouvelles recrues, l'âge modal est plus significatif. Notons que ces garçons, quoique mineurs, contractent des obligations sans l'assistance de leurs parents. Dans quelques cas seulement, le marchand exige que le père se porte garant de l'emprunt. Voir le contrat du 1er octobre 1713, M. not., A. Adhémar.

Les voyageurs de carrière sont généralement mariés et leurs familles demeurent ordinairement à Montréal. Un peu plus tard, plusieurs d'entre elles émigreront dans les postes de l'Ouest pour écourter les séparations. Concentrés dans les groupes d'âges prénuptiaux, il est normal que la majorité des voyageurs soient célibataires, mais il y a lieu de s'arrêter au pourcentage très élevé de ces garçons qui ne semblent pas avoir ultérieurement fondé une famille dans la colonie. Quatre hypothèses sont possibles : leur mariage a échappé au généalogiste; ils sont morts avant d'avoir atteint l'âge du mariage; ils sont demeurés célibataires; ils ont quitté la colonie. Nous ne sommes pas en mesure d'évaluer les omissions de Tanguay, certainement pas assez nombreuses pour expliquer le phénomène. Si le célibat était un facteur important, toutes les classes d'âge seraient proportionnellement représentées dans les effectifs des éventuels « disparus », ce qui n'est pas le cas, les voyageurs de plus de trente ans étant en grande majorité mariés. Il ne faut pas minimiser l'importance de la mortalité dans ce métier où les périls du voyage se doublent de plusieurs campagnes militaires, puisque ces jeunes gens sont enrôlés dans la milice plus souvent qu'à leur tour. Mais dussions-nous tripler, voire décupler le taux de mortalité attendu à cette époque pour ces classes d'âges (156), qu'il nous resterait encore bien des disparitions à expliquer. Il faut donc reconnaître qu'environ 150 à 200 de ces jeunes gens ont abandonné le pays au cours de la décennie ou peu après, pour gagner le Mississippi. Chaque voyage est un pas de plus vers cette émigration définitive.

c) *les conditions du voyage.*

Les voyages de traite sont « pour des personnes qui ne s'embarrassent point de faire cinq ou six cents lieues en canot, l'aviron à la main, de vivre pendant une année ou dix-huit mois de blé d'Inde et de la graisse d'ours, et de coucher sous des cabanes d'écorces ou de branches », écrit un Jésuite (157). Nous pour-

(156) Soit 1 % à 1,5 %, d'après les tables de Duvillard.
(157) *Relations par lettres de l'Amérique septentrionale, années 1709 et 1710*, p. 8.

rions allonger à plaisir la liste des épreuves : deux ballots totalisant presque 200 livres, supportés par une sangle tendue autour de la tête, qu'il faut transborder dans les portages et porter des journées entières quand les rivières sont à sec; les moustiques qui empoisonnent littéralement les plus habitués, en mai et juin; le danger toujours présent des noyades et des blessures quand le canot chavire dans les rapides, et peut-être plus difficile encore, l'isolement de ces trois ou quatre hommes qui doivent se supporter pendant deux mois, s'aider malgré les conflits de caractère et l'eau-de-vie qui peut à tout moment les aggraver (158). D'où ce souci constant de bien choisir ses compagnons, l'importance des associations familiales, la permanence dans la composition de certains équipages. Les contrats de société sont à court terme, pour la durée d'un voyage seulement, mais les mêmes parties les renouvellent si l'issue d'une première association a été heureuse. Un voyageur satisfait des services de son engagé va en chercher un second dans la même famille. Il y a un monde de solidarités à l'intérieur du continent.

La traite apporte aux voyageurs indépendants des revenus capricieux mais certainement suffisants pour les attirer et les retenir dans ce métier (159). Les salaires des engagés varient selon leur expérience (160). A la fin du XVIIe siècle, les officiers des postes offrent aux jeunes garçons entre 150 et 200 livres payables en castor pour le travail d'une année. Mais il importe peu que ces gages soient stipulés en argent ou en fourrures, car c'est en marchandises que l'engagé touche son dû, celles que l'équipeur lui avance, celles qu'il livre à sa famille ou à ses créanciers ou lui remet au retour si le crédit n'est pas déjà

---

(158) Pour la liaison entre les postes et Montréal, on cherche à atténuer les difficultés en voyageant par convois, mais il y a toujours des canots isolés à l'avant-garde, à l'arrière-garde et hors saison.

(159) Si un engagé expérimenté gagne jusqu'à 400 l. par année, le revenu des voyageurs indépendants doit être supérieur à 500 l. année moyenne.

(160) Plus tard au XVIIIe siècle, l'employeur paie davantage ceux qui avironnent à l'arrière du canot et les novices, placés au milieu, sont les moins payés. Ces distinctions assurément déjà en usage ne sont pas encore spécifiées dans les contrats de notre période.

épuisé (161). Quelques-uns reçoivent de 300 à 400 l. pour une absence de douze à dix-huit mois. L'engagé est nourri et il peut emporter avec lui ses hardes, un fusil, une couverture et autres effets dont la nature et le poids sont spécifiés dans le contrat. Il est autorisé à traiter ces effets personnels et à rapporter le produit, soit un paquet de fourrures d'une valeur de 50 à 75 livres (162). Les conditions accordées par la Compagnie de la colonie entre 1701 et 1706 sont plus dures. Dans ces engagements massifs, les gages exprimés et payés en cartes ne dépassent guère 150 l. de pouvoir d'achat. Nul ne peut traiter pour son compte et ceux qui « font preuve de malice, paresse ou mauvaise volonté » encourent une réduction de gages (163). Dans la décennie 1708-1717, ce sont les voyageurs et les marchands qui commencent à recruter des salariés. Réduction faite des trois huitièmes sur les cartes, nous retrouvons la même fourchette qu'antérieurement. Des récompenses sont ajoutées : chaussures, mitasses et pots d'eau-de-vie. Les engagés sont à nouveau autorisés à traiter leurs effets personnels. Une absence, qui se prolonge une année, ne rapporte guère que 30 à 40 l. de plus que l'aller et retour à Michillimakinac entre mai et septembre (164), et s'il en est ainsi, n'est-ce pas parce que de toute manière ces garçons ne trouveraient pas de travail dans la colonie en morte-saison? Dans l'Ouest, il y a pour eux une sorte de gîte et les vivres gratuits. En gros, ces voyages leur rapportent environ le double de ce qu'ils gagneraient comme manœuvres dans le bas pays au cours d'une année (165).

La stabilité des gages, les limites étroites du recrutement, montrent clairement que l'offre de main-d'œuvre est toujours

(161) Par exemple, les comptes de G. Longpré, de Stébesse et Brisebois, dans les livres de Monière (APC, M-847).

(162) Une trentaine de castors. Voir les engagements de La Forest, de La Tourette et de Cadillac, à partir de 1686, M. not., Basset, Maugue et A. Adhémar, *passim*.

(163) Engagements par Rocbert au nom de la Compagnie de la colonie, 30 mai 1705, *ibid.*, A. Adhémar; aussi ceux faits par Dumontier, 10 juillet 1703, *ibid.*

(164) D'après 109 contrats d'engagements pour la traite relevés dans le greffe de J.-B. Adhémar, 1714-1716.

(165) Voir *infra*, quatrième partie, chapitre II, § 5. Un manœuvre engagé à l'année recevrait au maximum 125 l. avec sa pension. Avec ses gages et son petit troc particulier, il peut tirer 250 l. de son voyage aux Outaouais.

supérieure à la demande et que, dans ces conditions, les voyageurs professionnels avaient la partie belle pour réduire au statut de salariés tous ceux qui cherchaient là une échappée ou les moyens de fonder une habitation.

Conclusion.

Selon la théorie du « staple », une explication de la croissance qui, depuis H. A. Innis, imprègne l'historiographie canadienne, le développement du Canada résulte de l'exploitation successive de certains produits de base, chacun constituant à un moment donné de l'histoire une mono-activité (166). Théoriquement, les profits issus de la commercialisation de ces « staples » sont réinvestis d'abord « en amont », expansion territoriale, création de lignes de communication, puis « en aval », transformation au moins partielle du produit brut précédant l'exportation. Par un mécanisme d'entraînement, toute l'économie est ainsi happée par la demande extérieure et, par un heureux concours de circonstances, dès que l'impulsion d'un « staple » s'effrite, le pays peut en offrir un nouveau qui répond opportunément à l'attente du marché international. Mais on reconnaît aussi qu'en réalité, au lieu de transferts décisifs entre le secteur du « staple » et le reste de l'économie, d'une liaison harmonieuse entre ancien et nouveau secteurs de pointe, il n'y a que désarticulations et secousses violentes, une vulnérabilité dont toute notre histoire et davantage peut-être le présent portent la marque.

Que voyons-nous au XVIIe siècle? Une aventure spéculative de type quasi médiéval, fondée sur l'exportation de quantités limitées de marchandises, le déséquilibre entre deux civilisa-

(166) Voir les travaux de H. A. Innis, *The Cod Fisheries; the History of an International Economy* (Toronto, 1954) et *The Fur Trade in Canada*; W. T. Easterbrook et H. C. J. Aitken, *Canadian Economic History* (Toronto, 1956); M. H. Watkins, « A Staple Theory of Economic Growth », dans W. T. Easterbrook et M. H. Watkins, *Approaches to Canadian Economic History* (Toronto 1969), pp. 49-74. V. C. Fowke, dans *Canadian Agricultural Policy : the Historical Pattern*, (Toronto, 1946), apporte plusieurs éléments de réflexion sur ce thème.

tions, et toute une série de monopoles. Ce petit « grand commerce » somme toute se porte bien. Il s'ajuste rapidement à la conjoncture, il rebondit après chaque crise. L'éparpillement social du capital n'est pas exagéré. Nous ne croyons pas qu'une plus grande concentration aurait transformé la nature des investissements et les aventures commerciales similaires du XIXe siècle sont là pour nous donner raison. Mais simplement, le capital commercial n'est pas en soi une force de propulsion. Ce n'est qu'accessoirement que celui-ci effectue quelques prélèvements sur la production régionale. Il faudrait, d'une part, que celle-ci se développe d'elle-même, que le poids des hommes et de leurs travaux crée une circulation interne concurrentielle, d'autre part que les profits commerciaux s'effritent considérablement (167). Dans cette colonie, dans cette petite région, isolée, sous-peuplée, il ne pouvait y avoir de mouvements spontanés de diversion, des transferts déterminants entre le secteur des fourrures et l'agriculture qui lui sert d'appoint. C'est ce que nous avons voulu d'abord démontrer avant de pénétrer dans des campagnes que ne menace aucune appropriation de type capitaliste et qui se développent en retrait de l'économie de marché.

(167) Voir l'exposé de Pierre Vilar sur ces problèmes dans *La Catalogne dans l'Espagne moderne. Recherches sur les fondements économiques des structures nationales* (Paris, 1962), III, *passim* et en particulier les pages 9 à 12.

TROISIÈME PARTIE

L'AGRICULTURE

CHAPITRE PREMIER

LES CARACTÈRES PHYSIQUES

La superficie de l'île de Montréal est de 49 773 hectares, soit 51,48 km de longueur et 17,7 km dans la plus grande largeur. Avec deux îles plus petites qui s'emboîtent dans la ligne incurvée côtoyant la rivière des Prairies, elle forme une sorte de losange, orienté sud-ouest, nord-est. Si l'on exclut le Mont-Royal, singulière protubérance d'origine volcanique très usée, dont l'altitude est de 230 mètres, l'île est à peu près plate et ne se distingue guère de la plaine qui l'entoure. Ce paysage ouvert dans toutes les directions se présente comme une succession de vallons et de crêtes morainiques peu marquées. L'altitude varie entre 25 et 58 mètres en moyenne, soit de 17 à 50 mètres au-dessus du niveau du fleuve. L'extrémité nord-est de l'île et la langue de terre appelée Pointe Saint-Charles, où abordèrent d'abord les fondateurs, sont des quartiers plus affaissés encore. Généralement, entre le rebord des terres et le fleuve, s'allongent de basses prairies qui vont s'y noyer.

Toute la région a subi la glaciation durant le pléistocène et sur les sédiments rocheux sous-jacents, des calcaires surtout et des schistes, les glaciers laissèrent ces moraines ondulées. Plus tard, la pénéplaine fut envahie par la mer Champlain qui, en se retirant lentement au fur et à mesure du relèvement, déposa des argiles entre les arêtes de till glaciaire, puis des sables à plusieurs endroits. Ces deux événements géologiques, glaciation et submersion, ont conféré à la région la plupart de ses caractéristiques de surface (2).

Dans l'ensemble, les sols de l'île sont parmi les meilleurs de l'est du Canada. Ceux qui reposent directement sur les tills calcaires ou sur une couche intermédiaire de matériaux alluvionnaires, comptent pour environ 72 % de la superficie. Ils sont humifères à souhait et la teneur en calcium est forte. On distingue une grande variété de ces terres franches, certaines pierreuses qui ont l'avantage de s'égoutter plus facilement, d'autres à texture fine, moins poreuses. Vingt pour cent recouvrent un lit d'argile ou des alluvions plus ou moins sableuses ou limoneuses qui tapissent ces argiles. C'est dans ce groupe que se trouvent les terres les plus lourdes, celles où l'égouttement de surface est lent et les capacités d'infiltration très faibles. Des terres noires composées de dépôts organiques couvrent des fonds marécageux sur 7 % de la superficie totale (3). Hormis ces dernières parcelles, dispersées dans le centre de l'île et dans la dépression de la Pointe Saint-Charles, et quelques îlots sablonneux et pauvres au sud-ouest, ce sont des sols qui conviennent à la culture des grains et des herbages. Comparée à la plaine du sud, encore plus mal égouttée, et aux établissements qui longent le fleuve en aval où les sols sont généralement pauvres, l'île de Montréal est favorisée (4). Mais presque toutes ses terres exigent un lourd train de charrue et des travaux d'assainissement onéreux.

Le relief, si faible soit-il, contribue cependant ici et là à drainer les sols, particulièrement sur les bat-flanc de la Mon-

(2) Raoul Blanchard, *Études canadiennes. L'Ouest du Canada français. Montréal et sa région* (Montréal, 1953); P. Lajoie et R. Baril, *Les sols de l'île de Montréal, de l'île Jésus et de l'île Bizard* (Ottawa, 1956).

(3) En 1664, Pierre Boucher mentionne ces terres noires de Montréal et note leur aptitude pour la culture des melons et des oignons (*Histoire véritable et naturelle des mœurs et productions du pays de la Nouvelle-France, vulgairement dite le Canada*, Société historique de Boucherville, nᵒ 1, 1964, p. 23). Longtemps négligées, ces terres bien égouttées furent employées heureusement pour les cultures maraîchères au XXᵉ siècle.

(4) Immédiatement après le défrichement, les colons obtenaient de beaux rendements dans les terres pauvres et sablonneuses du bas du fleuve, avec un minimum d'effort. Les avantages de Montréal n'apparaissaient qu'avec le temps et moyennant les améliorations indispensables.

tagne où s'établirent les premiers colons. L'emplacement choisi pour la ville est un lambeau de basse terrasse dominant le fleuve de 13 à 15 mètres et isolé par un ravin où coule le ruisseau Saint-Martin. Au delà du talweg et du prolongement de ce premier palier, une pente raide mène à une terrasse surélevée de 45 mètres après laquelle s'élève le Mont-Royal tronçonné en trois bosses, dont la masse occupe une superficie de 3,8 km^2. Le site n'avait aucune qualité défensive, mais il offrait un accès immédiat au fleuve sans encourir le risque des inondations printanières. C'est sur ces deux terrasses, dans l'emplacement même de la ville d'abord et sur les coteaux avoisinants, que l'on fit la première agriculture, mais dès que les habitations commencèrent à s'éloigner à l'est et à l'ouest, des problèmes de drainage se posèrent. Il y a plusieurs petits cours d'eau dans l'île, la plupart intermittents, qui se gonflent au printemps ou après une forte pluie et ne sont plus que coulées marécageuses le reste du temps. Il suffit d'une faible dépression pour donner naissance à ces grandes mares d'eau que les habitants nomment « lacs » et, ici et là, les digues bâties pour les castors concourent à retenir les eaux. Ce sont autant de futures « mouillères » ou « prairies noyées », dont les habitants tentent de tirer parti pour les herbages (5). La rivière Saint-Pierre, qui descend depuis Lachine vers le nord-est, captant au passage le ruisseau Saint-Martin, rendit quelques services malgré ses caprices saisonniers. Si le projet de canal navigable échoua, la rivière approfondie permit d'égoutter les habitations riveraines et de faire fonctionner deux moulins. Mais dans l'ensemble toutes ces eaux, celles trop violentes qui l'entourent et celles trop lentes qui la traversent, n'offraient guère de force motrice. On construisit surtout des moulins à vent pour desservir la ville, les paroisses de Lachine, Pointe-aux-Trembles, Rivière-des-Prairies et Sainte-Anne (6). Avant

(5) Les premières descriptions des terres confondent souvent prairies et marécages. Les termes « mouillères » et « prairies noyées » apparaissent concurremment dans les textes. Voir les déclarations pour le terrier de 1966, APC, M. G. 17, A 7 2, 3, vol. 2, *passim*. Pour une référence au travail des castors, voir l'acte du 29 novembre 1701, M. not., A. Adhémar.

(6) Soit le moulin du fort ou du château et celui du coteau Saint-Louis construits avant 1657 (M. not., Basset, 10 janvier 1658); le moulin Sainte-

que les seigneurs réussissent à endiguer la rivière des Prairies et à aménager la rivière Saint-Pierre au XVIIIᵉ siècle, les quelques moulins à eau immobilisés en hiver et en été furent de piètres investissements.

Située entre les 74° et 73° 30 de longitude ouest et les 45° 25 et 45° 40 de latitude nord, l'île de Montréal jouit d'un climat plus favorable que le reste de la colonie, mais les difficultés et les dépenses occasionnées par les fortes amplitudes saisonnières sont aussi grandes qu'ailleurs. Pour remplacer les quatre saisons traditionnelles de nos anciens manuels calqués sur la réalité européenne, les géographes divisent l'année en trois périodes qui, à Montréal, comptent chacune quatre mois : gélivale, culturale et transitoire (7). L'hiver va de décembre à mars. La température moyenne varie de — 17° centigrades avec des chutes brusques. Le temps est sec et généralement supportable, à la condition d'être convenablement vêtu, logé et bien nourri. L'adaptation de la construction rurale française à ce climat excessif fut un long processus, ralenti par la pauvreté initiale des colons. Leurs cabanes, voire les premières demeures des communautés et des gens aisés, n'offraient aucune protection contre le froid (8). Il faut nourrir les bêtes à l'étable presque jusqu'à la fin d'avril. C'est le mois des hésitations thermiques, la période la plus critique et la plus dommageable aux terres et aux bâtiments. Les dégâts

Anne à la Pointe Saint-Charles (*ibid.*, A. Adhémar, 12 septembre 1703 et Raimbault, 19 juillet 1707); de Lachine bâti en 1670 (*ibid.*, Basset, 11 juin 1670); de la Pointe-aux-Trembles construit vers ces mêmes années (*ibid.*, 5 avril 1677); de la Rivière-des-Prairies (*ibid.*, Raimbault, 22 février 1707) et en haut de l'île (*ibid.*, Basset, 19 août 1686); soit tous les moulins à vents bâtis au cours du XVIIᵉ siècle dont les rendements, bien que très aléatoires, sont jugés meilleurs que ceux des deux ou trois moulins à eau.

(7) Louis-Edmond Hamelin, *Le Canada*, pp. 12 *sqq*.

(8) Les premiers temps, les religieuses de l'Hôtel-Dieu mangent leur pain rôti pour le dégeler et la glace se forme dans les cruchons sur la table au bout d'un quart d'heure (Sœur Marie Morin, *Annales de l'Hôtel-Dieu de Montréal*, p. 122). Les Sulpiciens n'ont qu'une seule chambre chauffée où une dizaine de prêtres se tiennent ensemble pour lire et travailler (Lettre de M. de Bretonvilliers, 17 mars 1676, ASSP, vol. XIII, pp. 3-36). Quant au carré de pieux des colons sans plancher ni cheminée, il ne protégeait guère que de la neige (voir *infra*, chap. IV, § 1).

sont modérés lorsque la neige a précédé les grands froids du début de l'hiver et empêché le sol de geler en profondeur. Il est alors capable d'absorber les eaux de la brusque fonte et fait provision pour la saison sèche. Des hivers à neige tardive font pénétrer l'onde de gel à plus d'un mètre et l'infiltration se fait mal. Alors les campagnes ruissellent, les constructions de bois pourrissent plus qu'à l'ordinaire, les fondations les plus solides bougent et les chemins ne sont que bosses et bourbiers. Toutes les constructions sont de courte durée en ce pays. Les quelques demeures, les caves et les cheminées faites de ces moellons du pays, calcaire noir et compact pourtant de bonne qualité, donnent tôt des signes de lassitude et tout ce qui est en bois, granges, étables et la grande majorité des maisons, est décrit « en ruine » ou, au mieux, « menaçant ruine ». La « maison neuve » qui emporte les plus hautes prisées n'a généralement pas franchi son premier dégel. L'eau s'écoule mal dans les rues de la ville et les bœufs s'enlisent dans les chemins ruraux, construits et entretenus à coup de corvées imposées aux riverains, mais qui restent généralement impraticables pour les charrettes (9). C'est pourquoi les charrois sont reportés à l'hiver autant que faire se peut. En d'autres saisons, partout où les rapides ne dressent pas un obstacle infranchissable, les fourrages et les grains qui doivent être apportés à la ville sont chargés dans des embarcations qui longent les rivages. Tous ces dommages saisonniers représentent un lourd fardeau pour ces communautés naissantes, en temps perdu et en dépenses improductives (10).

Jusqu'à la fin du mois de mars, c'est l'hiver, et vers le 15 avril, on sème les pois, puis le blé dix à quinze jours plus

(9) Ordonnance de Duchesneau, 27 août 1680, ASSM (copie Faillon H 593-594), et celle de Raudot, 22 juin 1706, *Edits, ordonnances Royaux, II.*

(10) A peu de choses près, ces problèmes sont toujours les mêmes dans le Québec : les toits à refaire, les maisons « qui travaillent », les poutres qui flanchent, les routes et les rues impraticables, autant de dommages qui se répètent chaque printemps et engouffrent une large part du capital national. Que les méthodes du XVIIe siècle n'aient pas pu empêcher la « taudification » accélérée, voilà qui ne doit pas nous étonner, mais qui n'empêchait pas les propriétaires et les administrateurs de blâmer les maçons et les charpentiers.

tard (11). Pour les grandes cultures, les gelées ne sont déjà plus à redouter (12). C'est dès lors l'été, l'éclosion des moustiques, un fléau que les observateurs contemporains n'ont jamais manqué de souligner et dont cette île non déboisée, parsemée d'étangs et de ruisseaux chétifs qui favorisaient la reproduction, était particulièrement infestée (13). Les habitants comme les coureurs de bois avaient sans doute appris des Indiens à s'enduire le corps de graisse d'ours. Les maisons des colons comptaient peu ou pas d'ouvertures et, le cas échéant, ils les bouchaient avec du papier ou une pièce de cuir parcheminé qui laissait passer une lumière jaune et avare, mais protégeait des insectes (14). Pendant quatre mois, il fait ordinairement chaud et on compte plusieurs périodes de temps tropical, débilitant, de longs intervalles de sécheresse. Les pertes hydriques sont importantes, ce qui résout une partie des problèmes de drainage sans doute, mais risque plus souvent de compromettre les cultures. La maturation des plantes est précipitée. Les foins sont coupés en juillet ; à la fin d'août, parfois plus tôt, commencent les récoltes. Seuls les mois d'automne pouvaient rappeler à ces hommes de l'Ouest les jours tièdes, les pluies fréquentes et douces, le temps uni de leur pays.

L'île était couverte d'une forêt opulente composée surtout d'arbres à feuilles caduques, ce qui ne manquait pas d'étonner et de ravir les visiteurs qui avaient longtemps côtoyé en remontant le fleuve des forêts de type boréal ou mixte avec majorité de conifères. Le chêne dominait sur les coteaux autour de la Montagne, avec le merisier, l'orme, le noyer. Les habitants utilisaient ces bois pour la menuiserie et la charpente. Les pièces équarries de chêne et de merisier étaient les matériaux les plus employés dans les premières décennies (15). On tirait

(11) Les vacances du tribunal de Montréal pour le temps des semences tombent entre la mi-avril et la fin mai.

(12) La saison certaine sans gel est de cent soixante jours.

(13) C. de Rochemonteix, *Relations par lettres de l'Amérique septentrionale, années 1709 et 1710*, p. 14.

(14) Les carreaux de verre, importés, sont réservés aux gens plus aisés.

(15) Deux ordonnances de l'intendant des 2 septembre 1670 et 17 janvier 1671, enregistrées au bailliage, interdisent d'abattre les chênes avant qu'ils n'aient été vérifiés par les cherpentiers du roi. Mais ces chantiers

aussi des planches et des madriers de ces colonies de grands pins qui peuplaient les endroits secs, dont les troncs droits et lisses sous les faîtes branchus s'élevaient à plus de vingt mètres du sol. Les érables, les peupliers, les hêtres et les bouleaux, bien que de haute futaie, servaient surtout de combustible avec les mélèzes, frênes, sapins et épinettes. Le thuya appelé cèdre, qui poussait dans les lieux humides, fournissait des pieux pour les palissades (16). Ces bois n'avaient rien de sauvage. Ils étaient naturellement aérés et on y circulait sans peine. Très tôt, il fallut les ménager, car un continent boisé est d'un piètre secours quand les réserves domestiques immédiates sont épuisées.

Les berges sont ordinairement couvertes de prés naturels partiellement inondés et les dépressions à l'intérieur de l'île sont aussi concédées pour servir de prairies. Ces herbes indéfinies, mélangées de joncs et de prêles, constituent sans doute une nourriture passable en été, du moins autant que la folle avoine et les chaumes, mais le foin qu'on en tire ne peut être que fort médiocre. Il fallut améliorer ces fonds et c'est là principalement que portèrent les efforts d'assainissement. Même en superficie, les prés naturels étaient d'ailleurs insuffisants et les habitants durent créer des prairies.

Ils trouvèrent des fruits sauvages qui devinrent plus abondants à mesure que les « déserts » s'agrandissaient (17). Le fleuve était poissonneux mais quelques années à peine après la fondation, les Montréalais consommaient de l'anguille salée importée de Québec, ce qui laisse croire que la pêche autour de l'île n'assurait pas leur subsistance. Tous les colons chassaient, mais il ne semble pas non plus que le produit ait été suffisant pour éviter la disette en ces premières années et encore moins lorsque l'île fut plus peuplée. « Ces sortes de biens

navals royaux n'eurent pas de suite et les règlements restent lettre morte. E.-Z. Massicotte, *Répertoire des arrêts.*

(16) D'après les descriptions des bâtiments dans les minutes notariales. Voir aussi Pierre Boucher, *op. cit.*, pp. 34-50; Jacques Rousseau, « La forêt mixte du Québec dans la perspective historique «, *Cahiers de géographie du Québec*, 13 (octobre 1962-mars 1963), pp. 111-120.

(17) Les groseilliers, framboisiers, fraisiers poussent sur la frange des défrichements, avec les « bleuets » ou myrtilles.

ont diminué », écrit une religieuse en 1697 (18). Mais la vraie raison, c'est que ces chasses sont saisonnières et qu'hors le temps des grandes migrations la faune résidante n'est ni abondante, ni facile à traquer. Au printemps et à l'automne, les canards, sarcelles, alouettes et pluviers abondent sur les berges et les îlets environnants. Les tourterelles viennent par milliers couvrir les hêtrières au début de l'été. Mais en hiver, la perdrix vaut plus cher que la volaille, l'orignal, aussi cher que le bœuf (19), et nous voyons deux habitants intenter des procédures pour la viande et la peau d'un orignal « qu'ils avaient levé » et que deux chasseurs plus vifs avaient tué, à croire que ce gros gibier est rare aux abords des habitations (20). Enfin, s'il est des temps où les bois n'offrent à peu près rien à manger, en d'autres saisons, particulièrement au moment critique de la soudure, il y a des viandes sur la table. Pour ces mangeurs de pain, toutefois, ça n'est sans doute qu'un pis-aller qui ne réussit pas à dissiper le spectre de la faim à chaque fois que les blés manquent.

Telles étaient les données initiales, le pays qu'il fallait « déserter ». Les hommes qui l'avaient parcouru et occupé au cours des siècles antérieurs n'avaient pas laissé d'autres traces qu'une grande clairière, naguère observée par Champlain (21), déjà cachée sous la repousse d'aulnes et de trembles lorsque les Français s'y installèrent.

(18) Sœur Marie Morin, *op. cit.*, pp. 121-122. Aussi C. de Rochemonteix, *op. cit.*, pp. 13-29.

(19) Soit en moyenne 8 s la livre pour la perdrix et 6 s pour le poulet; 4 s la livre de bœuf et d'orignal, (livre de compte de l'Hôtel-Dieu de Montréal).

(20) Le juge en fait deux quartiers pour contenter les plaideurs (procès-verbal du 19 mars 1695, bailliage, 2e série, registre 3, fo 255). Nous n'avons jamais rencontré de venaison salée ou fumée dans les inventaires après décès.

(21) H. P. Biggar, *The Works of Samuel de Champlain in Six Volumes* (Toronto, 1922-1936), vol. 2, p. 176.

CHAPITRE II

LA POSSESSION DU SOL

Celui qui regarde à vol d'oiseau le paysage rural du Québec d'aujourd'hui est frappé par l'uniformité des alignements et des superficies. Dans cette succession monotone de champs parallèles allongés, dans cet enchaînement ininterrompu de villages-rues, tout diffère des dessins embrouillés qui caractérisent les campagnes françaises. La même impression se dégage de la lecture des terriers et dénombrements canadiens du XVIIIe siècle : clarté du statut juridique des terres, grandes superficies, habitat dispersé, individualisme agraire. Partout où les anciennes campagnes n'ont pas été urbanisées, nous retrouvons à trois siècles de distance les traits du finage de la Nouvelle-France.

C'est une histoire toute proche, facile à reconstituer dans ses grandes lignes. En abordant les campagnes par le biais du statut juridique de la propriété, nous n'entendons pas donner à celui-ci priorité sur les conditions matérielles qui sollicitent avant tout notre intérêt. Mais au Canada, la seigneurie a précédé tout le reste. En 1640, l'île de Montréal est concédée à la Société de Notre-Dame à charge de foi et hommage, en toute propriété, justice et seigneurie, le tout conformément à la coutume de Paris (1). L'arrivée des premiers colons a lieu deux ans plus tard. Il s'agit donc au départ d'une abstraction, sans enracinement terrien, d'une institution qui

(1) La Société de Notre-Dame tient cette seigneurie de la Compagnie des Cent Associés, elle-même vassale du roi.

préside à la distribution des terres, mais qui ne marquera pas le sol de son empreinte. Parce que Montréal est une île, ses frontières naturelles coïncident avec le cadre seigneurial. C'est là un fait accidentel dans la colonie où partout, indépendamment du canevas des inféodations, les lignes de peuplement ont sans interruption suivi le fleuve, les rivières, longé les terrasses, collant à la terre, n'obéissant qu'aux impératifs de la topographie, de l'économie et de la sociabilité (2).

1. *Les acensements.*

A Montréal comme dans le reste de la colonie, l'acensement est le mode uniforme de concession (3). Entre 1648 et 1666, le gouverneur de Montréal, agissant au nom des propriétaires, distribue 111 terres et une trentaine d'emplacements « dans le lieu désigné pour la ville (4) ». Même en tenant compte des lenteurs du peuplement, une telle parcimonie étonne. Il semble que la Société accepte de démembrer son domaine avec une grande répugnance. Les sociétaires comprennent mal les réalités coloniales, présument de leurs capacités financières et des attraits que cette île enfoncée dans la sauvagerie peut avoir sur les immigrants éventuels. Veulent-ils créer au Canada une réserve immense avec juste ce qu'il faut de mouvance pour ne pas décourager les colons? Songent-ils à utiliser éventuellement la main-d'œuvre indienne? Quelles qu'aient été les intentions, elles n'ont pas de suite puisque, lasse de son entreprise et endettée, la Société de Notre-Dame fait donation de ses propriétés canadiennes au supérieur général du Séminaire de

(2) R. C. Harris, *The Seigneurial System in Early Canada*, p. 191.

(3) Cette forme de tenure, la plus répandue en France, fut introduite dès 1627 au Canada. Automatiquement, les champarts, tasques ou terrages étaient exclus de la colonie.

(4) Ce sont des actes sous seing privé, conservés dans les archives du Séminaire de Saint-Sulpice à Montréal. L'examen de toutes les transactions foncières de cette période montre que ce fut là la totalité ou la quasi-totalité des titres accordés. D'autres terres ont été occupées, mais sans titres. E.-Z. Massicotte, « Les premières concessions de terres à Montréal sous Maisonneuve, 1648-1665 », *MSRC* (1914), pp. 215 *sqq.*; APC, M. G. 17, A7, 2, 3, vol. 1., *passim.*

Saint-Sulpice de Paris qui prend l'affaire en main avec plus de réalisme (5). Les hésitations de cette première période avaient cependant créé une situation fort confuse.

Jusqu'en 1653, Montréal ne produit pas le nécessaire pour subsister. Les habitants sont enfermés dans un fort, craignent les embuscades des Iroquois et, dans l'ensemble, se soucient davantage du commerce des fourrures que d'agriculture. Pour établir la seigneurie, le gouverneur improvise un système de défrichement collectif qui va embrouiller pour longtemps le tableau de la propriété. Il offre aux engagés recrutés en 1653, à tous ceux qui suivront, aux volontaires et soldats, l'arrangement suivant : défricher et ensemencer un certain nombre d'arpents sur ce qui doit être le domaine et, en guise de gages ou de rétribution, jouir des fruits de leurs travaux aussi longtemps que pareille quantité de terre en pareil état de culture ne leur aura pas été concédée ailleurs (6). En cinq ans, il réussit ainsi à faire mettre 200 arpents en valeur et en 1662-1663, il passe de nouveaux marchés pour en ouvrir 400 autres (7). Quelques premiers habitants font la même promesse pour faire défricher leur habitation sans rien débourser. Mais en général les particuliers sont plus prudents et les marchés stipulent que le preneur jouira du revenu des terres nettoyées pendant une période déterminée sans autre rétribution ou compensation (8). L'avantage des seigneurs et des propriétaires est clair : ils n'ont rien à débourser, conservent le fonds et contractent une obligation qui ne peut à la longue que s'alléger. La clause de remplacement est évidemment irréalisable et les droits acquis par les défricheurs se transforment en effets

(5) E.-M. Faillon, *Histoire de la colonie française au Canada*, tomes II et III.

(6) Ce sont là les termes de l'ordonnance du gouverneur du 14 novembre 1662 (E.-Z. Massicotte, *Répertoire des arrêts*). Mais une lettre de Voyer d'Argenson du 4 août 1659 indique que la méthode est déjà en vigueur depuis quelques années (ASSP, copie Faillon X 141).

(7) En 1659, il y a 200 arpents labourables « dont la jouissance n'est pas entière à eux [la Société] parce que ces arpents ont été défrichés par des particuliers auxquels on a attribué la jouissance du travail qu'ils feraient... (*ibid.*).

(8) Marchés des 11 novembre 1657, 15 août, 5 octobre, 2 décembre 1659, 1er décembre 1662, 25 avril 1663 (M. not., Basset).

négociables qui passent de main à main. Celui qui, à l'époque de la pénurie, a acquis une créance de 150 à 180 l. pour un arpent mis en labour, ne détient plus qu'une promesse évaluée à 100 l. et rapidement à 40 l. seulement (9). La conjoncture joue en faveur du propriétaire qui a avantage à souffrir les occupants aussi longtemps que possible. Ceux-ci y gagnent immédiatement le statut « d'habitant », c'est-à-dire le privilège de faire la traite attaché à ces sortes de marchés (10). Pour recruter le plus de bras possible, les acensements sont réduits au minimum, à peu près interrompus en 1663 et 1664. Ceux qu'on obligeait ainsi à se contenter de droits en guise de titres durent se plaindre, car le Conseil de la colonie intervient en 1664 pour sommer les seigneurs de donner des terres aux personnes qui en font la demande (11). Dès lors, les acensements s'accélèrent. Mais le système a duré assez longtemps pour créer un tissu inextricable de « droits et actions » sur des lopins de terre enchevêtrés, là où nous nous attendions à trouver une répartition du sol progressive et cohérente (12). Les propriétaires des fonds ainsi morcelés cherchent appui auprès des tribunaux et des administrateurs pour pouvoir récupérer l'utilité de leurs parcelles sans rien débourser (13) et finalement, en 1676, le Conseil légifère en leur faveur (14). Les droits des anciens défricheurs sont éteints et chacun reprend son bien.

D'autres facteurs ajoutent à la confusion initiale : les terres

(9) Voir le procès-verbal du procès entre Jobar et Charles Lemoyne à ce propos, 10 novembre 1662, bailliage (copie Faillon KK 292). Pour diverses transactions sur ces droits, voir les actes des 5 novembre 1658, 18 février, 4 mars et 24 août 1675, 20 février 1676, etc. (M. not., Basset). Sur le mouvement des prix, voir *infra*, chap. VI, § 2.

(10) Parfois, même l'affranchissement est lié à l'acceptation d'un tel marché (acte du 1ᵉʳ mars 1663, M. not., Basset).

(11) Arrêt du 18 juillet 1664, APC, M-1654, section III, nº 1.

(12) On va même jusqu'à bâtir sur la terre d'autrui (17 juin 1649, M. not., Saint-Père). Il n'est pas rare de rencontrer un colon qui détient des droits sur un arpent de la terre de A, un autre sur la terre de B et une cabane sur la terre de C.

(13) Procédure entre Jean Leduc et M. Hurtebise, 1688 (bailliage, 2ᵉ série, registre 1), portée en appel au Conseil souverain, 17 janvier 1689 (*JDCS*, vol. 3).

(14) Ordonnance de police générale du 11 mai 1676, dans E.-Z. Massicotte, *Répertoire des arrêts*.

acensées ne sont pas arpentées et plusieurs colons, las d'attendre une propriété, s'installent ici et là en squatters. A partir de 1666, les Sulpiciens tendent de remédier à cette anarchie en ordonnant d'abord la confection d'un papier terrier (15), en comblant les vides dans les quartiers déjà établis, en ouvrant méthodiquement de nouveaux quartiers pour satisfaire à toutes les demandes. Vers 1680, ils commencent à passer tous les baux à cens devant notaire (16). Comme ailleurs dans la colonie, les seigneurs donnent des « billets de concession ». Il s'agit d'un droit de préemption sur une terre donnée, qui précède l'obtention du titre définitif. En principe, le délai entre la remise du billet et le bail à cens serait une période probatoire. Le colon commence la mise en valeur et témoigne ainsi de son intention de s'établir. Sans véritable titre de propriété, il serait en même temps empêché de vendre la terre avant qu'elle ne soit défrichée, conformément aux ordonnances. Mais, en réalité, nous n'observons rien de tel. D'une part, il arrive que les habitants vendent leur droit de préemption et, d'autre part, nous constatons que la plupart des terres vendues dans l'année qui suit l'acensement ne portent aucuns travaux. Il est difficile de croire que ces vendeurs, et ils sont fort nombreux, ont subi le délai probatoire et si le billet ne remplit pas ses fins, continue-t-on à l'utiliser systématiquement (17)?

Sous la gestion attentive des nouveaux seigneurs, l'ordre revient graduellement. Nous avons deux images claires de la répartition des censives. L'une en 1697, d'après le livre des tenanciers; l'autre, plus complète, en 1731, lorsque le Séminaire obtient de grands sceaux en chancellerie pour forcer les habitants à faire leur reconnaissance (18). L'examen de ce dernier document, par la suite régulièrement tenu à jour, dans lequel revient

(15) Ordonnance de l'intendant, 1er novembre 1666, dans P.-G. Roy, *Ordonnances, commissions, etc.*, I, p. 47.

(16) Entre 1665 et 1680 environ, il est impossible de connaître le mouvement exact des acensements car ces baux, sous seing privé, n'ont pas été conservés.

(17) Il y a plusieurs références éparses aux billets de concession, mais ces papiers n'ont pas été conservés et nous ignorons s'ils furent émis systématiquement.

(18) Livre des tenanciers, 1697-1708, ASSM; aveu et dénombrement de 1731, *RAPQ* (1941-1942), pp. 3-176.

souvent l'expression « paraît devoir », révèle le flottement des premières années. En 1731, les trois quarts de la superficie de l'île sont acensés, soit 1 047 terres et 487 emplacements dans la ville. La fraction restante est distribuée avant la fin du régime français. Les Sulpiciens ont gardé trois grands domaines, 2 800 arpents au total, ce qui, avec une forêt de quelque mille arpents, ne représente pas 3 % du territoire seigneurial. Rien ne les empêchait de doubler, de quintupler leur réserve, si ce n'est l'obligation de la mettre en valeur (19). Mais les conditions économiques propres à l'Amérique, le rapport homme/terre démesurément favorable, aggravées par les problèmes de cette colonie située à l'écart des grands trajets atlantiques, limitent la propriété, n'encouragent pas la spéculation.

Ce qu'il faut retenir avant d'aborder le fonctionnement du régime seigneurial à Montréal, c'est que ces censives « en bois debout » n'ont aucune valeur vénale. Les prisées d'immeubles sont là pour nous le rappeler. En 1660, une terre de 30 arpents est évaluée comme suit : 10 arpents à la charrue, 1 500 livres ; 5 arpents à la pioche, 500 livres ; 4 arpents de prairie, 400 livrss ; 4 arpents de bois abattu, 40 livres et 7 arpents complantés, « de nulle valeur » (20). Seul le travail est source de valeur et pendant cinquante ans rien ne vient obscurcir cette donnée fondamentale (21). C'est sur ce néant économique qu'il faut greffer un système qui s'est nourri pendant des siècles de finages exigus, limités et convoités. Dans ces conditions, il n'est pas sans intérêt d'observer l'évolution de la seigneurie transplantée en Amérique.

(19) A la suite de la publication de Marcel Trudel, *Le régime seigneurial*, (Ottawa, 1956), les manuels présentent la seigneurie canadienne comme un instrument de peuplement, ce qu'elle n'a jamais été. Les ordonnances qui obligent les seigneurs à concéder des terres sous peine de perdre leur fief ne sont pas appliquées. Il n'y a pas d'alternative à l'acensement à partir du moment où les hommes sont libres. Il faut d'abord créer un certain réservoir de main-d'œuvre sur la seigneurie avant d'en tirer des fermiers pour le domaine.

(20) Inventaire après décès de B. Juillet, 20 juin 1660, M. not., Basset.

(21) A la fin du XVIIᵉ siècle, les terres incultes sont vendues à 2 livres l'arpent, ce qui correspond au principal des cens et rentes seigneuriaux dont elles sont grevées. Une rente artificielle détermine la valeur, ce qui est intéressant. Une terre non défrichée avantageusement située dans un quartier habité, vaut davantage. Voir les ventes des terres de la Côte-des-Neiges, 1699-1700, M. not., Raimbault et A. Adhémar, *passim*.

2. L'évolution des droits seigneuriaux (22).

a) les droits réels fixes.

Les premières terres ne devaient pour toute redevance fixe qu'un cens portable de trois deniers par arpent, c'est-à-dire un droit dérisoire (23). La tentative de la Société de Notre-Dame pour introduire dans les baux une sorte de transposition de la mainmorte réelle fut limitée et de courte durée, mais l'initiative est curieuse et mérite d'être relevée (24). Dans 5 contrats, nous relevons les clauses suivantes : le preneur est tenu de faire sa résidence dans l'île de Montréal « en défaut de quoi et d'une absence de deux années consécutives, il ne pourra plus prétendre aucun droit de propriété sur les terres concédées... ». Il lui est également défendu de vendre sa terre, en totalité ou en partie, sans la permission de son seigneur. La servitude porte sur la terre mais rejaillit sur la personne, et ces baux insolites sont immédiatement dénoncés. Le Conseil de la colonie intervient pour interdire l'usage de pareilles contraintes à l'avenir et libérer les cinq colons qui s'étaient laissés prendre (25). Les autres baux consentis par la Société n'exigent rien au delà du cens symbolique et des profits ordinaires inhé-

(22) Nous reprenons, dans les pages qui suivent, quelques éléments de notre étude : « L'évolution du régime seigneurial au Canada. Le cas de Montréal aux XVIIe et XVIIIe siècles », *Recherches sociographiques*, XII, 2 (mai-août 1971), pp. 143-183.

(23) Les premiers taux de Montréal sont à peu près identiques à ceux des acensements de l'abbaye de Saint-Germain-des-Prés du XVe et début du XVIe siècles, époque où le rapport homme/terre était presque aussi favorable que dans la colonie. (Yvonne Bézard, *La vie rurale dans le sud de la région parisienne de 1450 à 1560* (Paris, 1929), p. 93.) Voir aussi l'acensement des forêts d'Orléans à la fin du XVIe siècle et début du XVIIe, à huit et douze deniers l'arpent (Georges Lefebvre, *Études orléanaises. Contributions à l'étude des structures sociales à la fin du XVIIIe siècle*, p. 36).

(24) Nous faisons le rapprochement avec les exemples cités par P. de Saint-Jacob, *Les paysans de la Bourgogne du Nord au dernier siècle de l'Ancien Régime* (Paris, 1960), pp. 38-40.

(25) Voir les contrats de Milot, Tailhandier, Saint-Père, Gadois, Prud-homme et Richaume passés entre 1648 et 1650, APC, M.G.17, A7, 2, 3, vol. 1.

rents. Or vers 1666, un nouveau droit qui n'est pas proprement seigneurial, la rente, est juxtaposé au cens. Celui-ci est légèrement augmenté et la nouvelle redevance est stipulée en nature, chapons au début, puis en blé froment (26). Pour prévenir toute contestation éventuelle sur le bien-fondé de cette rente, les seigneurs songent à la joindre au cens *in confuso*. Elle devient aussi imprescriptible que le cens avec lequel elle est confondue (27). Enfin, au début du XVIIIe siècle, les contrats stipulent que ces droits sont indivisibles « afin que le seigneur puisse se faire payer de sa redevance solidairement au lieu que fixant le cens à six ou douze deniers pour chacun arpens comme on a fait, lorsque les héritages d'une concession se diviseront à plusieurs par ventes ou partages, le seigneur ne pourra prétendre contre chacun possesseur qu'autant de six ou douze deniers qu'il possédera d'arpens de terres, ce qui diviserait les cens qui doivent être indivisibles » (28).

Nous observons depuis 1666 et jusque dans le premier quart du XVIIIe siècle, une lente augmentation des taux des redevances. (29). Le procureur de la communauté écrit : « L'on ne voit rien qui puisse empescher le Séminaire de charger les héritages de telles redevances que les parties voudront accorder (30). » Mais finalement, « l'usage du pays », créé graduellement par la popu-

(26) Aux charges de payer auxdits seigneurs en leur maison 6 deniers tournoys de cens par chacun an pour chacun arpent... comme aussi payer et bailler 3 chapons de rente. Contrat de concession du 2 décembre 1667, ASSM (copie Faillon DD 267). « Il est important de réduire en bled autres grains ou volailles les cens et rentes de toutes les concessions qu'on accordera ou renouvellera (...). L'intérêt des seigneurs en cela est qu'ils se feront un revenu qui augmentera probablement toujours de plus en plus à mesure que l'argent se multiplie, comme l'expérience l'apprend à tous les seigneurs de terres en France. » (Lettre de M. Magnien, 5 avril 1702, ASSP, vol. XIV, p. 412.)

(27) Lad. terre chargée de 1 livre 10 s. en argent et de 1½ minot de blé froment par chaque vingt arpens, le tout de cens et rente seigneuriale foncière et non rachetable. Concession du 5 novembre 1750, M. not., Danré de Blanzy.

(28) Lettres de Messieurs Leschassier et Magnien, 5 avril 1677 et 5 avril 1702, ASSP, vol. XIII, p. 74 et vol. 14, p. 412.

(29) La moyenne dans le quartier Saint-Joseph devrait être trois deniers et non dix. Ces terres reçurent des augmentations à un taux supérieur et plusieurs durent prendre « titre nouvel ».

(30) Réponse à un mémoire du Canada, APC, M-1584, p. 88.

lation, vient plafonner les ambitions seigneuriales (31). Celles-ci se heurtent à la force obscure et passive de la collectivité. Les habitants sont de très mauvais payeurs et les seigneurs ont toutes les peines du monde à obtenir une dizaine de livres de cens et rentes. « Je comprends assez l'embarras que vous doit

TABLEAU 27.

Évolution des redevances seigneuriales
dans trois quartiers de l'île de Montréal (1654-1731).

Quartiers	Saint-Joseph	Saint-Martin	Saint-Michel
Dates des concessions ..	1654-1662	1665-1670	Vers 1700
Nombre d'habitations en 1731	16	11	51
Superficie moyenne par habitation	76 arpents	85 arpents	83 arpents
Moyenne des cens et rentes par habitation ...	3^l. 4^s 6^d	7^l. 6^s 7^d	8^l. 9^s 9^d
Moyenne des cens et rentes par arpent de superficie	10^d	1^s 8^d	2^s

Source : Aveu et dénombrement de la seigneurie de Montréal de 1731. *RAPQ* (1941-1942), pp. 3-176. Nous évaluons le chapon à 15 sols et le minot de froment à 50 sols, prix moyen entre 1667-1731.

causer la multiplicité des redevances et débiteurs. Et la peine qu'on a destre payé de ce qu'ils doivent, écrit le procureur de Saint-Sulpice, mais c'est un mal commun à tous ceux qui ont des biens-fonds; en France comme en Canada il est toujours vray de dire que terre a guerre a; il faut prendre patience et tirer des mauvais payeurs ce qu'on peut (32). » Il faut renoncer à

(31) F.-J. Cugnet, *Traité de la Loi des Fiefs qui a toujours été suivie en Canada* (Québec, 1775), p. 44. Notons qu'il s'agit là d'un ouvrage fondamental sur ces questions. L'auteur, lui-même seigneur, écrit à l'intention des occupants anglais pour les aider à tirer parti des seigneuries qu'ils acquièrent.

(32) Lettre de M. Magnien, 6 juin 1723, APC, M.G.17, A7, 2, 1, vol. 2, p. 735.

augmenter les charges au delà d'un seuil incontestablement bas, dont nous ne devons pas cependant exagérer l'insignifiance, car sur des terres qui ne sont pas encore productives, pour des défricheurs endettés de toute part, ces droits sont relativement lourds.

Les seigneurs concèdent aussi des pâturages communs. Puisque la seigneurie est au Canada extérieure et antérieure à la communauté, ce ne sont que des censives soumises à une redevance nominale et à tous les autres droits seigneuriaux ordinaires, y compris celui de les retirer en partie ou en totalité. Il faut distinguer entre les « communes » que reçoivent individuellement les habitants des côtes non groupés en corps, moyennant un cens léger ajouté dans les contrats de concession (33), et celle qui est acensée à la communauté des habitants de Ville-Marie. Celle-ci a la charge d'administrer, de régler les droits d'usage entre les différentes catégories d'habitants, d'engager des vachers, etc. Mais elle n'a pas le droit d'aliéner ses biens et cette propriété précaire a toutes les apparences d'un simple usufruit (34).

b) *les droits réels casuels.*

Les droits perçus sur les mutations de censives sont les mêmes que dans la grande majorité des provinces françaises, soit un douzième du prix de vente. Ils sont rigoureusement perçus et représentent une partie importante du revenu seigneurial, peut-être 25 % (35). Les acheteurs qui acquittent les lods dans les vingt jours suivant la vente et paient comptant bénéficient d'une remise du quart. Les procédures sont entreprises contre les retardataires sitôt le délai de quarante jours écoulé (36).

(33) R. C. Harris, *op. cit.*, p. 71.

(34) Voir *infra*, quatrième partie, chap. I, § 4, au sujet de la communauté des habitants.

(35) D'après l'état des biens et charges du séminaire, 1701 (copie Faillon R 612), document que nous citons sous toutes réserves. La plupart des transactions portent sur des terres à peu près non travaillées. Ce sont donc de très petits profits pour les seigneurs, mais ils s'accumulent. Les ventes de propriétés urbaines composent le plus clair du revenu casuel.

(36) M. Magnien, 6 juin 1716 et 10 avril 1720, APC, M. G. 17, A7, 2, 1, vol. 2, pp. 497 et 614. Les droits de mutation sont dus non seulement sur les

Ces droits sont doublés à partir de 1704, des « droits d'échange » prélevés au même taux sur tous les échanges d'immeubles. Ce type de contrat est fréquent au Canada et peut-être servait-il à camoufler des ventes et à éviter ainsi le paiement des lods. Les Sulpiciens réussissent à se faire octroyer les droits d'échange par lettres patentes, sans finance, et contrôlent ainsi la totalité des mutations (37).

Les seigneurs de Montréal sont en même temps décimateurs, toutes les cures de l'île étant réunies au Séminaire. Les dîmes avaient d'abord été fixées par l'évêque en 1663 à la treizième gerbe dans l'ensemble de la colonie, taux excessif en pays de colonisation que les administrateurs royaux ramenèrent quatre ans plus tard à la vingt-sixième partie de tous les grains recueillis (38). On accorde une exemption aux défricheurs sur les cinq premières récoltes. La dîme au Canada a ceci de particulier qu'elle n'est pas prélevée sur le champ comme en France. En l'absence de cures fixes dans la majeure partie des campagnes

ventes proprement dites mais sur les baux à rente foncière amortissable, les rentes viagères, les dations en paiement, les ventes entre père et fils avant le partage d'un héritage indivis, etc. Les seigneurs attachent autant de soin à percevoir ces droits que les censitaires à les éviter. Coutume et commentaires en main pour s'assurer de leur bon droit, ils réclament les lods sur les cessions entre cohéritiers qui pèchent par la forme, les donations entre vifs, sur les épingles qui s'ajoutent au prix de vente, sur les ventes déguisées en locations. Voir les nombreuses discussions sur ces droits dans *ibid.*, vol. 1, p. 315 et vol. 2, pp. 498-500 et 690; *ibid.*, M-1584, nº 77.

(37) Par des édits successifs, Louis XIV a créé ces nouveaux droits dans l'étendue de ses directes et il permet aux seigneurs du royaume de les prélever sur leurs terres à la condition de lui en payer finance, si ces droits d'échange sont contraires à la coutume. Les Sulpiciens les obtiennent gratuitement à titre d'indemnité pour avoir cédé leur justice au roi. *Œuvres de Pothier*, vol. 9, p. 764; F. de Boutaric, *Traité des droits seigneuriaux et des matières féodales* (Nismes, 1781), pp. 140-141 ; M. Marion, *Dictionnaire des institutions de la France aux XVIIe et XVIIIe siècles*, 2e édition Paris, (1969), p. 195.

(38) Ordonnance du 23 août 1667, P.-G. Roy, *Ordonnances, commissions, etc.*, I, p. 70. La dîme n'a jamais été prélevée au treizième à Montréal mais, en août 1668, une assemblée des habitants convenait de lever la dîme de froment et d'avoine à la 21e gerbe. On dut revenir sur cette décision car le taux est uniforme, 1/26, sur le froment, l'avoine, les pois et le maïs. APND, cahier A, p. 42. L'allégement n'est prévu que pour vingt ans seulement mais, malgré les pressions des évêques, le Conseil souverain va maintenir ce taux de façon définitive. Arrêt du 18 novembre 1705, *Édits, ordonnances Royaux*, II.

durant tout le XVIIe siècle, et pour diminuer les coûts de perception, on exige que l'habitant déclare le produit brut de sa récolte, réserve lui-même la partie décimable et la porte au receveur une fois battue et vannée. La méthode ouvre la porte toute grande à la fraude et aux poursuites devant les tribunaux. Enfin le taux de la dîme canadienne (3,8 %) est modique et beaucoup moins généreux que celui des dîmes novales qui sont prélevées dans la métropole (39).

La Société de Notre-Dame et les Sulpiciens concédèrent quelque quatorze arrière-fiefs dans l'île de Montréal entre 1658 et 1680. Les vassaux sont des communautés religieuses et des officiers militaires. Ces terres hommagées sont de petites dimensions, rarement plus du double d'une censive et la plupart situées dans des endroits stratégiques pour protéger l'île des invasions. Ces traits militaires et essentiellement féodaux s'estompent rapidement, surtout avec l'arrivée et le maintien d'une armée royale régulière dans la colonie. Les seigneurs tentèrent dès lors de se débarrasser de ces enclaves qui sont une source de tracas et ne produisent rien. Les marchands qui les achètent sont généralement heureux d'accepter la mise en roture et d'échapper ainsi au droit de quint. Seuls les couvents s'accrochent à leurs fiefs. En 1731, il n'y a plus que six vassaux laïcs et en 1781, deux seulement.

c) *les droits personnels — les monopoles.*

Les seigneurs de Montréal exercèrent le droit de haute justice, non seulement dans leur territoire, mais sur toute l'étendue du gouvernement, puisque ce privilège ne procède pas essentiellement de la propriété foncière. Cédant de guerre lasse aux pressions de l'État, ils abandonnent ces grands pouvoirs en 1693 (40) et ne gardent que la basse justice, essentiellement le droit de connaître de la censive, l'instrument principal qui assure les

---

(39) Le taux de la dîme atteint souvent 8 et 10 % dans les campagnes françaises; celui de la dîme novale varie entre 2 1/2 et 3 % et, au XVIIIe siècle, il y aura exemption totale pendant vingt ans.

(40) Voir *infra*, quatrième partie, chapitre 1, § 3.

rentrées et l'observance des règlements. Ils veillent soigneusement à éviter la prescription. L'action par commandement, ou mise en demeure de payer signifiée au domicile du débiteur, est la procédure la plus communément utilisée (41), avec l'action par opposition à l'occasion d'une saisie par un tiers, plus subtile. La politique des seigneurs est marquée par la patience et la sagesse : éviter les plaidoieries, ne saisir qu'à la dernière extrémité, mais toujours tenir les débiteurs en haleine, arrêter leurs comptes régulièrement, faire signer des obligations pour consolider leurs arrérages (42). Tant qu'ils demeurent à la fois juge et partie, les intérêts de la seigneurie sont bien gardés (43).

Le droit de banalité est vigoureux au Canada. Un arrêt royal de 1686 hâtivement rédigé, a transformé ce droit personnel en droit réel, c'est du moins l'interprétation que les conseillers canadiens, tous seigneurs, lui ont donnée (44). Le droit de mouture fixé au quatorzième minot est plus élevé qu'il ne l'est ordinairement en France (45), ce qui est justifié par le coût de l'investissement initial et la lenteur des rendements dans les seigneuries peu peuplées. A la fin du XVIIᵉ siècle, il y a 5 moulins banaux dans l'île de Montréal, qui ne répondent pas à la demande. Problème technique d'abord : les moulins à eau ne tournent qu'au printemps et à l'automne, ceux à vent sont presque aussi capricieux. Ces moulins sont affermés, à moitié grains généralement, et ne rapportent qu'une faible rente. Les meuniers qui assument les menues réparations, qui doivent moudre gratuitement les grains des seigneurs, ont peine à exécuter les conditions des baux. Au début du XVIIIᵉ siècle, les seigneurs tentent de se décharger entièrement de la construction et de l'entretien des moulins dans les quartiers neufs, les moins

(41) F.-J. Cugnet, *op. cit.*, p. 42.

(42) Lettre de M. Magnien, 6 juin 1723, APC, M. G. 17, A7, 2, 1, vol. 2, p. 722.

(43) Après la Conquête, les administrateurs britanniques abolissent les justices seigneuriales. Les Sulpiciens et tous les autres propriétaires de fiefs restent désemparés. APC, M-1584, section 3.

(44) L'édit ordonne aux seigneurs de faire construire des « moulins banaux ». F.-J. Cugnet, *op. cit.*, pp. 36-37.

(45) D'après plusieurs études, il semble varier entre le seizième et le vingt-quatrième minot.

rentables, en cédant leur droit par bail à cens emphythéotique. Les moulins se multiplient et aussi les faillites des emphythéotes. Il y a 15 moulins dans l'île en 1731, mais leur nombre diminue bientôt et une exploitation plus rationnelle, des améliorations techniques assurent une rente substantielle. La banalité a toujours été considérée comme une contrainte détestable par les censitaires. La mauvaise répartition des moulins sur le territoire, les lenteurs du service, les préférences qui les accentuent (46), les chicaneries, les taux de mouture artificiellement maintenus ne cessent d'être dénoncés et les fermiers ont fort à faire pour empêcher les habitants de porter leurs grains dans quelques moulins situés hors de la seigneurie, plus facilement accessibles par voie d'eau. Les grains moulus en fraude sont confisqués (47).

Le droit de chasse n'est pas exercé, ce qui ne doit pas surprendre (48). Par contre, les seigneurs veillent jalousement sur la pêche, non seulement dans les ruisseaux de la seigneurie, ce qui va de soi, mais dans les eaux limitrophes navigables, privilège qui leur fut accordé spécifiquement en 1640. Ils exigent les droits de pêche à partir de 1678 (49) et s'efforcent de « créer l'usage » petit à petit en les affermant par portion. Ces baux ininterrompus « affermissent les titres » à la longue (50). L'habitant peut sans doute braconner et tirer des rivières ce qu'il faut pour les besoins de sa famille. Mais la pêche au filet, à des fins commerciales, est réservée aux fermiers seigneuriaux.

(46) Préférence aux blés achetés par le roi pour nourrir les troupes et préférence à tous les personnages importants.

(47) Ordonnance du baillif du 8 février 1672, bailliage, 1ʳᵉ série, registre 1 ; lettre de M. Leschassier, 18 mars 1705, ASSP, vol. XIV, p. 344 ; mémoire de 1717, APC, M-1584, nᵒ 86. Poursuites des 22 et 26 mars, 14 mai, 21 juin 1697, etc., bailliage, 2ᵉ série, registre 3 ; lettres de M. Magnien, 26 mars 1706, APC, M. G. 17, A7, 2, 1, vol. 2, pp. 355-366 et 496.

(48) Ce droit ne peut pas être affermé. Sans cela, peut-être aurait-on fini par tenter d'organiser le monopole.

(49) Ordonnance de l'intendant, 27 septembre 1678, APC, M-1584, nᵒ 32. Voir aussi le mémoire sur la gestion de la seigneurie, 1712-1713, *ibid.*, nᵒ 85 ; les baux divers, *ibid.*, section IV, nᵒˢ 21-22, et les procédures, nᵒˢ 80 et 83.

(50) *Ibid.*, nᵒ 85.

d) *les droits conventionnels — les servitudes.*

En plus de tous ces droits coutumiers, les seigneurs introduisent progressivement dans les contrats de concession diverses clauses qui restreignent davantage le droit de propriété. Le retrait roturier, ou droit de retenir la censive vendue en remboursant à l'acheteur dans les quarante jours le prix et les justes et loyaux coûts sans autre forme de procès, n'apparaît que vers la fin du XVIIe siècle à Montréal et est dès lors inséré dans tous les baux (51). Le droit n'est pas prévu par la coutume de Paris mais en vigueur un peu partout au Canada et les intendants, après l'avoir dénoncé, finissent par l'entériner (52). Ainsi, les seigneurs peuvent spéculer sur la mauvaise foi des censitaires qui fraudent sur les lods et racheter les fonds pour une fraction de leur valeur. Les Sulpiciens s'en servent aussi pour empêcher les terres de tomber en mainmorte (53).

La réunion des terres vacantes est l'unique recours des seigneurs contre ces soi-disant colons qui prennent une terre et l'abandonnent aussitôt pour courir les bois ou autres raisons (54). Ils reprennent les terres de ceux qui ne les défrichent pas ou peu et qui négligent de payer les droits seigneuriaux. Ils laissent les cas s'accumuler et périodiquement soumettent à l'intendant une liste de 20 à 30 noms accompagnés de certificats du curé et des voisins attestant l'absence. Il y a trois criées et trois mois pour se présenter, payer les arrérages de redevances et entreprendre la mise en valeur. Les seigneurs n'ont donc pas un pouvoir discrétionnaire en cette matière et ceux de

(51) Ce n'est pas une vaine convention, mais nous ne pouvons pas quantifier ces retraits qui n'apparaissent dans les actes qu'occasionnellement lorsque la terre est réancensée.

(52) Minutes des 10 novembre 1707 et 5 mai 1717, AC, G1, fo 462; F.-J. Cugnet, *op. cit.*, p. 20.

(53) Lettre de M. Magnien, 1705, APC, M. G. 17, A7, 2, 1, vol. 1, p. 342. Notons que le retrait ne sert pas, comme en Europe, à accroître la superficie des domaines, ce qui serait superflu. Voir L. Verriest, *Le régime seigneurial dans le comté de Hainaut du XIe siècle à la Révolution* (Louvain, 1956), pp. 172-173; Louis Merle, *La métairie et l'évolution de la Gâtine poitevine de la fin du Moyen Age à la Révolution* (Paris, 1958), pp. 52-56.

(54) La réunion des terres vacantes est institutionnalisée par l'arrêt du 6 juillet 1711 (*Édits, ordonnances royaux*, vol. 1, pp. 324-326). Elle était pratiquée par les seigneurs de Montréal depuis 1675.

Montréal s'efforcent d'être équitables. Mais il y a des cas litigieux, des héritiers et ayants droit qui, plus tard, sortent de l'ombre pour contester les titres du nouveau censitaire (55). Car ces terres sont reconcédées. Les seigneurs cherchent un autre tenancier qui accepte d'acquitter en entrant tous les arrérages de cens et rentes dont elles sont grevées et la valeur des travaux et des bâtiments, le cas échéant (56).

Au début de l'établissement, l'habitant, forcé de céder une partie de sa terre pour laisser passer un chemin public, était dédommagé ; mais non plus par la suite. Une autre clause ajoutée vers 1675 prévoit que sur chaque vingt arpents de censive, les seigneurs peuvent faire couper et enlever la quantité d'un arpent de bois pour leur usage, qu'ils peuvent prélever dans toute l'étendue de la censive les bois de charpente nécessaires pour construire les églises, presbytères, principal manoir, moulins, bâtiments et clôtures de leurs fermes et pour les ouvrages publics. Dans les deux cas, l'habitant n'est pas dédommagé (57). Plus tardive, la réserve des emplacements de moulins, ou droit qu'ont les seigneurs de reprendre à leur gré jusqu'à six arpents sur la censive pour y bâtir leur moulin en payant la valeur du fonds, illustre encore leur clairvoyance (58).

Il apparaît donc clairement que le régime seigneurial a évolué.

(55) Les terres sur lesquelles il n'y a que quelques abattis sont reprises sans autre formalité; les cas plus complexes sont examinés par l'intendant ou le juge, soit les terres qui portent des travaux, celles qui appartiennent à des mineurs ou qui sont grevées d'hypothèques. Voir les minutes du Conseil de la marine, 31 mars 1716, touchant quarante-huit habitations vacantes dans les seigneuries des Sulpiciens, AC, GI, vol. 462. Comme l'intendant ne demeure pas à Montréal, ces procédures sont lentes. Les seigneurs s'en plaignent et obtiennent en 1716 de se pourvoir devant les juges du lieu (BN, MSS fr., 23664, minutes des sessions du conseil de la Régence, 5 mai 1716; M. Magnien, 6 juin 1716, APC, M. G. 17, A7, 2, 1, vol. 2, pp. 480-501; procédures pour réunir environ vingt-cinq terres abandonnées, 1706-1708, APC, M-1584, nᵒˢ 57, 64 et 71.

(56) Requête des seigneurs au lieutenant général pour faire procéder aux estimations, 5 avril 1710, APC, M-1584, nᵒ 74.

(57) Voir le texte des baux à cens, minutes notariales, *passim*. Aussi les lettres de M. Magnien, 1ᵉʳ juin 1715 et 6 juin 1716, APC, M. G. 17, A7, 2, 1, vol. 2, pp. 455 et 494.

(58) Privilège confirmé par plusieurs jugements des intendants cités par F.-J. Cugnet, *op. cit.*, p. 52. La Commission d'enquête de 1843 rapporte correctement que les servitudes apparurent après 1711 (*Pièces et documents relatifs à la tenure seigneuriale* (Québec, 1852), tome I, p. 34).

Au début, les seigneurs bon gré mal gré se pliaient aux circonstances et n'exigeaient à peu près rien de ceux qui n'avaient rien. Mais à mesure que le peuplement et la mise en valeur progressent, le régime cherche à tirer parti de tous les droits conférés par la coutume, à leur ajouter quelques innovations locales. Plus rien n'est laissé au hasard; le contrat d'une page dans les débuts s'étale sur deux ou trois pages au XVIIIe siècle. Cette seigneurie est devenue rigide et envahissante et n'a guère à envier à l'institution française dans son ensemble. Et comme dans la métropole, le mouvement des redevances fixes ne traduit que faiblement un durcissement qui s'inscrit davantage dans l'application plus stricte des autres droits coutumiers, dans les droits conventionnels ajoutés peu à peu, soit l'accumulation progressive des obstacles au libre exercice du droit de propriété (59). Le cas de Montréal n'est pas exceptionnel dans la colonie et les habitants ne peuvent échapper pour longtemps à ces servitudes en allant s'établir ailleurs. Ils gagneraient peut-être, en s'éloignant des régions habitées et plus prospères, un répit de quelques années, là où le seigneur ne demeure pas sur sa terre et ne se soucie pas de percevoir de maigres rentes ni d'exercer ses privilèges. Mais ils renonceraient ainsi à la sécurité, aux commodités et services qui ne naissent qu'à partir d'une certaine densité de peuplement et, un jour ou l'autre, tous les engagements acceptés sur le papier deviendraient là aussi une réalité.

La recette des redevances est amodiée. En général, un même fermier prend à la fois la dîme avec les cens et rentes seigneuriales et foncières dans un quartier, par un bail variant entre trois et neuf ans (60). Selon les époques, il y a jusqu'à 4 ou 5 percepteurs dans l'île, petites gens plus ou moins honnêtes et solvables qui oublient souvent de régler le prix du bail mais se montrent intransigeants envers les débiteurs. Les Sulpiciens peuvent toutefois intervenir pour tempérer leur zèle. Leur règle est de tout

(59) Marc Bloch, *Les caractères originaux de l'histoire rurale française* (2 vol., Paris, 1961), tome I, p. 137.

(60) Adjudication des dîmes et redevances, 12 août 1705, (ASSP, copie Faillon, I191); contrat du 12 décembre 1684, M. not., Maugue; des 20 janvier 1689 et 9 septembre 1704, *ibid.*, A. Adhémar.

traiter en douceur car « une colonie naissante ne se gouverne pas comme un pays formé » (61), de toujours joindre la possession au titre mais « aller bride en main et ne point alarmer les habitants jusqu'à ce que petit à petit la possession des seigneurs soit bien affermie » (62). Moins d'un siècle après la fondation, cette sage politique a porté ses fruits et le régime seigneurial n'est pas, comme certains historiens l'ont écrit, un simple cadre pour distribuer des terres, une institution dénaturée au profit des colons, mais bel et bien un régime de propriété contraignant que les habitants subissent avec autant de mauvaise grâce que les paysans français. Leur meilleure défense est la passivité. Le censitaire retarde, oublie, joue sur les événements et laisse s'accumuler. Quand les temps sont durs, il « conspire » contre les seigneurs et ceux-ci qualifient volontiers de « séditions » ce qui n'est à vrai dire que mouvements d'humeur vite apaisés. Ce sont eux qui rapportent quelques-uns de ces « murmures » : les habitants accusent le Séminaire de s'enrichir à leurs dépens; ils jugent providentiel l'incendie qui détruit leur moulin. « De tels usages étaient bons pour la France, disent-ils, mais non dans un pays qu'ils avaient eux-mêmes conquis en exposant leur vies (63). »

---

(61) Lettre de M. Magnien, 18 juin 1718, APC, M. G. 17, A7, 2, 1, vol. 2, p. 560.

(62) Mémoire touchant la gestion des seigneuries, 1716-1717, APC, M-1584, n⁰ 85.

(63) Cité par M. Leschassier (1716), APC, M-1584, n⁰ 85. Voir aussi ASSP, vol. XIV, pp. 364, 189, 305 et *infra*, quatrième partie, chapitre ɪ, § 5 et chapitre ɪᴠ, § 2.

CHAPITRE III

LA STRUCTURE AGRAIRE

1. *Le territoire rural.*

La division élémentaire du sol est la pièce de terre d'un seul tenant, appartenant à un seul exploitant. Les notaires utilisent indifféremment les mots « concession » ou « habitation ». Parce qu'il n'y a pas d'impôt foncier dans la colonie, la définition de cette unité n'a pas été précisée davantage. Elle s'entend d'une terre qui a été acensée, d'un bloc ou d'un assemblage de parcelles, quels qu'aient été la date et le mode d'acquisition; elle couvre tous les types d'exploitation agricole, quels que soient la nature des cultures, le mode de faire-valoir ou la superficie (1).

Les habitations sont groupées par « côtes ». Celle-ci est une étendue de terrain qui présente des traits physiques à peu près uniformes et qui est limitée de chaque côté et parfois sur toutes ses faces par des accidents géographiques plus ou moins apparents. Nous comptons plus de trente côtes dans l'île de Montréal en 1731, la plupart bien individualisées. Les traits communs de ces côtes sont l'alignement des habitations, la forme allongée des parcelles (2). Mais selon la nature du terrain, nous avons une ligne unique plus ou moins longue ou deux rangées qui se font face. L'intérieur de l'île offre quelques exemples de cette dernière disposition en arête de poisson, de part et d'autre

(1) Au XVIIᵉ siècle, le mot habitation sert aussi à désigner l'ensemble d'une seigneurie.

(2) Voir le plan de l'île de Montréal en 1702 au début du volume.

d'un pâturage commun. Ailleurs, il n'y a qu'un seul front le long du fleuve, d'une dépression laissée en friche ou simplement d'une ligne artificielle tirée derrière une autre côte. Un ravin, une rupture de pente, les pointes et les échancrures du rivage, en obligeant les seigneurs à interrompre ou simplement à réorienter les concessions, forment les frontières latérales naturelles de la côte. Elle peut comprendre entre 10 et 50 habitations, selon la topographie.

Le mot habitation est dérivé naturellement du mot habiter. Était « habitant » l'homme libre qui, pour prouver qu'il était fixé en permanence dans la colonie, exploitait une « habitation ». L'origine du mot côte est plus difficile à déterminer. Il semble qu'il ait été utilisé dans la colonie avant la fondation de Montréal. Le plus souvent, les côtes sont en bordure du fleuve ou d'une rivière, ce qui peut justifier le terme. Mais à Montréal, les premières côtes sont à l'intérieur des terres, à flanc de coteau, ce qui peut fournir une autre explication. Dans les toutes premières années, on parla de « quartiers » mais très vite l'appellation côte prévalut. Chacune reçut un nom propre, un nom de saint, avant d'être occupée et ces désignations officielles demeurèrent. Quelques lieux-dits comme Lachine, Pointe-Claire, les Sources, la Grande Anse, l'Anse fondue, le Bois Brûlé, le lac au Renard, le lac aux Loutres, prévalurent malgré tout. Pour identifier les grandes divisions naturelles de l'île, on utilisa des périphrases maladroites, « le bout d'en haut de l'île », etc.

Les autres divisions territoriales, paroisses et bourgs, superposées ultérieurement aux côtes pour satisfaire à d'autres buts que l'exploitation du sol, ne présentent pas la même correspondance harmonieuse avec le paysage ni la même cohérence née d'un long voisinage. Ajoutons que la disposition des terres par « rangs » superposés, tous parallèlement orientés, cette « hantise du géométrisme » (3) que les géographes ont présentée comme une caractéristique uniforme du Canada français, n'existe pas dans cette seigneurie. La configuration de l'île ne se prêtait pas à la symétrie. Nous sommes en face d'un

---

(3) Pierre Deffontaines, *L'homme et l'hiver au Canada* (Paris, 1957), p. 92; et *Le Rang, Type de peuplement rural au Canada français* (Québec, 1953).

paysage passablement irrégulier, à bien des égards plus près d'un finage de France que de ces townships délimités au XIXe siècle autour des anciennes seigneuries et partout ailleurs dans l'Amérique anglo-saxonne (4).

Un paysage qui se dessine sous nos yeux. Les premières habitations sont situées sur les terrasses derrière la ville. Ce sont des terres richement boisées et bien drainées, très tôt entièrement mises en valeur. Les colons exploitent ensuite les terres basses en bordure du fleuve au nord-est de la ville, où l'escarpement est assez prononcé pour mettre les champs à l'abri des inondations. De ce côté, les censives juxtaposées perpendiculairement à la rive atteignent l'extrémité de l'île, la contournent et commencent à border la rivière des Prairies avant la fin du XVIIe siècle. C'est l'agriculture qui commande l'avancée progressive du peuplement dans cette partie de la seigneurie, mais du côté sud-ouest l'occupation se fait par bonds et par sauts et répond davantage à des visées stratégiques et commerciales qu'à des fins agricoles. D'une part, la topographie est moins favorable. Les fonds déprimés de la Pointe Saint-Charles servent surtout de pâturages et ne sont guère habités. Pour les éviter, la ligne des concessions vers le sud-ouest s'éloigne à l'intérieur sur deux côtes parallèles coupées par une longue étendue marécageuse appelée « lac » Saint-Pierre. Par là, un chemin rejoint Lachine, le port d'embarquement vers les Outaouais. En bordure du fleuve, quatre forts protègent les abords les plus vulnérables de la ville (5). Ce sont des marchands qui prennent ces initiatives pour mettre leurs entrepôts à l'abri. Des colons

(4) Le township est un carré de dix milles de côté, divisé en lignes parallèles. L'espace compris entre ces lignes s'appelle « rand » et c'est peut-être là l'origine même du mot rang lui-même, qui n'avait pas cours sous le régime français (L. F. Gates, *Land Policies of Upper Canada*, Toronto, 1968). R. C. Harris qui a bien observé les lignes de peuplement au Canada avant la Conquête, n'a pas vu lui non plus ces alignements strictement parallèles (*op. cit.*, pp. 176-188).

(5) Ce sont, d'est en ouest, le fort Cuillerier bâti vers 1676; le fort Rémy construit vers 1670 sur l'arrière-fief d'abord concédé à Cavelier de La Salle; le fort Rolland bâti vers la même date et le fort de la Présentation qui abritait l'ancienne mission Gentilly, construit vers 1668. (D. Girouard, *Lake St. Louis, Old and New*, Montréal, 1893.) Tous les forts de l'île sont de vastes enclos de pieux à l'intérieur desquels il y a quelques constructions permanentes et plusieurs cabanes qui servent d'abri temporaire à l'occasion.

s'y construisent des cabanes et demandent des terres aux alentours. La mise en valeur est lente car en général les habitants, qui s'établissent de ce côté, cherchent surtout à commercer avec les Indiens, qui nécessairement doivent mettre pied à terre en haut des rapides avant d'arriver dans la ville. Les forts servent aussi de cantonnement pour les troupes de la marine. Au-delà de Lachine, les seigneurs concèdent d'autres terres qui deviennent de même des avant-postes commerciaux et occasionnellement défensifs, comme l'arrière-fief Boisbriant ou Senneville à la pointe de l'île. Petit à petit, des établissements proprement agricoles comblent les espaces vides entre ces postes, mais jusque vers 1720 c'est un peuplement très lâche qui s'étale sur les trois côtes riveraines de Lachine, Pointe-Claire et Sainte-Anne-du-Bout-de-l'Ile (6).

Au début du XVIIIᵉ siècle, les demandes de terres s'accroissent. Il y a les soldats licenciés et toute une génération de Canadiens en âge de s'établir. Les seigneurs découpent de nouveaux quartiers à l'intérieur de l'île, au centre et vers le nord-est d'abord. Ce n'est qu'au milieu du siècle que la côte de la rivière des Prairies et les quartiers intérieurs à l'ouest sont complètement concédés. Les nouvelles côtes forment des rectangles de 6 à 9 kilomètres de front sur 2 à 3 kilomètres de profondeur, orientés dans tous les sens, séparés les uns des autres par des fonds affaissés peu propres à l'agriculture. Elles sont arpentées, puis acensées en bloc et on attend que les plus anciennes soient convenablement établies avant d'en ouvrir de nouvelles.

En 1731, dans un rayon d'environ deux lieues autour de la ville, nous comptons onze côtes pressées les unes contre les autres et rattachées à la paroisse urbaine, Notre-Dame. C'est la banlieue de Montréal. Le reste du territoire est divisé en sept paroisses rurales : quatre dans la moitié nord-est qui regroupent une dizaine

---

(6) En 1721, il y a plus de cent habitations au sud-ouest de l'île, mais seulement quarante-cinq familles résidentes. L'île Perrot et quelques îlets dans le lac des Deux Montagnes peuvent être rattachés à la section ouest de la seigneurie. Longtemps ce ne sont que les postes avancés de la traite illicite. Un de ces îlets nommé « Petit Gain » en dit long sur les activités des propriétaires. Acte de concession, 15 février 1684, M. not., Basset; procès-verbal sur la commodité et l'incommodité... des paroisses, par M.-B. Collet, 19 février 1721, *RAPQ* (1921-1922), pp. 262 *sqq.*

de côtes assez bien occupées, trois dans la moitié sud-ouest composées de cinq à six côtes au peuplement encore épars. Les
bourgs, ce sont ces forts dans lesquels la population rurale s'em-
pile jusqu'en 1698 à chaque alerte et parfois des mois durant. La
paix revenue, elle y abandonne des emplacements et des cabanes
qui achèvent de pourrir. Quelques paysans âgés laissent leur
terre à un fils et viennent finir leurs jours dans l'enceinte de
pieux où il y a déjà une église, à tout le moins une chapelle et
un cimetière. Deux ou trois exploitants dont la terre est située
dans les abords immédiats, trouvent plus commode de bâtir
leur maison dans le fort. Non loin, sur une petite éminence,
tourne le moulin à vent qui sert en même temps de redoute.
En 1731, le bourg le plus important de l'île, celui de la Pointe-
aux-Trembles, ne compte que vingt ménages et il commence
à peine à offrir à la population des côtes quelques services : école, forge, boutique de marchandises, étude de notaire (7).

Les habitants ne groupent pas leurs maisons dans les bourgs
parce qu'ils mettraient trop de temps à se rendre sur leur habitation, travailler aux champs, faire les foins, couper du bois,
soigner les bêtes soir et matin. Le bourg en tant que communauté d'exploitants ne peut naître que là où existent des usages
collectifs, de petites propriétés morcelées. Le bourg en tant que
marché ne peut apparaître qu'à partir d'une certaine densité
rurale, comme relais entre la terre et la ville éloignée. L'absence
d'industrie rurale interdit de même toute forme prématurée
d'agglomération et quarante à cinquante feux disséminés de part
et d'autre du bourg ne sauraient suffire pour faire vivre des taillandiers, menuisiers, maçons, etc., uniquement de leur métier. Ne
cherchons pas plus loin pour expliquer l'absence de village et
n'allons surtout pas invoquer, à la suite d'un intendant, le caractère fantasque des colons, leur désir de se cacher des prêtres et

(7) Il y a aussi, en plus de l'église et du moulin, quelques maisons et
cabanes dans le fort Rémy à Lachine, celui de la Pointe-Claire et celui
de la Rivière-des-Prairies. Mais comme à la Pointe-aux-Trembles, les
autres services élémentaires prennent du temps à se développer. Les traitants, chartiers et artisans établis à l'ouest de la ville vivent retirés sur leur
habitation.

des autorités (8). Il n'y a pas de village parce que les conditions préalables n'existent pas (9). « Le village s'accroît au fur et à mesure que la paroisse vieillit », écrit fort justement Pierre Deffontaines (10) en observant les villages québécois vers 1940, qui ont conservé leur premier visage : un asile de cultivateurs à la retraite. A l'époque où les paroisses étaient jeunes et où les habitants mouraient tôt, faut-il s'étonner de ne pas trouver de villages?

2. *La superficie de l'habitation.*

Les premières censives de l'île de Montréal sont petites : quinze, trente arpents au maximum et plusieurs parcelles de six à huit arpents seulement. Elles affichent toujours une forme allongée, la longueur contenant en moyenne dix fois la largeur. Il apparut très tôt que ces superficies étaient nettement insuffisantes pour le type d'exploitation individuelle implanté spontanément dans la colonie. Dix ou vingt ans plus tard, l'habitant avait converti ses dix hectares en labours et en potager et il devait chercher ailleurs du terrain pour le pâturage, le fourrage et surtout le bois. Car même en distribuant des pâturages communs aux colons, où trouveront-ils les herbes nécessaires pour nourrir leurs bêtes sept mois dans l'étable, le bois pour se chauffer, construire et entretenir leurs bâtiments? L'hiver canadien commande la superficie des terres.

L'expérience est déjà faite lorsque les Sulpiciens prennent la seigneurie en main et leur politique est d'acenser des parcelles de 60 arpents, de 40 au minimum. Mises à part quelques rares propriétés particulières et conventuelles, la distribution du sol

(8) L'habitant, écrit Denonville, est « accoustumé à avoir les coudées libres près de son bois et de son champ, sans tesmoin de sa conduite... » (27 octobre 1687, AC, C11A9, fᵒ 127 v ᵒ).

(9) Ces réalités géographiques et économiques n'ont pas échappé à R. C. Harris, mais il les fait malheureusement précéder d'un long préambule sur l'insoumission des habitants, ce qui n'éclaire en rien le problème de l'habitat dispersé (*op. cit.*, pp. 178-186).

(10) *Op. cit.*, p. 98.

rural est faite sous le signe de l'égalité (11). Les concessions initiales sont de 20 sur 300 perches ou 30 sur 200, selon la nature du terrain. Si la qualité du sol est à peu près uniforme en profondeur, les lanières seront plus étroites car on cherche avant tout à resserrer les habitations. Une distance de 20 perches ou 117 mètres, correspondant à environ neuf exploitations parallèles au kilomètre, est considérée comme idéale. Cette disposition en champs allongés n'est certes pas une innovation. N'est-ce pas celle que nous retrouvons en remontant aux origines du paysage rural de l'Europe occidentale (12) avant que le morcellement ne l'ait embrouillée, que les haies ne l'aient cachée en maintes régions? Disposition qui répondait à l'organisation collective du finage, mais elle répondait aussi à d'autres impératifs et l'individualisme agraire adopté spontanément en Amérique ne suffit pas à lui seul à la rendre désuète. Ce dessin parcellaire rapproche les habitants, combat l'isolement et facilite la construction et l'entretien à frais communs du chemin qui relie les « devantures ». Plus large est la façade, plus lourde est la tâche qui incombe au riverain pour hausser le chemin, creuser le fossé qui recueille les eaux des sillons perpendiculaires (13). La forme allongée accotée au fleuve multiplie le nombre de ceux qui peuvent emprunter cette voie pour communiquer avec l'extérieur. Mais ce dernier facteur, peut-être déterminant ailleurs dans la colonie, l'est beaucoup moins à Montréal où les cours d'eaux sont difficilement navigables et les premiers établissements éloignés du rivage. Où qu'on soit, le plus court et le plus sûr chemin jusqu'à la ville passe par les terres. Mais au Canada, comme en Europe, la disposition étirée facilite

(11) La procuration du 17 juin 1701 du supérieur général au Séminaire de Montréal porte qu'il faut s'en tenir à soixante arpents en règle générale et ne jamais accorder plus de cent vingt arpents, quelles que soient les pressions (ASSP, copie Faillon, GG 165).

(12) Ainsi du rapport 1/10 entre largeur et longueur du champ traduit par les mesures anglaises du furlong et du rod. Gaston Roupnel, *Histoire de la campagne française* (Paris, 1932), pp. 174-179.

(13) Notons qu'en hiver, le problème du chemin ne se pose guère, car les habitants peuvent circuler à travers champs sur la neige durcie, balayée par le vent. Les chemins ne sont pas entretenus. Il est donc difficile de lier l'allongement originel des habitations au « déneigement », comme le fait P. Deffontaines, *op. cit.*, p. 89.

le travail de l'attelage qui n'est pas sans cesse obligé de faire demi-tour. Elle offre au surplus l'avantage de réaliser un partage plus équitable du terroir. Dans un même alignement, les sols sont à peu près de qualité égale alors qu'un sectionnement transversal n'offrirait aux uns que des prairies mouillées, aux autres les ondulations les plus fertiles, aux suivants les fonds rocailleux. Les partages ultérieurs des concessions ne se feront jamais autrement qu'en sectionnant la largeur, respectant ainsi la charpente primitive qui, loin d'être originale, était issue d'habitudes millénaires, encore parfaitement adaptée aux conditions de vie et de travail de ces paysans (14). L'originalité du paysage québécois c'est d'avoir ultérieurement conservé à peu près intacte et même accentué cette ancienne disposition.

Lorsque le terrain s'y prête, les seigneurs accordent volontiers aux habitants une « continuation » de concession, soit une parcelle variant de 10 à 40 arpents aboutée à la première. Il ne s'agit pas d'une règle fixe, mais d'une faveur pour récompenser les colons industrieux, les familles nombreuses, souvent une sorte de compensation accordée aux veuves et aux orphelins. Il est possible d'allonger ainsi considérablement les habitations situées au bord du fleuve qui ne sont d'abord adossées à rien. Mais dans les côtes de l'intérieur, les possibilités sont limitées. Prenons, par exemple, la côte des Neiges bloquée d'un côté par la montagne, sur deux autres faces par les quartiers Sainte-Catherine et Saint-Laurent concédés simultanément, et au sud-ouest par des lacs et des « fresnières ». Il n'y a aucune possibilité d'accroître par le fond les censives de 40 arpents qui ont été distribuées de chaque côté d'un pâturage commun. Il en est de même des premières parcelles concédées par Maisonneuve sur des coteaux de faible profondeur et partout où les terres sont aboutées à des fonds de piètre valeur.

Pourtant, ces habitants découvrent petit à petit que leurs terres sont trop petites. Une famille peut déboiser jusqu'à un arpent par année pour se chauffer (15), surtout s'il s'agit de

(14) R. C. Harris, *op. cit.*, pp. 119-121.

(15) Il faut entre douze à vingt cordes de bois par feu, ce qui représente environ cinquante stères. C'est ce que les propriétaires demandent à leurs fermiers de leur livrer chaque hiver (P. Deffontaines, *op. cit.*, p. 79). Darrett

résineux, bois mous qui se consume rapidement. Or, il faut compter environ trente ans pour obtenir une repousse, ce qui fixe à 30 arpents la superficie minimale du boisé domestique. Les seigneurs de Montréal sont avares de concessions à des fins forestières, car il leur importe avant tout de peupler, de multiplier les champs, de rentrer du blé dans leurs moulins et leurs presbytères, des fidèles dans leurs églises (16). Eux-mêmes s'inquiètent de leurs besoins à venir et réservent tôt des « cantons » de bois qu'ils mettent en coupe réglée pour leur usage. Les besoins des habitants sont trop importants pour pouvoir compter sur les branchages dans les forêts du domaine et il y a d'ailleurs un garde des forêts dans la seigneurie depuis 1682 et peut-être plus tôt (17). Hors de l'île, au-delà d'un rayon de 20 kilomètres déjà occupé, il y a sans doute du bois à prendre à l'insu des propriétaires, mais encore faut-il le transporter, ce qui est une tâche difficile sinon insurmontable avec les moyens du temps. Bref, l'habitant a peine à se contenter de 60 arpents et dès qu'il s'intéresse tant soit peu à son exploitation, à la transmission de son bien, il cherche à l'agrandir.

Ce mouvement de remembrement est amorcé depuis les débuts de l'établissement, mais il n'est pas perceptible à partir des recensements agricoles, et ceux-ci ne nous renseignent pas davantage sur la superficie des terres ou leur utilisation. Le fardeau des censives en friche non occupées fausse toutes les moyennes. Il faut observer le phénomène de plus près.

En trente ans, la superficie de la côte-des-Neiges n'a à peu près pas changé. Il n'y a eu qu'un réalignement des fonds qui donne à chaque parcelle un arpent de plus en profondeur. Onze

B. Rutman (*Husbandmen of Plymouth. Farms and Villages in the Old Colony 1620-1692*, Boston, 1967, p. 42) évalue à 3/5 d'arpent le prélèvement minima en Nouvelle-Angleterre où l'hiver est plus court et plus doux.

(16) Quelques terres sont concédées expressément à cet usage (bail à cens à P. Gadois, 5 novembre 1667, M. not., Basset). Les communautés religieuses sont particulièrement exigentes. Leurs demandes exaspèrent les seigneurs qui refusent les plus outrancières. Voir lettre du 7 mars 1701, ASSP, vol. XIV, p. 417; mémoire de 1712-1713, APC, M-1584, n° 77; lettres de M. Magnien, 1er juin 1715 et 6 juin 1716, APC, M. G. 17, A7, 2, 1, vol. 1, pp. 455, 494-495.

(17) Commission enregistrée le 20 janvier 1682, bailliage, 1re série, registre 2.

concessionnaires ont vendu leur censive et la côte a été en quelque sorte remaniée au profit de onze habitants qui se sont construit des habitations variant entre 84 et 168 arpents. Notons qu'aucune des habitations originelles n'a été morcelée. Si nous poussons l'observation jusqu'à la fin du siècle, nous voyons que cette consolidation n'a pas été un phénomène passager.

TABLEAU 28.

Évolution de la propriété dans la côte Notre-Dame-des-Neiges depuis l'acensement de 1698 jusqu'en 1781.

Année	Superficie totale de la côte	Nombre total d'habitations	Nombre d'habitations par classes (dimensions en perches)							plan irrégulier
			20 × 200	30 × 200	40 × 200	50 × 200	60 × 200	70 × 200	80 × 200	
1698 .	1 940 arp.	40	29	11	—	—	—	—	0	—
1731 .	2 078 arp.	29	9	9	3	2	3	1	1	1
1781 .	2 078 arp.	28	2	14	9	1	—	—	1	1

Source : Baux à cens, M. not., A. Adhémar et Raimbault 1698-1699, *passim;* dénombrement rural de 1702, APC, carte et légende Hi 340; dénombrements de la seigneurie de 1731 et 1781, *RAPQ* (1941-1942), pp. 3-176 et ASSM; Claude Perrault, *Montréal en 1781.*

Nous pourrions refaire cette démonstration pour toutes les côtes de l'île. Le mouvement est plus accentué là où les censives initiales sont plus petites et où l'allongement par concession n'est pas possible. Faute de pouvoir agrandir gratuitement en longueur, l'habitant paie ce qu'il faut au voisin pour s'étendre en largeur.

Dans une côte plus ancienne, la propriété affecte des formes plus complexes. Le graphique 18 illustre le remembrement opéré par les habitants de la côte Saint-Joseph. Les premières parcelles y furent concédées en 1654 et, à la faveur de réunions et autres transactions, les seigneurs en acensent quelques autres plus tard (18). Là comme sur le coteau Saint-Louis (19), il a fallu, en raison de concessions initiales trop petites, acquérir progressivement des parcelles contiguës et, à défaut, des terres dans un autre quartier. Mais cette dispersion est particulière à la banlieue. Ailleurs, les propriétés sont d'un seul tenant, sauf pour certaines pièces de prairies. Dans la paroisse de la Pointe-aux-Trembles, à partir de censives originelles de 60 arpents, d'achats et de généreuses continuations dans les fonds, les habitations font 112 arpents en moyenne, soixante ans après l'ouverture des côtes.

Terminons par l'exemple Julien Blois, illustré sur le graphique 20. Ce garçon arrive à Montréal comme engagé en 1659. Son service accompli, il se marie et achète pour 70 l. une parcelle de 30 arpents à la côte Saint-François, une terre concédée l'année précédente, à peine défrichée. Trois ans plus tard, il achète la parcelle voisine et neuf ans plus tard une troisième pièce contiguë, ce qui porte son habitation à 70 arpents. En 1686, il reçoit sa première concession, soit une étendue considérable au bout de sa terre, sur toute la largeur. Il lègue une propriété de 210 arpents (20). Le cas n'est pas exceptionnel. Bien des colons préfèrent acheter une terre dans la côte de leur choix, plutôt que de s'en remettre au hasard des acensements et, comme Blois, attendent patiemment l'occasion pour compléter cette propriété.

Si nous avons insisté sur ce mouvement continu de regroupement des terres, c'est qu'il dément l'image stéréotypée de seigneurs prodigues et de colons insouciants pour qui l'agriculture n'a qu'un intérêt secondaire, qui acceptent passivement la terre qu'on leur donne, la ruinent par leur négligence et l'abandonnent à la première occasion pour courir les bois. Non pas que personne ne réponde à cette description, mais ils sont

(18) La côte renferme aussi trois grandes propriétés concédées en bloc à l'Hôtel-Dieu et à l'Hôpital général qui ne sont pas représentées sur le graphique.

(19) Graphique 19 en annexe.

(20) Inventaire après décès de M. Leclerc, femme de J. Blois, 27 septembre 1704, M. not., Raimbault; partage des immeubles de Blois, 21 octobre 1719, ibid., Lepailleur.

plus nombreux ceux qui s'emploient à humaniser le paysage, à bâtir un bien familial, à recréer un mode de vie connu, sinon vécu, avec l'espérance que les labeurs et les habitudes retrouvées apporteront la sécurité.

Le rassemblement des parcelles a pour corollaire un peuplement beaucoup plus lâche que ne l'auraient souhaité les seigneurs. En 1731, dans l'ensemble du territoire rural, nous comptons 11,1 habitants au km², mais c'est une moyenne qui déforme la réalité puisque nous y comprenons une dizaine de côtes qui viennent d'être acensées, où il n'y a encore ni défrichements ni familles. Dans les terrains plus anciens comme à la Pointe-aux-Trembles, la densité est de 19 habitants. Or, c'est exactement ce que Raoul Blanchard observe en 1953 dans la plaine de Montréal. Chiffres déconcertants pour un Européen, écrit-il, « comment comprendre que la partie la plus riche de la Province admette moins de 20 âmes au kilomètre carré, qu'elle ait expulsé avec violence et continuité tous ses excédents pour maintenir depuis soixante-dix ans ses effectifs autour d'une aussi faible densité? » Mais vu d'Amérique, ajoute-t-il, le chiffre est fort honorable et supérieur aux densités rurales de l'Ontario, du Vermont et du New-Hampshire (21). Il n'y a rien à ajouter sinon que l'expulsion est en cours depuis trois cents ans, depuis le jour où la première côte a été acensée. Contrairement aux colons anglais qui reçoivent d'emblée entre 50 et 70 ha et souvent davantage (22), le censitaire de Montréal doit, à partir d'une parcelle de 6 à 20 ha, chercher à tâtons la superficie nécessaire, dans ce continent où les besoins et les coutumes ont d'autres exigences.

(21) Raoul Blanchard, *op. cit.*, pp. 87-88. L'auteur s'appuie sur les recensements et ne peut remonter au-delà de la fin du XIXᵉ siècle. Notons que la comparaison avec le présent n'est plus possible, car cette plaine est envahie par les villes et leurs banlieues.

(22) Kenneth A. Lockridge, *A New England Town, the First Hundred Years*, New York, 1970, p. 71.

CHAPITRE IV

L'OCCUPATION DU SOL

1. *Les défrichements.*

Le défrichement d'une terre est une tâche longue et pénible à laquelle peu d'immigrants ont été préparés. Imaginons (1) pour commencer un colon qui, grâce aux économies qu'il a pu réaliser pendant ses années de service ou avec sa solde de soldat, peut consacrer tout son temps à la mise en valeur de la terre en bois debout qui vient de lui être acensée. Nous sommes en avril 1670, la neige achève de fondre. La concession est située dans la côte Sainte-Anne où il n'y a encore que deux ou trois familles et de rares clairières. Il y a 12 kilomètres jusqu'à la ville où loge ce garçon et le chemin ne couvre pas la moitié de la distance. Sa première tâche est d'abattre ce qu'il faut d'arbres pour construire une cabane de pieux d'environ 15 pieds sur 20, de petits arbres qu'il aiguise à un bout et plante en terre. C'est une construction fruste sans plancher ni cheminée, mais qu'il faut rendre suffisamment étanche pour y passer au moins un hiver. Il utilise des herbes et écorces pour faire le toit et boucher les fentes. Au bout de trois à quatre semaines, il peut apporter son coffre et ses provisions dans cette « cabane » (2), quitte à la

(1) Le tableau qui suit est basé sur l'analyse d'une cinquantaine de marchés de défrichements de toutes sortes, passés entre 1650 et 1720 par des habitants de catégories sociales diverses. Il repose aussi sur les descriptions des terres dans les baux, les prisées d'immeubles, les inventaires après décès et les ventes. Les sources fournissent une description des bâtiments.

(2) C'est le nom donné dans les actes à ce type de construction.

parfaire avant l'hiver. Il lui faut maintenant choisir et abattre des arbres de plus grande taille, de meilleure qualité et d'un gabarit sensiblement égal qui serviront à construire la maison. Le travail sera moins long si ce second chantier peut être fait dans un rayon restreint et coïncider avec la première clairière. Tout dépend de la nature du bois. De préférence, il choisira les chênes, sinon le pin, qu'il coupe en pièces de 18 et 22 pieds et place à l'écart. Avec une hache pour tout instrument, sans attelage pour haler les troncs, il lui faut plusieurs semaines pour compléter cette seconde étape. En juin, il commence à nettoyer la terre ainsi dégagée, n'entreprenant pas plus d'un ou un et demi arpent à la fois. Il s'agit d'arracher toutes les souches des arbres qui ont un pied et moins de diamètre. Les plus gros, qui sont « hors de hache » sont « rasés et rayés » (3). Il n'y a plus qu'à attendre qu'ils meurent, que les souches pourrissent, ce qui prend environ quatre à cinq ans. Les rebuts de bois sont débités et cordés près de la cabane pour le chauffage et, si possible, quelques ventes à la ville. Tout ce qui reste sur le sol, avec la « fardoche » (broussaille), est ensuite brûlé. L'arpent est « net » et prêt à être pioché. C'est le travail de l'automne : amollir la terre et les cendres en surface entre les gros troncs pour la préparer à recevoir la première semence de grains tard dans la saison ou au printemps. Il faut ensuite finir d'aménager la cabane pour l'hiver et ne pas attendre trop longtemps avant d'apprêter les pièces de bois qui ont été mises de côté. L'équarrissage à la hache les protège. Pendant l'hiver, le colon entreprend un nouveau chantier, taillant alors à 3 ou 4 pieds du sol, soit la hauteur de la couche de neige. Ce type d'essart ne peut pas recevoir de blé au printemps. Certains y sèment du maïs, des fèves et des citrouilles à la manière indienne, quitte à reporter le nettoyage à l'automne (4).

Au bout d'un an d'occupation, ce colon peut déclarer un

---

(3) Faire une entaille circulaire à travers l'écorce et la couche de cambium, au ras du sol. C'est exactement la même méthode qu'emploient les colons de Plymouth. Voir D. B. Rutman, *Husbandmen of Plymouth. Farms and Villages in the Old Colony 1620-1692* (Boston, 1967), p. 7.

(4) Mémoire de Catalogne sur les seigneuries (1715), AC, F3, vol. 2, fᵒˢ 386-387.

arpent « en labours de pioche » et deux arpents « d'abattis » (5).
Chaque année, il ajoute deux arpents à ses emblavures (6) en
même temps qu'il bâtit sa maison permanente de « pièce sur
pièce » avec plancher de madrier, toit de planche, cheminée de
bousillage. Il achète une taure, une truie, quelques volailles et la
cabane est transformée en étable sitôt qu'il peut emménager
dans la maison neuve. Cinq ans environ après le début de la
mise en valeur, il peut, avec un bœuf ou deux, tirer sans trop de
peine les souches pourries hors du sol et graduellement il met
sa terre « à la charrue passante ». Les travaux de défrichement
commencent à ralentir à mesure que les tâches agricoles proprement dites s'alourdissent. S'il maintient le rythme que nous
avons esquissé, il faut compter dix ou onze ans avant d'avoir
une dizaine d'arpents en labours de charrue, le minimum pour
pouvoir mettre sa terre en soles lorsqu'il y a une famille à nourrir. S'il tarde davantage, cette terre à peine grattée et annuellement ensemencée cesse de rendre. A sa mort, trente ans après
avoir reçu la concession, il possède 30 arpents de terre arable,
une pièce de prairie, une grange, une étable, une maison un peu
plus spacieuse, un chemin devant sa porte, des voisins, un banc
à l'église. Sa vie a passé à défricher, à bâtir.

Si les techniques sont toujours à peu de chose près celles que
nous venons de décrire, peu s'en faut que tous les colons fassent
preuve d'autant de diligence. Bien peu ont les économies nécessaires pour subsister dix-huit mois en attendant la première
récolte, payer le notaire, l'arpenteur, acheter les outils, usten-

(5) Les contemporains parlent d'une moyenne de deux arpents nettoyés
par année (Lucien Campeau, « Un témoignage de 1651 sur la Nouvelle-
France », *RHAF*, XXIII, 4 (mars 1970), pp. 601-602). Martin L. Primack
a calculé environ 33 jours/homme pour défricher un acre (à peu près
l'équivalent de notre arpent) aux États-Unis vers 1860. Compte tenu des
autres occupations, il fixe le maximum annuel à cinq acres. La méthode n'a
pas beaucoup progressé en deux siècles mais l'homme est plus vigoureux
et ses outils de meilleure qualité. A Montréal, une fois les constructions
plus urgentes achevées, le seuil se situe autour de trois arpents, une per-
formance relativement bonne. (M. L. Primack, « Land Clearing Under
Nineteenth Century Techniques. Some Preliminary Calculations », *Journal
of Economic History*, XXII (1962), 4, pp. 484-497.)

(6) L'ordonnance de Talon du 22 mai 1667 exige deux arpents abattus
et mis en culture par année. P.-G. Roy, *Ordonnances, commissions, etc.*,
I, p. 66.

siles, clous et semences (7). Et comme ces anciens engagés et
soldats prennent ordinairement femme avant de prendre une
terre ou sitôt après, il faut doubler les rations car la dot, si
toutefois il y en a une, ne couvre pas l'entretien de la jeune
mariée sur une aussi longue période. Cependant, lorsque c'est
une fille du pays, l'immigrant y gagne un toit, un emploi saisonnier sur la terre de son beau-père et les services, charrois,
jours de charrue, etc., que celui-ci lui rend en retour. Car tous
les défricheurs doivent louer leurs bras pour ne pas être écrasés
sous le poids de la dette initiale et c'est autant de semaines, de
mois perdus pour la tâche qui les attend sur leur propre habitation (8). Les plus heureux prennent une terre à ferme, ce qui
implique gîte et revenu pendant quelques années et un peu de
temps disponible pour commencer la mise en valeur de leur
propriété. Quel que soit l'arrangement, le rythme est forcément ralenti.

Il y a aussi les gens de métier qui tentent de mener les deux
occupations de front : maçons, charpentiers ou cordonniers plus
ou moins expérimentés qui s'installent à loyer dans la ville et
font quelques travaux intermittents sur une terre éloignée. Ce
sont celles qui restent en friche le plus longtemps. Pour en conserver la propriété malgré le quasi-abandon, ces citadins font
déboiser par un paysan voisin. Trop pauvres pour investir dans
la mise en valeur, ils n'en tirent aucune rente. Souvent, ces
artisans de fortune émigrent dans les côtes après des années de
vie précaire dans la ville. Mais ces tentatives tardives, ces recy-
clages dictés par la misère, donnent de piètres résultats. Il y a
enfin tous ceux qui se découragent, qui n'ont pas la santé ou
l'instinct de s'accrocher à ces soixante arpents de forêt, ceux
qui n'ont jamais eu l'intention de devenir paysans, qui demandent

(7) Ce qui représente un capital de 200 à 250 l. pour les premiers dix-
huit mois et au moins autant dans les deux années suivantes, pour acheter
des bêtes, le grain, le foin, etc., tant que le produit de la terre reste insuffisant.
(8) Vers 1670, l'intendant achetait, à très haut prix, les cendres pour
faire de la potasse, ce qui pouvait représenter un profit de 30 l. l'arpent
de brûlis. Mais cet arrangement très coûteux pour le Trésor ne dura que
deux ou trois ans et ne bénéficia qu'aux colons des environs de Québec.
(Mémoire de l'intendant Talon, 1673, C11A, 4, fᵒˢ 32-43.) Il n'y a pas de
potasserie à Montréal. La cendre reste sur le sol et le nourrit. Les familles
l'utilisent aussi pour la fabrication du savon domestique.

une terre à tout hasard et l'abandonnent aussitôt pour courir les bois.

A l'opposé, sont les bailleurs de travaux : les seigneurs, les communautés, les marchands, les officiers de justice et d'administration, les habitants traitants des premières années, les artisans qui vivent bien de leur métier, les voyageurs aux Outaouais, tous ceux qui n'attendent pas après les revenus de la terre pour subsister. Ils font défricher par des domestiques et, jusqu'en 1664, au moyen de ces marchés avantageux qui ne leur coûtent rien. La mise en valeur entreprise par plusieurs bras à la fois progresse rapidement. Par la suite, lorsque les immigrants commencent à obtenir des terres sur demande, il faut payer les défricheurs mais il est difficile de dégager le coût exact de ces travaux car le preneur bénéficie souvent d'avantages indirects, non quantifiables, entre autres, le logement et l'outillage (9). Le marché de défrichement tend à devenir un appendice du bail à ferme. Le propriétaire loue la fraction de son habitation déjà en valeur, ses bâtiments et tout le roulant de l'exploitation au prix ordinaire. Il exige que le preneur déboise et mette en labours quelques arpents additionnels sur lesquels il ne prélève aucune rente tant qu'ils ne sont pas à la charrue, après quoi les rendements sont partagés sur le même pied que ceux des terres baillées. Les fruits des trois ou quatre premières années sont le salaire du défricheur (10). Ces clauses sont très strictes, le fermier devant nettoyer un arpent à la fois à l'endroit indiqué et ne jamais déboiser plus que ce qu'il peut mettre en culture pendant la durée de son bail (11).

(9) Tout au plus peut-on dégager certains coûts proportionnels. Un défricheur logé et nourri compte 10 livres pour un arpent abattu et débité, 10 pour mettre ce même arpent à la pioche, 25 l. pour mettre un arpent, pioché à la charrue. C'est cette dernière étape qui est la plus longue et la plus coûteuse. Compte de tutelle, 25 janvier 1677, archives judiciaires, Tutelles et curatelles, I; procès-verbal du 13 mars 1684, *JDCS*, vol. 2, p. 933.

(10) Le travail se paie parfois à la tâche, soit tant de livres pour « déserter et nettoyer un arpent ». Nous retrouvons la même formule dans les contrats passés dans le sud de la région parisienne au xve siècle. (Yvonne Bézard, *La vie rurale dans le sud de la région parisienne de 1450 à 1560*, p. 145.)

(11) Les clauses varient d'un bail à l'autre. Parfois, le fermier est tenu de défricher, parfois il est autorisé à le faire. Mais en aucun cas, lui est-il

Il s'ensuit, lorsque nous essayons de dégager le rythme global des défrichements, que toutes ces modalités entrent en ligne de compte, que les travaux accélérés sur certaines terres compensent tous les retards et les abandons, que le colon à la fois indépendant et isolé n'est peut-être qu'un être de raison, une moyenne commode et que les conditions économiques générales dans la colonie sont plus déterminantes dans la mise en valeur des terres que le tempérament plus ou moins laborieux des habitants.

TABLEAU 29.

Progression de la mise en valeur des terres
entre 1648 et 1666 dans l'île de Montréal.

Nbre d'années d'exploitatioin	Nbre de censitaires	Total des arpents acensés (100 %)	En labours			En prés		En abattis et pâturage		En boisé	
			Pioche (arpent)	Charrue (arpent)	Total %	Arpents	%	Arpents	%	Arpents	%
1	13	390	12	0	3	0	0	23	6	355	91
2-4	18	320	48	0	15	2	0,6	82	25	188	59
5-10	20	582	230 (*)		40	24	5	171	30	147	25
11-18	30	910	639 (*)		70	34	4	112	13	125	13

Source : Aveu et dénombrement de 1666, APC, M. G. 17, A7, 23, vol. 1, *passim.*
(*) La déclaration ne distingue pas entre labours de pioche et labours de charrue.

Observons d'abord un groupe de 81 habitations concédées avant 1666, date à laquelle ces censitaires sont sommés d'apporter leurs titres et de déclarer l'état de leurs travaux. Un arpent emblavé par année d'occupation au début et, le processus

permis d'ouvrir des terres neuves à sa guise. Tous les baux reflètent le souci constant de protéger le boisé. Voir entre autres les baux des 23 septembre 1668, 17 mars 1676, M. not., Basset; du 13 septembre 1699, *ibid.*, A. Adhémar, du 14 juillet 1720, *ibid.*, Le Pailleur.

étant cumulatif, environ deux arpents et demi ajoutés chaque année jusqu'à ce que l'exploitant dispose de 10 à 12 arpents, après quoi le rythme ralentit. Le seuil du défrichement initial est atteint lorsqu'il dispose de 30 à 40 arpents en labours de charrue.

Il s'agit, dans cet exemple, des petites parcelles que distribuaient les seigneurs dans les débuts. Au bout de quinze ans d'exploitation, l'habitant n'a que 4 arpents de boisé et aura tôt fait d'épuiser cette maigre réserve. La déclaration de 1666 démontrait aux nouveaux seigneurs qu'il fallait doubler la superficie des censives. L'enseignement est à peu près le même, avec un rythme de travail légèrement plus lent, si nous examinons le progrès accompli sur 93 habitations entre 1667 et 1681 (12). Là où il n'y avait aucuns travaux, nous calculons une moyenne de 20 arpents labourables, quatorze années plus tard. L'ensemble de ces exploitants disposent de 1 184 arpents ou 13 arpents par tête en 1667 et de 40 arpents par tête en 1681. Mais la norme se situe en deçà et ce sont quelques gros exploitants, des marchands et autres notables avec plusieurs hommes à leur service, qui font plus que compenser les lenteurs des colons ordinaires. Regardons, pour terminer, l'ensemble des censives en 1667, 1681 et 1731 (13). Aux deux premiers recensements, les terres nouvellement concédées, occupées depuis quatre ou cinq ans à peine, comptent pour environ 50 % du total. Ce n'est qu'en 1731 que le nombre d'habitations anciennes est assez élevé pour donner une image plus nette. La limite des défrichements semble se situer autour de 40 arpents, et il faut beaucoup de temps pour l'atteindre. Une minorité pousse les travaux au delà de 50, et 1 % seulement des propriétaires exploitent une très grande surface. Si nous comparons, par exemple, avec la métairie du Poitou (14), à superficie égale, disons 40 hectares, un cinquième de celle-ci reste en friche alors que ce sont les trois cinquièmes de l'habitation canadienne qui ne sont pas utilisés à des fins agricoles. Sur les habitations plus petites, soit la majorité, qui oscillent autour de 20 hectares, ces quelque 13 hec-

(12) Graphique 21 en annexe.
(13) Graphique 22 en annexe.
(14) Louis Merle, *La métairie et l'évolution de la Gâtine poitevine de la fin du Moyen Age à la Révolution*, p. 107.

tares de prés et terres labourables constituent une limite extrême qui ne saurait être franchie sans compromettre l'équilibre de l'exploitation.

Ce qui frappe, c'est la régularité du rythme des défrichements pendant un siècle. Le pourcentage annuel d'augmentation des terres en valeur est accordé à l'accroissement de la population (15) et il suit fidèlement le mouvement des acensements. Le défrichement n'apparaît pas comme un placement lucratif, une réponse à une demande extérieure plus ou moins forte selon les périodes, mais comme une besogne dure et onéreuse commandée par la nécessité, un effort suivi tant que la sécurité n'est pas assurée, mais pas au delà. La tendance à l'égalité des exploitations, très apparente en 1731, nous annonce déjà que cette mise en valeur du territoire est tout entière inscrite dans une longue phase de dépression.

2. *La répartition de la propriété et le faire-valoir.*

Un régime de propriété individuelle, d'exploitations moyennes et peu différenciées. Ici, les propriétaires (16), ce sont d'abord les paysans qui possèdent les quatre cinquièmes des biens ruraux concédés avant la fin du XVIIᵉ siècle (17).

Si nous pouvions dresser l'image de la répartition en termes de superficie utile et y inclure les propriétés des Sulpiciens, la part paysanne serait un peu réduite car les réserves seigneuriales et les propriétés rurales des communautés religieuses sont vastes (18), mais les surfaces possédées par les marchands

(15) De l'ordre de 2 à 3 % entre 1667 et 1739. Voir le graphique 24 en annexe.

(16) Évidemment pas dans le sens plein du mot puisque sur ces terres inféodées il n'y a que des tenanciers héréditaires, censitaires et une dizaine de vassaux.

(17) Ce calcul est basé sur le nombre de propriétaires et non sur le nombre d'habitations. Il n'est pas possible de reconstituer toutes les superficies à partir de cette source de 1697. Le dénombrement de la seigneurie de 1731 le permettrait, mais les censitaires y sont trop mal identifiés.

(18) En 1697, les religieuses de la Congrégation possèdent environ 700 arpents de terres, et l'Hôtel-Dieu, 500. Les seigneurs exploitent plus de 1 000 arpents. La proportion relative des terres de l'Église augmente avec le temps.

et les officiers, qu'il s'agisse d'arrière-fiefs ou de censives, ne sont guère plus importantes que celles qui sont exploitées par les cultivateurs, de sorte que la fraction du sol appartenant à ces derniers ne serait pas inférieure aux trois quarts du territoire, au moins jusqu'au milieu du XVIIIe siècle. Il y a quelques grandes propriétés, mais elles ne sont pas constituées aux dépens d'un groupe social, du moins dans l'immédiat. Tout au plus est-il

TABLEAU 30.

Répartition de la propriété rurale de l'île de Montréal selon l'occupation des tenanciers
(1697).

Catégorie de tenanciers	Propriétaires de biens ruraux	Pourcentage des propriétés rurales (%)
Cultivateurs propriétaires	262	80
Citadins propriétaires de biens ruraux :		
— communautés religieusesë.. 4		
— marchands 13		
— officiers civils et militaires .. 13		
— artisans et voyageurs 34		
— cultivateurs retraités et autres 5		
TOTAL	69	20
TOTAL des propriétaires ruraux	331	100

Source : Livre des tenanciers, décembre 1697, ASSM.

permis à certains privilégiés d'accumuler des terres en friche, de faire des provisions qui éventuellement, lorsque le territoire inculte sera épuisé, limiteront l'expansion de la propriété paysanne dans la seigneurie.

Il y a tout de même une bonne proportion de propriétaires ruraux qui demeurent dans la ville et ne travaillent pas à la terre. L'image de campagnes peuplées uniquement de paysans propriétaires est un lieu commun qui simplifie trop la situation.

Avant 1760, les seigneurs, les couvents, les officiers et les marchands utilisaient les engagés pour défricher et cultiver leurs terres, mais avec le temps, les propriétaires ont de plus en plus recours à la location (19). En 1697, un cinquième au moins des habitations rurales sont exploitées de manière permanente par un fermier ou métayer, ce à quoi il faut ajouter les locations consenties par des paysans, lesquelles ont généralement un caractère temporaire. Ce sont des veuves, des cultivateurs âgés et surtout les tuteurs qui afferment les biens de leurs pupilles. Ajoutons enfin les baux judiciaires qui suivent souvent les saisies-brandon (20). En 1721, d'après les résultats d'une enquête sur les territoires paroissiaux, 25% des habitations de la banlieue et entre 10 et 15 % de celles des côtes éloignées sont sous le régime du faire-valoir indirect (21). Nous retiendrons donc 20 % comme moyenne dans l'ensemble de l'île depuis le dernier quart du XVIIᵉ siècle.

Si l'existence des bailleurs de terre est en soi normale, comment ceux-ci peuvent-ils recruter des locataires alors que tous dans ce pays ont accès à la propriété? Qui sont les preneurs et pourquoi préfèrent-ils travailler sur la terre d'autrui plutôt que sur leur propre concession? Hors les circonstances accidentelles et les motivations particulières, nous trouvons deux facteurs permanents : le caractère pénible des défrichements et la pauvreté des colons. Sauf quelques cas exceptionnels, les contremaîtres et les fermiers des grandes propriétés qui ont choisi une fois pour toutes ce statut (22), les tenanciers sont des propriétaires en puissance. Ils ne forment pas une

---

(19) Les seigneurs, entre autres, exploitent directement « par valets » jusque vers 1680. La méthode exige beaucoup de surveillance et le supérieur général insiste pour que les terres soient affermées. (Lettre de M. Tronson, du 26 mai 1682, ASSP, vol. XIII, p. 284.)

(20) R. C. Harris relève aussi environ un cinquième de terres affermées périodiquement à Sainte-Famille de l'île d'Orléans, mais il ne semble pas envisager la possibilité de propriétaires urbains. Plus nous nous éloignons de Québec et de Montréal cependant, plus rares sont ces modes d'exploitation.

(21) *RAPQ* (1921-1922), p. 262 *sqq.*

(22) Par exemple, Jean Fournier, fermier de Milot, Molinier et Jacques Morin chez les seigneurs, Thomas Monnier, Saint-Yves, etc.

catégorie à part et comprennent autant de fils d'habitants que d'immigrants. Un seul trait commun : le manque de capital pour s'établir. Plutôt que d'aller vivre quatre ou cinq ans dans une cabane de pieux, de défricher sans relâche et de voir graduellement grossir le montant de leur dette, ils s'installent aussi longtemps qu'il le faut sur une terre faite et bien équipée. Les avantages sont évidents : un revenu, une maison convenable, un matériel d'exploitation, la possibilité de gagner quelques têtes de bétail. La mise en valeur de leur propre habitation progresse lentement et parfois pas du tout les premières années, mais à la longue, un bon fermier trouve moyen de défricher sa terre et emploie des hommes, des soldats par exemple, pour le faire à sa place (23). Il essaie d'utiliser les bœufs et la charrue du propriétaire à son profit; il construit dans ses moments libres une maison permanente et au bout de cinq à dix ans, il peut s'installer sur une habitation productive et, facteur important, dans une côte déjà occupée, desservie par un chemin, intégrée à une paroisse. Parfois, plutôt que de demander une concession, ces fermiers achètent une habitation déjà en valeur (24). Dans l'un ou l'autre cas, leur situation financière après ces transactions n'est peut-être pas meilleure que celle de leurs voisins, mais ils ont évité plusieurs années de misère et d'isolement.

Il s'ensuit que les fermiers sont généralement jeunes, instables, au départ toujours sans ressources, peu portés à soigner une terre qu'ils abandonneront tôt ou tard et fort tentés d'enfreindre les clauses du bail défendant d'utiliser le matériel du bailleur à leur profit. Les résiliations et les procès semblent être assez fréquents (25). La position des propriétaires est donc délicate

(23) Voir le cas de Paul Dazé, fermier des seigneurs qui passe des marchés pour faire défricher sa terre, 7 août et 6 novembre 1672, M. not., Basset.

(24) Voir les actes des 29 décembre 1681 et 1er novembre 1682, *ibid.*, Maugue; vente de terres à Renouard, fermier de l'Hôtel-Dieu, 26 mai 1684, *ibid.*, Basset.

(25) Les amodiations à court terme ne font pas toujours l'objet d'actes notariés. Aussi est-il impossible de quantifier. Nous rencontrons souvent dans les baux la phrase : Ladite terre « que led. preneur a dit connaistre pour estre en sa possession depuis longtemps », mais nous ne retrouvons

mais ils ne sont cependant pas à la merci des preneurs. Il y a bien en effet des millions d'hectares incultes autour de l'îlot rural, mais le rapport défavorable entre le nombre d'hommes et la petite superfice cultivable pèse peut-être davantage dans l'immédiat. Tant qu'il y a une masse de pauvres défricheurs, les fermiers sont aisément remplaçables et les plus aptes, les plus honnêtes ont la préférence. Par quels cheminements le mot « laboureur » vient-il petit à petit à désigner les tenanciers de fermes et de métairies, par opposition aux « habitants » qui exploitent leur propriété et qui, dans bien des cas, disposent d'un équipement comparable (26)? La tenure temporaire n'est pas considérée comme un pis-aller, un palier inférieur à la tenure héréditaire dans la hiérarchie rurale.

La forme des baux ruraux et leur évolution dans le temps éclairent les conditions générales de l'agriculture et les rapports de force entre le capital d'exploitation et la main-d'œuvre (27).

Le titre de ces contrats est ambigu. On baille « à titre de ferme et moissons de grains » ou « de ferme et loyer ». Dans les deux cas, il s'agit d'une amodiation à prix forfaitaire, payable en grains, car dans la colonie il n'y a pas, à quelques exceptions près (28), de baux ruraux à prix d'argent. D'après nos calculs, le prix représente le tiers du produit brut. Le second tiers est le produit net du preneur et le troisième couvre les coûts de production (29). A la fin du XVIIe siècle, les baux « à titre de ferme et moitié de tous grains » se multiplient et déjà, vers

pas ces conventions antérieures. Disons que les reconductions de bail au-delà d'un deuxième terme semblent exceptionnelles. Voir le bail du 20 juillet 1719, *ibid.*, Le Pailleur.

(26) Cet usage se répand lentement et apparaît clairement au milieu du XVIIIe siècle. Voir *infra*, quatrième partie, chap. II, § 8.

(27) Nous avons prélevé un échantillon d'une centaine de baux, soit tous ceux passés entre 1660 et 1680, en 1690 et entre 1716 et 1720, retrouvés dans les minutes de Basset, Maugue, A. Adhémar, Raimbault, Tailhandier, Le Pailleur et David.

(28) Quatre cas seulement dans les baux examinés, dont le fermier général de la seigneurie de Lachenaye (*ibid.*, Adhémar, 19 juillet 1689; Basset, 13 novembre 1675). Seuls les prés sont ordinairement loués à prix d'argent (cf. *infra*, chap. V, § 2).

(29) C'est ce que constate de même Pierre de Saint Jacob, *op. cit.*, p. 42.

1720, ces contrats de métayage au sens actuel du mot (30) comptent pour la moitié des amodiations conclues devant notaire.

Quel que soit le type de contrat, c'est toujours le propriétaire qui fournit tout le capital d'exploitation : les animaux, les instruments, jusqu'au logement, aux outils et ustensiles indispensables. Le preneur entre dans l'habitation les mains vides et fait beaucoup plus figure d'ouvrier agricole que de fermier. Le bailleur lui avance les semences qu'il rembourse ordinairement sur le produit des deux ou trois premières années. Dans ces conditions, pourquoi n'a-t-on pas adopté d'emblée le système à mi-fruits, associé précisément aux paysanneries dénuées de tout et si répandu dans l'ouest de la France, pays d'origine de ces colons (31)? Pendant quarante ans, les propriétaires ont réussi à prélever une rente fixe, à ne pas partager les risques de l'exploitation. De même, le bail à cheptel toujours incorporé à la location de la terre a joué contre le preneur pendant plusieurs décennies. Les souches sont prisées par deux experts au début et à la fin du bail et ce dernier doit rembourser cette valeur nonobstant les variations subies dans l'intervalle. Il supporte seul la dépréciation et les pertes ne sont partagées que s'il peut fournir un certificat de mort naturelle, non imputable à sa négligence (32). Mais les difficultés s'amoncellent lorsque les malheurs de la guerre et une série de mauvaises récoltes frappent les campagnes à partir de 1691 (33). La diffusion du bail à mi-fruits apparaît comme une victoire des fermiers, que les paiements forfaitaires avaient plongés dans la

(30) Le mot métairie est utilisé couramment par les communautés religieuses pour désigner les terres qu'elles exploitent elles-mêmes ou qu'elles afferment à prix fixe. On parle aussi de « grange ». Par exemple, bail du 5 juin 1672, M. not., Basset.

(31) Pierre Goubert, « Les campagnes françaises » dans F. Braudel et E. Labrousse, *op. cit.*, p. 142; Louis Merle, *op. cit.*, *passim*.

(32) L'évêque fait campagne contre ce système. Mandement de Saint-Vallier contre l'usure, 3 mars 1700, ASSM (copie Faillon H 645).

(33) Les poursuites pour non-paiement des fermes montent en flèche en 1692-1693. Quelques fermiers obtiennent des rabais. Procédures au bailliage, 1692, 2e série, registre 2, fos 607 v, 613 v, 109, 429, 649 v, 412 v, etc.

misère, et aussi comme un moyen pour les propriétaires de surveiller de plus près l'exploitation, de freiner le laisser-aller(34). A mesure que les terres cultivables sont moins rares, que le cheptel de la population rurale s'accroît, que les exploitations paysannes s'équipent, les avantages initiaux des habitations bourgeoises et conventuelles sont moins apparents et le partage équitable des pertes comme des profits prévaut peu à peu. Il devient la règle des baux à cheptel au début du XVIIIᵉ siècle. On voit en même temps apparaître la clause du gré ou faculté pour les parties de prévoir un terme anticipé à leur convention. Sage décision qui, mieux que les procédures, peut enrayer les déguerpissements.

Les baux ne cessent pas cependant d'être tatillons et assez rigoureux, particulièrement en ce qui touche les charges annexes, les corvées contractuelles, les réserves et les interdits. Outre sa part de grain (35) et la moitié du croît, le bailleur prélève à taux fixe diverses redevances sur tous les éléments de l'exploitation (36). Pour chaque vache louée, la charge est généralement de dix livres de beurre par année; pour les bœufs ou les chevaux, il exige le traînage de quinze à vingt cordes de bois de chauffage jusqu'à sa demeure, ce qui représente trente à quarante livraisons annuelles (37), auxquelles s'ajoutent parfois des jours de charrues sur une autre habitation. Pour les porcs, l'usage oscille entre un cochon gras par année pour quatre bêtes baillées ou un cochon prêt à être engraissé pour deux. La règle est fixe pour les volailles : une douzaine d'œufs et une douzaine de poulets annuellement pour chaque poule fournie. Lorsqu'il y a des vergers, ils sont à demi-fruits. Le propriétaire se réserve souvent le potager, sinon il y prélève un quantum de choux. Tous ces produits doivent être livrés à des dates précises, bien échelonnées pour répondre aux

---

(34) Abel Poitrineau, *La vie rurale en Basse Auvergne au XVIIIᵉ siècle (1726-1789)*, pp. 171-174.

(35) Et la moitié des laines lorsqu'il y a des moutons, mais il n'y a pas plus de trois ou quatre troupeaux dans l'île au XVIIᵉ siècle.

(36) Ces charges se rapprochent des « suffrages » du Poitou, décrits par Louis Merle, *op. cit.*, pp. 169-175.

(37) Les propriétaires emploient des manœuvres pour préparer leur bois de chauffage. Seul le « traînage » est à charge du fermier.

besoins du bailleur (38). Ils représentent un nombre considérable de déplacements.

Certains propriétaires exigent la livraison de quelques charretées de foin, mais en général le preneur n'est tenu qu'à laisser à la sortie ce qu'il a trouvé en entrant. Il arrive qu'on lui demande d'hiverner à ses frais un animal, un cheval surtout, qui n'est pas compris dans le bail (39). Les autres clauses sont rituelles : jouissance paisible du bien, entretien des terres, menues réparations des bâtiments, récurage des fossés, etc. Le fermier est aussi responsable de tous les ustensiles, articles et instruments d'agriculture qui lui sont confiés, lesquels sont également prisés à l'entrée et à la sortie et dont il assume la dépréciation et le remplacement si nécessaire.

L'usage des bois de la ferme, assez libéral dans les toutes premières années, est vite contrôlé. Le locataire coupe ce qu'il faut pour son chauffage et les réparations, rien de plus. Certains baux précisent le nombre de cordes allouées. Enfin, il lui est toujours formellement interdit d'utiliser le matériel et les animaux pour des charrois autres que ceux qui sont requis par le bail, ou à toutes autres fins personnelles (40).

Bref, tout ce tissu d'obligations, que nous nous attendons à retrouver un peu partout en France, étonne en Amérique. Incontestablement, les propriétaires exercent un certain contrôle sur la main-d'œuvre rurale, car il y a des preneurs. Les baux s'allègent au XVIIIᵉ siècle, mais cette libéralisation est lente et inégale. Les plus gros possédants maintiennent la plupart de leurs exigences au moins jusqu'en 1720. Cette emprise repose sur des investissements dans l'entreprise agricole qui doivent, pour produire une rente, surpasser ceux des cultivateurs moyens. Elle est d'autre part limitée, puisque le revenu net

---

(38) Les cochons à la Saint-Michel et à la Toussaint; les chapons à la Saint-Martin; les œufs régulièrement le printemps, l'été, l'automne; le bois en hiver; le grain entre Noël et la Chandeleur ou Pâques en plusieurs charrois, d'abord au moulin et ensuite du moulin à la demeure du bailleur.

(39) Bail de Saint-Gabriel, 6 décembre 1704, et reconduction le 6 décembre 1708, M. not., Raimbault.

(40) Nous relevons cependant un bail très libéral des Jésuites permettant au preneur d'utiliser les deux chevaux pour faire des charrois à son profit (*ibid.*, Le Pailleur, 14 avril 1720).

du métayer ne peut être inférieur à celui du colon, mais la pauvreté de la masse agricole laisse quand même une bonne marge de jeu (41).

Nous n'assistons pas cependant à une expansion des propriétés bourgeoises et ecclésiastiques. Bien au contraire, l'importance relative des premières décroît entre 1660 et 1720 (42). En 1697, ce sont les deux cinquièmes des marchands équipeurs seulement qui ont des biens dans les côtes de la seigneurie et la proportion des officiers est à peine plus forte (43). L'analyse des baux ruraux montre que ce n'est pas tant l'abondance des terres gratuites ou le manque de main-d'œuvre qui sont responsables de cette situation, mais l'ensemble de la conjoncture agricole et particulièrement les conditions du marché extérieur.

A côté de ces « laboureurs », de ces baux minutieux, il faut placer toute la gamme des tenanciers occasionnels, liés par ce que les notaires appellent des baux à ferme mais qui ne sont en réalité que des marchés, très vagues où les avantages des parties s'égalisent. Nous avons déjà mentionné ces artisans pauvres qui cherchent la sécurité dans l'obtention d'une propriété rurale. La terre donne le statut d'habitants aux petits marchands et coureurs de bois (44). Tant que le commerce des fourrures est mené dans l'illégalité, il est bon d'avoir, au moins en apparence, une autre raison d'être dans la colonie, un couvert de soumission et de respectabilité, un bien qui pourrait éventuellement asseoir le crédit de ces aventuriers. Il est facile d'obtenir un titre, d'acquitter les droits seigneuriaux

(41) Nous ne faisons pas intervenir les facteurs de fertilité et de localisation. Celle-ci cependant joue à l'avantage des propriétaires du XVIIᵉ siècle dont les biens sont situés près de la ville. Mais la fertilité est assez bonne dans toute l'étendue de l'île et à travail égal, il y a peu de zones marginales.

(42) Celle des propriétés exploitées, à coup sûr. Les communautés accumulent des superficies mais laissent la plupart de ces acquisitions en friche. L'Hôtel-Dieu est un bon exemple de propriétaire négligent.

(43) Livre des tenanciers, ASSM. Quelques-uns ont des habitations hors de la seigneurie, mais au moins 40 % des individus dans ces catégories sociales ne possèdent aucun bien rural et si un marchand saisit une terre il se hâte de la revendre.

(44) Une propriété urbaine donne aussi le statut d'habitant, mais il faut l'acheter alors que la terre est gratuite.

et, pour se plier aux ordonnances et éviter la réunion, d'abandonner littéralement sa terre à un habitant pour une longue période. Le preneur est généralement un voisin et, à la différence des baux précédents, c'est lui qui fournit le matériel d'exploitation. Il déboise, ce qui donne du jour à ses champs et lui permet de ménager ses propres boisés. Il pioche et fait des emblavures à son gré, profite des hauts rendements de la terre vierge. Ce genre de faire-valoir, sorte de prolongement des marchés de défrichement, est assez commun et fait rarement l'objet d'un contrat devant notaire. La mise en valeur est lente et bâclée, le bailleur ne retire qu'une faible fraction de la récolte et aucun autre avantage en nature ou en services, mais, sans rien investir, il court la chance de réaliser à la longue un gain de capital (45). Sans même avoir recours à ce simulacre de fermage, d'autres citadins se contentent de faire travailler des journaliers sur leur terre au temps des semences et des récoltes, avec les piètres résultats que nous pouvons imaginer (46).

3. *Mobilité apparente et stabilité réelle.*

Mais tous les pseudo-colons ne réussissent pas à conserver la propriété d'une terre qu'ils n'exploitent pas. Lorsqu'ils forment la majorité des concessionnaires dans un quartier éloigné, comme c'est le cas par exemple sur les bords du lac Saint-Louis, il n'y a pas de voisins pour mettre les terres en valeur. Les intendants et les seigneurs multiplient en vain les avertissements et les menaces : les habitants doivent « tenir ou faire tenir feu et lieu », défricher deux arpents par année (47).

---

(45) C'est ici le facteur de localisation qui joue. Cette habitation, située dans une côte habitée, a plus de valeur que la terre récemment concédée dans un terrain éloigné.

(46) Par exemple, la terre du boulanger Étienne Forestier à la rivière des Prairies (inventaire du 6 mars 1700, M. not., A. Adhémar).

(47) Ordonnances des seigneurs, 20 mai 1673 et 12 janvier 1675, complétées par une ordonnance de l'intendant du 30 octobre 1676. APC, M-1584; ordonnance de l'intendant, 24 août 1682, P.-G. Roy, *Ordonnances, Commissions...*, vol. 1, pp. 308-310.

« On voudra bien remarquer, déclare le supérieur du Séminaire, que si tous les gens de long cours et abandonneurs d'habitations pour les reprendre quand il leur plaira peuvent ainsi laisser et reprendre, les seigneurs ne pourront plus disposer de leurs terres, et si la paix se fait et que les troupes ont congé de s'habituer, il faudra leur assigner des terrains au-dessus des saults, parce que les gens de course ont tous les terrains retenus (48). » Les déguerpissements désolent les autorités, compromettent la bonne gestion de la seigneurie. Les voisins sont incommodés par ces bois qui jettent de l'ombre sur leurs champs, abritent des animaux nuisibles, créent des hiatus dans la façade de la côte, les obligent à construire les tronçons de chemin qui bordent les terres abandonnées.

Les célibataires qui partent courir les bois sont les principaux coupables, mais il faut leur ajouter les colons malchanceux, qui n'ont pas la résistance physique, l'habileté élémentaire requise pour subsister pendant les premières années, qui ne sont pas taillés pour être cultivateurs. Ils se découragent, repartent souvent en France ou, s'ils sont mariés, vont s'installer dans la ville où ils continuent à crever de misère (49). Il y a aussi de petits spéculateurs qui misent sur la localisation, sur les travaux des autres concessionnaires qui mettent les terres adjacentes en valeur, pour pouvoir revendre avec profit ce qu'ils ont reçu gratuitement (50).

Dans tous les cas, ces censitaires essaient de conserver la terre, de trouver un locataire sinon un acheteur, faute de quoi elle est éventuellement réunie au domaine contre leur gré. La documentation éparse ne permet pas de quantifier les réu-

---

(48) Déclaration du 25 juin 1694, M. not., A. Adhémar.

(49) Le cas d'Étienne Pothier qui demeure cinq ans avec la famille sur une habitation de Lachine, s'endette, abandonne. La terre est réunie au domaine et ses héritiers protestent. Pétition du 21 août 1697, APC, M. G. 17, A7, 2, 3, vol. 5, pp. 34-35.

(50) Comme le prix des terres est à la baisse pendant toute la période, ce jeu est rarement rentable. Nous n'avons pas rencontré beaucoup de colons dans cette catégorie. Le cas de Jean Hardouin, célibataire, ex-engagé, qui passe cinq transactions foncières en neuf mois, au bout de quoi il se retrouve avec 200 l. de dettes et disparaît, nous semble illustrer les risques de ces entreprises. Actes d'octobre 1668, 18 janvier, 1ᵉʳ février, 28 février et 23 juin 1669, M. not., Basset.

nions. Sous toute réserve, nous dirions environ 150 censives entre 1642 et 1731, peut-être 15 % de tous les acensements. Il y a aussi un certain nombre d'abandons volontaires (51).

A côté de ceux qui déguerpissent, de ceux plus heureux qui réussissent à louer un bien-fonds sans valeur, nous trouvons les vendeurs de terres. La lecture des intitulés des actes dans les répertoires de notaires laisse croire qu'il y a un marché très actif. Pour découvrir les réalités qui se cachent sous cette pléthore de contrats, nous avons retenu cinq périodes et examiné toutes les ventes d'immeubles dans chacune d'elles (52).

Une fois éliminées toutes les transactions portant sur des droits acquis par les défricheurs et non sur les fonds, les ventes de biens ruraux situés hors de la seigneurie (53), le nombre de ventes d'habitations dans l'île de Montréal nous apparaît très modeste. Il n'est évidemment pas question de dégager un mouvement qui refléterait tant soit peu la conjoncture de chaque décennie, puisque le nombre de ventes est davantage commandé par la courbe des acensements, mais nous pouvons dire qu'environ 5 % des terres changent de main, année moyenne. Dans l'ensemble, les terres vendues ne diffèrent guère de celles qu'on abandonne. Elles sont à peu près incultes et si elles portent un bâtiment, c'est une cabane en pieux ou une méchante maison de pièces sur pièces. La valeur oscille entre 30 et 150 l., soit le montant des arrérages de droits seigneuriaux, le prix de l'arpentage et de la grosse du bail à cens, des « déserts » et de la cabane, le cas échéant. Toutes les habitations vendues moins de six ans après l'acensement répondent à peu près à cette description (54). Si l'occupation s'est prolongée au delà,

(51) Tel censitaire « prie les Seigneurs d'accepter l'abandon qu'il désire faire d'une certaine habitation par luy acquise à la côte Saint-Sulpice... la pouvant ny voulant faire valoir... » (*ibid*, Raimbault, 13 mars 1710).

(52) Les échanges forment une autre catégorie de transactions, relativement nombreuses (jusqu'à un quart des ventes) et plus difficiles à interpréter. Disons que les fonds échangés ont généralement moins de valeur que ceux qui sont vendus.

(53) Pendant longtemps, il n'y a pas de notaires dans les autres seigneuries de la région et ces habitants utilisent ceux de l'île de Montréal.

(54) Ces vendeurs désobéissent aux ordonnances défendant de vendre les terres en friche qui sont toutes restées lettre morte. Il n'y a pas de sanction et, d'après la coutume, ces habitants sont dans leur droit.

nous avons une terre inachevée valant entre 300 et 500 l.
un peu plus déboisée, avec quelques arpents « en culture de
pioche » mais non labourés et mal essouchés, des bâtiments

TABLEAU 31.

Les ventes de biens ruraux dans l'île de Montréal
au XVIIIᵉ siècle.

	Périodes				
	1649-63	1667-70	1680-81	1690	1700
Nombre de contrats de vente	38	57	31	27	32
Vente de biens ruraux	24	52	27	11	29
Nombre approximatif d'habitations	(50)	(150)	(250)	(350)	(500)
Vente dans l'année suivant l'acensement	3	34	1	3	19
Vente entre 2-6 ans suivant l'acensement	19	14	1	1	1
Vente entre 6-10 ans suivant l'acensement	2	2	—	1	2
Vente après 10 ans suivant l'acensement	—	2	8	6	7
Cas inconnus	—	—	17	—	—
Vendu par le premier tenancier	10	28	7	5	17
Vendu par les tenanciers subséquents	14	23	13	4	12
Cas inconnus	—	1	7	2	—

Source : Minutes de tous les notaires qui exercent dans l'île de Montréal durant ces périodes.

« menaçant ruine ». Toutes ces habitations de peu de valeur
ont tendance à changer de propriétaires plusieurs fois au cours
d'une courte période, les acheteurs revendant faute de pouvoir
effectuer les paiements.

Car les acheteurs sont essentiellement les paysans qui veulent accroître la superficie de leur propre habitation ou même acquérir un fonds dans une autre côte, en songeant à l'établissement de leurs enfants. Ils n'ont pas d'épargnes pour payer comptant lors même que les prix sont peu élevés. Jusque vers 1680, il leur suffit de donner un faible acompte et le solde est étalé sur plusieurs années en versements égaux, payables en blé souvent. Par la suite, ces transactions sont plus difficiles. Les vendeurs et surtout leurs créanciers qui ont forcé la vente, exigent le règlement immédiat en argent ou en cartes. Ces ventes au comptant devant le notaire ne doivent pas nous induire en erreur car, pour ce faire, les paysans empruntent et plus d'une fois le marchand qui a consenti au prêt assiste à la signature du contrat qu'il conserve en garantie d'une obligation à demande. Plus heureux sont les cultivateurs qui réussissent à emprunter des seigneurs, moyennant une constitution de rente. Les achats de terre constituent la base de l'endettement paysan. Nous rencontrons aussi, au nombre des acheteurs, des jeunes gens du pays qui utilisent leur part d'héritage ou les gages qu'ils rapportent de leurs voyages aux Outaouais pour s'établir sur une habitation déjà un peu productive, plutôt que de prendre une concession en bois debout (55). En général, ce sont les immigrants qui défrichent et ouvrent les côtes et les gens du pays qui récupèrent les terres inachevées de ceux qui ne persévèrent pas.

Ce qui se dégage enfin de cette analyse des contrats de ventes, c'est que le patrimoine paysan n'est pas sur le marché. Une bonne terre, avec quarante arpents labourables, son pré et ses bâtiments, ne vaut jamais moins de 1 000 l. Notre échantillon compte à peine une vingtaine de ventes dans cette catégorie et la moitié des vendeurs sont des marchands qui quittent la colonie, des ménages sans héritiers, des communautés religieuses. Les acheteurs forment un groupe hétéroclite : des couvents encore, des marchands, deux aubergistes, un meu-

(55) Dans ces derniers cas, c'est souvent le marchand employeur qui règle la transaction à même les gages que l'acheteur doit toucher au retour. Ventes à Jacques Henry, à Pierre Lelat financées par de Couagne, 17 janvier et 20 août 1700, M. not., A. Adhémar; vente à Michel Baribeau, engagé de Monière, dans les comptes de celui-ci, mai 1720, APC, M-847.

nier, un serrurier, deux cultivateurs et cinq voyageurs (56). L'impression première d'une mobilité rurale extrême, dégagée des sources administratives et notariales, doit donc être révisée. Nos listes nominatives sont rares et inadéquates pour mesurer les déplacements. Ce n'est qu'au prix d'un labeur démesuré que nous pourrions identifier les propriétaires de l'île et localiser leurs exploitations. Sans nous donner tant de mal, nous constatons que les 111 familles recensées en 1666 vivent encore dans la seigneurie en 1667, sauf 3, que des 27 célibataires il n'en reste que 6 l'année suivante. Sur une plus longue période, nous retrouvons, en 1681, 97 des 123 familles établies en 1667. Mais tout ceci reste assez vague puisque rien ne nous prouve que ces familles demeurent et sont recensées sur la même terre à quatorze ans d'intervalle.

Il nous a donc semblé utile d'étudier le problème sur un territoire plus restreint et nous avons choisi la paroisse de la Pointe-aux-Trembles qui comprend deux côtes juxtaposées en bordure du fleuve, Sainte-Anne et Saint-Jean, avec le fort ou bourg au centre. Le territoire forme un rectangle allongé sur deux lieues et demie, dont la largeur varie selon la nature des fonds entre vingt et quarante arpents, soit une superficie de 2 000 hectares inextensible puisque enserrée entre le fleuve et les côtes de l'intérieur. Les terres y furent distribuées graduellement entre 1669 et 1680, à une époque où les acensements n'étaient pas tous faits devant notaire.

Nous retrouvons dans cet exemple les caractéristiques déjà esquissées. Une grande mobilité dans la première décennie suivant l'acensement. C'est plus de la moitié des terres ici qui ont changé de propriétaires avant d'être mises en valeur (57).

---

(56) Par exemple les voyageurs Jacques Cardinal, Joseph Leduc, Antoine Trudel, Louis Hubert-Lacroix et Nicolas Duclos achètent des terres valant entre 1 200 et 10 000 l., 29 décembre 1675, M. not., Basset; 24 avril 1687 et 24 décembre 1703, *ibid.*, A. Adhémar; 27 janvier 1691, ibid., Pottier.

(57) R. C. Harris a pu suivre ainsi 71 censives à Sainte-Famille de l'île d'Orléans. Un tiers de ces terres sont vendues dans la première décennie (*op. cit.*, pp. 141-144). Dans la seigneurie de Notre-Dame-des-Anges, la moitié des terres changent de propriétaires dans les premières années (*ibid.*).

Les dix ans écoulés, la propriété se stabilise. Sur les cinq habitants qui vendent leur habitation entre 1681 et 1702, quatre sont morts trop jeunes ou sans laisser d'enfants. Les seigneurs ont acensé six nouvelles terres vers 1692-1697, ce qui porte le nombre d'habitations dans les deux côtes à cinquante-deux,

TABLEAU 32.

Mouvement de la propriété à la Pointe-aux-Trembles entre 1681 et 1781.

Année	Propriétaires recensés			Propriétaires au recensement suivant				Total des propriétaires.
					Nouveaux propriétaires			
	Concessionnaires	Acheteurs	Total	Même famille qu'au recensement précédent	Concessionnaires	Acheteurs de terres récemment concédées	Acheteurs de terres anciennes	
1681	20	26	46					
1702				41	2	4	5	52
1731				41			9	50
1781								53

Source : AC, C1 460; APC, carte Hi340; listes des censitaires de 1697 et 1781, ASSM; *RAPQ* (1941-42); C. PERRAULT, *op. cit.*

nombre qui dès lors ne varie à peu près plus. Ces habitants ont de grandes familles, mais la propriété résiste extraordinairement au morcellement. Ceux qui achètent des terres entre 1702 et 1731 sont généralement les fils des habitants de la même côte et nous en arrivons vite à une prolifération des mêmes

patronymes (58). La curiosité nous a poussée jusqu'en 1781.
Le bourg, qui n'était pas compris dans ce relevé, commence à se peupler et passe de vingt à trente-huit maisons.
Les réseaux de parenté entre les habitants s'épaississent. En
un siècle et bien que ces terres soient plus grandes, plus aisément
morcelables que celles de la côte-des-Neiges examinées plus
haut, la densité demeure la même (59).

4. La transmission du patrimoine.

Et alors, qu'en est-il des partages successoraux? S'appuyant
sur une connaissance théorique de la coutume, les historiens
ont rarement manqué de souligner qu'avant l'introduction
des libertés anglaises en ce pays, l'habitant ne pouvant choisir
son héritier, les terres étaient partagées en lots égaux à chaque
génération, se subdivisaient à l'infini. Ils ont vu là une des
causes de la faiblesse de l'agriculture dans les territoires peuplés par les Français (60). Une ordonnance royale de 1745
vient renforcer ces affirmations. Elle interdit aux habitants
de bâtir maison sur une terre de moins de quinze perches de
front, afin de mettre un terme, est-il ajouté, à l'émiettement
des héritages, facteur principal des crises cycliques de 1737-
1738 et de 1742-1744 (61). Ce règlement curieux, hâtivement
rédigé sur la foi de quelque rapport alarmiste, est démenti
par les dénombrements des seigneuries dressés autour de

(58) Il est facile de suivre la propriété de père en fils, beaucoup moins
quand le successeur est un gendre. Quelques erreurs ont pu se glisser
mais elles ne sont pas assez nombreuses pour altérer l'image globale.

(59) R. C. Harris observe un cycle en quatre temps dans le mouvement
des superficies, près de Québec : superficie telle qu'acensée, accroissement,
chute, équilibre un peu en deçà de la superficie primitive (op. cit., p. 138).
A Montréal, l'équilibre suit le second temps et dure au moins un siècle.

(60) Ce postulat que nous retrouvons chez presque tous les auteurs
canadiens-anglais est bien résumé dans le passage suivant : « Subdivision
of frontage generation after generation at last meant farms of infinite
length and no breath. There is a tradition that, at on point on the St. Lawrence, one great elm tree used to shade the frontage of three farms. »
(A. R. M. Lower, From Colony to Nation, Toronto, 1946, p. 43.)

(61) Ordonnance du 28 avril 1745, Édits, ordonnances royaux, vol. 1,
pp. 585-586. Notons que ce règlement en plus d'être basé sur de fausses
prémisses est en flagrante contradiction avec la politique du XVIIᵉ siècle
qui cherchait à rapprocher les habitations.

1730. L'occupation à raison d'une maison à toutes les vingt ou trente perches reste la norme dans toute la colonie (62).

Ceux qui parlent de morcellement n'oublient qu'une chose : regarder les campagnes québécoises d'aujourd'hui. Il faut chercher longtemps, dans les régions qui n'ont pas encore été envahies par l'urbanisation, pour trouver des signes de parcellement et qui connaît tant soit peu les dimensions des concessions originelles ne peut que constater que les terres sont restées ce qu'elles étaient, longues et étroites, petites par rapport aux standards américains. Même l'extrême pénurie de terres dont a souffert cette population au XIXe siècle n'a pas réussi à bouleverser la régularité du paysage (63). La superficie moyenne des terres dans l'île de Montréal est de 80 arpents au début du XVIIIe siècle et c'est encore ce que nous retrouvons dans ses quartiers ruraux en 1851 (64). Ne peut-on pas croire que le morcellement de la propriété paysanne française était en partie la conséquence du système de culture collectif ? N'est-ce pas lui qui permettait et souvent rendait même souhaitable la répartition de parcelles détachées dans diverses parties du finage, qui donnait, grâce aux usages divers, la possibilité de subsister tant bien que mal avec quelques ares d'emblavures ? L'existence d'industries rurales apportant des revenus d'appoint jouait dans le même sens. Leur absence au Canada, liée à l'individualisme agraire, interdisait le parcellement. L'habitant doit isolément tout tirer de sa propriété et si celle-ci est trop petite, il vend, devient manœuvre et émigre. Il n'y a pas d'étapes intermédiaires (65).

(62) R. C. Harris, *op. cit.*, pp. 131-136.

(63) Fernand Ouellet a commencé à étudier cette question. Voir, entre autres, « Répartition de la propriété foncière et types d'exploitation agricole dans la seigneurie de Laprairie durant les années 1830 », dans *Éléments d'histoire sociale du Bas-Canada*, Montréal, 1972, pp. 114-149.

(64) *Recensement du Canada de 1851*. Jean Hamelin et Yves Roby, *Histoire économique du Québec 1851-1896*, Montréal, 1972, p. 6. Il reste qu'à cette époque, le travail en forêt qui prolétarise les habitants sept mois par année contribue largement à émousser l'ancienne ambition de construire « un beau bien ». Voir Gérard Fortin, *La fin d'un règne*, Montréal, 1971, *passim*.

(65) D'ailleurs en France aussi on a observé cette résistance de la propriété. Voir René Baehrel, *Une croissance : la Basse-Provence rurale* (*fin du XVIe siècle-1789*) (Paris, 1961), pp. 439-440.

Dans la dernière partie de ce travail, nous étudions les coutumes locales en matière de succession, en liaison avec les comportements familiaux. Mais posons tout de suite, pour éclairer le problème de la structure agraire, que la division de l'héritage dans cette société remarquablement « égalitariste », ne se traduit pas par un partage réel des biens fonciers. A la dissolution de la communauté, les immeubles sont divisés en deux lots et la moitié revenant aux héritiers, en autant de parts qu'il y a d'enfants, procédé répété à la mort de l'autre parent. Cinq héritiers venant à la succession d'une terre de 60 arpents reçoivent en deux temps chacun deux lanières de deux par trois cents perches. Les lots sont tirés au sort et celui qui porte les bâtiments doit en rapporter la valeur à la masse. Par la suite, quatre d'entre eux vendent leurs « droits successifs » au cinquième (66). S'il y a deux terres d'inégale valeur dans la succession, chacune est divisée en autant de lots qu'il y a d'héritiers pour faciliter l'évaluation des parts (67). Le partage est toujours théorique et la cession des parts successorales rétablit les dimensions primitives.

Lorsque le père meurt le premier, soit dans la majorité des cas, les immeubles demeurent longtemps indivis entre les héritiers, entre ceux-ci et leur mère si elle ne se remarie pas, jusqu'à ce que l'un d'eux demande le partage. Sitôt fait, ce dernier vend sa part à un cohéritier ou au tuteur agissant pour les mineurs. Tour à tour, fils et filles mariées font ainsi cession de leurs droits. La copropriété est le plus souvent le fait de mineurs demeurant avec la mère ou avec un aîné qui a décidé de conserver pour lui le bien familial. Les remariages hâtent et compliquent ces procédures. Lorsque deux héritiers ou plus convoitent l'habitation ou qu'ils ne s'entendent pas sur sa valeur, elle est licitée et l'enchère sert de base à la redistribution. Parfois ce sont les créanciers qui exigent la licitation pour tirer au clair la valeur du fonds hypothéqué. On accepte alors les

(66) Par exemple, successions de M. Lorion, 24 juin 1680, M. not., Maugue; 1er mars 1694, *ibid.*, A. Adhémar; de P. Goguet, 2 novembre 1703, *ibid.*; d'André Dumers, 24 juillet 1699, *ibid.*, et état des propriétés des héritiers Dumers en 1731, *RAPQ*, 1941-42.

(67) Partage des biens de F. Brunet, 16-17 octobre 1703, M. not., Le Pailleur.

enchères étrangères, mais, comme les marchands ne sont pas des acheteurs de terres, il arrive malgré tout que la terre reste dans la famille (68).

Certains habitants laissent à leur mort plusieurs habitations ou une propriété beaucoup plus vaste que la moyenne. C'est le cas des meilleurs cultivateurs de la première génération qui reçurent de généreuses concessions et achetèrent quantité de parcelles en friche. Ordinairement, seule la terre initiale est bien mise en valeur, mais la possession des autres permet d'effectuer un partage réel et dégrève quelque peu l'héritage principal des dettes successorales. Ainsi, les très grandes propriétés d'un ou plusieurs tenants sont rarements transmises intégralement. Il faut voir l'accumulation de terres non pas comme une tendance vers la grande exploitation mais comme un moyen d'établir les enfants. L'habitant aisé ne thésaurise pas, mais achète automatiquement des terres pour ses fils et ses gendres. Si les familles nombreuses ont pour corollaire une plus grande fragmentation de l'actif d'une succession, c'est aussi un fait que la présence de plusieurs grands enfants stimule et conditionne l'élargissement de la propriété paternelle. Citons, à titre d'exemple, René Cuillerier qui amasse plusieurs propriétés rurales et urbaines qu'il distribue à ses cinq fils en avance d'hoirie (69). Ou encore, Toussaint Baudry qui laisse quatre terres, dont trois juxtaposées, le tout divisé en huit parts, que récupèrent les quatre fils à raison de 120 arpents chacun (70).

Bien que plus atténué ensuite, ce mouvement d'expansion et de contraction de la propriété foncière se répète à chaque génération, le gain de l'un compensant la perte du voisin, au gré des besoins et des ambitions des familles, au hasard des

(68) Ce sont des procédures coûteuses. A la fin du xviie siècle, le nombre annuel de licitations varie entre 4 et 10 et elles touchent surtout des propriétés urbaines. Voir l'adjudication des biens de P. Pigeon, L. Guertin et J. Beauchamp, 9 mars 1688, 6 mars 1692 et avril 1694, bailliage, 2e série, registre 1, fo 331, registre 2, fo 427 et registre 3, fo 92.

(69) Testament de Cuillerier déposé à l'étude d'Adhémar le 28 avril 1716.

(70) Actes relatifs à la succession Baudry, 29 août 1695, 16-17 septembre, 12-17 novembre 1698, M. not., A. Adhémar; état de ces propriétés en 1731 dans *RAPQ*, 1941-42.

décès prématurés, du jeu des mariages. Ce qu'il faut surtout retenir, c'est que ce système de transmission des héritages crée un endettement paysan permanent. Celui qui prend la terre a une lourde charge et il lui faut souvent emprunter pour racheter un à un les droits successoraux de ses frères et sœurs. Il avait fallu trente ans au père pour construire cette exploitation; à chaque génération, il faut dix à quinze ans pour la dégrever. Les obligations et les constitutions de rentes que nous retrouvons dans les passifs des habitants ont rarement une autre origine (71). A partir d'un noyau rural très stable, une frange mouvante pousse de plus en plus loin sur les basses terres. Le noyau est condamné à rester économiquement faible car il paie le coût de la colonisation périphérique.

(71) Philippe Leduc rachète à ses frères et sœurs les terres du quartier St-Joseph rassemblées par son père, soit une dette de 6 000 l. envers les autres héritiers. Le marchand de Couagne paie sur-le-champ les parts successorales et la dette de Philippe envers lui est consignée partie en constitution de rente, partie en obligation à demande. Contrats des 14 et 25 mai 1702, M. not., Raimbault.

CHAPITRE V

LA GESTION DE L'HABITATION

Avant la fin du XVIIIe siècle, l'agriculture canadienne n'attira guère l'attention des administrateurs, mémorialistes et observateurs qui passèrent dans la colonie. Les premiers signalent les mauvaises récoltes et les très bonnes années à l'occasion. La correspondance officielle fait état des lenteurs des défrichements, des déguerpissements, mais il n'est jamais question de l'utilisation du sol, des méthodes culturales. Aucun commentaire utile n'accompagne les recencements agricoles très sommaires envoyés annuellement à la Cour. De même, ceux qui ont laissé des mémoires sur la Nouvelle-France s'attachent d'abord à décrire les coutumes des Indiens, la faune et la flore indigène, l'aspect des villes, les événements militaires, le commerce des fourrures et quelques industries particulières comme la pêche. Ces hommes des XVIIe et XVIIIe siècles sont réceptifs à l'exotisme, au pittoresque et de plus en plus impressionnés par la beauté sévère des paysages, mais les colons ne les intéressent guère. Ils sont, comme écrit Pierre Goubert, « plus sensibles aux différences qu'à des ressemblances qui leur paraissent évidentes, qui découlent de l'existence même d'une campagne et de paysans. Ces évidences qui furent les leurs, nous ne les apercevons pas toujours (1) ». Elles nous apparaissent d'autant moins qu'il faut attendre le début du XIXe siècle pour lire, dans les journaux, les mémoires et les récits de voyageurs, des descriptions et des jugements sur l'agriculture des Cana-

(1) Pierre Goubert, *Beauvais et le Beauvaisis, de 1600 à 1730*, p. 115.

diens-français (2). Or ceux qui s'en préoccupent alors sont des Anglais imbus de littérature agronomique, qui comparent les pratiques de l'habitant à celles qui sont observées sur les grands domaines, à la tête du progrès, en Angleterre.

TABLEAU 33.

Les éléments constitutifs de l'habitation.

Composantes	Habitations de 60 arpents (%)	Habitations de 100 arpents (%)
Cour, potager, bâtiments	3	2
Terres labourables	58	35
Prairies	8	5
Boisés et déserts non cultivés	31	58
TOTAL	100	100

Il n'y a pas lieu de douter que les Canadiens pratiquaient une agriculture détestable selon leurs critères et les nôtres, mais il n'est pas inutile de la replacer dans le contexte de l'agriculture traditionnelle que connaissaient la France et aussi l'Angleterre du XVIIᵉ siècle, sur la majeure partie de leur territoire (3). En quoi les méthodes coloniales différaient-elles de celles du paysan européen de la même époque, c'est ce qu'il faut chercher.

Nous puisons nos renseignements surtout dans les inventaires après décès et les baux ruraux (4). Ils s'appliquent à

(2) Isaac Weld, *Travel Through the States of North America and the Provinces of Upper and Lower Canada During the Years 1795, 1796, 1797,* 4ᵉ édition (2 vol., Londres, 1807); John Lambert, *Travels Through Canada and the United States of North America in the Years 1806, 1807 and 1808* (2 vol., Londres, 1811); et autres.

(3) Voir lord Ernle, *Histoire rurale de l'Angleterre* (Paris, 1952), chapitre VI, « Les derniers Stuarts et la Révolution »; W. G. Hoskins, « English Agriculture in the 17th and 18th Centuries », *Xᵉ Congrès international de sciences historiques* (Rome 1955) vol. 4, pp. 203 sqq.

(4) Nous avons déjà écrit que toutes les catégories sociales sont suscep-

l'habitation moyenne dont la mise en valeur est achevée. Les éléments constitutifs de cette habitation se présentent à peu près comme le montre le tableau 33. Nous les étudierons à tour de rôle.

1. *Les champs.*

La céréale dominante est le froment, une variété du nord qui met peu de temps à mûrir et choisie à cet effet pour la colonie. Il convenait bien aux sols lourds et humides de Montréal, davantage que le seigle qui requiert une terre plus sèche et une plus longue saison culturale (5). A Montréal, la récolte de seigle est négligeable. Celle de l'orge est à peine plus importante. L'avoine vient en seconde place, et assez loin derrière, le blé d'Inde appelé dans les débuts blé de Turquie ou gros mil. Contrairement à ce qui se passa en Nouvelle-Angleterre (6), les colons français n'ont jamais substitué le maïs au blé, mais l'intégrèrent en petites quantités aux plantes traditionnelles. Ils mélangent la farine de maïs et celle de l'avoine au froment, si nécessaire (7), en font aussi des bouillies et utilisent le surplus pour les animaux. Les recensements englobent sous le nom de

tibles d'affermer leurs terres, y compris les paysans eux-mêmes à l'occasion du décès du père de famille où à l'âge de la retraite. Il y a assez de diversité chez les bailleurs des 125 baux étudiés pour refléter des pratiques générales. Nous prenons soin de souligner, le cas échéant, ce qui semble être exceptionnel. L'agriculture de la Nouvelle-France n'a pas encore été étudiée. Les publications de Robert-Lionel Séguin se présentent surtout comme des inventaires du fonds matériel de l'habitant entre les débuts de la colonie et le XIXᵉ siècle. Utiles pour la connaissance des objets, ils n'abordent pas l'économie de la ferme, ni son évolution au cours de ces deux siècles. *L'équipement de la ferme canadienne aux XVIIᵉ et XVIIIᵉ siècles*, Montréal, 1959; *La civilisation traditionnelle de l'habitant aux XVIIᵉ et XVIIIᵉ siècles : Fonds matériel*, Montréal, 1967; et de très nombreux articles.

(5) Le sieur Liger, *La nouvelle maison rustique ou économie générale de tous les biens de campagne : la manière de les entretenir et de les multiplier*, (2 vol., Paris, 1792), vol. 1, p. 463.

(6) Pendant une vingtaine d'années environ, les colons y cultivent surtout le maïs à la manière indienne, après quoi les blés européens prennent la première place. Darrett B. Rutman, *op. cit.*, p. 7.

(7) Pour le maïs et l'avoine apportés aux moulins, voir les procès-verbaux des 30 décembre 1692 et 21 juin 1697, bailliage, 2ᵉ série, registre 2, fᵒ 610 vᵒ-611 et registre 3, fᵒ 583 vᵒ.

« pois » toute une gamme de légumineuses où les espèces indigènes occupent une large place. Les pois verts, pois blancs, pois chiches, fèves, « faizoles » ou faveroles, auxquels les baux réfèrent nommément à l'occasion, sont cultivés en plein champ pour la soupe familiale, la nourriture des porcs. Selon les années, le froment compte pour les trois quarts ou les deux tiers de la production totale, mais comme la masse des parcelles récemment mises en culture est semée presque exclusivement en blé, nous croyons, en nous basant sur les semences fournies aux métayers qu'ensemble les grains secondaires et les « pois » peuvent faire jusqu'à la moitié de la récolte d'une terre faite.

Les plantes textiles n'apparaissent que dans le premier quart du XVIIIe siècle. Talon, le premier intendant de la colonie, avait tenté de stimuler ces cultures vers 1668 (8). Projet prématuturé qui traduisait sa méconnaissance des conditions locales, car si le chanvre et le lin viennent bien (9), ils exigent beaucoup de temps et de bras. Les colons, qui n'ont pas encore défriché et emblavé la superficie nécessaire à leur subsistance, qui n'ont pas de grands enfants pour travailler avec eux, ont des tâches plus urgentes. La culture du lin vient en son temps sur les habitations bien établies où la main-d'œuvre domestique est suffisante, et sans l'aide de primes à la production. Celle du chanvre, stimulée par la demande des chantiers navals au début du XVIIIe siècle ne sera jamais considérable. Les habitants récoltent un peu de tabac blanc qui supporte mal la concurrence du tabac noir importé.

Lorsqu'un fermier prend une terre, il s'engage à « labourer,

(8) Mémoire du 2 novembre 1671, AC, C11A3, fᵒ 166. Les historiens présentent toujours les années 1665-1672 comme l'âge d'or de la colonie. Sous la direction d'un intendant dynamique, l'agriculture et les manufactures se seraient développées à un rythme accéléré. Mais après le départ de Talon, les habitants seraient tombés dans la léthargie qui leur était naturelle. Tout ceci est basé sur les mémoires que l'intendant envoie au ministre où il est difficile de distinguer entre les projets ambitieux et les réalisations. En puisant dans le budget colonial, Talon mit sur pied quelques entreprises prématurées qui disparurent lorsque l'État cessa de les subventionner. La gestion de cet intendant n'a pas eu plus d'impact sur l'économie intérieure que celle de ses successeurs. L'action politique ne pouvait créer des besoins ni rendre viables des activités qui ne l'étaient pas.

(9) Mémoire de Catalogne (1715), AC, F3, vol. 3, fᵒ 387.

cultiver et ensemencer de bons grains en temps et saisons convenables, sans les dessoler ny dessaisonner ». Aurait-on employé cette formule rituelle si la rotation des cultures n'était pas pratiquée dans la colonie? C'est pourtant ce que tous les historiens ont affirmé sur la foi d'un témoignage unique, celui du botaniste Kalm. Celui-ci observe en 1749 que les soldats défricheurs, qui protègent la frontière canadienne du côté du lac Champlain, cultivent une parcelle jusqu'à épuisement, la laissent en jachère morte et ainsi de suite jusqu'à ce que toute la terre ait été utilisée, après quoi ils recommencent le cycle (10). C'est sur cette base erronée que Fernand Ouellet et Jean Hamelin ont calculé les rendements en grains dans la colonie (11). Mais nous savons qu'au contraire une grande partie de l'habitation reste intacte et les baux et les inventaires montrent clairement que les champs sont mis en soles dès que la superficie arable est suffisamment étendue. En ce régime d'exploitation individuelle, les règles sont cependant loin d'être rigoureuses. Nous avons plusieurs références précises à un système d'assolement triennal. « Devra ledit preneur mettre les terres en trois : un tiers en blé, un tiers en menus grains, un tiers en guéret. » On baille une terre « dont la pièce du milieu est en guéret », ou « de dix arpents quatre perches labourables dont le tiers est guéreté (12) ». Nous constatons souvent que l'étendue des guérets d'automne, destinés à recevoir le blé le printemps suivant et auxquels le fermier sortant est censé avoir donné trois façons, correspond au tiers de la superficie labourable. D'autre part, la prédominance des baux de trois ans qui comptent pour plus de la moitié, au XVIIe siècle, et tendent progressivement à augmenter aux dépens du bail de cinq ans,

(10) Voir Paul-Émile Renaud, *Les origines économiques du Canada : l'œuvre de la France*, pp. 352-353, d'après Pehr Kalm, op. cit., vol. 1, pp. 50 et 121.

(11) D'après les chiffres des recencements. Fernand Ouellet et Jean Hamelin, « La crise agricole dans le Bas-Canada 1802-1837 », *Études rurales* (1962-1963), pp. 36-57.

(12) Voir les baux à ferme dans les minutes notariales d'A. Adhémar, 9 juillet 1689 et 7 avril 1693; de Le Pailleur, 7 avril 1721, de Basset, 23 octobre 1658; les procédures de Fezeret contre son fermier qui n'a pas mis la terre en tiers, procès-verbal du 9 mars 1700, bailliage, 2e série, régistre 4, fo 275 et 283.

témoigne dans le même sens. Mais cela ne signifie pas que la pratique était générale, loin de là. Nous croyons que les meilleures terres sont communément partagées en trois soles mais que, parallèlement, l'assolement biennal est pratiqué sur un grand nombre d'habitations. Dans ce cas, la moitié de la superficie repose chaque année et l'autre moitié est semée de blé, pois et menus grains dans une proportion de 3 pour 1 en faveur du froment (13). Nous ne doutons pas que l'habitant dessole souvent et que les soles sont loin d'être strictement égales d'année en année. Mais il est certain que la jachère est ordinairement travaillée, au moins d'une ou de deux façons, pas plus de trois. Le nom de « guéret » qui la désigne en témoigne (14). Il n'y a évidemment pas de rotation sans jachère mais les terres sont suffisamment riches pour récupérer après un an de repos seulement, lorsqu'elles sont convenablement cultivées. L'alternance des légumineuses sur chaque pièce peut concourir à maintenir la production (15). Il y a à travers les côtes des terres gâtées, où le défrichement s'est arrêté à mi-chemin, où la charrue ne passe pas, où les champs à peine grattés ne rendent plus rien. L'habitant qui les récupère commence par « effardocher » et laisse reposer pendant plusieurs années (16). Mais dans

(13) C'est en se basant sur les volumes des divers grains produits dans la colonie chaque année que R. C. Harris conclut à un assolement biennal généralisé. Mais tant que 20 à 30 % des terres sont neuves et ne produisent que l'essentiel, c'est-à-dire le froment, sur des surfaces réduites et non encore assolées, nous hésitons à suivre ce raisonnement. Les propriétaires exigent davantage de froment de leur fermier que de pois, avoine ou maïs, mais encore là ne peut-on pas croire que ces citadins abandonnent au fermier les légumineuses et les céréales pauvres qui servent à engraisser les animaux quitte à prélever une plus grande partie du blé? (R. C. Harris, *op. cit.*, pp. 152-154). Sur les terres de la Malbaie qui appartiennent au Domaine d'Occident, la répartition se fait par tiers. Mémoire de Hocquart, 1er septembre 1733, AC, C11A59, fo 366.

(14) Même les bailleurs les moins exigeants imposent au locataire de laisser la même quantité de guérets qu'il a trouvée en entrant. M. not., Adhémar, 14 octobre 1688, 15 octobre 1693; Le Pailleur, 22 octobre 1720; procès-verbaux des 30 septembre, 11 octobre 1695 et 11 avril 1698, bailliage, 2e série, registre 3, fo 345, 351 et 759.

(15) Nous soupçonnons qu'il y a aussi des types de rotation plus complexes qui font alterner les emblavures avec le foin dans un cycle plus lâche et beaucoup plus long.

(16) Ce sont des exceptions qui confirment la règle de l'alternance sur deux ou trois ans. Tel propriétaire spécifie que la terre étant lasse et ne

l'ensemble, l'exiguïté des concessions liée aux besoins de bois de chauffage interdit la culture temporaire à ceux qui veulent devenir cultivateurs et non pas rester d'éternels défricheurs, soit la très grande majorité.

La rotation était d'autant plus nécessaire que la plupart des terres n'étaient pas engraissées. Les baux à ferme comportent souvent une clause qui astreint les preneurs à épandre le fumier, « convertir les fouares et fourrages en fumier et amender lesd. terres et prés (17) », « convertir les pailles en fumier pour lesd. terres » ; « ils nettoieront les estables tous les ans et charroyeront tous les fumiers sur lesd. terres à la réserve de cinquante tomberées retenues pour le jardin et le potager (18) ». Et l'hôpital fait quelque profit à vendre les fumiers de sa « ménagerie (19) ». Mais tout indique que seule une minorité de cultivateurs avec les seigneurs et quelques notables se soucient de fumer leurs champs. Lorsque Julien Blois, cultivateur à la retraite, poursuit son fermier pour n'avoir pas soigné ses champs, celui-ci admet « qu'il a donné des fumiers au voisin quy les a mis sur sa terre, attendu qu'il les auroit menés et jettés à la rivière comme font les autres (20) ». Pourquoi? Tout d'abord, le commun des habitants n'a pas assez d'engrais pour l'épandre sur les emblavures. Ils gardent peu d'animaux et l'habitude de faire boucherie avant l'hiver pour ménager le fourrage réduit encore les possibilités. Bref, ici comme ailleurs, c'est le cercle vicieux de l'agriculture traditionnelle (21). Les potagers et les prairies sont bien fumés; sur ce, tous les

produisant que du mauvais blé, il a dû en conséquence la laisser reposer pendant trois ans. Procédures de la veuve Dudevoir du 12 novembre 1697, bailliage, 2e série, registre 3, fo 694 vo.

(17) Bail entre Jean Leduc, habitant, et son fils, 28 juin 1700, M. not., Raimbault.

(18) *Ibid.*,Basset, 9 mai 1669, 25 août 1672; Le Pailleur, 19 janvier 1716; Basset, 10 août 1667; Le Pailleur, 22 octobre 1720; David, 19 juin 1721; etc.

(19) Nom donné par l'Hôtel-Dieu à une de ses terres consacrée à l'élevage. Voir, par exemple dans les livres de comptes, l'entrée de juin 1717 : recette de 134 tomberées à 2 livres chacune.

(20) Procès-verbaux des 19 octobre 1696 et 2 novembre 1697, bailliage, 2e série, registre 3, fo 483 vo, 701 et 781vo.

(21) Slicher Van Bath, *The Agrarian History of Western Europe*, 1500-1850 A. D., Londres, 1963, chapitre I, *passim*.

témoignages s'accordent (22). S'il en reste, l'habitant moyen ne juge pas qu'il vaille la peine d'aller le porter sur ses champs. Il ne cherche pas non plus à récupérer les engrais de la ville. Ramasser ces petites quantités dispersées et les charroyer sur les côtes ne serait d'ailleurs guère rentable et là aussi, tout ce qui n'est pas employé dans les potagers et les jardins va au fleuve lorsqu'on nettoie les cours. D'ailleurs il s'agit surtout de fumier de porc, sans valeur. Ajoutons que dans la colonie, il est de commune renommée que les terres situées sur un bon fond n'ont pas besoin d'être fumées « grâce à la neige et au grand froid de l'hiver qui concentre la vapeur au-dedans, laquelle ne pouvant s'exhaler pendant l'hiver engendre une espèce de sel qui fait la prompte génération des grains (23) ». Si les administrateurs sont prêts à le croire, faut-il s'étonner de la négligence des habitants?

Ces derniers se soucient davantage d'assainir leurs champs et surtout leurs prairies. Ce sont des travaux difficiles et onéreux. Quelques-uns sont entrepris sur une base collective. Ensemble, sept habitants de la côte Sainte-Marie passent un marché pour faire creuser un ruisseau de neuf pieds de large sur la façade de leurs terres qui drainera vers le fleuve l'eau apportée par les fossés transversaux mitoyens (24). Des assemblées d'habitants votent pour défrayer les égouttements les plus urgents. « Tenir les fossés bien curés » est une des charges ordinaires dans les baux. Mais les cultivateurs diligents, gênés par l'inertie de leurs voisins, plus d'une fois font appel à l'intendant pour qu'il oblige ceux-ci à « donner l'écoulement aux eaux qui passent sur leurs terres », faute de quoi la leur est inondée (25). Enfin, malgré la bonne volonté évidente de la

(22) Voir tous les baux de prairies et les clauses concernant leur entretien dans les contrats de fermage. Aussi le témoignage de Peter Bréhaut de Guernesay, à un comité d'enquête sur l'agriculture en 1816. Les cultivateurs manquent d'engrais, dit-il, parce qu'ils emploient tout ce qu'ils ont pour les légumes et les prairies (*Journal de l'Assemblée législative du Bas-Canada*, 1816, appendice E). La situation n'a pas changé.

(23) Lettre de l'intendant De Meulles à la Cour, 28 septembre 1685, AC, C11A7, fº 144.

(24) Marché du 10 février 1670, M. not., Basset.

(25) Marchés des 15 avril 1665 et 5 juin 1667 : clôtures d'inventaires; ordonnance de l'intendant, 3 juillet 1680, APC, M-1584, nº 34; requête

majorité des habitants, les moyens du temps sont inadéquats pour bien drainer ces terres basses.

L'outillage de l'habitant paraît normal pour cette époque. Il y a d'abord la pioche, véritable succédané de la charrue. C'est un outil de fer de même que la bêche, la gratte, les faucilles et la faux. La fourche à deux dents et les pelles sont en bois. Ajoutons à l'outillage manuel, les haches, serpes, quelques outils de charpentier, des chaînes à tout usage, un van, le croc à fumier. Tous les cultivateurs possèdent à peu près ce minimum et les différences interviennent dans l'outillage tracté. La charrue à rouelles comprenant soc, coutres, deux rouelles, chaîne de « prouil » (timon), chevilles de fer, frettes et ce qui semble être deux mancherons et versoir fixe, a été introduite au Canada au début du XVIIᵉ siècle et ne semble pas avoir évolué par la suite (26). C'est un instrument massif, coûteux, dont les habitants de Montréal ne peuvent se passer. Mais il n'entaille pas la terre profondément et un siècle et demi plus tard, des observateurs constatent que seule la surface est inlassablement retournée (27). Il faut un attelage d'au moins deux bœufs, si possible quatre, pour tirer cette charrue. Les animaux sont attelés par paire, au joug de cornes maintenu par des courroies de cuir (28). Toutes les exploitations moyennes possèdent ce type de charrue. Nous relevons dans les inventaires des

des habitants de la côte Saint-Joseph, 21 juin 1706, *ibid.*, nᵒ 56; poursuites de J. Blois contre un voisin qui n'entretient pas ses fossés, 28 octobre 1694, bailliage, 2ᵉ série, registre 3, fᵒ 168 vᵒ.

(26) D'après Jacques Rousseau et Marius Barbeau, cités par A. G. Haudricourt, *L'homme et la charrue à travers le monde* (Paris, 1955), p. 411. « La charrue de ce pays est assez convenable » témoigne encore l'expert anglais en 1816. Voir note 22.

(27) Isaac Weld, *op. cit.*, p. 250; John Lambert, *op. cit.*, vol. 1, p. 131.

(28) Au XVIIIᵉ siècle, on attèle parfois ensemble une paire de bœufs et une paire de chevaux. Le joug attaché aux cornes était en usage un peu partout en France, particulièrement dans les métairies poitevines où il s'est maintenu jusqu'à une époque très récente (Louis Merle, *op. cit.*, p. 111). Il donne une force de traction au moins égale à celle de l'attelage avec brancards et bricoles au collier. Il n'y a pas lieu de signaler comme un trait particulièrement attardé cette façon d'atteler les bœufs. (Marcel Trudel, *Initiation à la Nouvelle-France. Histoire et institutions* (Montréal, 1968), p. 221; Denis Delage, « Les structures économiques de la Nouvelle-France et de la Nouvelle-York », *L'Actualité économique*, XLVI, 1 (avril-juin 1970), pp. 104-105.)

habitants plus pauvres, la présence d'un instrument de moindre valeur, jamais décrit (29). Pendant plusieurs saisons, le colon travaille sa terre à la pioche et quand vient le temps de la retourner plus profondément, il loue les services d'un laboureur tant qu'il ne possède pas son propre train. Ceux qui s'équipèrent les premiers à Montréal en tirèrent ainsi de bons revenus.

La charrette avec roues ferrées, essieux en fer, vaut environ 100 livres, soit le double d'une charrue et n'est réservée qu'au plus gros exploitants. L'habitant moyen fabrique un tombereau de fortune et il remet à l'hiver la plupart de ses charrois. Il lui suffit alors d'avoir quelques bonnes chaînes, un traîneau rudimentaire qu'il construit lui-même. La herse en bois de forme triangulaire utilisée communément est un piètre instrument.

Toute la terre est labourée en automne. Les soles à ensemencer reçoivent une deuxième façon au printemps, dès la fonte des neiges et les pois et le froment sont semés immédiatement, depuis le quinze avril et en mai, car ils ne craignent pas la gelée (30). On sème ensuite l'avoine puis le maïs seulement lorsque tout danger de gel est passé (31). Les semences sont couvertes avec la herse (32). Nous rencontrons plusieurs références aux blés d'automne mais ce n'est pas là une pratique très répandue et nous ne saurions dire si les résultats ainsi obtenus sont plus satisfaisants. Le fait que les seigneurs, attentifs aux rendements de leurs terres, font semer au printemps semble indiquer le contraire. On fait quelques sarclages à la fin du printemps et des guérets d'été sur la jachère (33).

---

(29) Évaluée au tiers environ de celle que nous avons décrite. Il est impossible de savoir s'il s'agit d'un instrument différent ou du même, mauvais état.

(30) Un Sulpicien rapporte qu'on a semé le blé les 5, 6 et 7 avril « quoy qu'il aye fait très froid et une forte gelée ». ASSP, section Canada, dossier 20, pièce 4.

(31) Mémoire de Catalogue sur les seigneuries (1715), AC, F3, vol. 2, f° 387.

(32) Un manuel d'agronomie français de l'époque signale qu'au Canada on sème les grains dans leur balle et les légumes dans leur gousse, « ce qui les protège dans ces terres neuves ». La remarque nous étonne car il semble bien que toutes les récoltes sont battues, quelle que soit leur destination. Sieur Liger, *op. cit.*, vol. 1, p. 472.

(33) Comptes de la succession Baudry, 12-14 novembre 1698, M. not., A. Adhémar.

Les blés et les pois arrivent à maturité vers la mi-août, et la rapidité du cycle cultural émerveille toujours les observateurs (34). Viennent ensuite l'avoine et finalement les pois, à la fin de septembre, début octobre. L'habitant a toujours besoin de main-d'œuvre additionnelle au moment des récoltes. Les hommes sont payés parfois à la journée, parfois à la pièce (35). Il est plus avantageux de prendre un employé au mois qui, une fois les grains engrangés, peut battre les pois pour achever son temps. Le froment est battu au fur et à mesure des besoins, c'est-à-dire pas avant l'hiver car, sauf les mauvaises années, la colonie ne consomme pas le blé nouveau avant Noël (36). Le battage se fait au fléau sur la batterie (aire) des granges et fournit un peu de travail aux colons et aux journaliers dans la morte saison. On récupère la paille pour nourrir le bétail et les bottes de « pailles longues » pour couvrir les bâtiments, faire des sièges et autres objets. L'habitant dispose du mois d'octobre et des premières semaines de novembre pour labourer et préparer l'hivernement.

Jusque vers 1675, les fermiers prennent possession de l'habitation en automne, à la Saint-Michel généralement, plus rarement à la Toussaint ou à la Saint-Martin. Puis nous voyons apparaître des entrées au printemps, en mars, au début d'avril et peu à peu cette coutume se généralise. Sur 31 baux relevés entre 1716 et 1721, 23 débutent au printemps. L'évolution est intéressante et traduit une adaptation rapide aux nouvelles conditions. Le fermier entrant en septembre ne trouvait que des ouvrages inachevés, les meulons de foin sur le champ, le blé en gerbes, les champs non labourés. C'est lui qui faisait le battage et le partage des grains entre le bailleur et son prédécesseur et il devait s'accommoder des fourrages que ce dernier lui avait laissés. Les baux sont courts, les preneurs peu fidèles et la liaison se fait mal. L'entrée au printemps, quand les gre-

(34) Mémoire de De Meulles touchant le Canada, AC, F3, vol. 2, f° 202 v°.

(35) Une livre dix sols pour une journée de récolte ou quatre livres pour faire couper un arpent de blé ou d'avoine. Comptes de la succession Gasteau, avril 1692, M. not., A. Adhémar.

(36) C'est à cette date que les métayers doivent faire leur première livraison de blé, le reste à la Chandeleur ou à Pâques.

niers sont vides et les animaux sur le point d'aller à l'herbe, élimine la plupart de ces problèmes. Le preneur reçoit tout du bailleur et les comptes sont plus clairs. On peut imaginer aussi que pour hiverner dans une bonne maison et jouir de cinq mois de quasi-oisiveté, certains individus pouvaient prendre une ferme à l'automne et déguerpir au printemps. Le nouveau système protège mieux les intérêts du propriétaire.

2. *Les prés et les pâturages.*

L'habitant moyen possède généralement quelques arpents de prairie naturelle détachés du reste de sa concession et il prélève un ou deux hectares sur ses essarts pour compléter. Les prés, situés le long du rivage, sur des îlets rapprochés ou dans les « lacs » intérieurs, doivent être travaillés pour donner un foin tant soit peu acceptable et servent surtout de pâturages. Fauchés, ils fournissent le « gros foin », que nous soupçonnons être un mélange d'herbes semi-aquatiques rudes et grossières, qui se vend 10 livres le cent bottes, soit le même prix que la paille longue. Les bons cultivateurs soignent les prés semés avec une grande sollicitude et le fait que leur valeur vénale augmente au cours du XVIIᵉ siècle, alors que celle des emblavures baisse et plafonne, montre qu'il y a une demande pour le bon fourrage. Le fonds choisi est drainé, labouré, fumé et semé. Le botaniste suédois Pehr Kalm, qui parcourt le pays en 1749, observe des paturins et des trèfles, espèces originaires d'Eurasie, importées en Amérique par les Blancs (37). Ce « foin fin » vaut entre 20 et 25 livres le cent bottes. Les habitants font des prairies tant avec des terres neuves qu'avec d'anciennes pièces de grain. Les bailleurs recommandent toujours aux fermiers « d'entretenir les prairies en bon état de fauche », de tenir les prés nets

---

(37) P. Kalm, *op. cit.*, pp. 51, 118-119. Au hasard de ses promenades, il identifie un mélange de *poa angusti folia* et de trèfle blanc, près de Québec, dont il vante les mérites et, à Montréal, le *poa capillaris*, beaucoup moins fourni que le premier. Pour l'origine de ces plantes, voir Marie-Victorin, *Flore laurentienne* (Montréal, 1947), pp. 360 et 769-771. Il y a un marché pour le foin de semence à Montréal.

et clos. Dans ce paysage ouvert, sans clôture, seuls les prés, qui doivent être protégés en toutes saisons des animaux errants, font exception.

La fenaison se fait en juillet et l'herbe est mise en « mulons », gros tas très large à la base, de huit à dix pieds de haut. Les mulons restent sur le champ en hiver assez souvent, partout où il n'y a pas de grange ou lorsqu'elle est trop petite. Le foin est évalué à la botte dont nous ignorons le poids moyen.

Les prairies font souvent l'objet d'un bail séparé, parfois à moitié profit des rentrées de foin, mais généralement à prix d'argent (38).

Les animaux paissent dans le terrain communal acensé aux riverains individuellement. Il ne s'agit pas d'une tenure collective et chacun est responsable de la portion qui longe sa propriété. Partout où les basses terres ont été jugées assez bonnes pour servir de prairies, elles sont acensées sous cette forme et les habitations qui les bordent n'y ont pas nécessairement droit (39). Les seigneurs se sentent libres, si besoin est, de reprendre ces pâturages pour les affecter à d'autres usages (40). Dans les côtes de l'intérieur de l'île, l'accès aux communaux est prévu de manière plus équitable. Ils délimitent une bande de terrain boisé devant la rangée de concessions, mais comme il arrive fréquemment que les censitaires absents ou négligents ne défrichent et ne nettoient pas leur portion, les autres préfèrent renoncer à ce mode ambigu de tenure et demandent le partage (41).

(38) M. not., David, 9 juin 1721; Bourgine, 22 mai 1685; Moreau, 20 mai 1690; A. Adhémar, 11 juin 1693; etc.

(39) Procès entre plusieurs habitants de Lachine, les uns niant que les autres puissent avoir accès à la commune, 3 juin 1698, bailliage, 2e série, registre 3, fo 779 vo. A Lachine, par exemple, seulement quatorze habitants ont droit à la commune de 270 arpents qui leur est acensée pour servir de pâturage et réserve de bois. Contrat du 21 août 1697, APC, M. G. 17, A7, 2, 3, vol. 5, pp. 34-45.

(40) Les habitants de la côte Saint-Joseph se plaignent à l'intendant que les seigneurs leur ont enlevé une commune dont ils jouissaient depuis quarante-neuf ans (22 juin 1699, APC, M. G. 17, A7, 2, 1, vol. 1, pp. 231-232); de même les usagers de Lachine (juillet 1705, ibid., pp. 352-354).

(41) Ordonnances de Raudot, 2 juillet 1706 et 1er juillet 1707, touchant les communes de Montréal, Édits, Ordonnances Royaux, vol. 2, p. 262 et 3., p. 135.

Il n'y a pas sur l'habitation même une surface spécialement affectée au pâturage. Les enfants conduisent les bêtes sur la commune ou, à défaut, sur les friches à l'orée des bois, sur la jachère ou le long des chemins. Quelques habitants abandonnent les jeunes bêtes toute une saison dans les archipels du Saint-Laurent. A l'étiage des eaux, les animaux, préalablement marqués, vagabondent d'îlot en îlot (42). Les champs ne sont pas clos. Nulle haie ne borde les fossés. Quand les terres sont pierreuses, l'habitant fait de petits remblais en nettoyant ses champs, mais ils ne suffisent pas à les protéger. Seuls le potager, le pré, parfois la devanture de la concession si elle s'appuie sur un pacage communal, sont clôturés avec des pieux de cèdre (43). Il n'y a à peu près jamais de clôtures mitoyennes entre les habitations.

Assez curieusement, les habitants ont superposé à leur régime d'exploitation individuelle un système saisonnier de paissance collective qui ne pouvait que susciter bien des difficultés. Contrairement au « droit de commune » essentiellement individuel, la vaine pâture est un droit général réglé par le tribunal. L'usage veut qu'on abandonne les bêtes à cornes et chevalines de la fin de l'hiver jusqu'au premier mai. Presque chaque année une ordonnance vient rappeler aux habitants que l'échéance est passée et qu'ils doivent garder leurs animaux « jusqu'à ce que les grains soient entièrement recueillis, suivant les us et coutumes du pays (44) ». Dans la dernière semaine de septembre, ou au plus tard la première semaine d'octobre, le bailli accorde permission « de laisser vaguer les animaux dans les champs, à la réserve des prairies closes et entourées

---

(42) Ordonnance du même, 8 mai 1708 à la suite des plaintes du seigneur de Varennes, parce que les habitants de la Pointe-aux-Trembles utilisent ses îles, *ibid.*, III; procès-verbal du 10 novembre 1676, bailliage, 1re série, régistre 1. La veuve Giart déclare posséder deux veaux « qui sont dans les isles et dont on ne sait s'ils ne sont pas perdus depuis le temps qu'on les a vus », inventaire après décès, 17 juillet 1710, M. not., A. Adhémar.

(43) En 1714, l'intendant constate qu'il n'y a à peu près aucune clôture dans l'île de Montréal, et que même le domaine des seigneurs est à découvert (19 juin 1714, *Édits, ordonnances royaux*, II, p. 441).

(44) Voir les ordonnances des 25 mai 1670, 14 mai 1672, 28 avril 1674, 13 mai 1679, 10 mai 1686, 19 mai 1687, 21 mai 1690, 24 avril 1693, 4 mai 1697, 8 mai 1699, 8 mai 1709, etc. (bailliage, *passim*).

de hayes vives ou de pieux, pour que les bestiaux puissent prendre de nouvelles forces pour passer l'hiver (45) ». Comme il n'y a pas d'agencement collectif des soles, il faut que toutes les terres soient ou en jachères ou en chaumes pour y laisser pacager les bêtes. En tout autre temps, l'abandon est dénoncé par les habitants et encourt des amendes sévères, soit d'abord 3 livres par tête de bétail, et 10 à partir de 1674, en plus des dédommagements au propriétaire du champ. Nous relevons plusieurs procès entre les habitants à ce sujet (46), mais la plupart concernent les dommages causés par les porcs, qui en toute saison doivent rester dans leur enclos ou à défaut être annelés ou porter un carcan. Il faut que ces règlements aient été fort mal observés pour qu'on permette à quiconque trouve un cochon dans son champ de l'abattre (47), ce dont les habitants ne se privent pas, puisqu'en 1687 une autre ordonnance défend de tuer plus d'un porc à la fois (48). Cela tient d'abord à ce que les porcs sont plus nombreux que les bovins, plus destructeurs et appartiennent souvent à des colons mal installés et peu scrupuleux.

En s'attaquant au vagabondage des animaux durant l'été, les administrateurs minent petit à petit la pratique de la vaine pâture. Elle est préjudiciable aux guérets, dit-on, et surtout néfaste pour les quelques-uns qui font des blés d'automne. Elle trouble les labours, occasionne des bris de clôtures et de portes; elle menace la sûreté des personnes (49). Ce qui est certain, c'est qu'elle n'apporte rien aux meilleurs exploitants

(45) Ordonnance du bailli, 5 octobre 1686, bailliage, 1ere série, registre 2.

(46) Poursuite intentée par P. Gadois contre Tessier au sujet de quatre bœufs et deux chevaux trouvés dans sa prairie alors que le vacher qui devait les garder dormait (1er juin 1686, *ibid.*).

(47) Nous n'avons pas retrouvé la première ordonnance qui permet de tuer les porcs vagabonds. Elle remonte sans doute aux environs de 1663.

(48) E.-Z. Massicotte, *Répertoire des arrêts*, ordonnance du 19 mai 1687. Ce sont alors les propriétaires des bêtes abattues qui poursuivent. Requête de Pierre Chauvin contre J. Blois « qui a tué trois cochons malicieusement pour les avoir trouvés dans les grains, à ce qu'il dit » (1690), bailliage, fo 545; *ibid.*, 23 août 1695, fo 311; 10 novembre 1680, pour une truie « tuée dans une barge de pois » et comparution de témoins disant qu'elle n'y était pas; etc.

(49) Ordonnance de l'intendant Dupuis, 31 octobre 1727, (*Édits, Ordonnances Royaux*, vol. 3), p. 452.

qui ont de grandes étendues de chaume et des terrains suffisamment riches pour le pacage. Les intendants s'acharnent pour faire clore les terres. Tout habitant qui le désire est en droit d'exiger une clôture et un fossé à frais communs entre son habitation et celle du voisin. Celui qui refuse de collaborer doit rembourser sa part sur le pied de trente sols la journée de travail et le coût des matériaux (50). C'est une grosse dépense car ces terres ont souvent plus de deux kilomètres de profondeur. Les clôtures progressent très lentement et l'abandon réglementé continue, en dépit d'un arrêt de 1725 du Conseil de Québec pour l'abroger. La répétition des ordonnances montre que ce dernier vestige de pratiques communautaires survit encore dans certaines côtes à la fin du XVIIIᵉ siècle (51).

3. Le cheptel.

Les bovins furent introduits très tôt dans la colonie et s'y multiplièrent rapidement (52). La répartition dans l'île de Montréal aux deux premiers recensements se présente comme dans le tableau 34.

Il s'agit de l'ensemble de la population urbaine et rurale et ces données qui ne distinguent ni le sexe ni l'âge des animaux, nous apprennent peu de chose. Ceux qui possèdent quatre têtes de bétail ont généralement une vingtaine d'arpents en « labours de charrue » et les nouveaux colons n'en ont aucun. L'examen des inventaires après décès des paysans (53) qui sont établis sur une terre depuis au moins quinze ans et cultivent entre 20 et 40 arpents, nous donne une image plus juste du capital bovin.

(50) Ordonnances des intendants, 19 juin 1714, 10 juin 1724, sans cesse répétées (ibid., vol. 2), pp. 441 et 305.
(51) Voir le règlement du Conseil supérieur, 13 avril 1725, les ordonnances du juge de Montréal des 14 mai 1741, 11 mai 1744 (copie Faillon, II 16 et SS 86); et la loi de 1790 citée par V. C. Fowke, op. cit., p. 101. On pratique également l'abandon ailleurs dans la colonie, mais il semble que l'usage ne fut nulle part pareillement sanctionné par les autorités et aussi vivace qu'à Montréal.
(52) Paul-Émile Renaud, op. cit., p. 365.
(53) Soit soixante-cinq inventaires. Les exploitations bourgeoises et conventuelles non comprises.

L'habitant moyen tend à posséder deux paires de bœufs et se satisfait de deux à trois vaches laitières. Il garde très peu de jeunes animaux, à peine ce qu'il faut pour assurer le renouvelle-

TABLEAU 34.

Répartition des bovins dans l'île de Montréal en 1667 et 1681.

Année	Nombre d'habitants	Nombre de bovins				
		0	1-3	4-6	7-10	Plus de 10
1667	143 (100 %)	65 (45 %)	40 (29 %)	22 (15 %)	10 (7 %)	6 (4 %)
1681	283 (100 %)	92 (33 %)	87 (30 %)	51 (18 %)	36 (13 %)	17 (6 %)

Source : Recensement, AC, G1 460.

TABLEAU 35.

Nombre de bêtes à cornes pour une habitation moyenne de l'île de Montréal (1673-1717).

Catégorie de bovins	Moyenne	Mode
Bœufs de labours	3,0	4,0
Vaches laitières	2,5	2,5
Croît	1,5	1,5

ment. L'élevage n'est que le complément de la culture et tout est axé sur le train de labourage. Les meilleurs exploitants, gros cultivateurs, communautés et quelques officiers et marchands, qui ont 60 arpents et plus de terres à semer, gardent trois à quatre paires de bœufs et des vaches en proportion. On vend des veaux de lait pour ne pas encombrer les étables, ainsi que les bêtes de dix ans et plus qui ne peuvent plus servir, engraissées sans doute un peu avant de les mener chez le boucher. Les abrégés de recensement nous donnent le volume du cheptel presque chaque année jusqu'en 1739, et nous observons qu'il n'y aucune tendance vers la commercialisation de la production de viande ou de beurre (54). Le faible excédent suffit à alimenter la ville, à fournir de jeunes bêtes aux nouveaux colons, pas davantage. C'est dans ce secteur que l'agriculture montréalaise montre le plus de faiblesses. Les génisses ne sont pas séparées des taureaux et sont saillies prématurément, avant deux ans, et en toutes saisons. Les baux les plus méticuleux pour ce qui touche la culture, les façons de labours, le récurage des fossés, etc., sont muets sur le soin du cheptel. La longue stabulation exigerait un bon régime, mais tout indique que le volume de fourrage est inadéquat, et l'habitant mélange le foin et la paille (55). Les vaches tarissent en hiver. Nous ne savons rien de l'origine de ce cheptel où les bêtes à poil rouge semblent dominer (56). Le taureau est « coupé » vers l'âge de deux ans et demi. On lie ses cornes pour le dresser et entre quatre et cinq ans le domptage est terminé et l'animal prend toute sa valeur.

Observons l'état du cheptel sur le domaine seigneurial de Saint-Gabriel, à l'occasion d'une reconduction de bail, avec prisée. En quatre ans, les 6 vaches ont donné naissance à 13 veaux, ce qui revient en moyenne à une naissance tous les

---

(54) Il est intéressant par exemple de comparer le nombre d'unités de bétail *per capita* à Montréal et en Acadie, dans la première moitié du xviiie siècle. Sur la même base que Andrew Clark, nous obtenons des rapports variant entre 0,9 et 1,4, alors que Clark obtient deux unités et plus sur la majorité des terres acadiennes. L'Acadie a un marché en Nouvelle-Angleterre et à l'île Royale qui stimule sa production, ce qui n'est pas le cas de Montréal. (*Acadia : the Geography of Early Nova Scotia to 1760* (Madison, 1968), pp. 166-175).

(55) Pour la ration d'un bœuf, voir le contrat du 8 octobre 1673, M. not. Basset.

(56) R.-L. Séguin et d'autres auteurs ont avancé diverses hypothèses. La littérature agronomique du début du xixe siècle renferme sans doute des renseignements utiles sur ces questions.

deux ans, à supposer qu'il n'y ait pas eu de pertes. Les génisses et les jeunes taureaux semblent provenir des 7 vaches moyennes qui auraient vêlé tôt. Le remplacement est assuré, mais nous ne sommes pas tellement au-dessus du point d'équilibre sur lequel les paysans maintiennent leur cheptel (57).

TABLEAU 36.

Le cheptel bovin de la ferme Saint-Gabriel en 1704 et 1708.

6 décembre 1704		6 décembre 1708	
2 bœufs à 55 l.	110 l.	— — — — — — — ....:	100 l.
2 jeunes bœufs à 40 l.	80 l.	— — — — — — —	80 l.
6 vaches à 30 l.	180 l.	— — — — — — —	180 l.
TOTAL	370 l.	— — — — —	360 l.
		Croît :	
		2 jeunes bœufs à 30 l. t.	60 l.
		2 taureaux à 20 l. t.	40 l.
		2 jeunes taureaux à 10 l. t.	20 l.
		7 vaches moyennes à 23 l. t.	161 l.
		2 taures à 16 l. t.	32 l.
		5 génisses à 10 l. t.	50 l.
		TOTAL	363 l.

Source : Bail de Saint-Gabriel à Hilaire Sureau et sa femme, 6 décembre 1704 et 1708, APC, M-1654, section IV, n° 15 (Raimbault).

Les habitants utilisent surtout le saindoux dans leur cuisine et aussi le beurre doux et salé à la fin du XVIIe siècle. Nous trouvons une baratte partout où il y a 2 ou 3 vaches. Il se fait un fromage du pays, comme en témoigne le livre de recettes de l'Hôtel-Dieu, mais nous ignorons si cette fabrication domestique s'est répandue aussi vite que celle du beurre. Le suif sert à faire des chandelles. Toutes les peaux des animaux sont conservées et traitées pour en faire des couvertures.

(57) Le croît étant partagé par moitié, les seigneurs retirent environ 5 à 6 % d'intérêt annuel sur les souches, le capital initial, tous frais déduits.

Le bail à cheptel est très répandu. C'est généralement de cette façon que les défricheurs acquièrent leurs premières aumailles. Le preneur garde la vache, le croît est partagé et il livre généralement un certain quantum de beurre annuellement. Les baux de vaches, à loyer fixe, sont peut-être plus nombreux et par rapport au prix de l'animal, cette rente est élevée (58). Un paysan qui a besoin d'argent vend ses bêtes à un marchand et les garde ensuite à moitié ou à loyer. La défense de la saisie des bestiaux pour dettes proclamée dans le royaume en 1662 et 1667 est enregistrée au Conseil souverain et, en principe, appliquée dans la colonie (59). Mais les créanciers en font fi volontiers comme en témoignent les arrêts et ordonnances réitérées. Pour les contourner, ils forcent l'habitant par intimidation à vendre ses bêtes, et ces marchés sous seing privé sont souvent suivis d'un bail à cheptel notarié qui nous permet de reconstituer l'opération (60). En 1707, les marchands de Québec exposent au Conseil qu'ils ne peuvent se faire payer, « la majeure partie des biens des habitants consistant en bestiaux », et que les prolongations des défenses sont depuis longtemps expirées. A la suite de quoi il est accordé que le bétail pourra être saisi à l'exception de deux vaches par exploitation (61).

Au XVIIᵉ siècle, il n'y a à peu près pas de chevaux dans l'île de Montréal. Ceux qu'on introduit dans la colonie vers 1665-1672 semblent avoir été distribués à des personnes de qualité qui ne se pressent pas d'en faire l'élevage. L'animal commence à apparaître chez les plus gros paysans vers 1695 et se répand

(58) Soit 10 l. annuellement pour une bête prisée à 30 l., ce qui équivaut à 33 % d'intérêt. Le propriétaire partage alors les risques.

(59) Soit la déclaration de 1667 qui exclut de la saisie les bêtes de labour. Or, les habitants ne possèdent à peu près rien d'autre que leurs bœufs. Voir BN, Cinq cent Colbert, 251, fᵒˢ 661-664. *JDSC*, vol. 1, 2 octobre 1663, et 5 avril 1664. La déclaration royale du 6 novembre 1683, enregistrée au Conseil le 12 novembre 1686 et au bailliage le 5 mars 1687, E.-Z. Massicotte, *op. cit.*

(60) Voir M. not., Maugue, 23 mai 1691 et A. Adhémar, 4 janvier 1700.

(61) Au lieu d'une vache et trois brebis ou chèvres, attendu qu'il n'y a pas de brebis ni de chèvres dans la colonie. (Article 14, titre 32 de l'ordonnance de 1667, et arrêt du 24 janvier 1707. *Édits, ordonnances royaux*, vol. 1 et 2.

graduellement dans la plupart des habitations en valeur (62). En même temps, le prix naguère prohibitif baisse rapidement et met le cheval à la portée de tous. Vers 1710-1715, il y a en moyenne un cheval par exploitation. C'est là la plus grande conquête de l'habitant car nul animal n'était moins approprié aux conditions locales que le bœuf qui, dans les chemins boueux et la neige, n'avançait qu'avec peine ou pas du tout. Désormais ces familles isolées dans les côtes peuvent se déplacer, les paysans peuvent faire des charrois, traîner le bois et les grains en moins de temps et sans efforts surhumains. Le cheval ne remplace pas le bœuf, qui reste l'animal de labour et dont l'augmentation accordée à celle de la population rurale ne fléchit pas. C'est un nouvel élément qui s'ajoute, destiné à d'autres emplois (63).

Mais l'adoption brusque et spontanée du cheval scandalise les autorités. Voilà que ces paysans montent en selle comme seuls le pouvaient naguère les officiers. Ils perdent la saine habitude de faire à pied ou en raquettes les 10 à 20 kilomètres qui séparent leur habitation de la ville. Le peuple s'effémine et l'intendant, qui voit là la ruine de la colonie à brève échéance, interdit aux habitants d'entretenir plus de deux chevaux et un poulain (64). Règlement superflu car l'animal n'apparaît encore qu'exceptionnellement dans les inventaires avant 1709 et trente ans plus tard, ce seuil n'est pas encore atteint. Petit à petit, l'habitant apprend à construire des véhicules de promenade : la carriole qui glisse sur la neige d'abord et, au milieu du XVIIIe siècle, quand les chemins sont devenus plus

(62) Il s'agit en partie du croît des bêtes importées trente ans plus tôt et surtout des chevaux que les voyageurs et les miliciens ont rapportés des Illinois (stock espagnol) et des colonies anglaises. Ainsi Louis Décarri a ramené deux chevaux d'une expédition en Nouvelle-Angleterre. M. not., Maugue, 14 mai 1690; lettre de l'intendant, 26 mai 1699, AC, C11A17, p. 87.

(63) Pour charrier, herser, se déplacer dans le pays, plus rarement pour labourer, couplés avec les bœufs.

(64) Lettre de l'intendant à la Cour, 1710, AC, C11A31, f°s 15 et 67. Ordonnance du 13 juin 1709. *Édits, ordonnances royaux*, II, 273. En 1731, alarmé par ces rapports, le ministre propose de taxer les chevaux pour en limiter le nombre. Les administrateurs font alors marche arrière et reconnaissent que le cheval est indispensable. AC, B55, p. 538 et C11A57, p. 40 v°.

praticables, la calèche. Le cheval avait brisé l'isolement et adouci quelque peu l'existence.

L'habitant élève des porcs et des volailles. Une bonne exploitation garde de deux à quatre douzaines de poules, assez rarement des canards ou des oies. Certains élèvent aussi quelques « coqs et poules d'Indes ». L'habitation ordinaire n'a généralement que 12 poules et un coq. Dans le cas du porc seulement, la production semble excéder la consommation familiale : quatre ou cinq animaux adultes dont une truie qui peut mettre bas trois portées de douze chaque année si elle est convenablement nourrie. On économise en les laissant vaguer dans les bois. Il y a un marché pour les cochons de lait et chaque année l'habitant prélève une couple de bêtes sur le croît, qu'il engraisse aux pois et au maïs, égorge au début de l'hiver et conserve partie congelée, partie salée. Mis à part deux ou trois troupeaux de 50 à 200 bêtes appartenant aux seigneurs et autres grands propriétaires, le mouton n'apparaît sur les habitations qu'à partir du début du XVIIIᵉ siècle. Plusieurs habitants en gardent alors quatre ou cinq, uniquement pour les besoins de la famille. Ce nouvel élevage, parallèle dans les inventaires à l'apparition des rouets, du peigne à carder, du brayet à filasse, etc., et de la culture du lin, marque d'abord un certain seuil de sécurité : la subsistance est assurée, on peut nourrir les ovins en hiver sans nuire au cheptel et aux labours. Cette diversification traduit non pas l'expansion de cette agriculture mais l'accentuation progressive de son caractère vivrier.

4. *Les jardins et les bâtiments.*

Nous savons peu de chose sur le potager que chaque habitant entretient près de sa maison, car le produit sert essentiellement à la consommation des exploitants, même lorsque la terre est affermée. Les choux, qui ont l'immense avantage de se bien conserver en hiver (65), dominent. Livrés « au cent », ils

---

(65) En Acadie, les choux, une fois arrachés, restaient sur le champ tout l'hiver, tête en bas. Au Canada, les habitants ont dû creuser des caveaux qui n'auraient pas assez de valeur pour être mentionnés dans les inven-

circulent davantage que les autres légumes. Viennent ensuite les « racines » : carottes et navets surtout. Dans les recettes de l'Hôtel-Dieu, nous relevons à la fin du XVIIe siècle : des oignons, des échalotes, de l'ail, des concombres et du cerfeuil. Ce dernier qui pousse dans la colonie à l'état sauvage a pu être introduit dans les potagers. Les baies indigènes que les habitants font confire, comme les bleuets, les atocas, ne peuvent être cultivées, mais très tôt les colons, à l'exemple des Iroquois, semèrent des citrouilles, des melons — melons ordinaires et melons d'eau — et diverses espèces de courges. Les melons de Montréal sont estimés dans la colonie (66). La flore canadienne suscite des curiosités et lorsque les œuvres des botanistes Michel Sarrazin, Jean-François Gauthier et Pehr Kalm auront été publiées, nous en saurons sans doute davantage sur les expériences maraîchères et autres de ces premières décennies. Sarrazin, un ancien chirurgien des troupes qui séjourna plusieurs années à Montréal entre 1685 et 1712, entretenait une correspondance suivie avec son maître, Tournefort, et des résumés de ses observations paraissaient régulièrement dans les *Mémoires de Trévoux* et le *Journal des Sçavans* (67).

Il nous semble que les colons ont été prompts à tirer parti des plantes indigènes, à acclimater au jardin les quelques-unes qui s'y prêtaient, à glaner tout ce qui pouvait leur servir : plantes médicinales comme la capillaire, tinctoriales comme l'épinette, la chélidoine, avec le cotonnier et plus tard l'érable pour le sucre, l'ortie pour ses fibres, le vinaigrier et finalement les « quenouilles » (68) qui remplacent avantageusement la

---

taires. Sieur de Diéreville, *Relation of the Voyage to Port-Royal in Acadia or New France...* (Toronto, 1933), vol. 5, p. 241.

(66) Charlevoix, *Histoire et description générale de la Nouvelle France...* (Paris, 1744), vol. 5, p. 241.

(67) Jacques Rousseau, biographie de Sarrazin dans le *DBC*, vol. 2. pp. 620-627. Avant sa mort survenue récemment, le géographe avait entrepris la préparation de ces manuscrits inédits qui seront incessamment publiés. Le travail d'A. Vallée, *Un biologiste canadien, Michel Sarrazin, 1659-1735*, Québec, 1927, n'est pas utile pour ces questions.

(68) D'après la liste de Charlevoix, *op. cit.*, tome IV, pp. 299 *sqq*. Sa description des plantes doit beaucoup à Sarrazin. Voir aussi Pierre Boucher, *op. cit.*, *passim*. Quenouilles ou cannes de jonc : noms communs de la *Typha*.

paille dans les matelas. Certains produits alimentaires sont ajoutés, mais il n'y a pas de substitution. Le régime reste essentiellement européen, basé sur le pain. C'est de France qu'arrivent un peu plus tard au XVIIIᵉ siècle les graines de poireaux, de céleri, de betteraves, etc., qui complètent les cultures maraîchères (69).

En 1731, il y a 90 arpents en vergers dans l'île, dispersés autour de la ville et sur les flancs de la montagne. Ces plantations appartiennent aux sulpiciens et à quelques notables. Ils fabriquent un peu de cidre pour leurs besoins et vendent des pommes, même au delà de la seigneurie (70). Pour la consommation familiale, l'habitant plante quelques pommiers dans son jardin, le seul arbre fruitier qui vient facilement sous ce climat.

Jusqu'au début du XVIIIᵉ siècle, il n'y a dans les côtes que de petites maisons en bois, non subdivisées, pas très solides (71). Ce sont des assemblages très simples de pièces embouvetées aux encoignures, bousillées dans les joints, surélevées par 4 solives qui isolent le plancher. Elles se démontent facilement et un habitant qui vend sa terre peut « traîner » sa maison ailleurs, quitte à refaire la cheminée de torchis (72). Encore en 1731, 93 % des maisons dans les paroisses rurales répondent à peu près à cette description. Mais dans la banlieue, nous comptons déjà un quart de maisons en pierres et un style canadien d'architecture durable commence à se répandre (73). Dans les débuts, il ne semble pas y avoir d'uniformité dans la disposition des bâtiments. L'étable et la grange sont parfois contiguës, parfois séparées, isolées ou accolées à la maison. La première est souvent la cabane de pieux du colon, convertie en abri pour le bétail. La présence d'une grange signale déjà un degré d'ai-

(69) Livre de comptes des religieuses de la Congrégation Notre-Dame, 1742-1745.

(70) Baux de vergers des 9 février et 5 juillet 1719, M. not., Le Pailleur; une lettre de M. Forget, p. s. s., au sujet de la production de pommes du séminaire, APC, M. G. 17, A7, 2, 1, vol. 2, pp. 367-368.

(71) Pour une description sommaire des intérieurs, liée au niveau de vie des habitants, voir quatrième partie, chap. II, § 6.

(72) Marchés pour traîner des maisons et des petites granges, M. not., Maugue, 11 mars 1681; Adhémar, 6 mars 1702; inventaire de Jean Leduc, *ibid.*, Raimbault, 26 avril 1702.

(73) *RAPQ* (1941-1942), pp. 3-176.

sance supérieur à la moyenne. C'est une très grande construction, jusqu'à 50 pieds de longueur, qui renferme l'aire à battre
et le fourrage de l'hiver. De même le passage du toit de chaume,
le plus répandu sur ces bâtiments, au toit en planches et la
multiplication des dépendances, laiterie, porcherie, poulailler,
n'ont lieu qu'au terme d'une très lente progression et, pendant
toute la période que nous avons observée, ne touchent qu'une
minorité de paysans. La glacière, une innovation qui frappe les
visiteurs, n'apparaît nulle part dans les campagnes avant le
milieu du XVIIIe siècle (74).

Dans l'ensemble, il est difficile de ne pas voir dans ces pratiques agricoles des ressemblances étroites avec celles des campagnes françaises. Pour le nier, pour parler d'une agriculture
coloniale originale, il a fallu ne retenir qu'un type de paysan
français, qui doit plus à la littérature qu'à l'histoire, ignorer
toutes les études qui ne cessent de mettre à jour les diversités
locales et régionales. Parce que la majorité des colons y sont
nés et peut-être aussi parce que les terroirs se prêtaient pareillement à l'improvisation, qu'on s'y heurtait à des problèmes
de distance et de rentabilité un peu parents, c'est avec les bocages
de l'Ouest, particulièrement les campagnes poitevines, que les
rapprochements s'imposent (75). Nous avons affaire à une
agriculture du XVIIe siècle, ni meilleure ni pire que dans la
plupart des vieux pays, raisonnablement ouverte aux innovations dans la période d'implantation, mais qui très vite retrouve
les freins de l'habitude, toutes les lenteurs d'une tradition
qu'elle n'avait jamais abdiquée.

(74) W. J. Eccles raconte, pour étayer sa thèse d'une Nouvelle-France
paradisiaque, que les habitants dégustaient des glaces et des sorbets en été
(*The Canadian Frontier*, p. 95). Seuls les marchands, les hôteliers pouvaient
stocker et faire construire ce bloc étanche en bois de cèdre, vêtu de paille
retenue par une ceinture de pieux, muni d'une grille pour l'égouttement
des pièces de glace, qui doivent conserver les viandes pendant quatre mois
de chaleur intense. Marché du 11 octobre 1704, copie Faillon, DD 302;
référence à la glacière de l'aubergiste Nafréchoux, 13 octobre 1687, *JDCS*,
vol. 3.

(75) Louis Merle, *op. cit.*; Pierre Goubert dans F. Braudel et E. La-
brousse, *Histoire économique et sociale de la France 1660-1789*, pp. 108-111;
Gabriel Debien, *En Haut-Poitou. Défricheurs au travail, XVe-XVIIIe siècles*
(Paris, 1952) ; Paul Bois, *Paysans de l'Ouest* (Paris, 1971).

CHAPITRE VI

L'ÉCONOMIE AGRICOLE

1. *Les rendements.*

La production céréalière dans les seigneuries canadiennes ne dépassa jamais le stade de l'agriculture traditionnelle. Entre 1820 et 1850, avant que de nouvelles méthodes aient pu être introduites, la culture du blé fut à peu près totalement abandonnée au profit de la pomme de terre, l'orge et l'avoine, le foin et l'élevage. Dans la seconde moitié du siècle, la population rurale débordant la vallée pratiqua sur des plateaux quasi stériles une agriculture de misère, axée sur les céréales pauvres, la pomme de terre et le fourrage, qui ne put survivre que greffée à l'industrie forestière, alors en pleine expansion (1). La brusque transformation de l'économie agricole sur les anciennes terres et particulièrement dans la plaine de Montréal nous prive d'une base solide pour appuyer une enquête rétrospective sur les rendements céréaliers. Durant les deux siècles qui la précèdent, les contemporains et les historiens s'accordent pour parler d'immobilisme, voire d'une dégradation progressive

---

(1) Ce débordement rencontra çà et là des pochettes de bonne terre, par exemple dans la région du lac Saint-Jean qui connut une agriculture céréalière de bon rapport. Mais ce sont là des cas exceptionnels. Dans l'ensemble, les terres marginales défrichées au XIXᵉ siècle et au début du XXᵉ, sont aujourd'hui abandonnées ou sur le point de l'être après plus d'un demi-siècle de travail inutile et de misère. Voir les *Études canadiennes* de Raoul Blanchard.

de l'agriculture (2). Si le caractère routinier de l'habitant ne peut être mis en doute, la pénurie de renseignements sur les méthodes et la productivité durant le régime français rend assez aléatoires ces essais de comparaison dans le temps. Enfin, les conditions naturelles diffèrent sensiblement d'un bout à l'autre de la vallée du Saint-Laurent et entre les sols minces vite érodés de la rive nord et les terres plus riches de la plaine de Montréal, il peut y avoir d'importants écarts dans les rendements sur une longue période. Les observateurs du XVIIIe siècle n'en tiennent pas compte. En fait, nous n'avons aucun témoignage sérieux sur la productivité des terres à blé avant 1760. Des mémorialistes, des administrateurs ignorants de ces questions, des voyageurs pressés lancent ici et là des chiffres en l'air qui, faute de mieux, ont été retenus pour étayer la thèse de la détérioration des rendements. Ces témoins tendent d'abord tous à exagérer les qualités des terres neuves. Les grains se recueillaient dans les commencements à 60 pour un, rapporte un sulpicien (3). « On recueillait alors [en 1659] autant de blé de la semence d'un seul minot qu'aujourd'hui de vingt-huit et trente sans hyperbole... », écrit l'annaliste de l'Hôtel-Dieu vers 1700 (4). Nous avons trouvé un bon nombre de renseignements sur les rendements des terres nouvellement défrichées et l'image qui se dégage est assez uniforme. Un arpent produit une rente de 6 minots de froment, ce qui donne un rendement à l'arpent de 18 minots ou 20,50 hl/ha (5). Le chiffre est élevé mais non

(2) Fernand Ouellet et Jean Hamelin, « Les crises agricoles dans le Bas-Canada, 1802-1837 », *Études rurales* (1962-1963), pp. 36-57. Plusieurs articles de Fernand Ouellet en collaboration avec Jean Hamelin dans Claude Galarneau et E. Lavoie, *France et Canada français du XVIe au XXe siècle* (Québec, 1966). Fernand Ouellet, *Histoire économique et sociale du Québec 1760-1850* (Montréal, 1966). Elizabeth J. Lunn, « Agriculture and War in Canada 1740-1760 », *CHR*, XVI, pp. 123-136.

(3) Tel qu'il est rapporté par M. de Tronson qui met les prêtres en garde contre ce genre de généralisation, 13 mars 1683, ASSP, vol. XIII. p. 320.

(4) *Annales de l'Hôtel-Dieu de Montréal rédigées par la sœur Morin*, p. 114.

(5) Entre les années 1655 et 1665, les locations de parcelles de un à trois arpents sont fréquentes et la rente est calculée à l'unité de superficie emblavée. Par la suite, les terres louées sont plus étendues, les conditions des baux deviennent plus complexes à mesure que l'exploitation se diversifie et nous ne pouvons plus établir le rapport entre la rente et la superficie emblavée.

fabuleux, comme on pourrait s'y attendre à partir du rendement à la semence, car tant que la terre reste aussi productive
le semeur a la main légère, d'autant plus que le « désert » est
souvent encore encombré de souches et de pierres. Avec une
semence variant entre un et un minot et demi à l'arpent, le
rapport oscille entre 1 : 12 et 1 : 18. Ces maximums sont de courte
durée. Nos observations rejoignent le témoignage très pondéré
de M. de Belmont (6) et se situent un peu en deçà de ceux de
Pehr Kalm et des enquêteurs qui, à la fin du XVIIIᵉ siècle, évaluent
la production des terres neuves à 15 ou 20 minots de blé
pour un (7).

Il est plus difficile d'évaluer le rendement moyen sur les terres
anciennes, c'est-à-dire celles qui ont perdu ces vertus premières
et dont la productivité est fonction de la qualité du sol et des
pratiques culturales. Nous rejetons la méthode utilisée jusqu'ici
par les historiens canadiens qui calculent le rendement à partir
de deux données de recensements : la superficie totale en labours
et le volume du blé récolté sur une seigneurie donnée ou dans
l'ensemble de la colonie. Nous savons d'une part que selon le
temps et le lieu, il y a entre la moitié et le quart de cette superficie qui vient à peine d'être déboisé, n'est soumis à aucun cycle
rotatif, n'est ensemencé que de froment et produit bien plus que
la moyenne ou encore bien moins, dans le cas de ces arpents
« à la pioche » quasi abandonnés qui retournent peu à peu en
friche. Nous connaissons, d'autre part, l'absence d'uniformité
dans le régime d'assolement sur les terres plus anciennes, les
variantes dans le rapport entre soles de froment et soles de
légumineuses et menus grains. Il nous semble donc abusif de
se livrer à des calculs qui postulent au départ la quantité de
semence, l'absence de rotation ou un régime général d'assolement biennal avec un rapport de trois pour un en faveur du
froment. Les écarts inexplicables qui résultent de ces opérations

(6) Il observe un rapport de 10 à 12 pour un, 13 mars 1683, **ASSP**,
vol. XIII, p. 320.
(7) Pehr Kalm parle de 15 à 20 minots pour un en 1750 après une visite
de la côte du Sault-au-Récollet nouvellement mise en culture (*op. cit.*, p.221).
Les résultats des enquêtes de 1793 sont cités par Fernand Ouellet, *op. cit.*,
pp. 154-155.

d'une seigneurie à l'autre et d'une année à l'autre sur une même seigneurie devraient d'ailleurs suffire à nous mettre en garde (8).

En l'absence de toute autre source, nous préférons nous appuyer sur une trentaine d'exemples précis, tirés des baux de ferme, de prisées d'inventaires, d'estimations de guérets ou de récoltes, étayés par d'autres exemples partiels. En procédant à des recoupements, nous arrivons à connaître le rapport entre les emblavures, la superficie et la récolte sur certaines habitations. La quantité de semence varie entre un minot et demi et deux minots et demi par arpent et, dans la majorité de nos exemples, le semeur en dépense deux. Une terre raisonnablement bien soignée, c'est-à-dire drainée et soumise à un assolement triennal ou biennal, mais pas nécessairement bien fumée, produit entre 12 et 15 minots à l'arpent (13,6 et 17 hl/ha) ou 1 : 7,5 à la semence. C'est le cas des propriétés des seigneurs, de certains marchands et officiers et des meilleurs cultivateurs (9) La majorité des terres produirait entre 7 et 11 minots à l'arpent (8 et 12 hl/ha), de 1 : 4,5 à 1 : 6,5 à la semence.

Si nous comparons ces chiffres avec ceux qui ont été recueillis dans diverses régions de la France aux XVIIe et XVIIIe siècles, il n'y a pas lieu de dénoncer cette agriculture coloniale comme un cas aberrant de primitivisme, le résultat attendu d'une agriculture extensive et négligée, d'une déprédation sans précédent en Europe (10). Les méthodes sont assez orthodoxes et les

(8) Harris, ayant procédé à ce calcul à partir du recensement de 1739, obtient un rendement à la semence de 4, 4 minots dans l'île de Montréal, de 9, 2 dans la seigneurie de Notre-Dame-des-Anges, aussi ancienne. Il est aussi difficile d'expliquer pourquoi le rapport est respectivement de 9, 4 pour un et de 3, 6 pour un dans les seigneuries voisines de Varennes et de Contrecœur où la qualité des terres et le comportement des habitants sont les mêmes. (R. C. Harris, *op. cit.*, p. 153). Voir aussi Fernand Ouellet et Jean Hamelin (« Les crises agricoles dans le Bas-Canada, 1802-1837 ») qui postulent que les trois quarts de la superficie en labours sont semés en blé chaque année et ne tiennent pas compte de la jachère. Les rendements ainsi obtenus sont évidemment très bas.

(9) Par exemple, le domaine Saint-Gabriel, les habitations de Leber, Dailleboust, J.-B. Migeon, Jean Milot, Nicolas Jetté, J. Messiers, Richard, etc.

(10) Toujours selon Cole Harris, il faudrait remonter au Moyen Age pour trouver des rendements aussi bas que 4 pour 1 (*op. cit.*, p. 154).

résultats aussi. En utilisant les données que Michel Morineau a tirées de la statistique de la France de 1840 (11), nous constatons que les rendements d'un certain nombre de terres de l'île de Montréal — 16 % peut-être de la superficie arable au début du XVIIIᵉ siècle — sont très honorables, comparables à ceux des régions du nord de la France, des bonnes exploitations du Bassin parisien et autres régions favorisées (12). Par contre, la productivité sur la majorité des habitations est médiocre et rejoint ce qu'on est accoutumé de voir sur les trois quarts du territoire français jusqu'au milieu du XIXᵉ siècle. Au fond, si les rendements céréaliers au Canada soulèvent si peu de curiosité et de commentaires, n'est-ce pas parce qu'ils sont tels que ces administrateurs, qui débarquent de La Rochelle, d'Angoulême ou de Bordeaux, peuvent s'y attendre?

Mais des disparités aussi accusées sur un même territoire généralement favorable à la culture céréalière sont surprenantes. La mauvaise qualité de la terre ne joue que dans certains cas, rares et isolés. Nous devons considérer d'abord les possibilités économiques des exploitants. Il est certain que les communautés et les marchands sont capables d'investir davantage sur leurs terres, ne reculent pas devant le coût de l'égouttement, celui de l'hivernement d'un troupeau assez considérable, celui des labours répétés sur la jachère. Non pas que les profits qu'ils en tirent les y incitent particulièrement, mais c'est à ce prix seulement qu'ils peuvent tirer une rente de leurs propriétés. Des cultivateurs appliqués et diligents, qui en apparence n'ont pas les moyens financiers au départ, parviennent aussi à tirer le maximum de leur habitation. Mais le plus grand nombre n'essaie pas de suppléer par un labeur écrasant et soutenu au manque de capital initial. Une fois atteint le seuil de la subsistance, ils renoncent à améliorer davantage, à multiplier les fossés, à fumer, à soigner les guérets, à accroître le cheptel et la superficie

(11) Michel Morineau, *les Faux-Semblants d'un démarrage économique : agriculture et démographie en France au XVIIIᵉ siècle* (Paris, 1970), pp. 24-31, et d'autres exemples puisés dans diverses études régionales pour les XVIIᵉ et XVIIIᵉ siècles cités par cet auteur.

(12) Très grossièrement, nous répartirions la superficie arable comme suit en 1715 : terres neuves 33 %; rendements excellents 16 %; rendements médiocres 50 %.

des prairies. La routine s'installe et seule la rotation des emblavures conserve à la terre une productivité médiocre assez
constante. Les mauvaises années, ces terres plafonnées à 4,5
pour un ne rendent même plus la semence qu'elles ont reçue (13).
Faut-il invoquer, pour expliquer cette incurie, l'absence de
tradition agricole chez bien des immigrants (14)? Nous ne le
croyons pas. C'est un métier qui s'apprend et les bons exemples
ne manquent pas dans toutes les côtes. Plutôt que de chercher
des facteurs psychologiques et culturels, ne faut-il pas examiner
d'abord le contexte général dans lequel cette agriculture se
développe. La comparaison entre les rendements médiocres,
qui nous apparaissent comme la productivité moyenne de l'île
de Montréal entre 1680 et 1715, et ceux beaucoup plus élevés
que nous rapportent des enquêteurs à la fin du xviiie siècle
pour l'ensemble de la colonie, nous incite à mettre l'accent sur
les facteurs extérieurs. Nous relevons deux témoignages déposés
devant la Chambre d'Assemblée selon lesquels les anciennes
terres produiraient en moyenne 10 à 12 minots à l'arpent et
le rendement à la semence se situerait entre 8 et 10 pour un (15).
Or, à cette époque, le Bas-Canada exporte son froment et les
prix sont très élevés. Stimulé par les profits, il semble bien que
l'habitant moyen ne ménage plus ses efforts, applique avec plus
de diligence les principes élémentaires de l'agriculture traditionnelle. La thèse d'une dégradation progressive des méthodes
et des rendements agricoles entre le xviie et le début du
xixe siècles nous apparaît sans fondement. A toutes les époques,

(13) Voir, par exemple, les rendements sur la terre de Charles Juillet
pendant la crise de 1691-1693, comptes de tutelle, 24 mars 1696, M. not.,
A. Adhémar.
(14) Selon Fernand Ouellet et Cole Harris, c'est là où réside l'explication.
Mais ceci nous amène à invoquer l'exemple des Acadiens, soit un groupe
de colons établis au milieu du xviie siècle, originaires de l'ouest de la
France comme les Montréalais et pas mieux choisis. Or ces gens, à force
de travail et d'ingéniosité, ont développé rapidement une agriculture profitable en endiguant les rivières et en récupérant des terres basses réellement
fertiles. Au xviiie siècle, l'Acadien est un cultivateur prospère qui exporte
du grain et des viandes jusqu'à Boston. (Andrew H. Clarke, *Acadia :
the Geography of Early Nova Scotia to 1760, passim.*)
(15) Témoignages de Meiklijohn et Anderson devant la Chambre
d'Assemblée (1793), cités par Fernand Ouellet dans *Histoire économique
et sociale du Québec 1760-1850*, pp. 154-155.

il y a eu de mauvais et de bons cultivateurs et tout indique que ceux-ci deviennent relativement plus nombreux quand la conjoncture est favorable.

2. *Les freins conjoncturels.*

La courbe des prix du froment dans l'île de Montréal sur laquelle repose la démonstration qui suit (16) déroge à toutes les règles. Les prix ont été recueillis dans les inventaires après décès et autres actes notariés (17). Pour la période 1698-1723 seulement, nous disposons d'une comptabilité conventuelle bien faite qui donne les prix mensuels. Mais dans les années qui précèdent, les données sont très inégales et il nous a fallu souvent calculer la moyenne annuelle à partir de 6 ou 7 cotations mensuelles et dans certains cas extrêmes, de 2 seulement. En l'absence de toute autre source, nous avons préféré faire feu de tout bois plutôt que de renoncer à illustrer ce qui nous apparaît comme un facteur d'explication essentiel des comportements paysans : la dépression de l'économie rurale.

A une « série » aussi peu orthodoxe correspond une représentation élémentaire. Le cadre chronologique adopté est celui de l'année-récolte commençant le premier septembre. Nous comptons en sols et dixièmes de sols tournois, éliminant ainsi les fluctuations monétaires proprement coloniales mais non pas celles de la livre tournois. Aurions-nous tenté de traduire nos prix nominaux en grammes d'argent, que nous aurions choisi comme base la livre de Colbert, stable entre 1666 et 1684. Mais nous y avons renoncé ainsi qu'aux nombres-indices, aux mé-

---

(16) Graphique 23 en annexe.

(17) Lorsque le prix d'une transaction est exprimé en blé et que le texte spécifie qu'il s'agit du prix courant de ce jour et non d'un prix antérieurement fixé. Les grains et le bétail sont prisés dans les inventaires au prix du marché, sans aucune diminution, ce que nous avons pu déterminer sans l'ombre d'un doute. Entre 1698 et 1723, les prix provenant de ces sources disparates coïncident avec la série obtenue dans les livres de l'Hôtel-Dieu. Nous nous sommes basée sur le mouvement mensuel connu de cette période pour établir la moyenne annuelle des années antérieures, chaque fois que les cotations étaient incomplètes.

dianes mobiles et autres traitements statistiques, qui doivent s'appuyer sur des données plus complètes que les nôtres. S'il y a des erreurs dans ces chiffres bruts, d'autres chercheurs, nous l'espérons, les corrigeront un jour. Mais, après avoir insisté sur la fragilité de cette courbe, nous ajoutons cependant que, malgré tout, elle semble assez juste dans l'ensemble. Nos prix s'accordent bien avec ceux que Jean Hamelin a tirés de la comptabilité du Séminaire de Québec pour la période 1674-1750, compte tenu du décalage géographique (18). Des erreurs de quelques sols les années où nous avons dû nous contenter de trop rares cotations ne changeraient rien à la tendance générale.

Nous n'avons pas illustré le mouvement saisonnier, faute de cotations complètes sur une longue période, mais tout indique qu'il est très peu prononcé, voire nul les années où les prix sont bas ou moyens (19). La comptabilité de l'Hôtel-Dieu offre un exemple d'oscillations mensuelles prononcées en 1699-1700. Les provisions d'une récolte antérieure abondante durent jusqu'en octobre, après quoi le prix passe de 52 sols à 75 sols, atteint 90 sols en mars et 120 sols au moment de la soudure parce que la récolte de 1700 s'annonce tout aussi mauvaise. Dans d'autres cas, l'espoir d'une bonne récolte fait baisser les prix, même durant l'été. De 1703 à 1707, les cours mensuels sont figés à 30 sols sans la moindre velléité de hausse à la soudure.

Nous savons peu de chose sur le ravitaillement de la colonie avant 1663. La production demeure longtemps insuffisante. La situation de Montréal est plus précaire que celle de Québec. C'est seulement à partir de 1659 que le poste parvient à peu près à se nourrir et jusqu'en 1668 les arrivées annuelles d'immigrants, les échanges de farine contre des fourrures, compromettent souvent l'équilibre entre population et subsistance (20). Pour empêcher certains de spéculer sur la rareté, le Conseil

(18) Les prix de Québec sont établis pour l'année civile (J. Hamelin, *Économie et société en Nouvelle-France*, p. 61).

(19) Ce qui est confirmé par les provisions de grains que nous trouvons chez les habitants à la fin de l'année-récolte, généralement bien suffisantes.

(20) En 1666, les blés sont récoltés avant leur maturité. Pour avoir du pain, les soldats pillent les champs. Ordonnance de Talon du 22 mai 1667 ; E.-Z. Massicotte, *Répertoire des arrêts*.

de Québec avait taxé le blé à 75 sols tournois (21) et le fait
qu'il circula longtemps sur ce pied à Montréal illustre la pénurie
chronique. Mais à partir de 1659, nonobstant le règlement qui
demeure en vigueur jusqu'en mai 1665, les prix deviennent
autonomes.

La courbe présente des mouvements courts sans périodicité
et, en général, de faible intensité. Jusqu'en 1688, les écarts entre
les maximums et les années qui les précèdent sont respectivement de 25 % (1660-1662), 11 % (1665-1666), 66 % (1672-1674),
24 % (1680-1681) et, sans heurts, le blé glisse vers des paliers de
plus en plus bas. Pour un colon débarqué au Canada en 1660,
vingt-huit années s'écoulent sans qu'une brusque rareté vienne
lui rappeler les années difficiles qui avaient précédé son départ.
La crise la plus importante du siècle débute en 1689. Une alerte
militaire s'ajoute aux mauvaises récoltes. L'île est envahie,
les habitants abandonnent leurs terres et se réfugient dans les
forts. Les pluies et les brumes gâtent la récolte de 1690. En 1692,
ce sont les chenilles qui grignotent les blés qui s'annonçaient
beaux. Cette fois, la hausse cyclique est brutale. Depuis le
minimum de 1685, les prix quadruplent. La colonie ne connaîtra
aucune autre crise de cet ordre avant la guerre de Sept Ans.
Le rétablissement est lent car l'île reste assiégée, les terres abandonnées. La ville se remplit de réfugiés venus des autres seigneuries et ce sont ces facteurs surtout qui sont responsables
de la cherté de 1696 dont l'ampleur n'est toutefois que de 87 %.
Même avec le retour de la paix, les séquelles de ces déplacements de population, des dégâts considérables causés aux
bâtiments, de la diminution du cheptel, amplifient le cycle de

---

(21) Ce règlement a été perdu et nous ne connaissons son existence que
par l'arrêt du 19 mai 1665 qui l'abolit à la demande des marchands qui
refusent d'ailleurs de l'accepter en paiement à ce prix depuis plusieurs
années (*JDCS*, vol. 1). En 1651, le blé circulait pour cinquante sols seulement à Québec (Lucien Campeau, article cité, pp. 601-612). Après 1665,
le cours du blé demeure officiellement libre. Notons toutefois deux interventions des autorités en faveur des paysans : le 19 novembre 1669, le Conseil
ordonne aux marchands de recevoir le blé à soixante sols en paiement
des vieilles dettes et ce, pendant trois mois; le 24 octobre 1682, de le prendre
à cinquante sols en paiement des fusils que les habitants sont sommés
d'acheter pour défendre la colonie. Ce sont des mesures temporaires.

1698-1701 : le prix du froment double. La production frumentaire s'engage ensuite dans une nouvelle ère de pulsations
modérées. Aucun soubresaut ne parvient à réanimer le creux
de 1703-1706 et les prix continuent à s'avilir jusque dans le
second quart du XVIIIe siècle. Bien que les prix exprimés en
billets de cartes entre 1713 et 1719 aient été « déflatés » (22),
cette période reste embrouillée et indûment gonflée par les
bouleversements monétaires tant métropolitains que coloniaux.

Il y aurait une pointe de très faible amplitude en 1713, suivie
d'une retombée qui n'apparaît pas (nous savons que les récoltes
de 1714-1716 sont bonnes) et une seconde pointe légèrement
plus forte en 1717-1718 (23). Notre courbe s'arrête en 1725,
mais nous connaissons, grâce aux travaux de Jean Hamelin,
la tendance générale des prix du blé jusqu'en 1750. Établis
sur l'année civile et pour la région de Québec, ils ne prolongent
pas fidèlement les nôtres, mais le profil général ne saurait être
très différent (24). La mauvaise récolte de 1736-1737 et celle
de 1743-1744 produisent des écarts cycliques modérés, de l'ordre
de 80 %. Les autres cycles sont aussi peu prononcés que ceux
qui précèdent les crises de la fin du XVIIe siècle.

Rien ne voile le mouvement de longue durée : une dépression
profonde et soutenue, étalée sur trois quarts de siècle. C'est
seulement vers 1745 que les prix rejoignent le palier maximum
d'avant 1670. Or ce mouvement est celui des prix exprimés en
livres tournois nominales. Si nous tenions compte de la dévaluation
progressive de l'unité monétaire, de l'ordre de 45 % entre 1660
et 1726 (25), la chute serait spectaculaire, dépasserait, croyons-

(22) Réduits à 3/8 (1/2 x 3/4) ainsi que procèdent les marchands lorsque
les comptes sont réglés en numéraire. Voir comptabilité de A. Monière,
APC, M-847, *passim.*

(23) Il y a des exportations de blé en France et aux Iles en 1710, 1712 et
1713. Mémoire de M. Magnien (1713), *ibid.*, M-1584, n⁰ 77.

(24) Dans l'ensemble, les prix de Montréal sont inférieurs à ceux de
Québec à partir de 1670. Les terres produisent davantage et la région
enfoncée à l'intérieur est plus éloignée des marchés. Au prix courant
de Montréal s'ajoutent les frais du transport jusqu'à Québec lorsque les
blés sont exportés. Ainsi la hausse lente du XVIIIe siècle a probablement
tardé davantage à se faire sentir à Montréal.

(25) Ernest Labrousse, « D'une économie contrôlée à une économie
en expansion », dans F. Braudel et E. Labrousse, *Histoire économique et
sociale de la France 1660-1789*, p. 333.

nous, les pentes observées dans diverses provinces de France. Comparons grossièrement, par exemple, le niveau des prix moyens du setier de froment sur les marchés de Montréal et de Paris, en attribuant l'indice 100 au setier parisien (26). Celui de Montréal se situe à 97 pour les années 1661-1674, à 40,7 pour la période 1705-1717. Cette dévalorisation du produit agricole, la non-concordance entre nos pointes cycliques et les années de pénurie généralisée dans la métropole, illustrent l'isolement de la colonie (27).

Le mouvement des prix des autres productions céréalières et animales suit à peu près celui du froment, mais la rareté des cotations, l'imprécision des mesures (28) ou la trop grande variété dans les qualités nous empêchent de bien suivre l'évolution. Au début de l'établissement, le minot de maïs circule au même prix que celui du blé, après quoi l'image se brouille. Il semble y avoir deux qualités, une pour l'alimentation du bétail, l'autre pour la consommation familiale dont la valeur reste assez près de celle du froment. Dans le cas des « pois », il y a des écarts de 30 à 40 % selon le type de légumes. Les années de cherté, les prix de ces productions collent à ceux du froment, s'en éloignent les années d'abondance. Le mouvement de l'avoine s'accorde grossièrement à celui du blé avec des variations cycliques plus prononcées. C'est occasionnellement une céréale de remplacement. Nous ne croyons pas que le secteur fourrager soit suffisamment développé, avant 1725, pour avoir un mouvement autonome (29). De toute manière, le mouvement de longue durée des prix du bétail reproduit en l'accentuant la baisse du froment. La rareté maintient les prix à un niveau élevé à peu près fixe pendant près de trente ans, et la chute

(26) Nous nous appuyons sur les moyennes données par Pierre Goubert, soit respectivement 14,32 et 21,19 livres tournois pour les deux périodes (*Beauvais et le Beauvaisis de 1600 à 1730*, p. 424).

(27) On opposera ce phénomène à la concordance conjoncturelle entre les prix canadiens et anglais observée par Fernand Ouellet dans le dernier quart du XVIIIe siècle. (*Histoire économique et sociale du Québec 1760-1850*, *passim*).

(28) Nous ignorons la capacité du minot d'avoine, de celui des « pois » ou du maïs.

(29) Pour le foin, nous avons peu de cotations et les textes spécifient rarement s'il s'agit du gros foin ou du fin.

entre 1670 et 1688 est précipitée. Le passage répété de bandes d'Iroquois dans l'île à partir de 1689, qui attaquent les habitations des côtes, pillent et massacrent le bétail, la pénurie de fourrage liée aux mauvaises récoltes de grains, ressuscitent la rareté. Les prix sont hauts, mais il n'y a guère de marché

TABLEAU 37.

Prix moyens du bétail dans l'île de Montréal
entre 1650 et 1730 (*).

Animaux	Valeurs moyennes selon les périodes (en livres tournois)						
	1650-1670	1670-1680	1680-1689	1689-1700	1700-1708	1709-1720	1720-1730
Bœuf de labour (de 5 à 9 ans) .	112-90	90-67	60-45	90-75	40-25	75-45	50
Vache laitière ...	75	65-45	26-22	45-37	22-15	37-26	22
Cavale	225	225	—	112-75	75-30	37-30	30
Brebis	—	—	—	11	4,5	4,5	4,5
Truie	18	18	6	—	10	—	8-10

(*) Il va sans dire que la qualité des animaux intervient pour beaucoup dans les prix. En recueillant un très grand nombre de cotations, nous avons simplement marqué les frontières entre lesquelles s'étalent les prix moyens de l'animal adulte commun.

en ces années de désolation. Le cheptel se reconstitue rapidement après la guerre et l'avilissement des prix est tel, au début du XVIIIe siècle, que les habitants évitent de le vendre à l'encan comme il est d'usage lors des partages de succession (30). Après les oscillations incertaines qui caractérisent la période d'inflation monétaire, les prix se stabilisent à un niveau très médiocre.

(30) Partage des meubles de J. Blois, 28 septembre 1704, M. not., Raimbault.

Nous avons peu de cotations pour les porcs et les ovins, mais du début à la fin de la période étudiée, la baisse est du même ordre que celle qui affecte les bovins. L'évolution des prix des chevaux est différente. Avant 1690, ce n'est pas un animal à portée de la bourse paysanne, mais à partir du moment où l'élevage commence, les prix ne cessent de baisser. Vers 1720, le cheval de trait ordinaire vaut moins cher qu'un bœuf de labour.

Grâce à la comptabilité de l'Hôtel-Dieu, nous connaissons les prix mensuels d'un certain nombre de produits alimentaires, mais sur une période trop courte (1697-1723) pour nous permettre d'en tirer des conclusions (31). D'ailleurs, peut-on vraiment parler de prix du marché pour les volailles, les œufs, le lait et le beurre? Ce sont des productions essentiellement vivrières. Le marchand les accepte en paiement pour sa propre consommation ou à l'occasion pour rendre service à un client. Dans la ville, ceux qui ont les moyens de se procurer ces denrées ont en général un fermier qui les leur fournit. La circulation semble trop faible pour épiloguer sur les prix. Il y a un marché un peu plus actif pour les viandes de lard et de bœuf. Entre 1696 et 1723, le prix du bœuf baisse de 25 % et, pour l'ensemble de cette période, la valeur du cent livres se situe à environ 40 % de celle relevée à Beauvais par Pierre Goubert (32). Les prix du porc, tantôt à la livre, tantôt au baril, tantôt maigre, tantôt gras, ceux du saindoux ou graisse douce, sont trop dispersés.

L'image est d'ailleurs assez nette. Toute la production rurale se déprécie et l'évolution de la valeur vénale des terres résume cette plongée vers la non-rentabilité de l'exploitation. L'arpent labourable à la charrue passe de 112 l. tournois vers 1663 à 30 l. en 1668 et, bien que nous ne puissions plus isoler l'unité

---

(31) Comme on peut s'y attendre, ces produits sont plus chers l'hiver que l'été. Nous notons aussi que l'Hôtel-Dieu consomme du lait même durant l'hiver, ce qui laisse croire que toutes les vaches ne tarissent pas complètement. Le beurre est salé pour la conservation.

(32) *Op. cit.*, graphique 105, pp. 104-105. Notons que les viandes de bœuf et de veau sont taxées par règlement de police et que nos prix sont ceux des bouchers et non pas ce que l'habitant reçoit pour l'animal sur pied qu'il livre à la ville. Il n'y a pas de bœuf salé dans les garde-manger des habitants.

après cette date, il se peut que la valeur effleure environ 20 l. au début du xviiie siècle (33). Tant que les terres en valeur sont rares, que le blé se maintient à 75 sols le minot, la rente est d'environ 12 %. Dès que les habitants se mettent sérieusement aux défrichements, elle dégringole et à la fin du siècle, c'est à peine si un propriétaire peut tirer 2 à 2,5 % d'un placement foncier (34). Vers 1683, les Sulpiciens tentent de se défaire de leurs métairies de Sainte-Marie et de la Présentation. « Si, conseille le supérieur général, les autres terres que vous avez vous coûtent plus à faire valoir qu'elles ne vous rapportent, je crois que vous ne sauriez aussi mieux faire que de les vendre (35)». Mais ils ne trouvent pas preneur et deux ans plus tard, le problème est à nouveau débattu. « Les personnes qui scavent ce que c'est que le Canada conviennent avec vous que le meilleur pour le Séminaire seroit de se débarrasser des terres autant que l'on pourrait (36). » « Les immeubles sont de nulle valeur », écrit le gouverneur à la suite d'une suggestion de taxer la propriété. Et il souligne « que dans la pauvreté où est le pays, dans la diminution journalière des biens fonds de terres... », il est impossible de lever l'impôt ailleurs que sur les fourrures et les importations (37). Encore en 1705, les seigneurs songent à vendre une belle terre : quatre cents arpents de labours et de prairies (38). Rappelons enfin ce que nous avons établi plus haut. Les bonnes terres n'apparaissent à peu près jamais sur le marché. Il y a peu de vendeurs parce que le prix qu'ils en obtiendraient ne compense pas le travail qu'ils y ont mis. Les ache-

(33) Par exemple, une habitation payée 3 262 l. du pays en 1687 est adjugée pour 2 100 l. en 1709 en dépit des travaux. (Contrat du 12 septembre 1709, M. not., A. Adhémar).

(34) Pour des exemples de rentes ou d'épargnes paysannes, voir les terres de J. Averty, vente du 25 août 1669, *ibid.*, Basset; de la succession Beaudry, 15 novembre 1698, *ibid.;* de la succession Milot, 8 février 1702, *ibid.*

(35) Lettre de M. de Tronson, 20 avril 1684, ASSP, vol. XIII, p. 392.

(36) Lettre du même, 4 mai 1686, *ibid.*, p. 476. Les seigneurs réussiront à se défaire de la Présentation par contrat d'échange, et c'est un habitant et ses fils, longtemps fermiers de Sainte-Marie, qui s'endettent pour l'acheter.

(37) Mémoire de La Barre au roi, 13 novembre 1684, AC, C11A6, fos 351-352.

(38) Lettre de M. Leschassier, 18 mars 1706, ASSP, vol. XIV, p. 358.

teurs se recrutent surtout parmi les paysans, qui ne cherchent pas les profits, mais un moyen de vivre.

3. *Production et subsistance.*

« La non-valeur avec l'abondance n'est point richesse; la cherté avec pénurie est misère; l'abondance avec cherté est opulence », écrit François Quesnay (39). Entre 1642 et 1750, Montréal a connu quelques années de misère et, en soudant les uns aux autres les témoignages des administrateurs étalés dans le siècle, on peut facilement brosser un sombre tableau qui dissimule la réalité permanente, soit l'abondance et la non-valeur (40).

Il n'y a pas de débouchés pour les grains au XVIIᵉ siècle. Ceux qui, excités par la demande des premières années et la taxe du blé, avaient acheté des terres à fort prix et entrepris une mise en valeur rapide et coûteuse, se sont retrouvés en difficulté au lendemain de la vague d'immigration. Il faudrait exporter, constatent les autorités dès 1669 (41). Mais les profits de la fourrure, sûrs et substantiels, retiennent avant tout l'intérêt des marchands canadiens et rochelois. Il est malaisé de trouver deux bateaux par année pour porter une faible partie des surplus aux Iles où les farines canadiennes sont mal accueillies et supportent mal la concurrence de celles de la métropole, également bon marché avant les guerres de la fin du règne et moins grevées par les frais de transport. Et comment d'ailleurs résoudre le problème des cargaisons de retour (42) ? Les envois en France sont encore plus aléatoires et plus rares et l'invitation

(39) François Quesnay, *Œuvres économiques et philosophiques*, citées par Slicher Van Bath dans *The Agrarian History of Western Europe*, p. 246.

(40) C'est un peu le procédé utilisé par Jean Hamelin (*Économie et société en Nouvelle-France*, pp. 38-71) qui met l'accent sur les crises. Celui aussi de Fernand Ouellet pour la seconde moitié du siècle et le XIXᵉ siècle. Sans nier les raretés intermittentes, il faut se rendre à l'évidence que les bonnes récoltes sont beaucoup plus fréquentes et que les mauvaises sont rarement tragiques.

(41) La colonie est trop chargée de blé. Lettre de Patoulet à la Cour, AC, C11A3, fᵒˢ 65 vᵒ.

(42) Cette situation est clairement exposée dans les lettres de Duchesneau au ministre de 1680 et 1681, AC, C11A5, fᵒˢ 173, 300-301.

lancée aux marchands bostonais en 1686, solution désespérée, ne réussit pas à faire remonter les cours (43). Les guerres, les incertitudes des voyages océaniques retardent jusqu'au second quart du XVIIIᵉ siècle la commercialisation des grains qui pourra alors s'appuyer sur Louisbourg, plaque tournante des échanges intercoloniaux, et sur le retard des prix canadiens sur ceux des autres régions productrices. Néanmoins, la demande extérieure restera faible et capricieuse.

La villle est trop petite pour représenter un marché intérieur considérable. Les habitants y viennent détailler des œufs, des volailles, des légumes et autres menus produits, mais ce n'est pas un centre régional de redistribution des grains et les transactions entre les producteurs, les boulangers et les marchands se font dans les côtes, au gré des parties (44). En 1721, le major de la place décide arbitrairement de déplacer les étals qui nuisent à la manœuvre. Les cultivateurs ainsi chassés protestent qu'on ne les reverra plus en ville et, à la suite de ces frictions, le marché n'aura lieu désormais que le vendredi (45). La mesure et la réaction illustrent l'insignifiance de l'institution.

Les fournitures à l'État, à ses troupes et toutes ses entreprises militaires, auraient pu soutenir commodément l'agriculture naissante de la région de Montréal. Mais cette solution heurtait la politique établie par Colbert, défendant les sorties de numéraire du royaume (46), en même temps que les intérêts des munitionnaires métropolitains. Et, dans cette colonie qui

(43) Charles Lemoyne exporte un peu de blé en France (inventaire après décès, 30 janvier 1685, M. not., Basset). Nous retrouvons ici et là dans la correspondance des intendants et des gouverneurs des renseignements incomplets sur les exportations. AC, C11A6, fᵒ 402 (1684); C11A7, fᵒˢ 140 sqq. (1685), C11A8, fᵒˢ 143 vᵒ et 44 (1686-1687).

(44) En principe, les habitants doivent d'abord offrir le bétail sur pied aux bouchers et il leur est interdit de vendre de la viande, mais ils enfreignent ces règlements. L'absence d'un marché de grains explique celle des mercuriales. Voir dans les registres du bailliage les divers règlements touchant le marché.

(45) Au lieu de deux fois la semaine. Procès-verbal du lieutenant général, 20-21 novembre 1721, bailliage (copie Faillon HH 116). Voir P. Kalm, op. cit., p. 57.

(46) Il est important, écrit le ministre à l'intendant en 1671, «de continuer à envoyer des denrées et de tenir toujours l'argent au-dedans du Royaume». AC, B3, fᵒˢ 30 vᵒ.

croule sous le poids du blé invendu, on importe régulièrement des farines et du lard pour nourrir les troupes. Les administrateurs locaux plaident chaque année auprès de la Cour : il en coûterait moins cher au roi d'acheter les vivres dans la colonie (47); tout le profit des achats de denrées vont aux marchands de France (48); il est impossible d'accélérer les défrichements dans ces conditions (49). Lorsque les marchands y trouvent leur compte, les blés du roi sont réexportés et l'intendant passe quelques commandes dans le pays (50). « Le blé coûte plus cher à faire qu'on ne le vend », se plaignent les seigneurs de Montréal (51). L'intendant rapporte que dans les paroisses de la colonie, les curés refusent de se charger des dîmes parce qu'il n'y a pas de débit et qu'il est impossible, pour les mêmes raisons, de trouver des fermiers (52). Les administrateurs vont jusqu'à se réjouir des grandes pluies qui ont, par bonheur, diminué la récolte de 1672, car le blé serait tombé en deçà de trente sols et les habitants découragés auraient réduit leurs emblavures (53). L'un d'eux résume ainsi la situation :

Les habitants ne sèment pas de chanvre parce qu'ils n'en retirent pas d'argent. Il y a beaucoup de laines, point de débouchés. Ils ont assez de ce qui est nécessaire pour la vie, mais en ayant tous esgallement, ils n'en peuvent faire aucun argent, ce qui les empêche de pouvoir subvenir à leurs nécessités et les rend si misérables en hiver à ce que tout le monde nous a asseuré qu'ils sont obligés d'aller presque nuds hommes et femmes (54).

(47) Lettre de De Meulles du 12 novembre 1684 soulignant que le roi a payé 9 l. 14 s le quintal en France, qui se vend 7 l. à Québec. AC, C11A6, fᵒ 402; mémoire du gouverneur dans le même sens, *ibid.*, fᵒ 346.

(48) Lettre de Frontenac, 21 novembre 1672, *ibid.*, vol. 3, fᵒˢ 238-239.

(49) Mémoire de Talon (1670), *ibid.*, fᵒ 105.

(50) *Ibid.* C'est le cas en 1684-1688. Lettre de De Meulles, 12 novembre 1684, 24 septembre 1685, *ibid.*, vol. 6, fᵒ 402, vol. 7, fᵒˢ 140 et 152; mémoire des choses nécessaires à l'entreprise de guerre à faire en 1687, *ibid.*, vol. 9, fᵒˢ 168-173; état des dépenses de 1688, *ibid.*, vol. 10, fᵒˢ 130-139.

(51) Lettre de M. Tronson, 25 mars 1686, ASSP, vol. XIII, p. 443.

(52) Lettre de Duchesneau, 13 novembre 1680, AC, C11A5, fᵒˢ 177-178.

(53) Lettre de Frontenac, 2 novembre 1672, *ibid.*, vol. 3, fᵒˢ 238-239.

(54) Lettre de l'intendant de Meulles, 12 novembre 1682, *ibid.*, vol. 6, fᵒ 81.

Les mauvaises récoltes de 1690-1692 prennent la colonie par surprise. L'intendant oublie les circonstances antérieures et dénonce l'incurie des habitants « qui ne cultivent plus que pour leur subsistance... » (55). La crise, à peine atténuée par les envois de farine de France, est sévère. Les boulangers cessent de faire du pain au printemps 1691 (56). Les curés distribuent des pois aux indigents (57). La misère est grande mais on ne peut pas parler de « crise de subsistance ». Nous ne voyons pas non plus qu'un groupe d'habitants, marchands ou autres, ait profité de la rareté. Dans l'île de Montréal, il n'y a qu'un seul gros producteur, soit le Séminaire qui cumule le produit de ses domaines, ceux des dîmes et des droits seigneuriaux en nature. Mais il ne spécule pas sur la cherté, bien au contraire. Pour s'attirer les bonnes grâces des autorités, les seigneurs mettent des grains bon marché à leur disposition. Cette politique est avantageuse à long terme, utile à la population en temps de disette, mais pratiquée aussi dans les années d'abondance, elle contribue à déprimer les prix régionaux (58). Jusqu'à la fin du règne, les intendants veillent de très près sur le cours du blé, contrôlent les exportations et continuent d'importer des farines (59). Le spectre des grandes famines qui affaiblissent la France leur fait exagérer les précautions et une crise de

(55) Lettre de Champigny, 10 mars 1691, *ibid.*, vol. 11, f⁰ 262.

(56) On a cessé de taxer le pain parce qu'il ne s'en vendait plus (lettre du même, 12 octobre 1691, *ibid.*, f⁰ˢ 292 v⁰).

(57) Déclaration du curé Rémy, mai 1693, bailliage, 2ᵉ série, registre 2.

(58) Un mémoire de Saint-Sulpice à la Cour rappelle « les assistances de blé que le Séminaire a toujours fait pour la subsistance des troupes à un prix très médiocre dans ces urgentes nécessités ». « Ils ont toujours mis leurs greniers à la disposition de l'intendant sans essayer d'en tirer avantage. » (Vers 1697.) APC, M. G. 17, A7, 2, 1, vol. 1, pp. 221-226.

(59) En 1694-1695, la situation est rétablie. « Pour ne pas que les prix montent », l'intendant continue à commander des farines pour les troupes (AC, C11A13, f⁰ 309, et vol. 5, f⁰ 45). C'est par nécessité dorénavant bien plus que pour être fidèle à un principe que le budget colonial est expédié en nature. Ces envois arrivent généralement au printemps. Pour nourrir les troupes durant l'hiver, l'intendant réquisitionne le blé des habitants à l'automne et le leur rend à l'arrivée des navires. Il n'y a aucun profit pour les producteurs mais une source d'embarras qui fait murmurer, qui ralentit les échanges et les paiements. Voir par exemple les dépositions des 22 février et 12 mars 1697, bailliage, 2ᵉ série, registre 3, f⁰ˢ 533, 543-544.

surproduction comme celle de 1702-1710 les laisse insensibles. Il était conforme aux idées de ce siècle de protéger le consommateur et non pas d'aider le producteur. Il reste que l'atonie de l'économie rurale est d'abord imputable à l'isolement de la colonie et que les maladresses de l'État n'ont fait que l'aggraver (60).

Le graphique 24 résume l'évolution générale. Jusqu'à la guerre de la ligue d'Augsbourg, le taux d'accroissement annuel de la production de grains et de pois est de 7,5 %, alors que l'augmentation moyenne de la population n'est que de 3,4 %. Après les crises de la fin du siècle, nonobstant le progrès plus accéléré et continu des défrichements, la courbe des productions végétales fléchit et s'aligne sur celle de la population. Tout se passe comme si, à partir de la première décennie du XVIIIe siècle, les colons avaient renoncé à produire au delà de leurs besoins et de la demande urbaine sur laquelle ils peuvent immédiatement compter. Prenons, comme norme de consommation, la ration du soldat des troupes entretenues au Canada à la fin du XVIIe siècle (61) (tableau 38). Pour consommer 522 grammes de froment par jour, il faut, compte tenu des pertes à la mouture, 580 grammes de blé non moulu (62), soit 208,8 kilos ou 7,1 minots par année. Pendant la période 1668-1690, l'île produit beaucoup plus qu'il n'est nécessaire pour assurer à chacun cette ration de pain quotidienne. Après 1700, la production reste excédentaire, l'ensemble des habitations recueille régulièrement 30 et 40 % de plus que le froment requis pour sa pro-

---

(60) Le problème de la surabondance n'est pas limité au XVIIe siècle. Les animaux restent à vil prix, les habitants n'en élèvent pas. (Lettre de Beauharnois et Hocquart, 4 octobre 1731, AC, C11A54, fos 54-57). Une étude sérieuse de cette période s'impose. Les sources, beaucoup plus riches, faciliteraient le travail.

(61) La ration de l'habitant adulte est au moins égale à celle du militaire et plus diversifiée. Les recrues chétives qui vont vivre quelque temps dans les côtes se renforcissent, dit-on. Selon un mémoire de l'intendant de 1706, l'habitant mangerait deux livres de pain et six onces de lard par jour, ce qui correspond à $1\,338 + 2\,352 = 3\,690$ calories. Ration substantielle, mais qui ne peut être appliquée à l'ensemble de la population. (AC, C11A24, fo 336.)

(62) C. Clark et M. R. Hoswell, *The Economics of Subsistence Agriculture* (New York, 1967), pp. 53-54.

pre consommation et la réserve de semences (63), mais ces surplus ne suffisent plus pour fournir la même ration à la population urbaine. Le recul de la production n'est pas absolu, à
preuve les quantités de froment recueillies, année moyenne,
dans les côtes de la Longue-Pointe et de Pointe-aux-Trembles.
Il s'agit de terres mises en valeur dans les premiers temps de la

TABLEAU 38.

La ration quotidienne du soldat.

	Équivalence en grammes	Équivalence en calories (*)
1 1/2 livre de pain	522	1 764
4 onces de pois	112,24	374
4 onces de lard	112,24	820
TOTAL		2 958

Source : Mémoire concernant la paie et le décompte des troupes en
Canada, 10 novembre 1695, AC, C11A13, pp. 367-368.
(*) Nous nous appuyons sur les équivalences utilisées par Michel
Morineau, « Marines du Nord (Angleterre, Hollande, Suède et Russie).
Conclusions » et « Post-scriptum. De la Hollande à la France », pp. 100-
114 et 115-125, dans J.-J. Hémardinguer, *Pour une Histoire de l'ali-
mentation*, Cahier des Annales, n° 28 (Paris, 1970).

colonie et qui continuent de produire, dans le premier quart
du XVIIIe siècle, entre 145 et 165 minots de froment par habitation, soit de quoi nourrir environ trois familles, semences
déduites (64). Le rendement des terres neuves n'est évidemment

(63) Soit un cinquième réservé pour les semences. Ce calcul est fait
pour toutes les côtes comprises dans les paroisses rurales, d'après les
chiffres de production et de population des recensements.
(64) Procès-verbaux sur la commodité et l'incommodité des paroisses —
1721, *RAPQ* (1921-1922), pp. 262 *sqq.* Soit 32 habitants qui déclarent
donner en dîmes de blé et pois, année moyenne, 300 minots, soit une production de 7 800 minots, dont 5 200 de froment. A la Pointe-aux-Trembles,
nous trouvons, dans les recensements du XVIIIe siècle, des moyennes à
peu près identiques.

pas en cause non plus. Mais la ville s'est mise à croître plus vite que les campagnes. Les non-producteurs qui ne formaient que le tiers de la population totale de la seigneurie entre 1665 et 1710, comptent pour 45% ou près de la moitié en 1731. Or cette expansion du marché local n'a pas stimulé la production frumentaire. Si nous remplaçons la ration maximale par un régime mieux adapté à une population de tout âge et faisons entrer une partie de la récolte de pois dans nos calculs, il est certain que l'île se suffit encore à elle-même. Mais les marchands de Montréal doivent acheter dans les autres seigneuries les grains destinés à l'exportation, aux provisions de biscuits pour la traite et les postes de l'Ouest.

Tout ceci concorde avec ce que nous observions précédemment pour les superficies en valeur : l'élan, le point d'équilibre vite atteint, le blocage. L'agriculture devient de plus en plus vivrière, l'habitation se replie sur elle-même. Rappelons que les prix des importations sont à la hausse depuis 1690 et notons que, malgré le plafonnement relatif de la production, le cours des grains se relève avec peine avant 1740. La réponse des paysans doit-elle nous surprendre? Y a-t-il lieu d'invoquer les traits ataviques, le médiocre arrière-plan social des immigrants, la paresse, la frivolité des habitants, l'esprit de la « frontière des fourrures » pour expliquer ces comportements (65)? Tant que son blé vaut trente sols et quarante sols le minot, l'habitant n'essaie pas de greffer son entreprise à un marché où il est généralement perdant. C'est là, croyons-nous, le fond du problème. Nous ne nous sommes pas attardée sur les crises parce qu'elles ne sont pas meurtrières et ne peuvent pas avoir d'impact sur la production. La marge excédentaire est limitée de sorte que le pain manque quand la récolte est mauvaise, mais selon toute apparence, les habitants mangent encore, mal sans doute, mais ils survivent (66). Ce ne sont pas ces brusques flambées des prix qui peuvent ranimer l'intérêt des paysans pour le marché. Il faut que le stimulus d'une hausse dure long-

(65) « If the Canadians had been willing to work hard, they could all have been very prosperous », écrit W. J. Eccles, *op. cit.*, p. 96.
(66) Voir le mouvement de la population en périodes de crise, *infra*, première partie, chapitre III, § 5, et graphiques 9 et 10.

temps pour convaincre les producteurs qu'il ne s'agit pas d'un accident, pour les amener à ajuster leur exploitation aux nouvelles conditions (67). Or chacun sait au Canada que « la disette est la suite naturelle d'une trop grande abondance » et que le cycle va se répéter (68).

Le régime normal des Canadiens, basé sur les féculents et le lard, est riche en calories et en protéines et pauvre en vitamines (69). Du beurre, des œufs, des choux, des oignons, des navets, de l'anguille salée complètent la ration, avec les fruits en saison. Rares sont les habitations qui ne peuvent engraisser deux cochons chaque année, ce qui fournit 50 kilos de lard par tête à une famille de six (70). Les paysans ne boivent que de l'eau à table. Le vin et la bière sont consommés dans les cabarets avec l'eau-de-vie, fortifiant dans les voyages, distribuée parcimonieusement aux ouvriers des chantiers de construction, aux moissonneurs parfois. L'habitude de boire rarement mais trop à la fois est peut-être liée à l'absence séculaire d'une boisson locale, bon marché, à faible teneur d'alcool (71). Dans l'ensemble, il y a malnutrition mais non pas sous-alimentation (72).

Une fois la subsistance assurée, il faut produire davantage. L'habitation peut tendre à l'autonomie, mais l'autarcie complète est impossible à réaliser. Il y a d'abord la dette inhérente

(67) Slicher Van Bath, *op. cit.*, pp. 120-121.

(68) C'est ainsi qu'un observateur anonyme décrit le problème du ravitaillement au Canada en 1739. A cette époque, les administrateurs sont déjà plus lucides. AC, C11A57, fos 182-183.

(69) En ajoutant quelques compléments à la ration élémentaire du soldat, nous obtenons sans difficulté les 4 000 calories requises par un adulte qui fait un travail pénible.

(70) Ces « cochons à l'engrais » ou « cochons gras », selon la saison, se retrouvent dans tous les inventaires après décès.

(71) L'habitant canadien qui n'a jamais pu boire de café, trop cher, adopte le thé après la Conquête pour accompagner ses repas.

(72) Il ne s'agit ici que du régime paysan. La table des classes supérieures, agrémentée de denrées importées, de viande de bœuf, etc., est certainement plus variée et mieux équilibrée. Le menu des malades de l'Hôtel-Dieu, où le veau, les œufs, les volailles, le fromage et le lait, le vin, sont bien représentés, correspond à ce que nous savons des régimes reconstituants en usage dans les hôpitaux. (Robert Mandrou, « Le ravitaillement d'une ville dans la ville. La ration alimentaire de restauration à l'assistance publique à Paris » (1820-1870) in *Jahrbucher fur Nationalökonomie und Statistik*, 1966, 3, pp. 189-199, Paris, 1967.)

à la propriété, dette contractée lors du défrichement, achat d'une terre, ou paiement des parts successorales. Il faut prévoir la dîme, les droits seigneuriaux, les impôts pour les travaux publics, l'érection et l'entretien de la paroisse, les gages des moissonneurs et des batteurs si la main-d'œuvre familiale est insuffisante, les services du forgeron, etc. D'où ces excédents réguliers. L'habitant doit être prudent pour régler les dettes courantes et une dépense imprévue comme la maladie, un malheur comme la disparition d'un parent, prennent la famille au dépourvu et en plongent plus d'une dans la misère. Ce ne sont pas des campagnes prospères.

Nous ne pouvons pas raisonner sur le rapport entre salaire et subsistance, car il n'y a pas de journaliers agricoles proprement dits. Les habitants, leurs fils surtout, font des journées mais personne ne compte exclusivement sur ces revenus pour vivre. Ils complètent le produit de l'habitation. Les manœuvres, que nous retrouverons dans la ville au prochain chapitre, viennent parfois dans les côtes travailler aux récoltes, mais lorsque la nécessité les pousse vraiment, rien ne les empêche de prendre une concession. D'ailleurs, la main-d'œuvre militaire fait concurrence à ces éléments marginaux (73), ce qui contribue à accentuer davantage le caractère strictement familial de l'économie rurale.

Conclusion.

Nous espérons avoir réussi à démontrer la cohérence de ce développement et comment, en l'absence de stimulation extérieure, se resserre la dialectique entre les besoins familiaux et les choix des habitants. Ce sont ceux-là qui commandent la productivité. La présence du commerce des fourrures, souvent invoquée pour expliquer les défaillances et les blocages, n'a que des effets marginaux — pas toujours négatifs — et aucune influence à long terme sur l'économie familiale paysanne.

---

(73) Le salaire journalier des soldats « prêtés » par leur capitaine varie entre 9 sols et 15 sols. Nous les retrouvons partout au temps de la moisson.

D'ailleurs, ce que nous observons à Montréal, limites à l'exten-
sion des cultures, méthodes, rendements, etc., se répète selon
toutes probabilités dans d'autres régions de la colonie, y compris
celles qui sont à l'abri des tentations des Outaouais. Il est tout
aussi vain d'invoquer les politiques soi-disant trop généreuses
de l'État en matières de terres et d'impôts (74). Celui-ci aussi
obéit à la nécessité. Le prélèvement d'un surproduit n'a de
sens que s'il est commercialisable. Les circonstances extérieures
et démographiques demeurant les mêmes, l'imposition n'aurait
servi qu'à rétrécir davantage le marché domestique, à créer
des miséreux mais point de profiteurs.

Après les bouleversements de la migration, une société traditionnelle se reforme spontanément. Le capitalisme commercial
n'est pas agressif et l'État monarchique voit d'un bon œil
croître cette paysannerie, gage de consolidations futures.

---

(74) L. R. MacDonald, « France and New France : the Internal Contradictions », *CHR* (juin 1971), pp. 121-143. L'auteur reprend une idée ancienne
à l'intérieur du cadre d'analyse marxiste.

QUATRIÈME PARTIE

LA SOCIÉTÉ

Introduction.

Les rapports sociaux sont issus des économies de production et d'échange que nous venons d'étudier. Mais cette liaison n'est pas simplement transitive. Les attitudes mentales initiales sont lentes à se modifier et, plus encore, l'armature institutionnelle que la monarchie d'ancien régime a transplantée dans la colonie reproduit des alignements sociaux engendrés par d'autres économies, doublement étrangères à la base matérielle locale, dans le temps et dans l'espace. A l'époque où nous l'observons, la structure sociale est encore à l'état d'ébauche. En analysant d'abord les appareils qui l'encadrent, les caractéristiques des groupes en devenir et finalement l'évolution des deux formes d'organisation qui collent de plus près à la vie de la communauté, la famille et la paroisse, nous voulons tenter de saisir la direction des transformations sociales.

CHAPITRE PREMIER

L'ENCADREMENT

L'histoire de Montréal s'ouvre au début d'une guerre de soixante-dix ans, interrompue par quelques périodes de paix armée : une réalité assez permanente pour figurer en première place parmi les éléments qui encadrent la vie quotidienne.

1. *La guerre.*

Point névralgique de la colonie française et plaque tournante de sa stratégie, la région de Montréal a connu les divers visages de la guerre : la peur, la dévastation, la conscription et l'occupation.

Reconnaissons aux autorités le mérite d'avoir su contenir les excès de l'armée cantonnée dans le pays. Ce sont des troupes réglées et non des bandes de pillards (1), mais pour savoir si elles s'intégraient sans heurts à la population, il faut consulter d'autres sources que les rapports de l'état-major colonial, qui n'a certes pas intérêt à mettre en relief des désordres dont il porte la responsabilité (2). Supprimons des archives judiciaires tous les procès qui mettent en cause les soldats et leurs officiers et, du coup, le taux de criminalité s'effondre et compte tenu de l'époque les Montréalais nous apparaissent comme des

---

(1) Voir les descriptions de pillages dans la première moitié du siècle, par Gaston Roupnel, *La ville et la campagne au XVIIᵉ siècle. Études sur les populations dijonnaises* (Paris, 1955), pp. 18-25.

(2) D'après W. J. Eccles, militaires et civils vivent en parfaite harmonie, « The Social Economic and Political Significance of the Military Establishment in New France », *CHR*, LII, 1 (mars 1971), pp. 5-6.

gens relativement paisibles. Il est vrai que les victimes des rixes, duels (3) et assassinats (4) sont le plus souvent d'autres militaires, mais les civils ne sont pas tout à fait à l'abri (5) et même confinées à la troupe ces violences ne peuvent que perturber le comportement de la population. Les soldats viennent aussi en tête dans les affaires de vol, aux champs et à la ville. Ils ont le monopole de la fabrication de fausse monnaie et, en général, enfreignent les règlements de police au moins aussi souvent que les colons. Privés de leur clientèle militaire, les cabarets diminueraient de moitié. Quant aux officiers, ils n'ont que mépris pour la justice civile (6). Il n'est pas possible de quantifier tout ceci à partir d'archives judiciaires incomplètes, en sachant d'autre part que tout ce qui ressort des Conseils de guerre n'a pas laissé de traces (7), mais nous ne sommes pas loin de croire que des deux sources de turbulence, l'indienne et la militaire, la dernière l'emporte.

Le relâchement des mœurs est encouragé par l'indiscipline que les officiers tolèrent dans la troupe. En principe, celle-ci doit être rassemblée trois fois par semaine pour des exercices de mousquet et de grenade, les sergents doivent rapporter les désertions dans les vingt-quatre heures et les capitaines n'ont pas le droit d'employer les soldats pour leur service particulier.

(3) Dans les compagnies franches de la marine, le duel semble être encore une façon normale de régler un différend. A moins que l'issue ne soit fatale, les duellistes sont généralement absous. Le bailli n'instruit pas ces procès. Nous les retrouvons en partie dans les registres du Conseil souverain.

(4) Le soldat St-Paul, croisant un autre soldat dans la rue, mit l'épée à la main pour l'obliger à payer du vin. L'autre voulant désarmer l'agresseur fut tué d'un coup au ventre. Procès-verbal du 27 février 1688, M. not., Basset. Ces sortes d'incidents ne sont pas rares.

(5) Voir l'assassinat de T. Hunault, habitant, par le lieutenant Dumont, 10 octobre 1690 (ibid., Basset); celui de Lachaume par un soldat qui projette de s'enfuir en France avec la femme de sa victime (4 juillet 1702, bailliage, 2ème série, registre 4); les voies de fait contre St-Olive, apothicaire, Henri Catin, boucher (25 février 1709 et 20 avril 1707, ibid., registre 5 et JDCS, vol. 5, p. 584).

(6) Mémoire contre le gouverneur Pérot, présenté à M. de Seignelay par les seigneurs (ASSP, vol. XIII, pièce détachée); informations contre le capitaine La Freydière (septembre 1667, bailliage, 1ère série, registre 1); menaces du capitaine Vergnon à un sergent du bailliage (16 janvier 1688, ibid., 2ème série, registre 1); etc.

(7) Que des bribes à travers la correspondance officielle.

Or ces règlements ne sont guère observés (8), comme en fait foi l'ordonnance du 30 mai 1695 qui les renouvelle en insistant sur la procédure d'hébergement (9). Le logement personnel des gens de guerre est la règle dans la colonie. En sont déchargés l'Église dans les maisons qu'elle occupe et les terres qu'elle exploite directement (10), les nobles et les officiers de justice et d'administration. Jusqu'en 1673, les propriétaires de fiefs avaient réussi à se faire exempter, mais nous ignorons s'ils ont continué à bénéficier de cette faveur (11). Une partie des centaines de militaires cantonnés dans l'île logent dans les forts, le reste dans les familles, obligées de fournir « le couvert, le paillage, la marmite et la place à leur feu » (12). La distribution est faite d'abord par le syndic des habitants et, plus tard, vraisemblablement par le subdélégué de l'intendant assisté de quelques bourgeois. A la campagne, ce sont des habitants nommés par le subdélégué qui donnent les billets dans chaque quartier. Entre gens de même origine sociale, cette cohabitation qui se double souvent de relations de travail, ne semble pas avoir créé trop de frictions (13). Le cas échéant, les hôtes déposent leurs plaintes chez l'officier responsable, mais ces dossiers n'ont pas été conservés, peut-être même pas tenus. Certains capitaines font fi de l'autorité locale. Le sieur Du Vivier déclare « qu'il ferait conduire les habitants pieds et mains liés qui refuseraient de recevoir ses soldats sur son billet ... », et l'habitant qui le rapporte est en prison pour lui avoir tenu tête (14).

(8) Les désertions sont très fréquentes; les officiers permettent à leurs soldats de s'absenter pour traiter avec les Indiens, ils les emploient comme domestiques, tout ceci contre les règlements.

(9) « Règlement pour la conduite, marche, police et discipline des compagnies que Sa Majesté entretient dans le Canada », 30 mars 1695, AN (France), F3, AD, VII, art. 2 b.

(10) Lettre de M. Magnien, 1719, APC, M. G. 17, A7, 2, 1, vol. 2, pp. 584-585.

(11) Voir le rôle de cotisation de 1673 dans le *BRH* (1926), pp. 265-279.

(12) Ordonnance de De Meulles, 15 mai 1685, E.-Z. Massicotte, *Répertoire des arrêts*.

(13) Sur le travail des soldats, voir *supra*, première partie, chapitre II, § 6; André Corvisier, *L'armée française de la fin du XVIIe siècle au ministère de Choiseul. Le soldat*, pp. 95-97.

(14) Déclaration de Pierre Paris, habitant de St-Sulpice, 12 juillet 1722, bailliage (copie Faillon HH 128).

Plutôt que de distribuer la garnison dans les maisons, l'assemblée de ville opte en 1673 pour la levée d'un impôt annuel destiné à la location d'un bâtiment commun en attendant la construction d'une caserne (15). Mais il faut encore loger à domicile les troupes qui y sont cantonnées irrégulièrement et en particulier les officiers à qui le casernement ne convient pas. C'est une charge que les bourgeois considèrent comme insupportable. Le taillandier Milot verse 100 l. de loyer annuel pour se débarrasser du sieur Carion « qu'il estoit tenu et obligé loger en sa maison, et pour éviter aux disputes qui journellement estaient entre [eux] » (16). Il semble que tous ceux qui le peuvent préfèrent payer et sauvegarder leur intimité (17). L'intendant ou son subdélégué intervient quand les exigences des officiers outrepassent le bon sens. Ainsi le capitaine Subercase qui demande à un bourgeois 20 cordes de bois et 20 livres de chandelles en plus du logement, le tout s'élevant à 160 l. pour quatre mois (18). Bref, la présence du corps militaire au sein de la population civile crée des problèmes et représente une lourde charge pour les particuliers, qui s'ajoute aux multiples réquisitions de main-d'œuvre et de charrois.

Alors qu'en France, à la même époque, la guerre se traduit surtout par l'augmentation des charges fiscales, c'est un prélèvement humain que le roi opère d'abord sur le Canada. Le premier corps de milice de Montréal, créé en 1663, groupe tous les hommes valides en 20 escouades qui élisent leur caporal et sont commandées par le major du poste (19). Quelques années plus tard, cette organisation essentiellement défensive, de type

---

(15) Minute du 16 novembre 1672, bailliage, 1ᵉʳᵉ série, registre 1; règlement pour le corps de garde du 3 décembre 1673, suivi du rôle de cotisation, *BRH* (1926), pp. 265-279.

(16) Bail à loyer, 21 octobre 1669, M. not., Basset.

(17) C'est ce qui ressort d'une lettre de Frontenac et de Champigny : « Dans Montréal, la garnison y a son logement, les officiers leur chambre particulière autant qu'il se peut et le feu de l'hoste. D'aucun préférant demeurer dans des maisons particulières. Les logements leur sont payés par ceux qui leur doivent fournir. » (10 novembre 1695, AC, C11A13, fᵒ 303.)

(18) Lettre du commissaire de la marine à Montréal, 15 octobre 1697, *ibid.*, vol. 15, fᵒ 162.

(19) E.-M. Faillon, *Histoire de la colonie française au Canada*, vol. 2, pp. 15-18; *RAPQ* (1949-1951), pp. 429-434.

communal, est fondue dans le système que l'État met en place dans la colonie pour soutenir sa politique. Tous les hommes, sauf ceux frappés d'incapacité physique ou détenant certaines charges essentielles, sont miliciables. Regroupés par seigneurie, quartiers ou villes, ils doivent acheter leur fusil, se soumettre aux exercices et marcher à la guerre hors de leur territoire quand ils « sont commandés », sans autre rétribution que leur ration quotidienne (20). Nous savons relativement peu de choses sur le fonctionnement de cette institution. Pour certaines campagnes, l'intendant ordonne des levées massives qui vident la ville et les côtes. Par exemple, c'est le tiers de tous les Canadiens âgés de quinze ans et plus qui accompagne le gouverneur dans une expédition lointaine en 1687 (21). En d'autres temps, une partie seulement des miliciables sont recrutés et il est possible que la levée se fasse par tirage au sort comme dans la métropole. C'est ce que nous laissent croire deux contrats de substitution, datés de 1684, par lesquels des pères de famille âgés de quarante-trois et quarante-quatre ans achètent leur remplacement pour 30 livres (22). D'ordinaire, les habitants n'ont pas recours au notaire pour ces sortes de marchés. Distinguons aussi de la masse des miliciens, les petits corps d'élite formés de volontaires, jeunes coureurs de bois qui obtiennent à ce prix une rémission de peine et que les officiers utilisent pour des incursions périlleuses en pays ennemi (23). Mais retenons que c'est toute la population, habitants et gens de métier, qui est soumise au service, que les responsabilités familiales n'exemptent personne, non plus que les travaux agricoles les plus urgents. Aux partants qui s'inquiètent du sort de leur récolte, l'intendant promet d'y employer les hommes qui restent et les vagabonds de toute espèce (24).

Comme en France, cette activité militaire est sous contrôle

(20) En 1688, l'intendant oblige ceux qui ne marchent pas, notamment les marchands, à nourrir les miliciens. AC, C11A10, f° 121.

(21) Mémoire de l'intendant, 16 juillet 1687, *ibid.*, vol. 9, f°s 32 s et 69 s.

(22) 6 et 24 juillet 1684, M. not., Maugue.

(23) Lettre de Champigny, 6 novembre 1687, AC, C11A9, f° 13; lettre de Callières, *ibid.*, vol. 10, f°s 148-149.

(24) Lettre de De Meulles, 24 septembre 1685, *ibid.*, vol. 7, f° 140.

civil. Dans la ville, la responsabilité des levées incombe d'abord au syndic et, après 1678, au subdélégué de l'intendant assisté des capitaines des milices urbaines. Ceux-ci sont des notables, gentilshommes et marchands. Les premiers participent aux campagnes (25), mais non les seconds. Au XVIIIᵉ siècle, le corps, qui compte six ou sept capitaines et un major, est essentiellement bourgeois et a surtout un caractère honorifique (26). Comme Montréal a une garnison entretenue par le roi, les miliciens n'ont pas ordinairement à garder la ville et c'est dans le plat pays et sur les théâtres de guerre éloignés que la population urbaine est appelée à servir.

Dans les côtes, l'intendant nomme un commissaire, un habitant respecté sachant lire et écrire, pour dresser les rôles, convoquer aux exercices et servir d'intermédiaire entre l'administration et la population rurale. C'est lui encore qui distribue les billets de logement aux soldats, commande les corvées pour les travaux publics et, avec le temps, doit assumer de plus en plus de responsabilités (27). En somme, il remplace le corps communal inexistant (28). Nous savons que ce délégué avait peine à imposer son autorité, que la charge non rétribuée représentait une perte de temps considérable, mais nous ignorons si l'honneur d'être choisi et le privilège de prendre rang après les marguilliers dans les processions suffisaient à compenser ces inconvénients, comme l'espère l'intendant (29). Ces « capitaines de

(25) Avant 1690, Charles Lemoyne, marchand anobli par Louis XIV, son fils aîné et les neveux de l'ancien gouverneur d'Ailleboust, sont capitaines des milices urbaines.

(26) Ainsi en 1714, quatre des six capitaines sont des marchands qui n'ont amais porté les armes, non plus que J.-B. Charly, major en 1729, etc. Voir la liste provisoire dans *RAPQ* (1949-1951), pp. 423-527; Cameron Nish, *Les bourgeois-gentilshommes de la Nouvelle-France, 1729-1748*, pp. 155-156.

(27) Comme fournir les certificats de non-résidence qui permettent aux seigneurs de réunir les terres vacantes, tâche ingrate entre toutes.

(28) Ce que tous les historiens ont décrit comme une institution originale, un organisme quasi démocratique, n'est au contraire qu'une forme bâtarde de l'institution communale française. Cet habitant « nommé » est chargé des mêmes responsabilités qu'un syndic élu. Voir Benjamin Sulte, « The Captains of Militia », *CHR*, I, 2 ((1920), p. 241; C. de Bonnault, « Le Canada militaire », *RAPQ* (1949-1951), p. 264.

(29) Ordonnance de Raudot du 25 juin 1710, dans *Édits, Ordonnances Royaux*, vol. 2, p. 275.

côte » appelés aussi « capitaines de milice », gens d'un certain
âge dont les services étaient essentiels à la bonne marche du
quartier, allaient rarement à la guerre et, le cas échéant, pas
autrement que dans le rang. Il ne faut donc pas les confondre
avec les officiers qui commandent les miliciens, ni voir là une
voie d'ascension sociale (30).

Ces troupes sont commandées par la gentilhommerie locale
qui a l'expérience du métier des armes et, plus tard, par ses
fils qui l'acquièrent de cette manière. Les neuf escadres qui, en
1673, quittent Montréal pour l'Iroquoisie sont encadrées par
les officiers réformés du régiment de Carignan et quelques
hommes bien nés venus au Canada sans grade. Les capitaines et
lieutenants des compagnies de miliciens, engagés dans les campagnes des deux dernières décennies du XVIIᵉ siècle, sont
toujours issus de ces mêmes familles auxquelles se mêlent les
Lemoyne en vertu de leur anoblissement récent (31). La coïncidence entre le statut social et l'ascension aux postes de
commande dans l'organisation militaire est évidente. C'est en
faisant valoir leurs talents dans la milice que les gentilshommes
canadiens finissent par obtenir une promotion dans les troupes
de la marine. Quand un militaire chevronné, qui a donné à la
colonie dix à vingt années de service sans appointements, reçoit
une enseigne ou une lieutenance dans le corps régulier, ses
ambitions commencent enfin à se réaliser (32). Au XVIIIᵉ siècle,
les jeunes gens de bonne famille seront incorporés directement dans les compagnies franches, mais à l'époque précédente
celles-ci sont encore encadrées d'officiers français, et ce n'est
qu'en se distinguant dans la milice que les guerriers coloniaux
peuvent briguer les emplois vacants, retrouver dans la hié-

---

(30) C'est l'erreur commise par W. J. Eccles qui, à cause de l'ambiguïté
du titre, a cru que des gens du commun détenaient des fonctions de commandement militaire et arrivaient ainsi à s'élever dans la hiérarchie sociale.
Les exemples qu'il cite, Lemoyne, Boucher, Charly, etc., sont des cas
d'ascension par le commerce et ce n'est qu'une fois promus, anoblis dans
les deux premiers cas, qu'ils ont pu servir en qualité d'officiers. (W. J.
Eccles, *Frontenac, the Courtier Governor*, p. 214, et article cité.

(31) Voir les comptes rendus des campagnes, entre autres, AC, C11A4,
fᵒˢ 12-18, vol. 6, fᵒˢ 297-298, vol. 9, fᵒˢ 32 *sqq.* et 69 *sqq.*

(32) État des emplois vacants de 1691, *ibid.*, vol. 11, fᵒˢ 221-224.

rarchie militaire la place qui leur est due et assurer en même temps leur sécurité matérielle.

Ces motivations ne sont certainement pas étrangères à la fougue, à l'initiative dont ils font preuve dans l'action. Ils préviennent les désirs du gouverneur, mènent leurs partis de Canadiens et d'Indiens aux quatre coins de l'espace colonial, d'où ils reviennent décimés et glorieux, souvent chargés de butin (33). Cependant, les troupes régulières, qui n'ont nulle raison de courir au danger, gardent les arrières, font les récoltes au besoin, se ménagent. Quant aux habitants entraînés dans ces équipées, nous savons qu'ils se battent bien. Ils allaient les pieds en sang, écrit Frontenac, « mais leur gayeté ne diminuoit point » (34). Le peuple murmure pourtant beaucoup à Montréal à cette époque et même la correspondance officielle laisse filtrer quelques plaintes : on s'indigne de voir partir les pères de famille quand les volontaires courent les bois impunément; le peuple est « très mécontent » d'être commandé à la place des soldats mais il n'a « point encore refusé de marcher » (35). Ces petites guerres font beaucoup de victimes dont le non-enregistrement contribue à maintenir l'image d'une population privilégiée qui ne paie pas de taille et s'amuse à la guerre (36).

Les incursions des Indiens et des corps expéditionnaires anglais dans la région de Montréal ont été souvent et bien décrites. L'ennemi ne se présenta jamais sous la palissade de la ville mais régulièrement ravagea les habitations isolées, ravivant la peur permanente de la population rurale, assez paradoxalement fort mal protégée. Il était facile de convertir ces terreurs

---

(33) Sans parler des « prises » de d'Iberville bien connues, citons l'exemple de Testard de Montigny qui touche 260 livres sterling pour la rançon de Bonavista, un port de pêche terre-neuvien. Sentence arbitrale du 13 septembre 1715, M. not., J.-B. Adhémar.

(34) Mémoire de 1673, AC, C11A4, fo6.

(35) Lettres des gouverneurs et intendants, 14 novembre 1684 et 12 novembre 1691, ibid., vol. 6, fos 382-385 et vol. 11, fo 291.

(36) J.-B. Dumets, père de trois enfants, Louis Ducharme et son frère Pierre, pères de famille « ont été commandés pour aller en guerre » et sont morts. Jean Lelat, marié, commandé pour les convois et porté disparu, etc. Ce sont les déclarations des veuves lors des inventaires après décès.

en instrument de persuasion, de « haranguer le peuple » (37) jusqu'à ce qu'il crût à la nécessité de porter la guerre ailleurs pour avoir la paix chez lui.

2. *L'aspect de la ville.*

Vers 1715, presque la moitié de la population de la seigneurie vit dans la ville et, malgré la faiblesse numérique globale — environ 4 200 habitants —, nous ne pouvons analyser l'ensemble comme s'il s'agissait d'une société villageoise. Avec le temps, ce temps court des créations coloniales, deux sociétés distinctes apparaissent et, avant de les étudier, il faut pénétrer dans cet espace enclos de 37,6 hectares qui sert de cadre à l'une d'elles.

Dans cette petite ville de frontière nord-américaine, nous retrouvons des traits issus de la plus ancienne tradition urbaine, mélangés à des efforts d'organisation spatiale propres au XVIIe siècle. C'est d'abord une ville forte ou qui a la prétention de l'être. L'enceinte, construite de gros pieux plantés en terre et chevillés les uns aux autres, est percée de 5 portes qui sont gardées et verrouillées chaque soir à des heures réglées (38), pour la protection des habitants et aussi pour contrôler les allées et venues des Indiens, des soldats, les chargements de marchandises de traite et les arrivages de fourrures. Mais n'importe qui peut franchir cette palissade dans laquelle les gens aménagent des brèches pour leur commodité. La garnison entretenue par le roi, placée sous l'autorité du major de la ville, est chargée du guet (39). Derrière ces piètres défenses, Montréal se transforme en ville refuge dans la dernière décennie du XVIIe siècle. Les populations ruinées ou simplement apeurées par les raids des ennemis affluent des campagnes environnantes dans l'enclos urbain, qui offre encore beaucoup d'espaces déserts où chacun peut construire un abri temporaire.

La construction et l'entretien de cette enceinte sont aux frais

---

(37) AC, C11A4, fo 13.
(38) Lettre de Callières, 15 octobre 1698, *ibid.*, vol. 16, fos 164-170.
(39) Etat du Canada (1669), *ibid.*, vol. 3, fos 37-38.

des habitants (40). En 1714, l'État décide de la remplacer par une muraille de 16 pieds de hauteur, avec ses bastions et autres embellissements, qui ne sera pas complètement achevée avant 1741, au coût total d'un demi-million. Bon an mal an, la population a fourni environ 40 000 l. et elle reste endettée envers le roi pour 16 808 l., le reste lui ayant été gracieusement remis au terme d'une âpre lutte fiscale marquée par quelques incidents violents (41). Car il avait fallu faire partager les dépenses par les campagnes, sous prétexte qu'elles bénéficieraient aussi de ce refuge imprenable. S'il fut difficile de les en convaincre (42), les bourgeois, pour leur part, favorisèrent le projet qui allait embellir et valoriser leur ville et qui, dans l'intervalle, créait du travail et contribuait à son développement.

C'est entre 1710 et 1730, sous le coup d'une croissance démographique plus accélérée, que les traits les plus primitifs du poste de fourrure commencent à s'estomper. Le nombre de maisons passe de 200 à 400 (43). La plupart n'étaient que de simples maisonnettes de bois ou de colombage à un étage d'une ou deux pièces, semblables aux demeures rurales, pressées les unes contre les autres. A la faveur du grand incendie de 1721, les constructions de pierre, plusieurs à deux étages, se multiplient et comptent pour 44 % des maisons lors du dénombrement de 1731. Il y a une église paroissiale assez imposante, quatre couvents en plus de l'Hôtel-Dieu et de l'Hôpital général, ce dernier aux portes de la ville. Toutes les communautés entreprennent de grands travaux de construction et de réfection au

---

(40) Ils sont taxés pour tel nombre de pieux qu'ils doivent préparer et charrier. Nous retrouvons les poursuites contre ceux qui ne s'en acquittent pas dans les registres du bailliage. Autres références dans les inventaires de J. Beauvais (6 avril 1691, M. not., Maugue), de J. Millet (9 juillet 1714, *ibid.*, Senet).

(41) Voir l'arrêt du Conseil d'État du 1ᵉʳ mai 1743, *Édits et ordonnances royaux;* P.-G. Roy, *Inventaire des papiers de Léry*, I, *passim*.

(42) Robert Rumilly, *Histoire de Montréal*, Montréal, 1970, vol. 1, pp. 321-323.

(43) Ce portrait s'appuie sur le dénombrement seigneurial de 1731, les perquisitions faites par la Compagnie des Indes en 1741 et les données des recensements antérieurs. Nous devons procéder à rebours pour reconstituer l'image de la ville au début du siècle. Voir Louise Dechêne, « La croissance de Montréal au XVIIIᵉ siècle », *RHAF*, 27, 2 (septembre 1973), pp. 163-179.

début du siècle. Les édifices publics et les bâtiments privés à fins commerciales et industrielles se résument à une école, un tribunal, une prison, un chantier pour la construction de barques et de canots, six ou sept greniers et entrepôts appartenant aux seigneurs et au roi, une caserne. Deux tanneries, les quatre moulins de la paroisse et une ou deux scieries sont dispersés dans la proche banlieue. Le plan urbain est régulier et aéré . Les deux rues principales, en principe de 24 pieds de large, s'allongent parallèlement au fleuve, coupées à angle droit par une dizaine de rues plus étroites. La place du marché est bordée par les résidences et les boutiques des principaux habitants. C'est le cœur de la ville. Les habitants y viennent deux fois par semaine et la tenue de ces petits marchés est strictement réglée, conformément aux usages de France (45).Les propriétés conventuelles et autres enclaves particulières créent çà et là des espaces vides, mais n'étranglent pas les îlots occupés, encore parsemés de grandes cours et de jardins. Derrière les maisons, il y a généralement un hangar ou une étable dans laquelle les gens gardent des animaux, des porcs surtout, qui malgré tous les règlements de police continuent à s'échapper.

Les rues sont boueuses, encombrées et malpropres. Toutes les ordonnances, celles qui interdisent aux bouchers de nettoyer leurs étals sur la voie publique (46) et à ceux qui construisent d'y déposer leurs matériaux (47), celles qui obligent les habitants à avoir des latrines, à enlever les ordures et qui imposent à la communauté des corvées pour égoutter, aplanir et empierrer la chaussée (48), et combien d'autres, répétées presque chaque année, demeurent à peu près lettre morte. La belle ordonnance en damier qui apparaît sur les cartes est sans cesse compromise par les angles des maisons mal alignées et les boutiques qui

(45) Ordonnance du bailli, 24 septembre 1676, pour la tenue du marché les mardis et vendredis, bailliage (copie Faillon GG 7).

(46) Règlement général du 11 mai 1676, dont chaque article a été republié presque tous les ans par les baillis et les intendants. E.-Z. Massicotte, *Répertoire des arrêts*.

(47) Ordonnance de juin 1689, bailliage (copie Faillon KK 233).

(48) Ordonnance de Raudot, 27 juin 1707, *Édits, ordonnances royaux*, III, p. 418.

empiètent sur la rue. Après l'incendie de 1721, la rue Saint-Paul « fort irrégulière » peut enfin être redressée (49). Ce ne sont pas des rues propres à la circulation et les bourgeois ne gardent pas d'équipage pour les promenades. Même les charrettes ont peine à circuler et les religieuses rapportent qu'au printemps, les voituriers arrachent les poteaux de leur enclos pour franchir les rigoles (50). A coup de taxes et de corvées, de menaces et de condamnations, la situation s'améliore lentement, mais jusqu'à la fin du XVIIIe siècle, il n'y a aucun service public pour le déblaiement, l'alimentation en eau potable, les égoûts, ni d'éclairage dans les rues.

Confusion aussi dans l'organisation résidentielle. Mis à part le petit noyau central occupé par les meilleurs marchands, riches et pauvres vivent pêle-mêle, les artisans voisinent avec les officiers, les cabanes viennent briser tout l'effet des nouvelles maisons. Nous pouvons affirmer qu'il n'y a aucune concentration de la propriété urbaine en 1715, car vingt-cinq ans plus tard, elle n'apparaît toujours pas (51). Au moins les trois quarts des habitants sont propriétaires et quelques-uns seulement possèdent une ou deux maisons à revenu (52). En apparence, la valeur locative double entre 1670 et 1715, mais il faut faire la part de l'inflation et finalement, nous avons renoncé à cette enquête qui, pour être concluante, doit porter sur une très longue période. Nous savons que les placements fonciers ne sont jamais un élément important des fortunes. Chacun construit d'abord pour soi et loue telle maisonnette qu'il habitait antérieurement ou qu'il a reçue par héritage, saisie ou autrement. Très souvent, le propriétaire partage sa maison avec le locataire et nous avons des exemples d'entassement assez étonnant dans une ville où la place ne fait pas encore défaut. Ils illustrent la médiocrité des moyens des bailleurs, les lenteurs dans le bâtiment.

(49) Ordonnance de Vaudreuil, 25 juin 1721, copie Faillon H 638; autre ordonnance du 21 août de la même année touchant la rue Notre-Dame, *ibid.*, FF 153.

(50) Requête des Filles de la Congrégation, 27 août 1680, suivie d'une ordonnance de Duchesneau, *ibid.*, H 593-594.

(51) Dénombrement de la seigneurie, 1731, *RAPQ* (1941-1942).

(52) En 1741, 70 % des habitants sont propriétaires. Procès-verbaux des perquisitions publiés par E.-Z. Massicotte dans *MSRC*, vol. 3, XV (1921).

3. *Une ville seigneuriale.*

Le régime seigneurial que nous avons décrit précédemment ne s'arrête pas aux portes de la ville. La vie de la communauté urbaine se déroule aussi à l'intérieur du complexe féodal, une singularité (53) qui pèse lourd sur l'évolution de Montréal et engendre très tôt des tensions et des conflits.

La Société de Notre-Dame n'avait imposé qu'un cens nominal sur les terrains. En 1665, les Sulpiciens le portent à 6 deniers par toise, ce qui représente un intérêt de 5 % sur un principal de 450 l. (54), soit la valeur vénale d'un arpent dans l'enclos de la ville à cette époque. Les nouveaux seigneurs s'emploient à recouvrer une partie de l'espace urbain que leurs prédécesseurs avaient aliéné trop généreusement aux fondations religieuses et à quelques particuliers. Entre autres opérations avantageuses, ils reprennent vers 1677 le pâturage communal acensé à la communauté des habitants en 1651 (55). C'est sur cette étroite bande de terre, entre la ville et le fleuve, que se tient la grande foire annuelle de fourrures et les marchands doivent dès lors payer cher pour avoir le droit d'y installer leurs boutiques (56). Les habitants reçoivent en dédommagement un autre pâturage à l'ouest de la ville, sans aucune valeur, hormis l'utilité qu'ils en tirent. Les seigneurs démembrent aussi avec profit la partie de leur enclos adossée à la place du marché (57). Les terrains qu'ils acensent ou réacensent portent, outre le cens fixé une fois pour toutes, une rente foncière accordée à la valeur des fonds, ce qui soulève des protestations. « Pour ne pas faire crier, écrit leur procureur, il vaut mieux faire payer un plus gros prix en argent comptant et laisser une

---

(53) La ville de Québec comprise dans le domaine royal compte quelques petits fiefs mais l'ensemble n'est pas soumis au système seigneurial.

(54) A raison de 900 toises par arpent.

(55) Contrat du 2 octobre 1651, portant une clause de reprise, APC, M. G. 17, A7, 2, 3, vol. 1.

(56) Requête des habitants de Montréal, juin 1706, APC, M-1584, p. 59.

(57) *Ibid.*, p. 77.

redevance plus modique (58). » C'est ce type de bail que nous rencontrons à partir du début du XVIIIᵉ siècle, pour les terrains périphériques et ceux des faubourgs qui se développent lentement après 1725 : un léger cens et un prix d'entrée variable.

Si en agissant ainsi les seigneurs ne se comportent pas autrement que n'importe quel propriétaire, les droits de lods et ventes qu'ils prélèvent sur la propriété urbaine, beaucoup plus mobile que les biens ruraux, ont un caractère nettement féodal et sont mal accueillis. Sans relâcher sa vigilance, Saint-Sulpice ne confie pas ces sortes de poursuites à ses fermiers afin de ne pas aviver l'hostilité des principaux habitants. Il préfère ne rien brusquer, attendre la mort de l'acheteur ou une nouvelle aliénation des fonds pour rentrer dans ses droits (59).

Jusqu'en 1693, la puissance seigneuriale couvre à peu près tous les aspects de la vie publique. Il n'y a rien en matière civile et criminelle qui ne soit de la compétence du bailliage et les appels ressortissent directement au Conseil souverain. Ces attributions se doublent des règlements de la police, du privilège de nommer les officiers administratifs et du droit de tabellionnage, le plus utile, à peu près complètement disparu en France (60). Le personnel comprend un bailli, un procureur fiscal, un greffier, les notaires qui exercent dans l'étendue de la seigneurie, soit jusqu'à cinq à la fin du siècle, quelques huissiers et sergents, un geôlier, un voyer et un garde des forêts seigneuriales. Les droits de deshérence et de confiscation, les vacations et frais d'assignation divers, les dépens et amendes, les profits du greffe constituent la recette de la haute justice. Sans être très peuplé, Montréal n'est pas un village mais un lieu de marchandises où les juges doivent faire montre de connaissances supérieures à celles que l'on est en droit d'attendre d'un bailli de petite seigneurie. C'est aussi une ville rude où les officiers ordinaires ne réussissent pas à faire observer les règlements, particulièrement

(58) Lettre de M. Magnien, 6 juin 1716, APC, M. G. 17, A7, 2, 1, vol. 1, p. 488.

(59) Mémoire touchant la gestion des seigneuries (1716-1717), APC, M-1584, p. 86.

(60) Boutaric le cite parmi d'autres droits curieux et désuets (*op. cit.*, p. 656).

ceux qui se rapportent à la traite et à la vente de l'eau-de-vie aux Indiens. Très tôt, les notables récusent la compétence du tribunal et exposent sa vénalité (61), mais le véritable affrontement a lieu entre le pouvoir royal et la seigneurie à qui il avait inconsidérément accordé tous les pouvoirs. En somme, un simple épisode anachronique de la lutte séculaire entre les institutions féodales et les forces de centralisation. L'État laisse la bride sur le cou aux contestataires et se sert du Conseil souverain pour saper cette justice qui gêne son administration (62). Saint-Sulpice s'épuise et rend les armes à la fin du siècle (63).

Seigneuriale ou royale, la justice coûte cher, même si les officiers sont scrupuleux; ce qui n'est pas la règle (64). Pour la moindre procédure, les frais de vacation, réglés à peu près sur l'usage de la vicomté de Paris, montent rapidement. Une saisie réelle avec sentence, assignation, affichage et adjudication coûte environ 110 livres tournois, un arpentage 7 à 20 livres, un acte de tutelle suivi d'un inventaire et d'un partage coûte au minimum 37 l. et facilement plus de 150 l. si la succession est considérable (65). Une poursuite au pénal est ruineuse pour l'accusé qui doit payer, en plus de l'amende, les frais d'emprisonnement et les procédures pour se faire éventuellement élargir (66). Il faut être sûr de son droit pour intenter un procès dont les frais risquent de retomber sur le plaignant. L'appel au Conseil de Québec, avec les dépenses de déplacement qu'il impose, est hors de la portée du commun. Les avocats n'ont pas le droit d'exercer dans la colonie sous prétexte de simplifier les procédures. Des praticiens, huissiers, chirurgiens et autres, représentent les

(61) Les Sulpiciens admettent volontiers entre eux que leur personnel est médiocre, que ses exactions font crier. Lettres de M. de Tronson, de 1677, 1679, 1681 et 1685, ASSP, vol. XIII, pp. 74-77, 233-235, 422 et autres.

(62) Voir les procès-verbaux des audiences du bailliage et du Conseil souverain, particulièrement entre 1690 et 1693.

(63) En conservant cependant la propriété du greffe et la basse justice. Édit de mars 1693, *Édits et ordonnances royaux*, I.

(64) APC, M-1584, p. 28; lettre de M. de Tronson, 22 juin 1689, ASSP. vol. XIII, p. 564.

(65) Mémoire de frais des 28 juin 1706 et 11 février 1707, bailliage, APQ, NF 21, vol. 13.

(66) Acte du 6 mars 1676, M. not., Basset.

parties plus ou moins efficacement et font bien payer leurs services. Les règlements à l'amiable devant l'intendant ou le subdélégué n'évitent pas aux habitants le recours au tribunal, dès qu'il faut un enregistrement ou que l'affaire se complique. La gratuité de la justice en Nouvelle-France est un de ces mythes dont il faut se défaire (67).

Contre les autres ingérences de la seigneurie, la communauté urbaine est impuissante. Les marchands doivent accepter de passer toujours au deuxième rang dans l'ordre de distribution des saisies (68), de souffrir la concurrence des blés seigneuriaux qui rend à peu près inopérante toute tentative de spéculation, de composer avec les meuniers pour sortir des grains de la seigneurie ou y faire entrer des farines moulues ailleurs. Mais dans ce dernier cas, sur les avis de leur conseiller parisien, les seigneurs assouplissent leur politique au début du XVIIIᵉ siècle. Toujours aussi intransigeants avec les paysans, ils ferment les yeux lorsque les coupables sont des marchands « de crainte qu'en voulant trop étendre les droits on donne occasion de les restreindre, le droit de banalité estant de soi odieux et contre le droit commun » (69).

4. *Une ville gouvernée.*

Très tôt après leur arrivée (70), les colons de Ville-Marie se groupent en corps, s'assemblent périodiquement pour délibérer des affaires de la communauté, élisent annuellement leur syndic à la pluralité des voix. Réaction spontanée, issue de la tradition rurale que la plupart apportent avec eux, commandée par les

---

(67) Jacques Mathieu arrive aux mêmes conclusions (« Les causes devant la prévôté de Québec en 1667 », *Histoire sociale*, 3 (avril 1969), pp. 101-113).

(68) Par exemple, saisie par de Couagne de trente-cinq minots de grain et opposition des seigneurs pour 18 livres, 8 minots de froment et 24 chapons, soit des arrérages de cens et rentes pour quatre ans (bailliage, 2ᵉ série, registre 3, fᵒˢ 719 v, 722 et 724).

(69) Mémoire de 1716-1717, APC, M-1584, p. 86.

(70) Dès 1644, d'après E.-M. Faillon, *op. cit.*, vol. 2, p. 199. La série des minutes des assemblées ne commence qu'en 1656 (bailliage, pièces détachées).

activités et les intérêts communs. La solidarité s'organise autour de la traite des fourrures et des premiers défrichements, à l'intérieur d'une aire bien circonscrite de maisons et de champs rapprochés, enfermée entre le fleuve et les bois. C'est une toute petite zone de résidence et de travail qu'il faut défendre à la fois contre les attaques armées, le monopole de la compagnie marchande de Québec, qu'il faut aussi aménager à frais communs. Le syndic et les élus règlent les contributions périodiques, s'occupent des levées de miliciens et du logement des gens de guerre (71). Il n'y a pas d'autre autorité locale permanente que celle de monsieur de Maisonneuve qui représente à la fois la seigneurie, la justice et le gouvernement, et prend les responsabilités religieuses que lui soufflent ses confesseurs, des Jésuites itinérants. Dans ces circonstances, la communauté sur laquelle il est forcé de s'appuyer joue un rôle essentiel. Elle groupe les habitants domiciliés, exclut les étrangers et les domestiques. Presque tous les syndics sont des gens du commun (72), non pas que cette société minuscule soit parfaitement homogène, mais la petite élite locale, que l'État ne soutient pas encore, doit accepter le caractère démocratique de l'assemblée et finalement trouve plus opportun d'abandonner les affaires locales à des gens de bonne volonté pour se consacrer plus librement à son négoce. En 1657, les habitants élisent le premier conseil de fabrique, mais les deux corps restent distincts (73).

En 1677, à la suite d'un mouvement séditieux des habitants de Montréal auquel le syndic avait participé, le gouverneur de la colonie émet une ordonnance défendant « de faire aucune assemblée, conventicule, ni signatures communes » (74). La communauté des habitants cesse dès lors d'exister. Mais en fait si ce règlement arbitraire a pu être exécuté aussi facilement sans déclencher cette fois une véritable révolte, c'est que la

(71) Inventaire des titres de la communauté, 5 juin 1667, bailliage, clôtures d'inventaires. La communauté possède un « hangard » où elle tient ses assemblées, qu'elle vend aux seigneurs en 1672 (acte du 23 juin, M. not., Basset).

(72) Voir la liste dans E.-Z. Massicotte, *Répertoire des arrêts.*

(73) Contrat du 9 décembre 1657, M. not., Basset.

(74) Ordonnance du 23 mars 1677 enregistrée au bailliage le 3 avril E.-Z. Massicotte, *op. cit.*

corporation n'était déjà plus qu'une enveloppe juridique sans aucun contenu.

La liaison entre l'habitat et l'exploitation n'existe plus. Les habitants se sont progressivement dispersés dans les côtes, le lieu de la première agriculture a été bâti et Montréal est désormais une enclave strictement commerciale. Une institution d'inspiration paysanne ne pouvait survivre à ce bouleversement. L'ancienne communauté d'intérêts issue de la participation (inégale sans doute, mais participation tout de même) au commerce des fourrures, est aussi disparue. « La plus saine et principale partie des habitans de l'isle » comprend un nombre grandissant de marchands et autres notables qui n'ont plus rien en commun avec les quelque vingt habitants, soit environ le dixième des chefs de famille, tailleurs, charpentiers ou cultivateurs, qui assistent aux dernières assemblées (75). Les Sulpiciens ont fait de la seigneurie une institution forte. L'État est désormais bien présent à Montréal et c'est encadrée et supportée par ces appareils que la minorité prend graduellement en main les affaires publiques. Sans autre propriété qu'un pâturage que les seigneurs déplacent à leur gré (76) ni autres droits collectifs pour matérialiser l'existence du groupe, sans levée de taille, cette fiscalité à base communautaire qui en France peut renforcer les liens d'interdépendance, il ne pouvait y avoir de véritable esprit de corps (77). Tout favorisait l'ascendant de la petite ploutocratie mercantile dans la ville et le regroupement des ruraux autour d'un seul pôle collectif : la paroisse.

Les notables ne sont jamais absents des décisions qui concernent la vie publique. Régulièrement, le bailli ordonne des assemblées « de tous les marchands et bourgeois de ce lieu » ou « des plus anciens notables bourgeois » où ils délibèrent

(75) Élection du syndic, 15 mai 1672, bailliage, 1ʳᵉ série, registre 1 (copie Faillon GG 273).

(76) Au moins jusqu'en 1675, la communauté continue à défendre contre les usurpateurs ce qu'elle croyait être sa propriété. Voir les poursuites intentées par le syndic, 5 novembre 1675, *ibid.*, (GG 295).

(77) Voir Pierre de Saint-Jacob, *Les paysans de la Bourgogne du Nord au dernier siècle de l'Ancien Régime*, pp. 75-93; Pierre Goubert, « L'assemblée des habitants » dans F. Braudel et E. Labrousse, *Histoire économique et sociale de la France 1660-1789*, pp. 575-578.

sur divers règlements de police, taxe du pain et de la viande, travaux d'aménagement urbain, salaire des ouvriers, corvées, etc. (78). C'est dans ce même groupe que sont choisis ou élus — la procédure varie mais ne change rien à la représentation — les prud'hommes qui dressent les rôles de cotisation, les capitaines des milices urbaines, les marguilliers ou encore les assesseurs qui prêtent leur concours au juge dans certains procès criminels (79). A l'occasion seulement, on fait appel à des représentants des métiers. Les marchands s'assemblent pour leurs propres affaires et, lorsqu'ils ont des intérêts à faire valoir, délèguent un des leurs à Québec ou en France (80). Un mémoire de 1729 leur donne le titre de « syndics de la ville » (81), mais en fait, ils ne représentent que leur corporation.

S'ils ne demandent pas la création d'un corps de ville, c'est que les attributions municipales se réduiraient à peu de chose. Ils font entendre leurs voix à travers d'autres structures, seigneuriales, administratives, judiciaires, militaires, et cette reconnaissance leur suffit. A une époque de décadence générale des institutions communales, alors que les villes de France ne conservent plus que des lambeaux de leurs anciens privilèges, faut-il s'étonner de ne trouver dans cette petite ville neuve que des formes de participation désarticulées, sans assises populaires ?

Le Canada a reçu l'armature institutionnelle d'une province de France (82) avec une différence fondamentale : les charges ne s'achètent pas. Colbert avait fait un effort louable pour simplifier et assainir les appareils gouvernementaux qu'il transplantait dans la colonie, mais l'enchevêtrement des pouvoirs

---

(78) Ordonnances des 3 avril 1687, 30 mars 1688, 22 juin 1706, 23 juin 1711, etc., dans les registres du bailliage, *passim*.

(79) Assemblée pour la construction de la muraille, APC, M. G. 17, A7, 2, 1, vol. 2, pp. 487 *sqq;* les procès des 15 avril 1667, 7 septembre 1679 et 5 novembre 1722 au bailliage, série dossiers.

(80) Les marchands font corps et se réunissent bien avant l'arrêt du 11 mai 1717 qui leur en donne l'autorisation (*Édits et ordonnances royaux*, vol. 1).

(81) Mémoire touchant les fortifications, mars 1729, APC, M. G. 17, A7, 2, 3, vol. 6, pp. 742-746.

(82) Sur ces questions, lire Guy Frégault, « Politique et politiciens » dans *Le XVIIIe siècle canadien. Études*, pp. 159-241.

trait structural de l'État monarchique, n'a pas été éliminé. Ses agents coloniaux gaspillent beaucoup d'énergie
à se définir les uns par rapport aux autres et la vigueur du secteur militaire tend à aggraver la confusion. Par exemple, à
Montréal les règlements de police ordinaires émanent de six
cours ou bureaux différents, soit du juge du lieu, du Conseil
souverain à Québec, de l'intendant ou de son subdélégué local
et aussi du gouverneur particulier, du major de la ville et du
gouverneur général. Chacun est jaloux de sa juridiction et
cherche d'autant plus à faire valoir son zèle que les charges
précaires dépendent des faveurs capricieuses de la Cour. Six
ordonnances ne valent pas mieux qu'une et parfois se neutra-
lisent. Les organes répressifs sont faibles et inefficaces (83).
Notons toutefois que cette ardeur que chacun met à légiférer
aurait pu être encore plus encombrante n'eût été l'habitude de
suppléer à des traitements insuffisants par des profits personnels (84). Civils ou militaires, ce sont des officiers besogneux
qui circulent à Montréal et ces diversions laissent un peu de
répit aux gouvernés.

Le personnel n'est pas très nombreux. Vers 1700, la justice
occupe environ vingt individus : lieutenant-général civil et criminel, procureur, un substitut, un greffier, quatre à cinq notaires,
des huissiers et sergents, un geôlier, un interprète, avec quelques
petits officiers seigneuriaux. Tous sont recrutés dans la colonie
et fréquemment les charges sont transmises de père en fils (85).
Même l'administration n'a pas plus d'une vingtaine d'agents
permanents à Montréal, dont un gouverneur particulier qui
représente et exerce le pouvoir, devant qui tous doivent s'in-
cliner; un commissaire de la marine qui agit comme subdélégué
de l'intendant, un commis du trésorier, un commis des fermes,
un garde des magasins du roi, un voyer, un exempt de la maréchaussée et un petit corps d'archers, avec environ six officiers

(83) « Rien n'est de plus beau ny de mieux conçu que tous les règlements de ce pays, mais je vous assure que rien n'est de si mal observé... »
(lettre du gouverneur général, 13 novembre 1685, AC, C11A7, fᵒ 91).

(84) John F. Bosher, « Government and Private Interest in New France »,
Canadian Public Administration, X (1967), pp. 244-257.

(85) Ainsi Juchereau qui succède à son beau-père Migeon, les notaires
Adhémar, père et fils. Les exemples se multiplient au XVIIIᵉ siècle.

d'état-major attachés à la garnison. Sauf pour les fonctions tout
à fait subalternes, les emplois sont pourvus en France. La bourgeoisie de Montréal a peut-être autant d'appétit qu'une autre
pour les offices, mais il faut convenir qu'elle a peu à se mettre
sous la dent. Une fois les cadres judiciaires remplis, il ne lui
reste rien et il faut beaucoup d'ingéniosité pour faire créer à
son profit une charge d'arpenteur et mesureur royal et autres
innovations de ce genre. Les possibilités d'achever une vie labo-
rieuse dans une sinécure honorable sont rares (86) et les marchands meurent ordinairement derrière leur comptoir. Notons
que si la pression locale pour s'infiltrer dans l'appareil militaire est forte, c'est que les ambitions ne peuvent guère s'exercer
dans d'autres directions.

Ces officiers et leurs commis bénéficient des exemptions de
tutelle et curatelle, logement des gens de guerre et autres charges
publiques (87), avec des privilèges diffus comme celui de faire
passer gratuitement des marchandises sur les navires du roi,
de pouvoir écrire à la Cour pour demander des grâces. Ils servent et participent au système, chacun selon son rang, et grâce
à eux, avec une certaine économie de moyens, le tissu social
de l'Ancien Régime peut se reproduire dans la colonie.

---

(86) Quelques Montréalais accèdent au Conseil souverain, qui compte
sept membres, puis douze.
(87) Requête du grand voyer et ordonnance de Bégon, 11 mars 1713,
Édits, ordonnances royaux, vol. 2, p. 281.

CHAPITRE II

LES CATÉGORIES SOCIALES

1. *Vue d'ensemble.*

En 1715, il y a 4 700 habitants dans l'île de Montréal, soit une population active de quelque 1 200 personnes dont les occupations peuvent être ainsi réparties (1) : les deux cinquièmes sont des habitants qui tirent leur principal revenu de la terre. Certains exercent en même temps un autre métier, tel que charretier, chaufournier, charpentier ou forgeron, mais les bourgs ne sont pas encore assez développés pour abriter un groupe distinct d'artisans ruraux. Vivent aussi dans les côtes cinq ou six meuniers, deux notaires, cinq curés, quelques religieuses dans les deux couvents de Lachine et de la Pointe-aux-Trembles, une dizaine de petits marchands, voyageurs à l'occasion, avec un groupe de 100 à 150 individus pour qui la traite des fourrures est l'occupation principale, à tout le moins momentanément. Il y a peu de pères de famille dans cette dernière catégorie, mais des fils d'habitants qui, entre leurs voyages, retournent chez leurs parents. Nous avons déjà vu qu'il n'existe pas une catégorie spécifique d'ouvriers agricoles.

Divisons la population active de la ville — quelque 650 indi-

---

(1) La reconstitution qui suit s'appuie sur plusieurs sources : abrégés des recensements pour les effectifs globaux, le dénombrement de 1731, un rôle de cotisation de 1715 qui donne peu de renseignements professionnels mais que nous avons complété avec nos fichiers et les travaux des généalogistes. A défaut d'une source unique et précise, nous avons dû utiliser des moyens de fortune. Les chiffres qui suivent sont approximatifs.

vidus — en quatre groupes. D'abord, ceux qui fournissent les services. Soit 24 ecclésiastiques, Sulpiciens, Jésuites et Récollets et environ 75 religieuses; les officiers militaires domiciliés et leurs familles (35); les officiers de justice et d'administration (14); les employés subalternes (12); les chirurgiens (4); et peut-être une centaine de domestiques, enfants et adultes. Le tout comptant pour 40 % des occupations urbaines.

Vient ensuite le commerce qui forme 20 % de l'ensemble, avec les marchands-équipeurs (25); les voyageurs professionnels et petits marchands (60); les aubergistes et cabaretiers (30), les boulangers et bouchers (5) et quelques charretiers.

Le secteur secondaire comprend les métiers du bâtiment (40); les forgerons et charrons, serruriers, taillandiers et armuriers (20) quatre tanneurs et une douzaine de cordonniers; des tailleurs et surtout des couturières (40); plus quelques métiers divers comme brasseur, tonnelier, jardinier, tisserand, sabotier, perruquier, un orfèvre, un chapelier, etc. Ces artisans indépendants emploient peut-être ensemble une cinquantaine d'apprentis, car rares sont ceux qui en gardent plus d'un ou deux. Tout ce secteur ne rassemble qu'environ le quart des actifs de la ville.

Ce qui laisse 15 % pour la dernière catégorie, un groupe indistinct de manœuvres qui trouvent du travail où ils peuvent : sur les chantiers de construction s'il y en a, dans les voyages aux Outaouais comme engagés à chaque fois qu'ils le peuvent, dans les côtes au moment des récoltes. Groupe instable, en instance d'émigration.

Bien que la ville soit en train de se remplir à cette époque, la croissance n'est pas assez forte ni assez soutenue pour justifier la présence d'un réservoir de main-d'œuvre plus considérable. Les cadres du commerce sont quasi rigides et la petite armature artisanale suffit déjà aux besoins de la traite et de la population locale. Le bâtiment est en expansion, mais les gros chantiers conventuels ou domiciliaires sont rares. La ville attire nombre de voyageurs, antérieurement domiciliés dans les côtes. Au fur et à mesure que l'occupation prend l'allure d'une profession, ils se rapprochent des marchands, leurs fournisseurs et associés. C'est là à peu près la seule ponction que la ville exerce sur les campagnes et elle est sur le point de prendre fin. Quelques habitants de la banlieue s'installent dans la ville à l'âge de la retraite. Bref, à cause des blocages inhérents à l'économie de la colonie, aucun vent nouveau ne vient bouleverser cette structure professionnelle au cours du XVIIIᵉ siècle.

Les quelques rôles de cotisation qui ont été conservés sont de bien pauvres substituts pour les documents cadastraux et fiscaux, qui permettent ailleurs de reconstituer la structure des revenus. Les levées de taxes sont assez fréquentes, mais chacune est en soi trop légère pour refléter les capacités matérielles des contribuables. Le vocabulaire utilisé par l'assemblée qui dresse le tableau des contributions pour des travaux publics, en 1681, est plus révélateur que l'éventail des cotes. Seul l'état-major de la garnison a été exempté. Ceux de la dernière classe ne sont pas nommés dans le rôle, mais nous avons pu les identifier grâce au recensement nominal de cette même année. Ce sont des colons nouvellement établis.

TABLEAU 39.

Distribution de l'impôt levé en 1681
pour les travaux publics dans l'île de Montréal.

Description des catégories	Nombre de contribuables	Cotes (livres)
Les négociants de grand commerce ...	6	20
Les moins négociants	13	12
Les accommodés	58	8
Les moins accommodés	67	6
Les pauvres	161	3

Source : APC, M-1584: 38.

A titre d'expérience, nous avons tenté de tirer parti d'une cotisation plus considérable établie en 1714-1715 pour la construction des fortifications (2). C'est une taxe par tête et non par

(2) APC, M. G. 17, A7, 2, 1, vol. 2, pp. 487 *sqq.*

feu, dont personne n'est exempté, étant donné la nature défensive des travaux. Contrairement aux autres levées antérieures exprimées en livres, celle-ci est réglée sur la base de journées de corvée, soit 2 livres pour une journée d'homme et 5 livres pour une journée « de harnais ». Notons que ces équivalences, que nous avons néanmoins utilisées, ne sont pas exactes. La journée du manœuvre vaut communément 30 sols et le prix d'une journée de charroi, qui varie selon la composition et la qualité de l'attelage, tend à dépasser 100 sols. Comme les marchands qui confectionnent les rôles sont inscrits pour des journées de harnais, qu'ils acquittent généralement en espèces, le procédé les avantage et il défavorise ceux des groupes inférieurs qui devraient — pour une raison ou une autre — fournir leur quote-part en numéraire. Il tend aussi évidemment à réduire les écarts entre les cotes.

Celles-ci s'échelonnent entre 2 et 75 livres et la moyenne générale est de 11 livres (3). En utilisant la méthode de J. Dupaquier (4), soit une progression géométrique distribuée de chaque côté de la moyenne, nous avons construit quelques histogrammes (5) qui, malgré l'imperfection de la source, reflètent un peu la répartition générale des revenus dans cette société. Sept classes d'imposition seulement, disons même six puisqu'il n'y a que deux individus dans la septième et une concentration marquée dans la catégorie « a », soit ceux qui paient entre 5,5 et 11 livres. L'étalement très faible autour d'une masse homogène de revenus médiocres correspond à ce que nous savons de cette économie : c'est le résultat de la coupure entre le commerce et l'agriculture et la dépression de longue durée accentue encore cette tendance à l'égalité (6). Ceci est particulièrement clair lorsque nous isolons la population rurale : 17 % de cultivateurs plus

(3) Nous avons éliminé les deux cotes les plus élevées, celle des Sulpiciens et celle des Jésuites, taxés à 400 et 200 livres.

(4) « Problème de mesure et de représentation graphique en histoire sociale », *Actes du 89e Congrès des Sociétés savantes* (1964), vol. 3 ; Régine Robin, *La société française en 1789 : Semur-en-Auxois* (Paris, 1970), pp. 157 *sqq.*

(5) Graphique 25 en annexe.

(6) René Baehrel, *Une croissance : la Basse-Provence rurale (fin du XVIe siècle - 1789)*, pp. 441-442.

aisés mêlés à des voyageurs et quelques notables, une majorité d'habitants bien établis mais qui ne produisent pas de gros surplus. Le reste, soit les deux cinquièmes, surtout des colons nouvellement installés, sont plus ou moins miséreux, mais pour la majorité ce n'est qu'une étape temporaire. Il y a des indigents dans la ville qui n'ont pas été taxés, mais la proportion ainsi omise n'est pas très forte. Montréal offre si peu d'occasion de vivoter que ceux qui n'y ont pas un revenu assuré s'en éloignent.

La liste donne peu de renseignements professionnels. Malgré tout, nous avons réussi à reconstituer trois petites catégories parmi lesquelles seule celle des marchands offre un profil distinct. Ceux-ci n'ont d'ailleurs pas forcé leur cote et d'après leurs chiffres d'affaires — au moins trois devraient figurer dans la classe D. Proposons un revenu moyen pour le groupe, variant entre 1 200 et 2 000 l., soit six à dix fois plus que ce que gagne le commun des gens de métier, et nous avons une bonne idée de l'échelle des inégalités. Les artisans que nous avons pu identifier appartiennent à la couche supérieure des métiers, mais nous ne trouvons, au mieux, qu'une très modeste aisance. L'étalement des fortunes chez les officiers militaires traduit bien leur instabilité matérielle.

Ce survol n'avait d'autre but que de placer dans une certaine perspective l'analyse des groupes socio-professionnels, qui est essentiellement basée sur cette source, plus ou moins fidèle, que sont les inventaires après décès. Nous avons relevé quelque 250 inventaires (7), avec les actes complémentaires tels que comptes de tutelles, partages, ventes et adjudications, contrats de mariage, testaments. A lui seul, cet échantillon ne donne pas une juste idée de la composition de la société, car il privilégie les groupes les plus fortunés. Le notaire ne demande jamais moins de 7 livres tournois et retenons une moyenne de 20, y compris la grosse, pour l'inventaire des meubles et des titres chez un paysan, ce qui ne comprend pas la prisée des immeubles, le cas échéant, et environ 7 l. aux deux estimateurs des bestiaux si ces derniers n'acceptent pas d'être payés de leur saillie, comme

(7) Soit la totalité de ceux dressés avant 1700 et 75 autres entre 1700 et 1730, se rapportant à des familles que nous avions observées dans la période précédente.

c'est l'usage. En ajoutant les frais de tutelle et ceux des partages, tout ceci peut facilement monter à 5 % d'une succession ordinaire (8) et ce sont des dépenses que le peuple évite autant que possible. Le curateur attentif exige un inventaire pour la protection des mineurs quand le parent survivant se remarie et le procureur fait dresser celui des successions vacantes. Nous atteignons donc quelques infortunés malgré tout. La sincérité des déclarations pose un autre problème.

Le lendemain, rapporte le notaire, étant retourné compléter l'inventaire chez le défunt Pierre Gadois, la veuve l'accueillit « en disant avec emportement qu'il n'avoit aucun droit de le faire et que ce n'estoit que pour les manger et ruiner ses enfants, en faisant mille imprécations et entre autre que le diable fut à — et qu'il devroit mourir de honte de vouloir insérer dans led. inventaire huit cordes de bois ou plus destinées à son usage et outre beaucoup de volailles qui estoient communes entre led. défunt et elle et que s'il en vouloit scavoir le nombre qu'il les comptera... » (9).

Tous les habitants ne sont peut-être pas aussi hostiles, mais ils n'ont pas de scrupules à dissimuler ce qu'ils peuvent. Toutefois, la parenté a l'œil ouvert et ils ont fort peu à cacher. Même si le notaire n'a pas réussi à attraper toutes les poules de la veuve Gadois, nous avons assez de données pour savoir que c'est une famille plus aisée que la moyenne et nous connaissons le cadre de son existence. C'est ce qui nous importe.

Les grains et le bétail sont prisés au prix du marché. Les stocks de marchands sur le prix de la facture, en ajoutant ou non le bénéfice ordinaire, ce qui est toujours spécifié et donc facile à uniformiser. Seul le mobilier est évalué au-dessous de sa valeur vénale et ce « cru » serait d'environ 25 %, peut-être davantage (10). Comme la pratique ne varie pas d'un inventaire à l'autre, que les meubles n'occupent pas une place impor-

(8) Voir les comptes des notaires dans la liste des dettes passives de chaque inventaire. Par exemple, chez Brunet dit Bourbonnais, 16 octobre 1709, M. not., Le Pailleur.

(9) Inventaire de Pierre Gadois, 3-4 novembre 1667, *ibid.*, Basset.

(10) En somme, le « cru » ne porte que sur les biens qui s'usent et ne se reproduisent pas.

tante dans l'ensemble des biens, nous avons pris cette évaluation telle quelle. Il est impossible de comparer les fortunes globales d'une période à l'autre, de parler d'enrichissement ou d'appauvrissement, puisque les échantillons ne comprennent pas nécessairement les mêmes catégories de gens. C'est seulement par l'analyse de détail, les changements dans la nature et la composition des biens que nous pouvons percevoir le sens de l'évolution. Enfin, les fluctuations des prix compliquent la tâche. Nous avons rejeté tous les inventaires en cartes de la période 1715-1719 et placé, dans une catégorie à part, ceux rédigés avant 1670, alors que les prix étaient fort élevés. Tout le reste est à peu près comparable.

Les immeubles sont rarement évalués, mais ils sont décrits, à savoir l'aspect des bâtiments et l'état des terres. Il nous a semblé que la seule façon de contourner le problème était d'appliquer à tous les inventaires un prix standard, soit 50 l. par arpent de labour, prix du marché vers 1675, au milieu de la période, et une échelle de prix correspondant à chaque type de construction. Le procédé est évidemment grossier car, d'une part, la valeur des terres peut varier beaucoup selon les soins qu'elles reçoivent et, d'autre part, elle ne cesse de baisser entre 1650 et 1720, mais nos données sont trop éparses pour raffiner la méthode.

Les stocks, les valeurs, l'argent liquide sont classés à part. La fortune physique personnelle est divisée en quatre catégories : biens de consommation durables et périssables, biens de production durables et périssables, chacune comportant 20 à 30 subdivisions (11). Nous avons omis les biens périssables des calculs globaux car le contenu des greniers et des granges dépend trop de la saison et celui des garde-manger n'est souvent pas inventorié. Ce classement, qui nous a permis de séparer les dépenses utiles à la marche de l'entreprise et celles qui n'ont d'autre but que d'agrémenter la vie quotidienne, s'est révélé satisfaisant.

(11) Selon la méthode de A. Hansen-Jones basée sur le classement du bureau américain de la statistique. (« La fortune privée en Pennsylvanie, New Jersey, Delaware : 1774 », *Annales E. S. C.* (mars-avril 1969), pp. 235-249.)

2. *Les seigneurs.*

Les fiefs que les compagnies de commerce et le roi ont taillés dans toute l'étendue de la colonie et distribués aux gentils-hommes et aux communautés, ne rapportent rien tant qu'ils ne sont pas raisonnablement peuplés et surtout, tant que les propriétaires n'ont pas mis en valeur leur réserve, construit des moulins et autres investissements. Or, comme au début du XVIIIe siècle, la majorité des seigneurs laïcs n'ont pas commencé à faire ces aménagements, s'en sont remis au mouvement lent et spontané des colons pour le peuplement, il n'y a pas, sauf exception, de revenus seigneuriaux, donc pas de classe de seigneurs (12). Constatons simplement la présence d'un cadre institutionnel qui favorise l'éclosion d'un tel groupe et celle des quelques propriétaires qui n'ont pas attendu pour en tirer avantage.

Ainsi, bien que quelque quatorze arrière-fiefs de faible étendue aient été concédés dans l'île de Montréal entre 1658 et 1690 (13), que plusieurs officiers et marchands de la ville possèdent de grandes seigneuries à peu près vides dans les environs, il n'y a pas lieu de distinguer ces propriétaires autrement que par les fonctions qu'ils exercent et la nature de leurs revenus, lesquels ne sont pas d'origine féodale.

De vrai seigneur, il n'y a que Saint-Sulpice qui n'a pas laissé de bilan de ses opérations. En nous basant sur un bail de 1704, il apparaît que le revenu des droits fixes et casuels, des moulins et des rentes foncières, est d'environ 6 500 l. Deux domaines amodiés rapportent 2 500 l. Le revenu net de la dîme inféodée s'élèverait à cette même époque à 3 250 l. Ajoutons un minimum de 3 000 l. pour les loyers des maisons, forge, greniers, les rentes constituées au Canada et celles des capitaux que le Séminaire

(12) Malgré l'évidence, les historiens de la Nouvelle-France ont souvent fait de la seigneurie un critère de regroupement social. Voir les ouvrages d'Émile Salone, W. B. Munro, F. Parkman, B. Sulte, Rameau de Saint-Père et autres, cités dans la bibliographie.

(13) Les vassaux sont les deux couvents de femmes et des gentilshommes militaires, lesquels devaient, en retour pour ces terres hommagées placées stratégiquement, protéger l'île contre les invasions. L'arrivée des troupes rendit ces arrangements inutiles.

envoie en France. Ceci donne un produit global de 15 à 20 000 l.
tournois, dont les trois quarts sont d'origine féodale, à l'abri
des risques conjoncturels (14). Pendant longtemps, les dépenses
ont excédé la recette, car les seigneurs n'ont rien ménagé pour
faire valoir les banalités, la justice, ainsi que les biens qu'ils
s'étaient réservés. Mais au début du xviiie siècle, le revenu suffit
à couvrir leurs frais comme en témoignent ces petits achats
de rentes. « Et comme on ne juge pas à propos de faire de
nouvelles acquisitions présentement en Canada, n'y ayant point
de sûreté, écrit le supérieur, il faut envoyer cette somme à Paris
aussy bien que toutes les autres indemnités et remboursements
qu'on recevra pour les y placer utilement (15). » Les placements
jugés les plus utiles sont les rentes sur l'Hôtel de Ville dont
Saint-Sulpice suivra les fluctuations avec consternation pendant
les prochains vingt ans. La partie de l'épargne des censitaires
qui est ainsi drainée hors du pays est encore faible mais appelée
à grossir. Au milieu du xviiie siècle, la rumeur circule que les
seigneurs tirent 70 000 l. de revenus et que chaque année ils
envoient des sommes importantes en France (16).

Quant aux hommes derrière cette seigneurie, ce sont des
prêtres instruits issus des classes privilégiées de la métropole,
familles de parlementaires et de vieille noblesse, qui jettent
sur cette petite société de roturiers et d'aventuriers un regard
sévère et condescendant (17).

3. *La noblesse.*

Ses titres sont récents. Au mieux, quatre ou cinq degrés,
moins sans doute dans la majorité des cas, et nous comptons
dans ce groupe les onze familles canadiennes qui furent anoblies

(14) A noter le renversement dans la répartition des revenus, si nous
comparons avec la France où les fermages occupent la première place.
G. Le Marchand, « Le féodalisme dans la France rurale des temps modernes :
essai de caractérisation », *Annales historiques de la Révolution française*,
n° 190 (1969), pp. 77-108.
(15) Lettre de M. Leschassier, 5 avril 1702, ASSP, vol. 14, p. 411.
(16) Rapporté par Pehr Kalm, *Voyage de Kalm en Amérique*, p. 111.
(17) *Infra*, chap. iv, § 1.

au xvIIᵉ siècle (18). Mais peu importe la roture toute proche, puisque son statut est reconnu et qu'elle en tire des privilèges. « Avant tout, monseigneur, écrit le gouverneur, vous me permettrez de vous dire que la noblesse de ce pays nouveau est tout ce qu'il y a de plus gueux et que d'en augmenter le nombre c'est donner lieu à augmenter le nombre des fainéants (19). » Aucun groupe d'immigrants, pas même les prisonniers de droit commun envoyés au xvIIIᵉ siècle, n'a causé autant de soucis aux autorités que cette gentilhommerie arrogante, ignorante et incapable de pourvoir à ses besoins. Comme l'expliquent tour à tour les intendants, ces personnes sont accoutumées « à ce qu'on appelle en France la vie des gentilshommes de campagne, qu'ils ont pratiquée eux-mesmes ou qu'ils ont vue pratiquer... ». « Ils font leur plus grande occupation de la chasse et de la pesche, ne sachant aucun métier, n'étant pas nés pour labourer la terre et ne disposant d'aucun crédit qui leur permettrait d'établir de bons commerces (20). » Il n'y a là rien d'étonnant hormis l'inconséquence de la Cour et de ses agents qui ont tout mis en œuvre pour attirer cette classe dans la colonie et découvrent après coup, avec stupéfaction, qu'elle ne peut vivre qu'à la « charge du public », c'est-à-dire essentiellement de l'État puisque la terre ne produit pas encore de rentes. Il faut plus que des générosités capricieuses pour s'acquitter de cette responsabilité, mais un véritable système de promotion économique qui va faciliter l'entrée de cette petite noblesse nécessiteuse dans l'armée d'abord (21), ce qui lui revient de droit, et aussi dans le commerce et même dans l'administration civile pour peu qu'elle montre un minimum d'aptitudes. En attendant la mise en place, le désordre engendré par cette « oisiveté en armes » (22) s'aggrave sous l'effet de l'accroisse-

(18) P.-G. Roy, *Lettres de noblesse, généalogies, érections de comté et baronnies insinuées par le Conseil souverain de la Nouvelle-France*, 2 vol. (Beauceville, 1920), *passim*.

(19) Lettre du 13 novembre 1685, AC, C11A7, fᵒ 93 vᵒ.

(20) Lettres des intendants de 1679 à 1690, *passim*, et en particulier *ibid.*, vol. 5, fᵒˢ 49-50 et vol. 8, fᵒ 145 vᵒ.

(21) Les commissions d'officiers dans les compagnies franches de la marine ne sont pas vénales.

(22) Robert Mandrou, *Classes et luttes de classes en France au début du XVIIᵉ siècle* (Florence, 1965), p. 31.

ment naturel très élevé dans ces familles. Les fils Le Gardeur et d'Ailleboust « travestis et mattachés en sauvages ont couru nuictamment les rues de Montréal et les chemins des environs et, ayant le pistollet à la main ou des couteaux, demandé la bourse et volé l'argent que ceux qui en ont été rencontrés pouvaient avoir sur eux ... ont menacé de massacrer et brûler ceux qui les dénonceraient... » (23). Un cas de dérèglement parmi plusieurs, un autre procès qui se termine par un non-lieu ou une rémission de peine.

Quand les administrateurs déplorent « la légèreté d'esprit » de « notre » jeunesse, son orgueil et sa fainéantise, c'est à ce groupe qu'ils se réfèrent, celui qu'ils fréquentent et représentent (24). Ses mœurs tapageuses sont un aspect caractéristique du genre de vie noble à Montréal au XVIIᵉ siècle.

Les problèmes de dérogeance n'ont jamais embarrassé la gentilhommerie coloniale et l'arrêt de 1685 qui lui permet de trafiquer en gros et en détail était superflu (25). Si elle n'éprouve aucune honte à tenir des cabarets clandestins, les occupations strictement manuelles lui répugnent. Le gouverneur plaidant en faveur de monsieur de Saint-Ours assure au ministre avoir « vu les deux grands fils couper du bled et tenir la charrue » (26). Scène touchante qu'il faut se garder de généraliser. Dans les débuts, quelques-uns ont pu en être réduits à cette extrémité, mais les jeunes de Saint-Ours trouveront vite le chemin des Outaouais et, comme toutes les autres, cette famille vivra plus souvent à Montréal que sur ses terres (27).

(23) Déposition du 23 octobre 1683, bailliage, 1ʳᵉ série, registre 2; celle du 17 avril 1684 au Conseil, *JDCS*, vol. 2, pp. 947-948. Le nom des coupables n'apparaît pas dans les minutes du Conseil.

(24) Lettre du gouverneur, 8 mai 1686, AC, C11A8, fᵒ 12 vᵒ.

(25) *Ibid.*, vol. 7, p. 147. Voir Gaston Zeller, « Une notion de caractère historico-social : la dérogeance », dans *Aspects de la politique française sous l'Ancien Régime* (Paris, 1964), pp. 336-374.

(26) Lettre du gouverneur, 20 novembre 1686, AC, C11A8, fᵒˢ 144-144 vᵒ. Le père menace de ramener ses dix enfants en France « pour y chercher du pain et les mettre à servir de costé et d'autres ». La correspondance officielle est remplie de ces lamentations et de ces sortes de chantage.

(27) Voir Cameron Nish, *Les bourgeois-gentilshommes de la Nouvelle-France, 1729-1748*, pp. 113-115.

Certains parmi ceux qui reçurent des arrière-fiefs dans l'île de Montréal étaient doués pour le négoce. Berthé de Chailly, fils d'un pauvre noble d'Amboise, déguerpit via New York avec les 40 000 l. amassées sur sa terre de Bellevue, en détournant les Indiens qui descendaient vendre leurs fourrures à Montréal (28). Picoté, Carion et La Fresnaye pratiquèrent ces mêmes activités avec un égal succès (29). Cette petite noblesse veut faire concurrence aux marchands, mais la majorité réussit difficilement à fonder des établissements stables sur des sources essentiellement mobilières.

Lorsqu'elle fait partie du corps de la marine, ses appointements, soit 1 080 l. pour un capitaine et deux ou trois fois cette somme pour les membres de l'état-major, l'aident à surnager, mais elle n'accumule pas. Dix-sept inventaires après décès (30) décrivent des fortunes brutes variant entre 3 000 et 8 000 l., soit ce que laissent les bons artisans. Ce sont des inventaires incomplets, mal rédigés, comme si les notaires hésitaient à pénétrer dans les affaires intimes du ménage. Les conventions matrimoniales, la reprise des apports vrais ou faux, aident un peu à tenir les créanciers à distance et une gratification royale « pour servir de propres » peut opportunément sauver les meubles (31). Les passifs sont lourds et c'est surtout là que nous retrouvons les traces des activités commerciales. Ils doivent aux marchands, au trésorier, à l'intendant, aux soldats de la compagnie, au couvent où est entrée leur fille, aux ouvriers et aux domestiques (32). Le fief avec ses 6 000 hectares de forêt, huit censitaires, une dizaine d'arpents en culture derrière la mai-

(28) AC, C11 A7, f^{os}97 v°-98 et vol. 8, f°s 12-12 v°.

(29) Ils laissent à leur mort entre 20 000 et 40 000 l. (M. not., Maugue, 13 mars 1679, 21 décembre 1683 ; Basset, 5 décembre 1684).

(30) Ceux des capitaines Dugué, Pécaudy, Daneau, Blaise, d'Ailleboust, Duplessis, Gresolon, Marganne, Dufresnel, du lieutenant de Ganne, de Gauthier, Bizard et Piot, membres de l'état-major colonial, de Lamothe, Picoté, Carion, La Fresnaye, officiers de milice. Tous portent le titre d'écuyer.

(31) Inventaire de René Gauthier de Varennes, officier réformé de Carignan, gouverneur des Trois-Rivières (M. not., A. Adhémar, 1er juillet 1693).

(32) Par exemple, l'inventaire du lieutenant de roi Piot de Langloiserie, 5 décembre 1722, *ibid.*, Senet.

son et la grange et un petit moulin « menaçant ruine », ne vaut pas plus qu'une censive ordinaire (33). Il est difficile de maintenir un genre de vie noble dans une maison rurale de trois à quatre pièces ou, comme c'est souvent le cas, dans le logement plus exigu encore que les officiers possèdent ou louent dans la ville (34), mais ils s'y efforcent. L'impression générale est celle d'un extraordinaire encombrement : beaucoup d'enfants, un ou deux domestiques et un ameublement considérable si nous le comparons par exemple à celui des marchands. Les officiers transportent gratuitement leurs effets sur les navires du roi, et c'est ainsi qu'arrivent à Montréal ces meubles rares, le cabinet d'ébène, le bahut couvert de maroquin du Levant, les fauteuils garnis de bandes de point de Hongrie, le tapis des Iles et ces pièces de tapisserie de haute lice prisées à 400 l. qui ornent la chambre. Beaucoup de chaises avec des coussins, de tables recouvertes de tapis, des lits de plume même pour les enfants, des draps, des ustensiles à profusion, des miroirs à cadre doré, des bibelots de toutes sortes, de la porcelaine et de l'argenterie. Tous ont de l'argenterie, couverts, flambeaux, etc., qui à l'occasion peut être mise en gage. Cinq de ces familles possèdent quelques livres et six ont un ou deux tableaux, sujets religieux et portraits. Duplessy Faber, qui après avoir combattu sur tous les fronts européens passa les derniers vingt-cinq ans de sa vie au Canada à espérer la croix de Saint-Louis, garde un portrait de M. de Vauban, son protecteur (35), et un tableau représentant « un hollandais lisant avec un autre le regardant », peut-être rapporté d'une expédition du côté d'Orange.

Au seuil de l'extrême indigence, quand le dernier fauteuil, le crucifix d'ivoire et la dernière cuiller d'argent ont disparu, il reste toujours au mur un lambeau de bergame « usé de nulle valeur ».

---

(33) Environ 2 000 l. Inventaire d'Antoine Pécaudy, de Contrecœur, 10 avril 1692, *ibid.*, Basset.

(34) Six sur nos dix-sept cas sont locataires.

(35) Avec qui il entretient une correspondance. Voir *La correspondance de Vauban relative au Canada*, pp. 15-22.

4. *Les agents du pouvoir.*

Pour remplacer le bailli d'Ailleboust, neveu d'un ancien gouverneur de la colonie, militaire de carrière, sans formation juridique (36), les Sulpiciens eurent la bonne fortune de trouver sur place un licencié en lois qui aurait été avocat au Parlement de Paris avant de passer au Canada comme commis de la Compagnie des Indes occidentales (37). Migeon exerça cette charge de 1677 à 1693, tout en poursuivant ses activités de marchand, laissa une des plus belles terres de l'île et des propriétés urbaines. La dot de 4 000 l. qu'il donne à sa fille est versée comptant, ce qui n'est pas la coutume. Tous comptes faits, bien qu'il n'ait pas laissé d'inventaire, c'est une fortune d'au moins 50 000 l. comprenant sans doute la meilleure bibliothèque de la seigneurie après celle des Sulpiciens. Ses fils ayant choisi des carrières militaires, un gendre lui succéda qui fut plus célèbre pour ses aventures au Mississippi que pour sa carrière juridique (38).

Les autres charges judiciaires ne confèrent pas un statut social supérieur. Elles sont exercées par des individus de toutes provenances, de compétence fort inégale. Bénigne Basset aurait été bon notaire et greffier si « le tabac et la crapule » ne lui avaient pas « si fort altéré l'esprit qu'il n'a plus de raisonnement ni de mémoire » (39). On dut le destituer. Sa femme et ses enfants se consolèrent dans la dévotion. Le notaire Adhémar, fils d'un bourgeois du Languedoc venu au Canada comme soldat, sut gagner la confiance des marchands. C'est dans son

---

(36) Questions posées par M. Rémy, p. s. s., ASSM (copie Faillon H 339-346). C'est le Sulpicien qui conseille et rend la justice par personne interposée.

(37) Lettres de provision, 6 août 1677, bailliage (copie Faillon H 213).

(38) Charles Juchereau de Saint-Denis, lieutenant-général jusqu'à sa mort survenue en 1704.

(39) Lettre de M. de Tronson, 20 avril 1685, ASSP, vol. XIII, p. 422 ; procès-verbaux du bailliage, février-mars 1678, 1re série, registre 1 ; E.-Z. Massicotte, « L'Hôtel Dieu et la famille Basset », *Le journal de l'Hôtel-Dieu* (novembre 1942), pp. 431 *sqq.*

étude que furent consignées la plupart des obligations pour la traite (40). Prêteur, administrateur de successions, il laisse environ 5 000 à 6 000 l., une fois déduite l'hypothèque sur sa maison. Son fils lui succède (41). Un des premiers colons de Montréal, Jean Gervaise, après avoir été longtemps un procureur fiscal obscur mais respectable, mourut sur sa terre du coteau Saint-Louis. Ses héritiers restèrent des paysans comme leur père (42). Faute de mieux, les seigneurs engagèrent comme greffier puis comme procureur un commis de magasin, qui leur causa des ennuis et rentra à La Rochelle au bout de cinq ans (43). Les autres tabellions de la seigneurie n'étaient pas aptes à exercer ces charges. Il y a une petite carrière, où l'ex-soldat est d'abord maître d'école, puis sergent du bailliage, huissier, parfois geôlier et notaire au dernier échelon, qui n'est pas une voie d'ascension sociale (44). Claude Maugue ne laisse que 600 l. de biens, aucun livre, et sa veuve épouse un cordonnier (45). Par ailleurs, celui qui acquiert une formation et fait preuve d'initiative peut aller beaucoup plus loin. Est-ce un Sulpicien qui suggéra au menuisier Raimbault d'envoyer en France son fils âgé de dix ans? Quoi qu'il en soit, le garçon y passa quinze ans, fit des études et fut subséquemment notaire, substitut, subdélégué, bailli pour la basse justice et, de 1727 à 1740, lieutenant-général civil et criminel (46). A diverses reprises au début de sa carrière, il se porta adjudicataire des dîmes et des droits seigneuriaux. Pierre Raimbault possédait une cinquantaine d'ouvrages : auteurs grecs et latins, livres de droit, œuvres édifiantes et un traité d'horticulture (47). Dans ce petit monde

(40) André Vachon, *Histoire du notariat canadien, 1621-1960.*
(41) Inventaire du 14 mai 1714, M. not., Le Pailleur.
(42) Inventaire du 25 mars 1693, *ibid.*, A. Adhémar.
(43) Hilaire Bourgine, d'abord fils d'un marchand de La Rochelle, commis chez F. Pougnet.
(44) Voir les cas de Pierre Cabazié, Claude Maugue, Nicolas Senet, J.-B. Pottier, notaires à Montréal au XVIIᵉ siècle.
(45) Inventaire du 29 octobre 1700, M. not., Raimbault.
(46) E.-Z. Massicotte, biographie de Raimbault dans *BRH*, vol. 21, p. 78 et vol. 27, p. 182; biographie par R. Lahaise dans *DBC*, vol. 2, p. 565.
(47) Inventaire à la mort de sa première femme, 20 décembre 1706, M. not., A. Adhémar.

où tout vient par le négoce et par les armes, c'est le seul exemple où l'acquisition de la culture savante est un levier de promotion sociale.

5. *Les marchands.*

La voie de promotion par excellence, accessible aux éléments les plus dynamiques des classes inférieures, c'est la marchandise. La réussite est à l'échelle du milieu et des possibilités de ce commerce. Même si quantitativement et qualitativement ces fortunes ne sont pas comparables à celles de la bourgeoisie des villes de France, les équipeurs dominent l'économie des fourrures et partant, jouent un rôle de premier plan dans cette petite ville coloniale.

TABLEAU 40.

Répartition des fortunes des marchands équipeurs d'après les inventaires après décès (1680-1718).

Types de fortunes	Valeur nette de la succession (en livres tournois)							Total
	5 000 à 10 000	10 000 à 15 000	15 000 à 25 000	25 000 à 35 000	35 000 à 55 000	100 000 à 200 000	260 000	
Marchands de moins de 45 ans	4	4	3	1	1			13
Marchands plus âgés.........	1	2	6	3	1	2	1	16

A l'échelon inférieur, l'échantillon n'est pas représentatif. Des dizaines d'individus ont commencé à équiper pour la traite, ont travaillé pendant quelques années avec un capital de 8 000 à 10 000 l. et sont disparus. Ceux qui survivent ont toutes raisons d'espérer laisser en mourant entre 20 000 et 35 000 l., que nous considérons comme le niveau moyen. En plus des sept plus grosses fortunes représentées dans ce tableau, deux autres marchands, pour lesquels nous n'avons pas d'inventaire, ont des actifs de 150 000 l. et plus au début du XVIIIe siècle (48).

La composition de ces fortunes diffère fondamentalement du modèle métropolitain. Dans sept inventaires, il n'y a aucune terre et, pour le reste, l'unique habitation exploitée par un fermier compte à peine pour 20 % de la succession. Les propriétés urbaines font 30 %, les meubles et vivres 5 %, les stocks et les créances d'origine commerciale continuent jusqu'à la fin d'absorber au moins 40 % de l'actif et, s'il y a des rentes, leur valeur excède rarement 5 %.

La différence dans le niveau de vie est aussi très marquée. La maison en maçonnerie sur la place du marché compte environ six pièces et plusieurs cabinets. Le magasin est à l'étage et le plus souvent la boutique au rez-de-chaussée. On garde le grain et les fourrures au grenier. C'est une belle demeure selon les standards montréalais, mais rien de plus qu'une maison paysanne améliorée. Il y a un équilibre entre l'ameublement et le niveau de fortune. Le marchand au début de sa carrière vit dans un intérieur presque aussi nu que celui des classes inférieures. Quand ses affaires vont mal, il commence par se départir de son mobilier. Chez les plus aisés, nous trouvons beaucoup de linge, des ustensiles de cuisine, de l'étain en quantité, des lits garnis et en moyenne sept à douze marcs d'argenterie. Dans la chambre principale, tous les marchands ont un poêle, un appareil en fer valant environ 150 l., élément essentiel de confort, mais qui n'est pas encore à la portée du peuple. Les meubles en pin et en merisier sont de fabrication locale; un miroir, un ou deux fauteuils recouverts, une pièce de tapisserie, parfois des tableaux, complètent ce cadre dépouillé qui est celui, par exemple, de J.-B. Charly et de Pierre Perthuis qui possèdent respectivement au moins 40 000 et 50 000 l., toutes dettes déduites (49). Même simplicité chez Jacques Leber, le plus riche

(48) Soit Soumande et Lestage. Voir AC, C11A124, fo 393 et ASSP, dossier 20, pièce 4.

(49) Inventaires du 18 avril 1708 (M. not., A. Adhémar) et du 14 avril 1712 (*ibid.*, Le Pailleur).

de tous (50), ou chez Charles de Couagne. Entre deux inventaires à vingt-cinq ans d'intervalle, la fortune de ce dernier a quadruplé, mais à peu de chose près, une pendule, un guéridon et deux fauteuils, le mobilier n'a pas été renouvelé (51). Les garde-robes, évaluées à 200 et 300 l., ne sont pas extravagantes.

La culture de ces marchands est dans l'ensemble fort rudimentaire. Si les inventaires sont fidèles, les deux tiers ne lisent jamais. Chez les autres, nous trouvons entre 10 et 40 volumes, surtout des ouvrages pieux. Couagne, qui lit des œuvres historiques et tapisse sa chambre de cartes du monde, de la France, d'une description de la ville de Paris, le tout en papier sans grande valeur, fait figure d'original (52). Jean Quenet garde sept portraits de famille, y compris ceux de ses cinq frères qui demeurent en France (53), mais ce sont les sujets religieux surtout qui ornent un tiers de ces demeures bourgeoises.

Le genre de vie n'est pas celui de la noblesse. Point d'oisiveté dans ces familles, pas de retraite prématurée. Les femmes apprennent à tenir les livres, à gérer le commerce en l'absence de leur mari. Les fils vont à l'école jusque vers quatorze ans, font un stage dans les comptoirs de l'Ouest, complètent leur apprentissage chez un négociant, au Canada ou en France. C'est avec beaucoup de sérieux que les marchands s'appliquent à s'enrichir, à devenir respectables, à se faire respecter. Nous ne les voyons pas mêlés aux affaires scandaleuses et bruyantes des officiers. Si les contraventions pour infraction aux règlements de la traite font partie des risques de leur métier, ils mènent par ailleurs une vie paisible, prennent part aux affaires publiques, assument la direction laïque de la paroisse et soutiennent généreusement ses œuvres.

(50) Selon la description de deux inventaires des 1er décembre 1693 et 1706, *ibid.*, Basset et Raimbault.

(51) Yves Zoltvany note la même sobriété chez Aubert de La Chenaye, gros négociant de Québec (*DBC*, vol. 2, pp. 27-36).

(52) Inventaires de Couagne, 7 août 1686 (*ibid.*, Maugue) et 26 août 1706 (*ibid.*, A. Adhémar).

(53) Inventaire du 7 janvier 1718, M. not., Raimbault.

6. *Les gens de commerce et de métier.*

Le voyageur qui, vers quarante-cinq ans, abandonne un métier désormais trop pénible et vient vieillir dans sa famille, n'a pas économisé plus de 4 000 à 5 000 l., placées sur une terre dans la banlieue ou sur un immeuble dans la ville, qui lui assurent un petit revenu le reste de sa vie (54). Il veille sur les affaires de son fils qu'il a lui-même formé aux voyages et qui, dans le climat plus favorable du XVIIIᵉ siècle, s'enrichira davantage. Mais déjà Jean Lorain laisse deux fois plus à ses enfants qu'il n'avait naguère reçu de son père, un paysan, ce qui suffit sans doute à justifier son choix et à tenter les générations suivantes (55). Car si ces petites réussites sont moins nombreuses que les faillites et les misères, elles frappent davantage la jeunesse de la région.

Avant d'être aubergiste, Isaac Nafréchoux avait été meunier. Il laissa assez de biens pour permettre à son fils d'équiper pour la traite et à ses filles d'épouser, l'une un officier, l'autre un exempt de la maréchaussée. Un autre aubergiste, Abraham Bouat, maria sa fille à Pacaud, un des gros marchands du pays, envoya son fils en France étudier le droit, lequel, après un bon mariage, fut nommé officier puis lieutenant-général du bailliage. Il n'en faut pas plus pour créer l'impression d'une société non structurée, mais ce ne sont que deux cas et les seuls, dans un ensemble de quelque cinquante individus qui, à un moment ou l'autre, tiennent hôtel et cabaret à Montréal. C'est une occupation attirante qui procure des profits faciles, surtout lorsqu'on ne se fait pas faute de dépouiller les Indiens, d'enivrer les soldats et les domestiques, de tenir sa porte ouverte le dimanche pour attirer les ruraux qui viennent à la messe, ce dont

(54) Inventaires de Jean Magnan, René Malet, Jacques Hubert-Lacroix, *ibid.*, 14 mars 1694, 12 mars 1698, Adhémar; 20 mars 1720, Le Pailleur.
(55) Inventaires du 10 octobre 1687 (*ibid.*, Cabazié) et du 28 janvier 1704 (*ibid.*, A. Adhémar).

tous, sans exception, sont coupables. Malgré toutes les menaces contenues dans les ordonnances, les baillis sont remarquablement patients et les amendes modérées n'ont aucun effet (56). En principe, seuls une vingtaine de particuliers sont autorisés à vendre des boissons à pots et à pintes, mais il y a au moins dix contrevenants année moyenne, sans compter les débits clandestins qui échappent à la police. Nous trouvons de tout dans ce groupe : d'anciens voyageurs, un notaire, un huissier, plusieurs artisans qui laissent leur femme gérer ce petit commerce et un grand nombre de veuves (57). Ce sont de petites gens, âpres au gain et sans scrupules. Les accusations des procureurs sont convaincantes : toutes les auberges sont des tripots et plusieurs cabarets, des lieux de débauche. Les tenanciers ne font pas fortune. Vincent Dugast, qui laisse 4 500 l. de biens après avoir tenu le juge et le curé en haleine pendant vingt ans, a sans doute mieux réussi que bien d'autres (58).

Au Canada, il n'y a ni jurandes ni maîtrises. C'est une décision concertée et les petits patrons qui, de temps à autre, reviennent à la charge pour obtenir un brevet ou un monopole se heurtent à un refus ferme (59).

Dans les premières années, chacun exerce le métier qu'il veut, comme il l'entend, et nous voyons des associations étranges comme celle d'un boucher et d'un sabotier qui exercent leurs métiers et se proposent en outre de débiter des boissons (60). Mais, à partir de 1680, tout s'organise très vite.

La boulangerie et la boucherie sont des métiers réglés, assu-

---

(56) 10 livres et confiscation pour scandale le dimanche à Vincent Dugast qui en est à sa énième condamnation (janvier 1689, bailliage, 2e série, registre 1).

(57) Voir, par exemple, la liste des permis accordés par le tribunal, 10 décembre 1694, *ibid.*, registre 3.

(58) Inventaire du 30 décembre 1698, M. not., A. Adhémar.

(59) Requête de l'arquebusier Fezeret pour obtenir un brevet, celle du charron Brazeau pour la création d'une maîtrise dans son métier (AC, C11A12, fos 333 vo et 310 vo).

(60) Contrat du 16 décembre 1675, M. not., Basset.

jettis au juge du lieu et aux décisions des prud'hommes quant au nombre de ceux qui les exercent, la qualité des produits et leur prix (61). Ces assemblées réagissent toujours à retardement aux fluctuations de la conjoncture et les boulangers et les bouchers sont en guerre perpétuelle contre le bailli, contre les marchands qui enfreignent leur monopole, contre les habitants qui vendent de la viande au marché (62). Conformément à la politique économique de l'Ancien Régime, les décisions favorisent plus souvent les consommateurs, d'autant plus que les plus gros clients sont ici les marchands. Ce sont eux qui règlent la taxe et qui dénoncent les moindres manquements. Les condamnations sont très fréquentes, parfois lourdes (63). Deux bouchers laissent 3 000 à 5 000 l. mangées en grande partie par les dettes. Nous n'avons qu'un inventaire de boulanger qui meurt sur la paille (64). Il est sans doute possible de faire mieux, mais ce ne sont pas à l'époque des métiers qui enrichissent.

La tannerie est une des rares industries viables à Montréal. Les deux entreprises qui se font concurrence au début du XVIIIᵉ siècle, ont un chiffre d'affaires d'environ 10 000 l., emploient cinq à six ouvriers et trois cordonniers chacune et pas davantage, si elles se conforment à l'ordonnance de l'intendant (65). Celui-ci entend briser la concentration verticale qui s'esquisse entre boucherie et tannerie et risque d'absorber les cordonniers. Nous n'avons pas les inventaires de ces premiers tanneurs, mais nous savons que les familles conservèrent les entreprises pendant plusieurs générations, un signe de santé (66). Les cordonniers gardent leur indépendance, se multiplient et font de toutes petites affaires.

En 1663, onze ans seulement après son arrivée dans la colonie,

(61) Voir les règlements dans les registres du bailliage, *passim.*
(62) Requête des bouchers du 4 juin 1709, bailliage, ANQ, NF 21, vol. 13.
(63) Brunet, Bouchard et Lecour, condamnés respectivement à 35 l. d'amendes (4 juin 1709, bailliage, 2ᵉ série, registre 5).
(64) Inventaires des 3 novembre 1689, 11 avril 1699 et 6 mars 1700, *ibid.*, A. Adhémar.
(65) Du 20 juillet 1706, Raudot, *Édits, Ordonnances royaux*, II, p. 265.
(66) Les De Launay, Barsalou, Bélair, Noir.

l'ex-engagé Jean Milot dit le Bourguignon, un bon taillandier qui ne sait pas signer, a 10 000 l. de biens et à sa mort en 1699, il laisse environ 35 000 l., converties en immeubles urbains et ruraux (67). C'est une réussite exceptionnelle, mais ces métiers du fer sont en général solides, particulièrement l'armurerie. Fezeret et Turpin possèdent des maisons sur la place et, avec 7 000 à 10 000 l. d'économies, tranchent encore sur la masse (68). Deux forgerons qui meurent à trente ans ont déjà des actifs clairs de 4 000 et 5 000 l., ce qu'un habitant met toute une vie à accumuler (69). La demande de fusils et d'outils ne fléchit pas tant dans la colonie que dans l'Ouest, où ces artisans vont régulièrement tenir boutique pour servir le roi à des conditions très avantageuses (70). Les seigneurs et quelques marchands possèdent une forge qu'ils louent toute garnie à un ouvrier; en échange, celui-ci exécute leurs commandes (71). Même si ces métiers sont libres, ils exigent une compétence et une mise de fonds qui les ferment aux aventuriers.

Il en va tout autrement du bâtiment. La masse des petits charpentiers et maçons semi-ruraux qui passe des marchés au XVIIe siècle vit pauvrement. Ils établissent des devis trop bas pour emporter l'adjudication et se retrouvent ensuite en difficulté. Ces procédures encombrent le plumitif du bailliage (72) : charpentiers qui poursuivent pour se faire payer et bailleurs de travaux qui les somment d'achever leur ouvrage. Ils ont vite fait d'abandonner les chantiers s'il y a du travail dans les postes du roi, où ils convertissent des gages élevés en marchandises de traite, tant et si bien que les plus astucieux finissent par abandonner tout à fait un métier qu'ils exerçaient mal et

---

(67) Y compris ce qu'il a avancé à ses enfants. Inventaires du 6 juillet 1663 (M. not., Basset) et du 21 août 1700 (*ibid.*, A. Adhémar).

(68) *Ibid.*, Maugue 28 avril 1684, David 4 novembre 1720.

(69) Inventaire de Tessier, 2 août 1689 et de Dumets, 9 février 1691, *ibid.*, A Adhémar.

(70) Elizabeth J. Lunn. *Economic Development in New France 1713-1760*, p. 185.

(71) Leber emploie un forgeron. Voir les baux des seigneurs, 16 décembre 1669 et 17 juin 1677, M. not., Basset.

(72) En 1691, il y a une cinquantaine de poursuites de ce genre, soit le sixième environ de toutes les affaires civiles.

qui les payait peu. Au début du XVIIIᵉ siècle, il n'y a pas d'entrepreneurs en construction compétents à Montréal, ce qui ne doit pas surprendre puisque les petits travaux menés jusque-là ne leur auraient pas permis de subsister. On en fait venir de Québec pour les grands ouvrages, églises, couvents, moulins, fortifications, chantiers de barques, qui vont s'établir et former la main-d'œuvre locale (73).

Les premiers chirurgiens, outre l'exercice de leurs fonctions complexes, ont souvent une terre qu'ils cultivent eux-mêmes. André Rapin laisse à sa famille une belle habitation à Lachine, une maison dans la ville et ses fils sont allés en apprentissage, l'un chez un cordonnier, l'autre chez un taillandier (74). Plus tard, quelques chirurgiens plus instruits font figure de petits notables, particulièrement ceux qui agissent aussi comme curateurs publics et privés. Les profits qu'ils tirent de ces responsabilités ajoutés aux gages versés par l'Hôtel-Dieu et aux honoraires payés par leurs clients, leur assurent une bonne aisance de leur vivant, mais les fortunes au décès dépassent rarement 4 000 à 5 000 l. (75).

Les gens de métier entretiennent entre eux des relations étroites. Les familles sont liées par le mariage — souvent à l'intérieur d'une même profession — et par l'apprentissage. La majorité des apprentis sont des fils d'artisans, des neveux, des beaux-frères souvent, aussi des fils de chirurgiens, de marchands. Mais comme le groupe est encore en expansion au moment où nous l'observons, il y a quelques ouvertures pour les ruraux. Ceux qui en profitent sont des habitants aisés qui ont plusieurs fils pour prendre la relève. Le coût n'est pas très élevé et parfois les maîtres se contentent d'exiger que les parents vêtent leur enfant (76). L'apprentissage dure en moyenne trois ans, l'âge d'entrée varie entre douze et dix-neuf ans et les conditions sont strictes, parfois dures. Telle est la règle dans les

(73) René Allary, Moïse Hilleret, Janson dit Lapalme, Jourdain, etc.
(74) Inventaire du 5 octobre 1699, M. not., A. Adhémar.
(75) Voir les cas de Martinet dit Fontblanche et d'Antoine Forestier.
(76) Six minots de blé pour la durée de l'apprentissage d'après Peter Moogk qui a fait une étude systématique de ces contrats, mais nous avons rencontré des prix plus forts. (Peter N. Moogk, « Apprenticeship Indentures : a Key to Artisan Life in New France », *CHAR* (1971), p. 68.)

métiers rentables, ceux du fer et du cuir par exemple, où la tradition ne se relâche pas. Les pères sont soucieux de transmettre leur métier à leur fils et nous voyons un chaudronnier faire promettre à son apprenti qu'à sa mort, il devra à son tour enseigner le métier à un des enfants de son ancien maître, au même prix, temps et condition, « supposant que l'inclination en prit aud. enfant » (77).

Au-dessous de ces catégories, nous trouvons la petite frange des sans-métier qui ont renoncé au défrichement ou n'ont jamais voulu tenter l'expérience. Quand ils servent les maçons et les charpentiers, ils reçoivent trente sols par jour et un repas, semble-t-il. Ce sont des gages fabuleux selon n'importe quel standard, mais qui ne signifient rien. « Il est vray que les salaires des ouvriers sont forts, écrit l'intendant, mais il est nécessaire en même temps de considérer qu'ils ne peuvent travailler que cinq mois de l'année à cause de la rigueur de l'hiver et qu'il faut durant ce temps qu'ils gagnent de quoy subsister pendant les sept autres mois (78). » En réalité, ces rigueurs ne durent que six mois, mais la journée de trente sols ne vaut que pour les travaux de courte durée et lorsqu'un artisan a besoin d'un manœuvre pour la saison, il lui verse plutôt des gages mensuels variant entre douze et quinze livres (79). En achetant le pain chez le boulanger, il faut compter quatre sols par jour pour une ration équivalente à celle du soldat, soit un minimum de 50 l. pour nourrir une personne pendant les mois d'inactivité. Ajoutons le loyer d'une chambre à feu, entre 50 et 70 l. par année, il ne reste rien. Vienne une année de cherté, le manœuvre est incapable de subsister. Enfin, il y a des périodes où l'on ne

---

(77) Contrat d'apprentissage de Laurent Tessier chez Gilles Lauson, 1er novembre 1673, M. not., Basset. Généralement, les bouchers, les meuniers se succèdent aussi de père en fils.

(78) Lettre de Frontenac et de Champigny, 4 novembre 1693, AC, C11A12, f° 209 v°s.

(79) Un homme engagé à l'année gagne entre 100 et 120 l., ce qui est beaucoup plus avantageux.

construit guère, comme dans la dernière décennie du XVIIᵉ siècle, ce qui rend son sort encore plus aléatoire. En bâtissant sa propre cabane dans les faubourgs, il économise le prix du loyer, mais il est certain qu'avec une famille à charge, le voilà réduit à la mendicité. Ces hommes cherchent à se faire engager pour la traite, mais l'offre de main-d'œuvre est supérieure à la demande et tous n'ont pas la vigueur nécessaire pour avironner jusqu'au lac Huron et « portager » des ballots de cent livres. Les autres ont avantage à prendre une terre et en combinant mauvaise agriculture et petits emplois saisonniers, ils pourront survivre. Il reste néanmoins toujours dans la ville un fond de misère où les notaires pénètrent rarement, qui vit plus ou moins à la charge de la paroisse et des communautés (80).

7. *Les habitants.*

Trois images ressortent de cette série d'inventaires. Tout en bas et nettement sous-représentés dans l'échantillon, sont les pauvres dont la valeur des biens ne s'élève qu'à une centaine de livres et tend vers zéro une fois les dettes retranchées.

Hugues Messaguier dit La Plaine, passé au Canada comme soldat, veuf après huit ans de mariage et père de deux enfants, fait dresser l'inventaire de ses biens en octobre 1695, à la veille de son remariage. Il possède 40 arpents à Lachine, 6 « en labours de pioche » et quelques abattis, une cabane de pieux en terre de 12 pieds carrés avec plancher de madriers, toit de paille, un hangar, un cochon « presque engraissé » et deux poules. Il a récolté 35 minots de blé, 17 minots d'avoine, pois et orge, ce qui lui permet à peine de subsister, compte tenu des provisions pour les dîmes, les rentes et les semences. Le reste de l'inventaire

(80) L'Hôpital général, fondé en 1694 à grand renfort de charités et de subventions, est mal administré jusqu'en 1747 et fait très peu pour la population. Sept personnes seulement (des « innocents », des vieillards et des pauvres) sont admises dans les vingt années qui suivent l'établissement; environ une cinquantaine d'autres entre 1714 et 1747, mais ce sont des soldats invalides en grande majorité. (« Mouvement annuel des pauvres reçus à l'Hôpital général, 1694-1747 », archives de l'Hôpital général de Montréal.)

comprend un coffre, une huche à pétrir, un vieux canot de bois, quelques ustensiles et outils, trois « méchantes couvertes » et les hardes de la famille. Il a aussi recueilli du tabac blanc dont il pourra peut-être tirer 36 l. Ses dettes montent à 212 livres, soit la moitié de l'actif : un compte au marchand, au chirurgien qui a soigné sa femme, à la fabrique pour les funérailles, des arrérages de droits seigneuriaux et une obligation envers le curé qui lui a prêté du blé pour manger et pour semer (81). Au bout de huit ans de travail, un colon devrait avoir franchi l'étape du grand dénuement, mais il faut compter avec la malchance, l'incapacité et souvent des vagabondages aux Outaouais qui ont mal tourné.

TABLEAU 41.

Répartition des fortunes paysannes d'après les inventaires après décès.

| Périodes | Valeur des actifs (en livres tournois) | | | | | | | | | | Total |
	moins de 500	500 à 1 000	1 000 à 2 000	2 000 à 3 000	3 000 à 4 000	4 000 à 5 000	5 000 à 6 000	6 000 à 7 000	7 000 à 8 000	13 000	
1650-1669	2	4	2	—	2	—	—	—	—	—	11
1670-1689	1	5	9	3	2	1	1	—	—	—	22
1690-1715	3	5	12	12	2	3	2	—	1	1	41
1720-1729	—	—	1	3	3	1	—	—	—	—	8
TOTAL ...	6	14	25	18	9	5	3	—	1	1	82

La moitié des ruraux laissent une fortune variant entre 1 000 et 3 000 l., répartie invariablement comme le montre ce tableau.

La fortune paysanne, c'est d'abord la terre, ces 30 ou 40 arpents de labours et de prairie qui comptent pour 50 % de la valeur de l'inventaire. Vient ensuite la maison, encore très fruste, toute petite, 18 sur 20 pieds environ, mais posée sur un

(81) Inventaire du 25 octobre 1695, M. not., Pottier.

solage, cloisonnée, surmontée d'un grenier et d'un toit en planches, avec une cheminée de bousillage qui suffit à la rendre confortable en hiver. Il faut sacrifier l'espace pour la chaleur. C'est la demeure de Jacques Beauchamp au bourg de la Pointe-aux-Trembles, qui meurt à cinquante-huit ans, laissant une veuve, cinq filles mariées, deux fils de quinze et dix-sept ans, et 3 000 l. net (82). La grange et l'étable posés sur le sol, toits de paille, valent ensemble souvent autant que la maison. Nous avons déjà décrit le « roulant » de l'habitation. C'est là où vont d'abord les profits de l'exploitation. Nous sommes en avril 1693, année de cherté, mais il reste du blé au grenier, plus qu'il n'en faut pour passer la soudure.

TABLEAU 42.

Composition des fortunes paysannes.

Période	Moyenne des actifs	Immeubles	Biens de production durables	Biens de consommation durables	Créances et numéraire	Dettes passives
1670-1715 ...	2 200 l. (100 %)	66 %	23 %	6 %	5 %	15 %

Dans des intérieurs aussi exigus, les meubles se réduisent à presque rien : deux coffres, la huche, une table pliante, trois ou quatre chaises. Les ustensiles de cuisine et de table valent toujours plus que le mobilier. On dort dans une alcôve appelée « cabane », souvent clouée au mur et prisée avec la maison où les parents ont leur « couchette ». Le lit garni, avec ses rideaux, traversin, matelas et oreillers de plume, couvertures et courtepointe, peut valoir jusqu'à 150 l. et se rencontre seulement chez les habitants aisés. Quant aux enfants, selon toute apparence, ils dorment par terre sur des paillasses et « lits de quenouilles » enroulés dans des couvertures de poil de chien, des peaux

(82) Venu au Canada comme engagé en 1659, établi sur la même terre depuis vingt-cinq ans, il est très représentatif de cette honnête médiocrité à laquelle parvient la majorité des immigrants.

d'ours, d'orignal ou de bœuf. Les couvertures de laine sont rares et, dans la moitié des inventaires, il n'y a aucun linge. Un coffre qui se remplit de draps, de nappes et de serviettes, annonce un degré supérieur de prospérité que les Beauchamp n'ont pas atteint. Les habitants conservent de la farine, des pois, du lard, du saindoux, parfois du beurre, jamais de denrées importées comme le poivre, le vin ou l'eau-de-vie. Le sel non plus n'apparaît pas dans les inventaires.

C'est un lieu commun dans la littérature historique canadienne d'affirmer que l'habitant était vaniteux, que les vachères allaient aux champs parées comme des duchesses et ces « dépenses somptuaires » (83) sont toujours invoquées pour expliquer les retards des campagnes. Ces habitants qui visiblement dépensent si peu pour leur confort, auraient-ils perdu le sens de la mesure dans l'habillement? Il n'y paraît pas dans les inventaires (84). La garde-robe de l'habitant comprend le strict nécessaire : un « capot », un justaucorps, un autre justaucorps usé de nulle valeur — car on conserve tout —, une paire de chausses en peau, une culotte de drap, un chapeau, une paire de souliers, des bas, quatre chemises fort usées et deux bonnets, le tout valant de 40 à 50 l. Doublons pour tenir compte des omissions, nous sommes toujours dans les limites de ce qui est raisonnable. Le trousseau d'une jeune mariée peut valoir jusqu'à 150 l., mais il est fait pour durer toute une vie.

C'est peut-être 10 % des habitants qui réussissent à s'élever au-dessus de la moyenne. Acharnement, présence de plusieurs fils à la maison, exercice d'un second métier compatible avec l'agriculture, comme charretier ou chaufournier, ou encore la chance exceptionnelle des quelques-uns qui reçurent dans les commencements une terre dans l'enclos de la ville, surent la conserver et la lotir avec profit (85). Ce qui doit être noté, c'est

(83) L'affirmation, qui repose sur un ou deux témoignages fragiles, est tellement courante que l'expression est désormais consacrée : W. J. Eccles, *The Canadian Frontier*, p. 94; F. Ouellet, « La mentalité et l'outillage économique de l'habitant canadien 1760 », in *BRH*, LXIII, 3 (1956).

(84) Les vêtements ne sont pas toujours inventoriés. Nous n'avons que 40 bonnes descriptions.

(85) C'est le cas de Jean Leduc, qui meurt à quatre-vingt-un ans, laisse six fils entreprenants et une fortune nette de 18 000 l.

que, l'aisance venant, ils accumulent des terres, améliorent les bâtiments, mais leur genre de vie ne change pas. La maison s'agrandit puisqu'ils peuvent faire la dépense de deux cheminées de maçonnerie pour l'encadrer. Il y a quelques chaises de plus, une grande armoire à panneaux, véritable symbole de prospérité, des couvertures et des draps, davantage d'étain, parfois un petit miroir. Là non plus, aucune trace d'ostentation.

Dans le quart des inventaires, nous ne trouvons pas d'autres dettes que celles occasionnées par la dernière maladie et le décès. La moitié des successions doivent entre 150 et 400 l., soit surtout des dettes familiales, droits de successions non encore acquittés, créances des enfants pour prêts et services rendus aux parents, avec des arrérages de droits seigneuriaux, quelques comptes chez les marchands et les artisans, des restes de rentes. Lorsque le passif est plus élevé (le dernier quart de l'échantillon), il faut vendre les meubles. La terre reste intacte, puisque les marchands n'en veulent pas et ne prêtent pas beaucoup au delà des possibilités liquides de l'habitant. Privée d'outillage, de bétail, l'exploitation risque alors d'aller à l'abandon pendant plusieurs années. Aucune tendance à la thésaurisation chez ces paysans. Deux ou trois seulement parmi les plus aisés gardent du numéraire, pièces d'or et d'argent, pas de monnaie de cartes ni castor. Les valeurs actives sont des créances pour des ventes de terre, de grain ou de bétail et des droits successoraux. Nous constatons que les campagnes participent à des échanges, mais qui ne sont jamais assez importants ni pour disloquer ni pour consolider leur position.

8. *La dimension sociale.*

Que reste-t-il du système social de la France de l'Ancien Régime dans ce petit fragment transplanté à l'intérieur de l'Amérique? Malgré l'ambivalence de certaines occupations, ce qui à cette époque n'est pas un trait original, nous avons bien une hiérarchie professionnelle assez nette. Mais d'autre part, les limites de l'économie coloniale, l'accessibilité à la propriété, tendent à réduire les écarts matériels, à rassembler sur un même palier des membres de tous les groupes qui composent cette société. Sous l'égalité apparente, les clivages réels n'apparaissent qu'en filigrane. Il faut savoir les reconnaître, suivre leurs déplacements s'il y a lieu, déceler la nature et l'orientation de la mobilité sociale.

Ceux qui nient l'existence d'un ensemble cohérent et hiérarchisé invoquent la fluidité des titres et du vocabulaire (86). Or il nous a semblé tout au contraire que l'évolution des appellations témoigne d'un sens précis des réalités et des subordinations sous-jacentes. Prenons le mot « habitant » — que nous avons employé tout au long pour désigner les paysans, signification qui en fait ne se précise que très lentement. Dans les commencements, c'est en quelque sorte un titre qui distingue les hommes libres et propriétaires d'un bien-fonds dans la colonie de ceux qui ne le sont pas : domestiques, soldats et volontaires non propriétaires (87). C'est un statut avec des privilèges correspondants. Les actes notariés et les recensements énumèrent des « charpentiers habitants », des « marchands habitants » et des « habitants » tout court, soit ceux qui n'ont pas d'autre occupation que celle de défricher et de cultiver (88). Or aux environs de 1675, les notaires commencent à distinguer les marchands, les maçons « demeurant en l'île de Montréal », des « habitants de cette isle »; et à la fin du siècle, nous lisons : « Pierre Désautels habitant demeurant en cette isle (89). » Dans l'intervalle, les ordonnances qui réglaient le statut d'habi-

(86) Marcel Trudel, « Sur les mutations sociales d'avant 1663 : La recherche d'une explication », communication présentée au colloque d'histoire coloniale, tenue à Ottawa en mars 1970, et « Les débuts d'une société : Montréal 1642-1663 », *RHAF*, XXIII, 2 (septembre 1969), pp. 185-208.

(87) Le mot a aussi conservé le sens général : celui qui a établi sa demeure en quelque lieu. Le second sens apparaît dans le dictionnaire Trévoux (1752) : « Habitant ou colon en parlant des colonies se dit d'un particulier auquel le Souverain a accordé des terres pour les défricher et les cultiver à son profit. »

(88) Les fiefs sont des « habitations », mais les propriétaires nobles ne sont pas désignés comme « habitants ». Voir Conrad Filion, « Essai sur l'évolution du mot habitant, xviie-xviiie siècles, *RHAF*, 24, 3 (décembre 1970), pp. 375-401. Nous suivons la démonstration de l'auteur, mais avec d'autres sources, qui nous renseignent sur l'usage courant et permettent de mieux circonscrire le passage d'un sens à l'autre.

(89) Inventaire après décès du 14 juin 1693, M. not., A. Adhémar.

tant ont cessé d'être observées. Des forains viennent exercer leur métier à Montréal sans y avoir une propriété. Les soldats et les domestiques font la traite des fourrures. Privé dans les faits des distinctions que la colonie y avait d'abord attachées, le mot ne recouvre plus que la notion séculaire de titulaire et exploitant d'une censive (90), un sens que le bailli exprime très clairement : « Manant, habitant et travaillant à la terre... », lance-t-il un jour à un marguillier qui lui dispute la première place à l'église (91). Lorsque Bacqueville de la Potherie écrit vers 1700 : « On y voit sur la fin d'octobre les habitants des campagnes que l'on appellerait païsans en tout autre lieu que le Canada... (92) », il se trompe légèrement, car la notion de propriété reste attachée au mot habitant et c'est pourquoi le pays garde le mot « laboureur » pour désigner ses fermiers. Celui qui est à la fois fermier et propriétaire devient « laboureur et habitant ». Il n'y a pas d'autres distinctions dans le monde rural et cette uniformité du vocabulaire traduit bien l'absence de hiérarchie que nous y observons.

En même temps que le sens d'« habitant » se rétrécit, apparaît le mot « bourgeois ». Il n'y a d'abord que les « marchands bourgeois », et, petit à petit, le terme s'étend. Mais il ne suffit pas de résider dans la ville pour recevoir cette appellation d'estime, il faut y tenir une certaine place. S'intitulent eux-mêmes bourgeois ou sont désignés à l'occasion comme tels des notaires, huissiers, chirurgiens, aubergistes, des artisans ou des voyageurs qui ont des hommes à leur service, voire des habitants qui prennent leur retraite dans la ville où ils ont une propriété. En somme, tous ceux qui sont plus ou moins dégagés des besognes serviles. La distinction est renforcée par l'utilisation courante du mot bourgeois dans le sens de maître. Les voyageurs, apprentis et domestiques travaillent pour « leur bourgeois ».

(90) Abel Poitrineau, *La vie rurale en Basse-Auvergne au XVIIIᵉ siècle (1726-1789)*, p. 76.

(91) Déposition du 3 avril 1675, M. not., Basset. Notons que le mot « manant », au contraire de paysan, survit dans la colonie. « Il ne vivait que de lard et de pois comme un artisan ou un manant... », écrit le marchand La Chenaye (BN, MSS fr., N. A., 9273).

(92) *Histoire de l'Amérique septentrionale* (1722), citée par C. Filion, *art. cit.*

Il y a dans tout ceci une perception de l'évolution de la société qui est loin d'être confuse.

Reste le problème des particules et des titres qui ont lancé les historiens sur plus d'une fausse piste. L'usage canadien ne diffère pas vraiment de celui de la métropole. Ceux qui se nomment écuyers à Montréal sont nobles ou ont la réputation de l'être et s'arrangent pour la conserver. Il y a peut-être plus de surnoms au Canada qu'ailleurs, ceux que les immigrants apportent avec eux ou reçoivent dans la colonie et surtout ceux qu'adoptent les traitants. Dans ce milieu, peut-être à l'exemple du particularisme militaire alors à son apogée, le surnom est institutionnalisé et arrive souvent à éclipser le patronyme (93). Plusieurs Trottier fréquentent les Outaouais au début du siècle qui n'apparaissent dans les livres des marchands que sous le nom de Desauniers, Desruisseaux et des Rivières, à côté des La Feuillade, La Fortune, La Déroute, etc. Lorsque la position de ces aventuriers se consolide, ils s'intitulent « Sieur des Rivières » et la particule peut se détacher. Précisément parce que la tendance est très répandue dans le peuple, elle ne peut pas faire illusion et c'est peut-être pour se distinguer que les marchands l'évitent et que certains jouent sur un autre snobisme qui consiste à signer de son seul nom ou surnom (94). Quoi qu'il en soit, ces mutations patronymiques n'ont jamais été des leviers de promotion sociale. La masse des habitants, des petits artisans et ouvriers, n'est pas désignée autrement que sous ses noms et prénoms ou surnoms, souvent avec l'étiquette « le nommé ». Le « Sieur », avec ses corollaires « la dame » et « la demoiselle », correspond en gros à ceux qui se disent bourgeois, donc un éventail assez large de petites gens lorsqu'il s'agit des actes notariés ou d'état civil, qu'ils dictent eux-mêmes, mais seulement à la partie supérieure de cette bourgeoisie dans les rôles, dans les listes de créanciers consignées dans les inventaires

(93) André Corvisier, *L'armée française de la fin du XVIIe siècle au ministère de Choiseul. Le soldat*, vol. 2, pp. 851-861. Nous retrouvons dans les listes de l'auteur un grand nombre de noms canadiens actuels : de Belhumeur à Vadeboncœur en passant par Dechêne et Sanfaçon.

(94) Comme Alexis Lemoine qui signe « Monière » tout court, son surnom.

après décès. Tout dépend aussi du rédacteur. Les Sulpiciens sont très avares de titres et dans leurs dénombrements la petite noblesse n'a droit qu'au « Sieur » comme les autres notables. Ils réservent monsieur au gouverneur, au lieutenant du roi et autres hauts représentants de l'État. Les notaires sont plus généreux. Tous les officiers sont « monsieur » et parfois même les marchands. Un notaire bien formé sait respecter la gradation traditionnelle et les marchands en sont aussi conscients. Lorsque dans un inventaire de titres de plus de deux cents pages, Raimbault commet des impairs, le fils du défunt lui fait corriger les appellations usurpées et ajouter celles qu'il avait omises (95). Ces Sieurs transformés en monsieur ou vice versa, ces « ma » ou ces « la » soigneusement biffés, nous apprennent que la « cascade de mépris » existait encore et les querelles de préséance révèlent qu'elle n'allait pas sans tensions.

Ce n'est évidemment pas une société figée. Pour voir clair, commençons par distinguer les mouvements de groupes, les changements dans le profil des groupes et la distance qui les sépare, de la mobilité sociale individuelle (96). C'est au dernier palier de l'échelle sociale que la promotion est la plus importante. Une masse flottante d'individus dépossédés et sans travail se transforme en petits propriétaires, accède en une génération à un certain seuil de sécurité et de respectabilité. C'est le phénomène capital (97). Un second mouvement ascendant, mais plus lent et qui n'atteint que des effectifs réduits, est la mutation des coureurs de bois en voyageurs. C'est tout un groupe qui s'élève depuis la position sociale la plus basse, la plus décriée, et qui s'insère en bonne place dans la hiérarchie mercantile. Il y a beaucoup de pertes en chemin et une fois le groupe installé les échelles sont coupées. Mais nous avons certainement là un exemple de transformation de la

(95) Inventaire de Jacques Leber, 1er décembre 1706, M. not., Raimbault. La famille vient d'acheter un titre, ce qui explique pourquoi l'héritier est si tatillon.

(96) Lawrence Stone, « Social Mobility in England, 1500-1700 », *Past and Present*, 33 (avril 1966), pp. 16-55.

(97) Voir S. Thernstrom, « Notes on the Historical Study of Social Mobility », *Comparative Studies in Society and History*, X, 2 (janvier 1968), p. 171.

structure socio-professionnelle. Le groupe a gagné la considération sociale qui lui était refusée au départ.

Les autres catégories restent sur leur position : la noblesse au sommet suivie par les meilleurs marchands. L'infiltration des individus des groupes inférieurs dans la couche supérieure semble forte, parce que celle-ci est très petite, mais si nous déplaçons le point d'observation et rapportons les cas d'ascension individuelle à la masse d'où ils sont sortis, la mobilité de bas en haut est plutôt insignifiante. Nous observons une certaine turbulence dans les quinze ou vingt premières années, alors que les vides au sommet happent quelques petites gens. C'est 5 % des 270 immigrants recensés en 1667 qui se sont hissés au-dessus de leur condition initiale ou qui vont éventuellement y parvenir (98). Mais sitôt après les cadres se resserrent et l'ascension ne se fait plus qu'au compte-gouttes. Tout compte fait, entre 1642 et 1715, il n'y a pas dix individus qui, ayant commencé par exercer un métier manuel dans la colonie, réussissent à le faire oublier. L'arquebusier Fezeret a brassé beaucoup d'affaires, mais à la fin de sa carrière, il est encore aux yeux de ses contemporains « le bonhomme Fezeret » qui paie son banc dans l'église en travail de ses mains (99). Sa fille va épouser un lieutenant, le fils d'un robin de la métropole, mais la mésalliance ne rehausse pas le statut de l'artisan (100).

En réalité, la mobilité sociale est forte, mais elle s'exerce surtout de haut en bas. Le volume du grand commerce n'augmente pas au même rythme que la population, le capital ne se reproduit pas aussi vite que ces familles de marchands. Donc, le rapport entre les effectifs du groupe supérieur et l'ensemble baisse progressivement, ce qui a pour résultat de rejeter dans la masse l'excédent des individus issus de la première généra-

(98) Ce qui comprend des cas d'ascension très ordinaire : soldats ou engagés qui deviennent notaires ou petits marchands. Il n'y a que huit familles en réalité qui rompent vraiment avec leurs origines, soit celles de Lemoyne, Dupuis, Closse, Robutel, Charly, Culerié, Godé et, temporairement, les Milot.

(99) Comptes de l'exercice 1707-1708 dressés par J.-J. Lebé, marguillier en charge (archives de la paroisse Notre-Dame, A-14).

(100) Soit Gabriel De Thiersant de Genlis. Voir l'article de Jules Bazin dans le *DBC*, vol. 2, p. 229.

tion de marchands. La famille Perthuis fournit un bon exemple. Pierre Perthuis est le fils d'un petit marchand d'Amboise qui émigre au Canada vers 1667. Il a vingt-trois ans et peut compter sur l'accueil de parents déjà établis dans la colonie (101). En 1681, il apparaît déjà dans la seconde classe des négociants. C'est un homme respecté, qui mène prudemment ses opérations de traite, vit modestement et laisse à sa mort un actif net d'environ 50 000 l. (102). Ni les deux fils qui lui survivent, ni ses six gendres ne réussissent à atteindre la même position socio-économique. Deux branches restent dans le commerce, mais comme simples voyageurs (103). Les autres descendants sont des habitants. Il est certain que la division de l'héritage, en huit parts égales, a précipité cette retombée dans l'anonymat. Un héritier unique aurait sans doute pu maintenir son rang dans la communauté mercantile, mais les autres auraient été pareillement refoulés. L'ascension d'un marchand est toujours un phénomène immédiatement réversible.

Pour contrecarrer cette poussée vers le bas, il faut plus d'argent et moins d'enfants et surtout nouer des relations avec la classe qui est à jamais à l'abri des aléas du commerce, dont la reproduction n'est pas limitée par la conjoncture. Il n'y a vraiment qu'une solution pour conserver à sa postérité le statut acquis : s'infiltrer dans le corps de la gentilhommerie coloniale. Sur quelque 120 marchands qui, à un moment ou l'autre entre 1650 et 1724, ont mené leurs opérations avec un certain succès, 3 acquièrent cette consécration sociale de leur vivant, 4 autres laissent des descendants qui y parviendront.

(101) Il est apparenté à Louis Rouer de Villeray, marchand, contrôleur de la ferme du Canada et conseiller du roi (*DBC*, vol. 1, pp. 593-596). Deux autres Perthuis, Nicolas et Charles, toujours originaires de la même région et sans doute cousins, passent au Canada vers 1690. Charles fait une marque plus durable dans la société.

(102) « C'est un vieux marchand qui a du bien », écrit l'intendant à son sujet. AC, C11A125, f° 365 *sqq.;* inventaire du 18 avril 1708, M. not., A. Adhémar, et autres actes relatifs à la succession chez le même notaire.

(103) Un fils tué en Nouvelle-Angleterre en 1709; un autre, voyageur, établi au Détroit; un des gendres, Pierre Maguet, perd dans le commerce le peu de bien qu'il avait apporté dans la colonie et reste sur sa terre; un autre gendre, Louis Lefebvre-Duchouquet, fait une carrière de voyageur. Les Desroche, Gervaise et Caron sont des habitants. P.-G. Roy, « La famille Perthuis », *BRH*, 41, pp. 449-477.

Les voies d'ascension sont limitées. L'État avait d'abord utilisé l'anoblissement comme un appât pour hâter la colonisation : sept marchands canadiens reçoivent leurs lettres sans finance avant 1669, quatre autres dans la dernière partie du siècle, après quoi la pratique est abandonnée (104). Dans ce groupe, il n'y a qu'un Montréalais, Charles Lemoyne, anobli en 1668, en reconnaissance de la belle fortune qu'il est en train de bâtir et des services qu'il a rendus à la colonie. Jacques Leber est un des acquéreurs des lettres de noblesse en blanc que Louis XIV lance sur le marché au temps de la ligue d'Augsbourg. Il a des navires sur la mer et dispose d'un quart de million de livres environ. Il lui est facile de débourser ces 6 000 l. (105). Les lettres sont distribuées avec plus de retenue au siècle suivant et aucun Canadien ne peut ou n'essaie d'y prétendre (106). L'anoblissement par charges, la forme la plus répandue dans la métropole, n'existe pas dans la colonie. Quant à l'acquisition d'un fief, non seulement elle n'anoblit pas, ce qui va de soi, mais elle n'est pas non plus un moyen d'ascension sociale. Faute d'avoir compris ceci, les historiens canadiens en assimilant seigneurie, noblesse et prestige, ont complètement brouillé l'image de cette société. « Il ne convient point qu'un simple habitant possède des fiefs » (107), mais rien ne les empêche de racheter ceux que l'État avait d'abord distribués aux gentilshommes. Il y a un assez grand nombre de seigneuries ou de fractions de seigneuries sur le marché et des artisans, des paysans, ainsi que plusieurs marchands se portent acquéreurs. Pourquoi, nous dira-t-on, si ce n'est pour rehausser leur prestige? Si telle était l'ambition du défricheur Laurent Bory lorsqu'il s'installa sur son fief de La Guillaudière en 1672, soit 2 000 arpents de forêt, la déception dut être grande. Bory, sieur de Grandmaison, n'existe pour personne. C'est un habitant, et

---

(104) P.-G. Roy, *Lettres de noblesse, généalogies, etc., passim.*

(105) AN (Paris), série P, article 6119; la biographie par Yves Zoltvany dans le *DBC*, vol. 2, pp. 389-390.

(106) Pierre Goubert, *L'Ancien Régime* (Paris, 1969), tome I, p. 172.

(107) Lettre du gouverneur et de l'intendant, 15 octobre 1736, citée par R.C. Harris, *The Seigneurial System in Early Canada*, pp. 44-45. L'auteur est le seul à constater que la possession d'une seigneurie n'a jamais conféré un statut social à qui que ce soit.

en épousant la fille d'un menuisier, son fils fait un mariage assorti (108). Pierre Lamoureux achète l'arrière-fief des frères de Berthé en haut de l'île, mais n'améliore pas pour autant sa situation sociale et, malgré l'excellence de l'emplacement, le père ne réussit pas à s'imposer comme équipeur, ses fils non plus (109). Le taillandier Milot achète le fief de Cavelier de La Salle en 1669, continue d'exercer son métier et laisse du bien, mais en 1700, les habitants de Montréal l'appellent encore « le bourguignon » comme aux premiers jours (110). Les enfants, quoique bien dotés, font des mariages très ordinaires et même les descendants de la branche aînée restent de petites gens. Nous pourrions multiplier les exemples. Il y a beaucoup plus de prestige à être « marchand bourgeois de Montréal » que « seigneur » de telle ou telle terre, un titre qu'ils utilisent d'ailleurs rarement, se contentant de mentionner si besoin est qu'ils sont « propriétaires » de l'île Perrot, de Yamaska, etc.

Les marchands achètent des fiefs à l'occasion, parce que ceux-ci ne coûtent rien, dans la plupart des cas, beaucoup moins qu'une bonne censive dans la banlieue de Montréal. Les concessionnaires ont des besoins d'argent pressants et laissent aller pour 2 000 l. à 3 000 l. des milliers d'arpents incultes. Un marchand peut facilement immobiliser cette petite somme et, même s'il ne fait aucune amélioration sur cette terre éloignée, espérer un gain de capital avec la progression du peuplement (111). Charles Lemoyne achète l'île Perrot pour 825 l. en 1684, et son fils la revend vingt ans plus tard, intacte, 2 625 l., ce qui est somme toute un bénéfice raisonnable (112). Celui qui fait

(108) Dénombrement de La Guillaudière, 31 août 1677, M. not., Basset.

(109) Aveu et dénombrement du fief de Bellevue, 24 août 1683, *ibid.*, Basset. La veuve renonce à la succession, mais les fils réussissent à racheter le fief du principal créancier.

(110) Liste des créanciers dans l'inventaire de Gervaise, 14 septembre 1700, *ibid.*, A. Adhémar; une sentence de l'intendant, 11 mai 1685, *ibid.*, Basset.

(111) Voir, entre autres, les fiefs achetés par Louis Lecomte-Dupré, René Fezeret, J.-B. Neveu, Jacques Charbonnier.

(112) Contrats du 2 mars 1684 (M. not., Basset), du 27 avril 1703 (*ibid.*, A. Adhémar). Bouat fait beaucoup mieux en achetant Terrebonne pour 5 268 l. en 1718 et en le revendant 10 000 l. deux ans plus tard (Cameron Nish, *op. cit.*, p. 118). Mais les rendements de ces spéculations sont ordinairement modérés.

un plus gros déboursé s'attend à des profits immédiats. Ainsi de Couagne commence par prendre une option sur la terre de La Chesnaye. Il y met un fermier et fait quelques acensements mais, les six mois écoulés, il décide de ne pas conclure la transaction. Un peu plus tard, il achète pour trois fois rien un fief inhabité sur le Richelieu (113). Pour ces marchands, qui ne se préoccupent pas ou peu de mettre ces terres en valeur, n'y résident jamais et s'en défont à la première occasion, ce n'est qu'une petite spéculation marginale sans aucune signification sociale (114).

Quelques rares Canadiens, comme Jacques Testart, fils de marchand, ont réussi en embrassant la carrière des armes à obtenir une commission et la croix de Saint-Louis, ce qui marque véritablement l'agrégation du roturier (115). Mais il y a déjà trop de candidats issus des familles d'officiers pour que les marchands puissent faire une brèche importante de ce côté; d'autant moins que les commissions n'étant pas vénales, il n'y a que la bravoure exceptionnelle qui puisse ouvrir la voie et, sur ce plan, il est difficile de surpasser les ayants droit (116).

Un bon mariage peut favoriser l'ascension de la famille. « Je

(113) Contrat passé à Québec le 6 octobre 1699 (ANQ, Chamballon); bail à ferme du 30 octobre 1699 (M. not., A. Adhémar); inventaire de Couagne du 26 août 1706 (*ibid.*).

(114) Comme le remarque Habakkuk à propos de l'Angleterre, il est exagéré de toujours voir dans les achats de terres la recherche du prestige social. Ce sont bien souvent de bons placements qui, sur une longue période, se comparent avantageusement à ceux du commerce. Or, ceci n'étant pas le cas à Montréal, les marchands achètent peu de terres et la question de prestige ne joue pas. (H. J. Habakkuk, « The English Land Market in the Eighteenth Century Britain and the Netherlands », dans J. S. Bromley et Kossmann, éd., *Britain and the Netherlands*, Oxford, 1960, pp. 154-173. Voir aussi Robert Mandrou, *Les Fugger, propriétaires fonciers en Souabe 1560-1618*, Paris, 1969, pp. 235, *sqq.*)

(115) Testart a déjà quarante-trois ans et de glorieuses campagnes à son crédit, menées comme simple milicien, lorsqu'il obtient sa première commission dans les troupes de la marine. Des compagnons de Cavelier de La Salle, Comme La Forest et You, ont aussi réussi à s'élever de cette façon (*DBC*, vol. 2, pp. 176, 653 et 702).

(116) Sur les carrières militaires en France, voir Elinor G. Barber, *The Bourgeoisie in 18th Century France*, Princeton, 1967, pp. 117-125.

tiendray la main, écrit le gouverneur au ministre, pour que les officiers ne fassent point dorénavant de mariages qui ne soient sortables et où ils ne trouvent leur avantage (117). » Les administrateurs se préoccupent beaucoup de ces questions. Une des façons d'aider les gentilshommes pauvres est d'encourager les mariages avantageux. Une veuve apporte 10 000 l. à un officier réformé de Carignan jusque-là à charge de la colonie; il n'en faut pas plus pour réjouir l'intendant (118) et l'alliance de l'enseigne Leber, déjà bien pourvu, avec la fille d'un marchand qui vaut 50 000 écus, est un événement digne d'être rapporté au ministre (119). Il y a mésalliance seulement lorsque le jeune homme bien né épouse une fille issue du commun qui ne lui apporte rien. Malgré tout, la gentilhommerie tend à serrer les rangs. Un sondage à partir de 50 familles d'officiers rejoignant au total 92 mariages à la première et à la seconde génération, donne un taux d'exogamie de 33 % (120). Comme le groupe ne compte pas pour plus de 2 % de la population, il est relativement homogène, surtout si nous considérons que presque tous ces mariages suivent le modèle classique, c'est-à-dire que ce sont seulement les filles des classes inférieures qui sont absorbées. L'inverse est tout à fait exceptionnel (121). Dans la plupart des cas, ces unions ne changent en rien le statut des autres membres de la famille de l'épouse, mais il y a quelques exemples lorsque la famille roturière a du bien, où elles déclenchent le mécanisme d'ascension sociale. Parce que la veuve de Couagne a épousé un jeune officier, les enfants du

(117) Lettre de Frontenac, 20 octobre 1691, AC, C11A11, fᵒ 242.

(118) Lettre de Talon, 10 novembre 1670, touchant le mariage de Morel de La Durantaye avec la veuve de Jean Madry, à Québec, *ibid.*, vol. 3, fᵒ 82.

(119) Lettre de Vaudreuil, 8 novembre 1718, *ibid.*, vol. 124, fᵒ 393. Voir aussi les interventions de Frontenac pour arranger les mariages des majors de Montréal, *ibid.*, vol. 12, fᵒˢ 236 vᵒ-237.

(120) Ceci comprend les officiers établis à Montréal et d'autres relevés dans le dictionnaire de Tanguay aux lettres « d » et « l », afin d'élargir l'échantillon. Le travail de René Jetté (« La stratification sociale : une direction de recherche », *RHAF*, 26, 1 (juin 1972), pp. 48-52) est intéressant, mais l'auteur a incorporé dans sa classe supérieure trop de catégories subalternes pour pouvoir utiliser ses taux.

(121) Nous n'avons rencontré que deux cas, soit les mariages de Jean Tessier et de Jean-Baptiste Charly.

premier mariage peuvent prétendre à des carrières militaires.
De même les fils de J.-B. Charly dont la femme est une d'Ailleboust. Mais ce sont les relations d'affaires scellées par ces rapprochements matrimoniaux qui comptent d'abord. En effet,
il ne faut jamais perdre de vue que cette petite noblesse militaire
a des parts dans la traite des fourrures. Au Canada, ce n'est
pas la bourgeoisie qui se lance à l'assaut des retranchements
économiques nobiliaires, mais les gentilshommes qui envahis-
sent le commerce. L'État fait tout ce qu'il peut pour leur en
faciliter l'accès : abolition officielle de la dérogeance, congés
de traite et fermes des postes de l'Ouest. Les marchands sont
donc forcés de se coller à eux, de les financer, de les supporter,
pour bénéficier des privilèges qui ne sont pas directement accordés aux roturiers et sans lesquels, assez ironiquement, le
commerce finirait par leur échapper. Une situation en vérité
fort curieuse et conflictuelle que les marchands acceptent passivement jusqu'à la fin du régime. Pour citer le titre d'une thèse
récente, il n'y a pas de « bourgeois-gentilshommes » en Nouvelle-France (122), mais des gentilshommes et des bourgeois,
ceux-ci trop récents, pas assez nombreux, pas assez riches, trop
peu instruits pour prendre conscience de leur situation. Indiffé-
rents à la nature du pouvoir, ils acceptent l'alliance offerte,
usent le meilleur de leur énergie à la cimenter jusqu'à ce que,
cent ans plus tard, ils perdent leurs associés et se retrouvent
seuls en face d'un corps d'officiers étrangers, qui n'a que faire
de leurs services.

---

(122) Cameron Nish, *Les bourgeois-gentilshommes de la Nouvelle-
France*. L'auteur tente de démontrer qu'officiers et marchands ne se dis-
tinguaient pas les uns des autres, formaient un groupe homogène, une
seule « classe ». Il suffit pourtant de regarder naître et éclater les conflits
après 1760 pour se rendre compte à quel point cette alliance était fragile.
La Conquête dénoue les liens mercantiles et il ne reste plus que deux
groupes foncièrement, conscièrement opposés. Notre position rejoint
celle de Guy Frégault, *La société canadienne sous le régime français*,
(Ottawa, 1954), p. 14.

CHAPITRE III

LA FAMILLE

Pour mieux comprendre cette société, s'approcher de son univers mental, les instruments font défaut : aucun journal, livre de raison, ni même une analyse attentive par un témoin de passage. C'est donc, encore une fois, aux minutes notariales que nous demandons d'éclairer certains comportements. Ceux qui ont trait à la vie familiale nous semblent les plus aptes à toucher la masse des colons, à traduire les valeurs dominantes. La démarche s'inscrit à rebours de la tendance récente de notre historiographie, qui cherche plutôt à retrouver dans le passé les racines des impatiences actuelles et privilégie, dans ses reconstitutions de la Nouvelle-France, le désordre et la déviance (1). Nous sommes, en apparence du moins, plus près des historiens de naguère, qui liaient le destin collectif aux vertus domestiques et au zèle des prêtres. Toutes considérations idéologiques mises à part, ne pouvons-nous pas tenter de démontrer ce que nos prédécesseurs avaient intuitivement deviné, à savoir que l'organisation familiale prend plus d'importance du fait de l'isolement initial et, ultérieurement, des carences des institutions publiques. A la fin du siècle dernier, un éminent sociologue canadien, Léon Gérin, se penchait sur ces problèmes et retrouvait dans les campagnes québécoises cette famille-souche, chère

---

(1) La mode est aux études de la criminalité, une veine intéressante sans doute, mais dangereuse tant que les normes restent inconnues. Voir par exemple, Robert-Lionel Séguin, *La vie libertine en Nouvelle-France, au XVIIe siècle* (Montréal, 1972).

à ses maîtres français, Le Play, Tourville et Demolins (2). A la génération suivante, d'autres sociologues contestèrent les généralisations de Gérin mais, faute de matériaux historiques, le débat tourna court (3). Les quelques éléments neufs que nous apportons ici serviront peut-être à relancer une question qui garde encore toute sa pertinence.

1. *La composition des ménages.*

La dernière liste nominative des habitants de la Nouvelle-France date de 1681. Nous sommes trop près de la dernière vague d'immigration et le déséquilibre entre les sexes, la structure par âges encore anormale, faussent les données. Malgré tout, voyons ce que donne l'analyse de ce recensement (4).

Il y aura toujours dans cette société un bon contingent de célibataires indépendants, conséquence des voyages dans l'Ouest et des mariages tardifs. Mais la forte proportion qui apparaît sur le tableau 43, est un phénomène passager, qu'expliquent la pénurie de filles et l'affranchissement récent des engagés et soldats. Enfin, ces 57 garçons ne vivent pas tous seuls. Nous savons, par d'autres textes, que plusieurs immigrants sont en pension dans les familles. Quant aux fils d'habitants, ils continuent généralement à demeurer chez leurs parents jusqu'à leur mariage, même s'ils reçoivent une concession de terre. Les auteurs du recensement ont fait un relevé de la propriété, sans tenir compte de la résidence de ces solitaires. Par contre, leur regroupement des ménages est facile à interpréter.

Dans les débuts, la cohabitation d'individus non apparentés

(2) Les travaux de Léon Gérin ont été publiés dans *La science sociale suivant la méthode d'observation*, entre 1891 et 1894. Voir aussi « L'habitant de Saint-Justin. Contribution à la géographie sociale du Canada », *MSRC*, 2e série, IV (mai 1898), pp. 139-216; Jean-Charles Falardeau et Philippe Garigue (*Léon Gérin et l'habitant de Saint-Justin*, Montréal, 1968), reproduisent ce dernier article et l'accompagnent d'une excellente présentation et d'une bibliographie très utile.

(3) Pour un résumé de ces discussions, voir Marcel Rioux, Yves Martin et coll., *La société canadienne-française* (Montréal, 1971).

(4) Nous suivons la terminologie de P. Laslett, « La famille et le ménage », *Annales E. S. C.*, 27, 4-5 (juillet-août 1972), pp. 847-872.

était assez fréquente. Devant notaire, deux hommes mettent en commun tous leurs biens présents et à venir, y compris la terre qui leur est acensée conjointement. Ils se promettent assistance dans la maladie, avec donation réciproque au survivant (5).

TABLEAU 43.

Composition des ménages
dans l'île de Montréal en 1681.

Catégories	% des ménages	Nombre de ménages
1. Individus solitaires (supposés)	21	2 veuves. 57 célibataires masculins (et état civil indéterminé).
2. Ménages sans structure familiale	0	1 cohabitation de deux hommes non apparentés.
3. Ménages simples	76	28 couples mariés. 164 couples mariés avec enfants. 7 veufs avec enfants. 9 veuves avec enfants.
4. Familles élargies	2	2 membre supplémentaire ascendant. 1 membre supplémentaire descendant. 2 membre supplémentaire collatéral.
5. Ménages multiples	1	3 un noyau secondaire descendant.
TOTAL	100	276

Population totale : 1 390.
Taille moyenne des ménages : 4,6.
Taille modale des ménages : 6,0.
Tailles extrêmes : 1-13.
Moyenne d'enfants par famille (ménages de type 3, 4 et 5) : 3,4.
Moyenne de domestiques par famille : 0,2.
Source : AC, G1, 460.

(5) La communauté entre Perroy et Rouiller, représentée dans le tableau, a survécu. Les autres se sont dissoutes au fur et à mesure des mariages. Le cas échéant, normalement chacun reprend ses apports et la terre est partagée.

Rien n'illustre mieux l'angoisse de ces solitudes masculines. Un mariage subséquent, non précédé d'une dissolution, entraîne une communauté tripartite. Henri Perrin continue à vivre avec le ménage Jarry. Il est le parrain de leur premier enfant, le père du quatrième après la mort de Jarry, et l'évêque accorde toutes les dispenses pour mettre fin à cet imbroglio légal et moral (6). Plus tard, ces ménages masculins n'ont pas un caractère aussi absolu. Ce sont des arrangements éphémères — ainsi les jeunes gens qui prennent ensemble une ferme —, qui ne sont pas suspects aux autorités comme c'est le cas en Nouvelle-Angleterre (7).

Comme nous pouvons nous y attendre, la famille conjugale de l'Europe occidentale est encore ici largement majoritaire. Elle compte en moyenne 3,4 enfants, ce qui est un chiffre fort. La structure modale est de 4 enfants, soit 6 personnes par famille. Un calcul grossier, à partir des abrégés des recensements postérieurs, semble indiquer que le nombre d'enfants par famille se maintient à peu près au même niveau jusqu'au début du XVIIIe siècle, puis, une fois passées les poussées d'immigration et leurs ondes de mariages, tombe et se fixe autour de 3 (8). Les parents, même les plus modestes, gardent leurs enfants très longtemps auprès d'eux. La mise en service et en apprentissage à un très jeune âge ne touche qu'une minorité. La taille des ménages doit peu à la domesticité qui ne représente que 7 % de la population totale.

Le nombre de ménages de type plus complexe est faible : deux vieillards demeurant chez un enfant marié, quatre jeunes ménages hébergés chez les parents, des frères et sœurs venus ensemble de France qui continuent à cohabiter après le mariage de l'un d'eux. C'est un tout petit éventail des combinaisons

(6) Inventaire du 7 mai 1661, M. not., Basset. Registre de la paroisse Notre-Dame, mai 1661.

(7) John Demos, *A Little Commonwealth Family Life in Plymouth Colony* (Oxford University Press, 1970), pp. 77-78.

(8) Nous utilisons pour ce calcul le nombre de familles et le nombre d'enfants de zéro à quatorze ans, deux données des abrégées de recensement. Nous supposons que 20 % des célibataires recensés de quinze et plus habitent avec leurs parents. En 1681, la proportion est de 17 %, mais les filles se marient encore très tôt. Ceci donne 3, 8 en 1707, point culminant, puis 3, 4 en 1716, 3, 0 de 1720 à 1730 et 2, 7 en 1736 et 1739.

possibles, appelé toutefois à grossir lorsque cette population atteint la maturité et surtout quand la succession des générations crée des obligations.

Mais les comportements démographiques imposent des limites à cette expansion des noyaux secondaires à l'intérieur des ménages. Commençons par un modèle simple. Un homme et une femme, âgés respectivement de vingt-huit et vingt et un ans, se marient et, de deux ans en deux ans, produisent dix enfants dont cinq ou six survivent. Lorsque les forces du père commencent à diminuer vers cinquante ans, il a encore auprès de lui de jeunes enfants et un aîné qui n'a guère plus de dix-sept ans. A soixante ans, il reste encore maître de sa terre, avec un ou deux garçons de moins de vingt-cinq ans pour l'aider. L'exploitation ne requiert pas plus de bras et la présence des couples formés par les aînés réduirait inutilement l'espace disponible de la maisonnée. C'est la situation qui prévaut à la mort du père. Plus tard, les enfants devront conclure un arrangement avec leur mère qui a davantage de chances de survivre à leur établissement à tous (9). La famille nombreuse, la forte mortalité, l'étalement des naissances et surtout le mariage tardif des hommes, voilà autant d'éléments qui s'ordonnent pour réduire le nombre de ménages complexes. Malgré tout, des dénombrements postérieurs en révéleraient un plus grand nombre, car même si le système de transmission des héritages ne l'exige pas, les solidarités familiales favorisent l'annexion à la structure nucléaire fondamentale d'éléments ascendants, descendants et collatéraux, au hasard des circonstances.

2. *Communauté et héritage.*

a) *la communauté.*

La coutume de passer un contrat de mariage devant notaire est générale à Montréal et probablement dans toute la colonie. Au début, cet usage ne s'explique pas autrement que par le

(9) Il nous semble plausible de fixer l'espérance de vie, au moment du mariage pour ce type de population, aux alentours de soixante ans.

besoin de marquer, par toutes les manifestations possibles, un événement rare et désirable. Les membres les plus en vue de l'établissement entourent des futurs mariés d'humble origine. Ces premiers contrats ne sont guère plus qu'une promesse de mariage stipulant que la future communauté se conformera à la coutume de Paris (10).

Mais passées ces premières décennies, le rapport entre contrats et nuptialité demeure toujours très élevé. Tout indique qu'à la fin du XVIIe siècle, la proportion est du même ordre que celle trouvée entre 1750-1770, soit 96 % (11). Alors qu'il semble établi qu'un peu partout en France le contrat de mariage devant notaire sanctionne une certaine aisance, il représente une démarche normale, une solennité rituelle pour tous les colons canadiens sans distinction. Pourquoi? Goût des formalités, prétention sociale? Non. Ce sont les conditions locales exceptionnelles en même temps que la précarité matérielle des établissements qui exigent ces conventions matrimoniales.

Le fondement du droit familial, les protections inscrites dans la coutume — subsistance de la veuve, garantie du patrimoine contre les aliénations et les réclamations des créanciers — reposent en grande partie sur l'existence de biens propres et la distinction entre ceux-ci et les biens de communauté, meubles et immeubles, acquets et conquêts (12). Or au Canada, les colons n'ont d'abord pas de propres. Peu importe que la terre leur soit acensée avant ou pendant le mariage. Elle n'est qu'un acquêt qui entre automatiquement dans la communauté (13). Dans les générations subséquentes, la notion de propre peut

(10) La coutume de Paris ne fut officiellement imposée qu'en 1664, par l'édit de création de la Compagnie des Indes occidentales.

(11) Yves J. Tremblay, *La société montréalaise au début du régime anglais*, mémoire de maîtrise en histoire, Université d'Ottawa, 1970. L'auteur a relevé 2 773 contrats de mariage et 2 875 mariages. Le rapport est beaucoup plus fort que le 70 % trouvé par A. Daumard et F. Furet, « Méthodes de l'histoire sociale. Les archives notariales et la mécanographie », *Annales E. S. C.* (1959), pp. 676-693.

(12) *Œuvres de Pothier*, vol. VI, « Traité du contrat de mariage et du douaire »; Olivier Martin, *Histoire de la coutume de la Prévôté et vicomté de Paris*, vol. IV.

(13) *Œuvres de Pothier*, vol. VIII, « Traité des propres ». Notons qu'au début, il arrive que la terre soit acensée à la communauté conjugale.

intervenir, mais la faiblesse des héritages, conséquence des partages égaux, la rend inopérante et encombrante. Dans bien des cas, la valeur d'une terre échue à titre successif est à peu près nulle au moment du mariage et ne deviendra une réalité qu'à la suite du travail fourni au cours de la vie commune. Pour éviter les débats inutiles autour d'une évaluation problématique du bien initial et de la valeur ajoutée, l'immeuble est souvent incorporé à la communauté. « La concession des futurs époux sise à la côte Saint-Léonard... sera mise en ladite communauté attendu que sur ladite concession il n'y a aucuns travaux... (14). » Une habitation déjà faite ne constitue un propre véritable que pour celui des cohéritiers qui la rachète. Les autres n'ont qu'une petite créance, légalement réputée immeuble, mais qu'en pratique il n'est guère utile de distinguer de celle issue du mobilier, le tout se fondant dans la communauté. Ajoutons à cette situation générale tous les contrats qui ameublissent spécifiquement tel héritage ou telle partie d'héritage pourtant bel et bien en valeur (15). Ainsi, l'époux qui survit au donataire devient propriétaire du tout s'il n'y a pas d'enfant, sinon de la moitié, et peut incorporer cette propriété à une nouvelle communauté. Les biens remontent rarement aux parents et force est de constater que la communauté prend naturellement en ce pays un caractère universel.

Mais celle-ci est vulnérable et, pour fonder des actions de reprise, il faut un contrat de mariage. Comme il n'y a rien pour asseoir le douaire coutumier, la clause du douaire préfix se généralise. « Le futur époux doue la future épouse du douaire coutumier ou, si mieux aime, de la somme de trois cents livres de douaire préfix à prendre sur tout les plus clairs apparents et liquides biens de la communauté... (16). » La valeur, accor-

(14) Contrat de mariage de Jean Simon, 3 novembre 1708 (M. not., A. Adhémar); autres cas, 16 octobre 1711 (*ibid.*, Raimbault), 24 et 31 janvier 1717 (*ibid.*, J.-B. Adhémar). Comme tous les exemples dans ce chapitre sont tirés des minutes notariales, nous n'indiquons que le nom du notaire à l'avenir.

(15) « ... lequel immeuble sera confus en la communauté des futurs époux », 21 novembre 1683. Voir aussi 25 septembre 1713, Raimbault; et autres.

(16) Entre 1750 et 1770, 98 % des contrats stipulent un douaire préfix. Voir Yves J. Tremblay, *op. cit.*

dée aux possibilités de gain du ménage, est d'environ 300 l.
pour les paysans. Chez les officiers, elle s'élève jusqu'à 4 000 et
6 000 l., ce qui reflète davantage les prétentions du futur et la
circonspection des parents de la future que des disponibilités
réelles ou prévisibles (17). Les marchands accordent des douaires
plus modestes de 1 000 à 2 000 l. Ce sont évidemment les
notaires qui conseillent à leurs clients cette précaution élémentaire, mais puisque tous les habitants, même les plus pauvres,
ont recours à leurs services, c'est qu'ils en voient eux-mêmes la
nécessité.

Quand les parties sont des gens de condition, nous rencontrons toujours la clause du préciput égal et réciproque que le
survivant prélève hors part avant partage. Elle gagne également
du terrain dans le peuple, mais plus lentement que le douaire
préfix (18). Bref, dans toutes les couches de la population, la
veuve est créancière de la succession pour une somme relativement importante et a souvent avantage à renoncer à la
communauté pour s'en tenir à ces conventions matrimoniales.

Une analyse des structures sociales à partir des apports au
mariage donnerait de piètres résultats. Dans plus de la moitié
des quelque cent contrats que nous avons relevés entre 1650
et 1701, ils n'apparaissent point. Rien d'étonnant quand il
s'agit d'une fille recrutée en France pour peupler la colonie (19).
Mais dans le cas des filles du pays, il n'y a pas de corrélation
évidente entre la situation matérielle des parents et la présence
ou l'absence d'une donation (20). Pourtant, la majorité des
jeunes ménages reçoit des secours des parents, qui sont scrupuleusement consignés sous forme de comptes privés, de recon-

(17) Contrat de mariage des officiers La Fresnaye, Bizard, Le Gardeur,
Juchereau, des Bergères, La Corne, Céloron, 26 novembre 1685, Basset.
Ceux des 11 août 1678 (Maugue), 20 avril 1692, 8 novembre 1694 et 9 juin
1695 (A. Adhémar) et 28 octobre 1724 (Le Pailleur).
(18) Le montant varie entre 100 et 200 l. dans le peuple.
(19) Les gratifications royales des premières années entrent dans la
communauté.
(20) Les Hurtebise, Juillet, Prud'homme, Courtemanche, Dumets, Celle,
Desroches et Brunet sont des habitants plus aisés que la moyenne, mais ils
ne dotent pas leurs enfants.

naissances diverses que nous retrouvons dans les inventaires. Peu importe que la valeur et la nature de ces secours soient portées ou non dans le contrat de mariage, puisqu'il s'agit toujours d'une avance d'hoirie et non pas d'une dot définitive (21). Ces dons seront rapportés ultérieurement à la succession, augmentés ou diminués selon les circonstances.

Lorsqu'elles sont spécifiées, ces avances d'hoirie consistent généralement en bestiaux, en journées de charrue, en blé de semence, en charrois, en meubles et vêtements (le lit garni, l'habit de noces), parfois en immeubles ou en pension du couple chez les parents (22). S'il s'agit d'une somme d'argent sans autre description, les chances sont que le jeune ménage reçoit pareillement vache laitière et cochon gras (23). Ces avances, apparentes ou non, sont évidemment réglées sur les disponibilités de l'exploitation des donateurs. Lorsque celles-ci sont nulles, les 200 l. à 300 l. accordées dans le contrat de mariage ne sont jamais versées, ce qui apparaît lors des partages (24).

Dans la classe supérieure, les lacunes sont aussi fréquentes. Très peu d'apports personnels, même lorsque nous savons, par d'autres sources, que le futur possède un bon actif. Il est passé sous silence et incorporé à la communauté (25). Les futurs époux entrent dans le mariage avec leurs droits mobiliers et immobiliers sur une succession échue ou à échoir, mentions énigmatiques qui n'indiquent pas davantage la pauvreté des fa-

(21) Les filles travaillent rarement hors de la maison et se marient jeunes, d'où la quasi-absence d'apports personnels. Les garçons intègrent ce qu'ils ont à la communauté, sans en faire mention.

(22) « Trois cents livres en bestiaux qui seront prisés par gens connaissants » (20 août 1679, Maugue). « Une vache de quatre ans, un cochon d'un an, une douzaine de volailles, un habit estimé à 50 livres » (25 juillet, *ibid.*). « Cinq journées de charrue à quatre bœufs en bonnes saisons pendant trois ans » (22 octobre 1679, *ibid.*).

(23) « État de ce que moi Jean Leduc ai fourni à Paul Desroches sur ce que je lui ai promis sur son contrat de mariage. » Suit une longue liste de meubles, outils, grains, animaux et services dispensés au cours des deux années suivant le mariage (8 janvier 1691, Maugue).

(24) Il y a une avance d'hoirie dans les contrats de mariage des enfants Beauvais, mais leur mère déclare dans son testament qu'aucun d'eux ne l'a reçue (11 octobre 1692, A. Adhémar).

(25) C'est le cas de quelques marchands comme Lemoyne, Leber, et Charly.

milles que les promesses d'une dot de 10 000 l., leur aisance (26).
Il importe de spécifier le montant et la nature de l'avance, chaque
fois que les parents ou les conjoints veulent transformer une
partie de cet apport mobilier en propres conventionnels. Cette
pratique a cours chez les officiers, parfois chez les marchands.
La notion de « côté, estoc et ligne », qui étend la clause de réali-
sation aux héritiers et parents collatéraux du conjoint (27), est
utilisée par ces mêmes familles, mais reste étrangère à la mentalité populaire.

Le contrat porte aussi une donation mutuelle au survivant
de tous les biens meubles et immeubles, pourvu qu'il n'y ait
pas d'enfants vivants à la mort du conjoint. Pour les premiers
colons, cette clause n'était pas superflue puisqu'elle empêchait
les biens de tomber en déshérence à défaut de testament et les
seigneurs de se les approprier. Elle continue à se répandre dans
les générations suivantes et, dans la plupart des cas, il s'agit
d'une donation pure et simple qui permet au donataire de
jouir et de disposer des biens « en toute propriété », « comme de
son propre et loyal acquêt », et plusieurs y incorporent même
des biens propres (28). La répugnance des habitants pour les
successions ascendantes et collatérales est manifeste. Notons
que ces donations sont contraires à la coutume de Paris et que
les notaires ne pouvaient l'ignorer puisque l'insinuation est
obligatoire (29).

En résumé, la poussée centripète autour du noyau conjugal
est très forte. Ces conventions matrimoniales ne nous apparaissent pas comme un marché, un affrontement entre deux

(26) Par exemple, Elisabeth Charly n'est pas dotée, mais va hériter d'environ 15 000 l. à la mort de ses parents (26 septembre 1677, Basset). Dans
cette couche de la population, l'éventail des possibilités, la valeur et la
nature des apports sont beaucoup plus larges et notre échantillon est trop
faible pour pouvoir généraliser.

(27) Contrat de mariage Migeon-Juchereau, 20 avril 1692, A. Adhémar.
La future apporte 4 000 l. en écus blancs, dont la moitié lui sert de
propres « à elle et aux siens de son estoc ». Ce sont des familles d'officier.

(28) Contrats de mariage du 21 novembre 1683 (Cabazié), des 11 janvier
et 16 octobre 1701 (Raimbault).

(29) Olivier Martin, op. cit., vol. 2, pp. 292-295 ; C. de Ferrière, Dictionnaire de droit et de pratique (Toulouse, 1779), vol. 1, sur les libéralités entre
époux ; Oeuvres de Pothier, vol. VII, pp. 494 sqq.

lignées, mais comme un accord désintéressé entre les familles, visant à créer une nouvelle communauté, à l'assister si possible, à dresser quelques barrières à l'entour pour la protéger. Cette communauté de biens, un peu moins absolue, est aussi la règle dans la partie supérieure de la société (30). S'il est juste que la doctrine tend de plus en plus à maintenir le patrimoine de chaque époux en restreignant la notion de conquêt, c'est un mouvement contraire qui s'affirme dans la pratique canadienne, mouvement qui nous éloigne des valeurs aristocratiques et nous ramène à une conception ancienne, plus simple et plus généreuse.

b) *l'héritage.*

La même simplicité, la même générosité président au partage des successions et dans ce cas il n'y a pas d'hésitation initiale. D'emblée, cette population favorise la stricte égalité. Elle suit ainsi la tendance roturière vers le nivellement, bien engagée dans le centre de la France depuis le XIVᵉ siècle. Que l'espace américain, l'absence de lourdes pressions fiscales et la faible représentation nobiliaire authentique aient renforcé, accéléré cette tendance, c'est probable (31). Il serait tentant de faire un rapprochement entre l'origine provinciale des colons, gens de l'Ouest en majorité, et cet usage de l'égalité parfaite, des rapports à la succession tellement systématiques qu'ils semblent forcés. N'est-ce pas la caractéristique de la Normandie et de toute la partie occidentale de la France? Mais la conception lignagère qui sert de fondement à ce système, la primauté des biens propres, l'absence ou la faiblesse de la communauté

---

(30) Nous n'avons relevé qu'un cas de mariage en séparation de biens. Au milieu du XVIIIᵉ siècle, Yves Tremblay n'en trouve que quatre sur 1 032 contrats. Selon Olivier Martin, l'exclusion de la communauté aurait été très répandue à Paris à la fin du XVIIIᵉ siècle chez les gens de qualité (*op. cit.*, vol. 2, p. 226).

(31) Voir Jean Yver, *Égalité entre héritiers et exclusion des enfants dotés. Essai de géographie coutumière* (Paris, 1966), et les commentaires d'Emmanuel Le Roy-Ladurie, « Système de la coutume. Structures familiales et coutumes d'héritage en France au XVIᵉ siècle », *Annales E.S.C.*, 27, 4-5 (juillet-octobre 1972), p. 833.

entre époux, sont autant de notions archaïques qui ne traversent pas l'Atlantique (32). C'est bien à l'intérieur de la coutume de Paris que les usages canadiens s'imbriquent, mais il y a loin entre les pratiques ordinaires des habitants et ce corpus complexe et sophistiqué qui leur sert de cadre.

On a trop mis l'accent sur les restrictions à la liberté testamentaire imposées par la coutume, écrit justement André Morel (33), reproche que nous pouvons adresser aux historiens canadiens imbus de la supériorité des lois anglaises. En fait, si nous prenons comme exemple le paysan moyen de la fin du XVIIe siècle qui laisse une habitation de 2 000 l. à quatre héritiers, un « roulant » d'exploitation et quelques meubles valant 1 200 l., il n'y a rien qui lui interdise de léguer cette terre à un seul de ses enfants. Les meubles partagés entre les trois autres suffisent pour leur légitime, soit 400 l., au delà de laquelle ils ne peuvent rien exiger (34). Or, la notion même de légitime n'intervient jamais au Canada, du moins dans la période et la région que nous avons observées (35).

Un père peut utiliser trois procédés pour avantager un de ses héritiers : une dot, un legs testamentaire ou une donation entre vifs. Nous avons établi, plus haut, que les enfants ne sont pas dotés (36). Ils reçoivent tout au plus une légère avance sur leurs droits successoraux futurs. Certaines familles accordent

---

(32) Jean Yver, « Les caractères originaux du groupe de coutumes de l'Ouest de la France », *Revue d'histoire de droit français et étranger* (1952) pp. 51 *sqq.*

(33) « L'apparition de la succession testamentaire », *Revue du Barreau*, XXVI (1966), pp. 499 *sqq.* « Il n'est rien de plus aisé dans la coutume de Paris que de rendre vaine et illusoire cette prohibition de favoriser les uns plus que les autres. » Texte de Basnage (1778), cité par Jean Yver, *op. cit.*, p. 301.

(34) La légitime étant la moitié de ce que chacun aurait reçu si les biens avaient été divisés également.

(35) La réserve des quatre quints sur les propres ne s'applique pas non plus en pratique, puisqu'il y a peu de propres et pas d'exemples de pères cherchant à écarter les héritiers naturels de leur succession.

(36) Un seul exemple de dot sur quelque cent cinquante cas : une fille reçoit une terre de ses parents « par récompense de travaux et services considérables qu'ils ont reçus de ladite fille, voulant qu'elle lui appartienne, sans préjudice des droits qu'elle pourra avoir à leur succession » (25 septembre 1713, Raimbault).

une somme égale à chaque enfant, d'autres pas. Il n'y a pas de règle. Notons aussi que l'avance peut être versée en dehors des conventions matrimoniales. Cette absence de rigueur et d'uniformité, de même que l'insignifiance générale des avances, montrent bien que les parents n'entendent pas, par ce moyen, exclure des enfants de leur succession et fonder des établissements durables. Le problème de l'option ne se pose pas. La dot existe dans un seul cas, celui des filles religieuses qui légalement sont incapables de succéder (37).

Nous relevons un certain nombre de testaments authentiques et, en ajoutant les testaments sous seing privé mentionnés dans les inventaires, c'est peut-être le quart des habitants qui font ainsi connaître leurs dernières volontés. Un homme qui meurt dans la force de l'âge et qui laisse des héritiers naturels ne pense pas à tester. C'est un geste que font les gens âgés, les veuves très souvent. Les testateurs se préoccupent de leur âme, des personnes qu'ils laissent derrière eux, mais rarement des choses. Nous retrouvons les clauses traditionnelles : élection de sépultures, messes et funérailles, paiement des dettes, réparation des torts, legs aux pauvres, à la paroisse et aux couvents; assez souvent des bonnes paroles, des conseils aux survivants. Parfois le testateur exprime sa gratitude à un membre de sa famille, qui lui a témoigné des attentions particulières, par un legs modique. « [Il] lègue à Louis Chauvin son fils un poulain sous poil rouge vif âgé de sept mois pour lui tenir lieu des salaires qu'il aurait pu gagner s'il n'avait pas resté avec luy à luy aider à faire ses travaux sans qu'il soit tenu de rapporter la valeur lors des partages à ses frères et sœurs (38). » De même des libéralités encore plus modestes à des filleuls, des petits-enfants.

Les bourgeois toutefois ont moins de scrupules et savent à l'occasion prendre les choses en main. A soixante-quinze ans, Jacques Leber dispose de quelque deux cents mille livres en faveur de son petit-fils « pour conserver le bien de la famille, attendu le mauvais mesnage et la mauvaise conduite de Jacques

(37) Œuvres de Pothier, vol. VIII, p. 13.
(38) Testament de Pierre Chauvin, 28 juillet 1699, A. Adhémar.

Leber (fils) et la dissipation qu'il a faite de tous ses biens ».
Ce dernier n'a droit qu'à l'usufruit de la fortune. Sont exclus
de l'héritage les enfants de son fils aîné mort en France où il
avait établi sa famille, un fils qui a renoncé aux biens de ce
monde pour fonder un hospice et une fille dévote et recluse
qui leur reste très attachée (39). Tous les enfants avaient été
amplement pourvus à la mort de leur mère et le père avait été
généreux de son vivant, ce qui ne l'autorise toutefois pas
légalement à leur substituer un autre héritier (40). Les concepts
qui président à ce testament — intégrité du patrimoine et per-
pétuation de la lignée dans le pays qui l'a vue s'élever — ne
sont pas *a priori* très répandus chez les marchands (41). Le
snobisme aidant, ils assimilent ces valeurs, mais ne rencontre-
t-on pas concurremment des résistances : plusieurs années plus
tôt, l'aîné des Leber a renoncé à son droit d'aînesse pour permettre le partage égal du fief acheté par son père. Les Lemoyne,
une autre belle fortune, se soucient fort peu de distinguer fiefs et
rotures en confectionnant les lots égaux des héritiers et, au siècle
suivant, c'est « pour conserver l'égalité entre ses enfants »
qu'un boulanger demande aux seigneurs de mettre son fief en
roture (42). Les marchands s'en tiennent au partage égal, mais
utilisent systématiquement le testament pour dresser des états
clairs de leurs successions, pour établir la valeur des avances
d'hoirie et donations entre vifs, afin de prévenir les contestations entre leurs héritiers, pour de petites récompenses, mais
non pour avantager (43). Il reste qu'il est peut-être plus naturel
(et c'est pourquoi nous avons rapporté l'exemple de Leber),
pour un homme qui a de la fortune d'en disposer à sa guise,

(39) Testament du 25 juin 1701, *ibid.*

(40) La fille lésée dans ses droits attaque ce testament « rempli d'injustices et de nullités ». L'affaire traîna et elle renonça avant sa mort à en
empêcher l'exécution, léguant sa fortune personnelle au frère prodigue
(testament de Jeanne Leber, 18 septembre 1713, Raimbault).

(41) Voir un autre cas de dévolution dans le testament de René Fezeret,
18 février 1720, David.

(42) 26 août 1686, Basset; 14 juillet 1695, A. Adhémar; 10 septembre
1779, Faucher.

(43) Testament de R. Cuillerier, de P. Perthuis, de Jacques Lebé, de C. de
Couagne, de la veuve Lemoyne : 22 mars 1712 et 10 juillet 1708 (Le Pailleur), 22 août 1706 et 8 avril 1708 (A. Adhémar), 18 mars 1690 (Basset).

que pour un pauvre de priver ses enfants des quelques livres qui pourraient leur revenir.

Lorsque des parents décident de favoriser un de leurs héritiers, ils utilisent le troisième moyen mis à leur disposition par la coutume : la donation entre vifs. Ces actes présentent deux caractéristiques : ils sont conclus par des parents âgés dont la subsistance et la sécurité dépendent du bon vouloir de leurs enfants; ils sont faits en présence et avec l'accord de tous les héritiers. Il s'agit donc d'une convention à caractère circonstanciel et familial et non d'une décision autoritaire unilatérale. Les vieillards étant rares, ces sortes d'arrangements sont relativement peu nombreux. En 1680, Mathurin Lorion, assisté de sa femme, représente à ses trois gendres qu'il est « dans l'impuissance de subsister de son travail à cause de sa grande vieillesse et de ses infirmités, que son fils Jean âgé de vingt et un ans qui l'avait fort soulagé voulait l'abandonner et entrer en service afin de tascher d'amasser quelque chose pour subvenir à ses nécessités et que sy son fils le quittait il serait dans la dernière extrémité », et il requiert les héririers « d'avoir esgard » et d'accepter la cession de tous ses biens (dont il souligne au passage l'insignifiance) à Jean, à la charge pour celui-ci d'acquitter les dettes et d'entretenir ses parents, de payer leur enterrement et des messes pour le repos de leur âme. Le fils « avantagé » s'acquitte de ces devoirs filiaux pendant dix-huit ans jusqu'à la mort de la mère, après quoi il se marie à l'âge de trente-sept ans (44).

Parfois, ces donations prennent la forme d'une vente. Jean Lacombe et sa femme « absolument hors d'état de faire valoir les biens de la communauté » et voulant témoigner leur reconnaissance à leur fils Jean-Baptiste qui a bien voulu demeurer avec eux et les secourir, vendent à celui-ci un tiers de l'habitation, avec l'accord des autres héritiers. On peut supposer que la vente est fictive. A la mort des parents, le fils aura droit à sa part sur les deux tiers restants et les meubles (45). Tant de précautions étonnent, puisque de toute manière cet arrangement ne prive pas les autres héritiers de leur légitime et que les parents pouvaient disposer de cette fraction de leurs biens en toute liberté. Mais moralement, ils ne se considèrent pas autorisés à le faire (46). La donation n'est d'ailleurs pas le seul moyen dont disposent les parents pour aménager leurs vieux jours. Sans sacrifier le partage égal sur le fonds, ils peuvent renoncer seulement à l'usufruit, moyennant une pension fixe. Mais cela suppose évidemment que les rendements de l'exploitation soient assez élevés pour intéresser un des héritiers.

Les remariages nous offrent une occasion de plus de vérifier la cohésion du noyau conjugal et les valeurs égalitaristes qui régissent cette société. Il y a d'abord un inventaire de la première communauté qui permet d'établir ce qui revient de droit aux orphelins et au conjoint survivant. Prenons le cas le plus fréquent, celui d'une veuve chargée de jeunes enfants. Sa part des biens du premier mariage est toujours plus considérable que celle des mineurs puisqu'elle ajoute douaire et préciput à sa moitié. Cette part entre dans la seconde communauté, mais c'est la totalité du bien qui va dès lors être gérée par le second mari. Tant que les enfants du premier lit sont entretenus dans le ménage, ils n'ont pas droit à l'usufruit. A leur majorité, ils peuvent exiger leur part (47). La coutume veut que les orphelins soient entretenus dans le ménage, les filles jusqu'à leur mariage, les garçons jusqu'à quinze ou vingt ans, rarement jusqu'à leur majorité. Les familles surveillent de près ces conventions matrimoniales, la forme des donations en particulier, surtout lorsque le parent qui convole est fortuné et avancé en âge (48).

t-il, que très souvent les enfants qui font cette sorte d'acquisition sont lésés et que leurs pères et mères consomment plus que le fond de leur terre... » APC, M.G.17, A7, 2, 2, vol. 1, p. 315.

(46) Pour d'autres donations, voir : 10 octobre 1684 et 26 mai 1692 (Basset), 7 juillet 1690 et 30 décembre 1698 (A. Adhémar), 19 mai 1690 (Maugue), & c.

(47) Par exemple, la succession de la veuve Le Roy, femme de P. Pigeon, 6 et 17 mars 1662, 6 décembre 1676, 25 janvier et 22 avril 1677 (Basset); celle de la veuve Gasteau, 3 janvier 1704 (Le Pailleur).

(48) Contrat de mariage entre A. Turpin, soixante ans, et Marie Gauthier, dix-huit ans (10 février 1702, Raimbault), celui de P. Perthuis (13 avril 1707, A. Adhémar), de la veuve de Couagne (11 novembre 1712, *ibid.*).

Tout ceci est dans les règles mais, parallèlement, nous observons dans les couches populaires une tendance prononcée à jeter par-dessus bord ces conventions et à conclure un second mariage aussi simple, aussi cimenté matériellement que le premier. Le ou les enfants du premier mariage sont adoptés. « Ledit futur époux promet adopter l'enfant qu'elle porte dans son ventre dont elle pourra accoucher comme si d'eux deux il estait issu en loyal mariage (49). » « Le futur adopte pour ses enfants propres et comme légitimes Catherine et Martin Coureau, pour partager avec les enfants légitimes qui proviendront du futur mariage et par égales portions (50). » La mère des enfants apporte dans la communauté tout ce qu'elle peut prétendre de la succession de son défunt mari, ce qui se résume à trop peu de choses pour en réserver une part aux orphelins. Dans tous les cas, les premiers ménages ont été interrompus tôt et l'arrangement ne lèse vraiment que les enfants à naître. Il y a des cas d'adoption réciproque. C'est notre dernier exemple qui met en cause des familles de voyageurs. Pierre Lamoureux, père de trois enfants, et Barbe Lecel, mère d'une petite fille, promettent en s'épousant de mettre en commun tout ce qu'ils ont retiré de leurs précédents mariages et d'adopter respectivement leurs enfants « pour venir à partage égal avec ceux qui naîtront » (51).

Et ainsi quand arrive le moment des partages, les formalités sont simples. Chacun déclare ce qu'il a reçu du vivant des parents. Ces rapports fictifs sont ajoutés à la valeur des meubles et actifs de la succession et on retranche de cette masse les dettes, les legs pieux et autres frais. Le reste est divisé en autant de parts qu'il y a d'héritiers. Chacun a droit à la différence entre

(49) Contrat de mariage, 12 juin 1679, Maugue.

(50) *Ibid.*, 16 novembre 1679. Voir aussi 3 novembre 1677 (Basset), 3 novembre 1680 (Maugue), 25 mars 1693 (A. Adhémar). Le premier gouverneur, qui croyait avoir des droits sur les personnes, reprenait la terre du défunt pour la réacenser au nouveau mari et faisait promettre à ce dernier de verser une pension considérable aux orphelins à leur majorité. Ces quelques contrats créèrent bien des problèmes et ne ressemblent en rien aux adoptions postérieures, spontanées et raisonnables.

(51) 5 avril 1685, Bourgine. La première femme de Lamoureux était une Indienne. Apparemment, il n'y a pas de tuteur pour protéger leurs intérêts. Voir aussi le mariage Tabaut-Barban, 19 janvier 1688, Pottier.

cette part et ce qu'il a reçu antérieurement et ceux qui ont déjà touché davantage rapportent concrètement le surplus aux autres (52). Vient ensuite le partage des immeubles, tel que nous l'avons décrit plus haut (53). Le dilemme « légataire-héritier » ne se pose jamais en pratique (54).

L'indivision entre l'époux survivant et les héritiers est la règle tant qu'il n'y a pas remariage. L'indivision entre les héritiers pour leur moitié dure généralement jusqu'à la majorité du plus jeune. Pendant la durée de l'indivision et surtout après le partage, interviennent divers accords entre les cohéritiers, qui ont pour effet de regrouper entre les mains d'un seul, de deux parfois, les fractions de meubles et d'immeubles ou les droits sur celles-ci (55). Le fait que les droits successoraux sont très fréquemment négociés avant l'ouverture des successions, qu'ils sont acceptés par des étrangers en paiement des dettes du vivant des parents, marque à quel point la parfaite égalité est inscrite dans les mœurs. L'acheteur peut évaluer grossièrement ce que vaudra la succession et il est assuré que ces droits ne seront pas diminués.

Reste le cas de l'endettement, la menace extérieure contre laquelle la famille redécouvre tout à coup l'utilité des aménagements coutumiers. Les jeunes veuves, en reprenant leur douaire et préciput, sauvent l'essentiel de la communauté naissante, mais il est exceptionnel que des héritiers renoncent à une succession paysanne plus mûre. Il faut observer les familles de bourgeois et celles des officiers surtout (56) pour apprécier

(52) A titre d'exemples, les règlements de la succession de François Brunet, 16 octobre 1703 (Le Pailleur), de Jean Leduc, 9 septembre, 2 novembre 1701, 26 avril, 14 et 25 mai 1702 (Raimbault).

(53) *Infra*, troisième partie, chapitre IV, § 4. Pour faciliter les partages, quand il y a des mineurs surtout, les meubles sont vendus à l'enchère. Ce sont les héritiers, le tuteur ou encore le futur mari de la veuve qui rachètent la majeure partie.

(54) E. LeRoy-Ladurie, *op. cit.*, p. 842.

(55) Ces cessions de droits et autres accords viennent généralement à la suite de l'inventaire. Il est facile de reconstituer toute la procédure.

(56) Chez les officiers, à cause du genre de vie et de la valeur exagérée des douaires, les acceptations sous bénéfice d'inventaire et les renonciations sont courantes. Les actions en séparation de biens aussi. Voir les affaires de Daneau de Muy, Bissot de Vincennes, Juchereau, Gauthier de Varennes, d'Ailleboust et autres.

les subtilités de la coutume, les méandres des propres, les recours au douaire des enfants, les acceptations sous bénéfice d'inventaire et autres complexités qui exaspèrent les créanciers (57).

Le peuple suit une tradition que le desserrement des contraintes médiévales a profondément altérée depuis les lointaines communautés familiales. Selon toute apparence, les habitants l'ont apportée avec eux du centre, du nord ou de l'ouest de la France ; peu importe, le fond doit être commun. Mais nulle part mieux qu'en ce pays vide, elle ne pouvait aussi bien s'épanouir sans entrave (58).

Les conséquences économiques de ces modes de partage sont évidentes (59), mais les facteurs le sont moins. Il est clair que la coutume de Paris n'a pas imposé ces comportements car elle n'exigeait rien d'aussi absolu (60). Pour parfaire cette démonstration, il suffit de pousser un peu plus loin dans le temps. Tant qu'il y a des terres libres et absence de stimulants mercantiles, la famille continue de s'étaler. Elle peut ignorer les mécanismes légaux qui freineraient la fragmentation du capital rural ; elle offre à tous des chances égales. Ces conditions demeurent à peu près inchangées jusqu'au XIXᵉ siècle et l'introduction de la liberté testamentaire en 1774 passe inaperçue dans les campagnes (61). C'est la pénurie de terres en même temps que l'insertion d'une partie du territoire agricole dans le

---

(57) Par exemple, les renonciations avec option pour le douaire maternel par Gabriel Noir et J.-B. Dugast, 3 avril 1713 et 4 juillet 1714 (Le Pailleur).

(58) Nous n'avons pas pu comparer les pratiques canadiennes avec celles d'autres communautés paysannes de la moitié nord de la France. Les travaux de Pierre Guichard et de G. Sabatier, qui traitent des mêmes problèmes, portent sur des pays de droit d'aînesse. (P. Léon, *Structures économiques... dans la France du Sud-Est*).

(59) *Supra*, troisième partie, chapitre IV, § 4.

(60) Rejeter sur la coutume ce qui découle bien davantage d'une attitude mentale collective est une forme parmi d'autres de déterminisme institutionnel assez répandu dans notre historiographie. Yves Zoltvany, « Esquisse de la Coutume de Paris », *RHAF*, 25, 3 (décembre 1971), pp. 383-384. Sur les mutations spontanées des pratiques successorales dans les colonies anglaises, vers l'égalité, lire Alexis de Tocqueville, *La démocratie en Amérique*, chapitre III, pp. 74-85.

(61) André Morel, *Les limites de la liberté testamentaire dans le droit civil de la province de Québec* (Paris, 1960), pp. 30 *sqq.*

circuit régulier des échanges qui vont avoir raison de la tradition. A ce moment critique, des lois successorales strictement égalitaires auraient pu déclencher une réaction malthusienne (62). Mais les lois anglaises fournissent aux habitants un moyen moins radical d'autodéfense. La famille-souche observée par le sociologue Gérin à la fin du siècle n'est peut-être pas la norme, mais il semble qu'un peu partout les enfants dotés soient désormais exclus des partages. L'industrie proche ou lointaine les absorbe. Là où ces contraintes n'existent pas, dans les villes par exemple, la succession *ab intestat*, toujours égalitaire, continue à prévaloir.

Bref, des pratiques largement spontanées peuvent nous renseigner non seulement sur les assises matérielles de l'existence au début de la colonie, mais sur les valeurs dominantes dans cette société. L'absence de distinction entre propres et conquêts marque que le patrimoine n'est pas la pierre angulaire de la famille ni sa conservation ou son intégrité, une base de cohésion. L'absence de distinction entre enfants établis et non établis montre que cette famille n'est pas perçue comme une cellule d'exploitation où les droits de chaque membre seraient définis par le degré de participation. Il faut chercher ailleurs les fondements de l'organisation familiale.

3. *Un lieu social et affectif.*

Au XVIIe siècle, écrit Philippe Aries, il s'est fait un équilibre entre les forces centrifuges ou sociales et les forces centripètes ou familiales. On assiste, depuis la fin du Moyen Age, à l'émersion de la famille moderne au-dessus d'autres formes de relations humaines qui nuisaient à l'intimité domestique (63). Cette évolution, précise l'auteur, fut longtemps limitée aux nobles, aux bourgeois, aux riches artisans et laboureurs. Chez les pauvres, le sentiment de la famille tarde à se développer,

(62) H. J. Habakkuk, « Family Structure and Economic Change in Nineteenth Century Europe », *Journal of Economic History*, XV (1955), pp. 1-12.

(63) *L'enfant et la vie familiale sous l'Ancien Régime*, (Paris, 1960), pp. 421-422.

entravé plus longtemps par les traditions d'apprentissage qui éloignaient les jeunes enfants de la maison, par l'exiguïté et l'inconfort des logements qui forçaient les gens à vivre dans la rue (64).

La famille canadienne du XVIIᵉ siècle s'inscrit dans ce mouvement général, mais les circonstances particulières du milieu colonial accélèrent sa modernisation. Les communautés de travail, de prières, de festivités villageoises, les relations de voisinage et de parenté, toute cette masse de sociabilité est d'abord absente et, avec le temps, ne se reforme qu'en partie. Rien n'assaille les retranchements des premiers ménages et les pôles externes qui apparaissent subséquemment n'entrent pas en conflit avec la vie privée renforcée par cette première expérience. D'autre part, le régime économique colonial ne favorise pas l'essor de l'artisanat et partant, ne crée pas ces déplacements d'enfants qui retardèrent ailleurs l'éclosion du sentiment d'appartenance à cette société fermée qu'est la famille (65).

Incontestablement, la majorité des indices que nous avons été capable de regrouper témoignent dans le sens d'une famille forte, particulièrement dans la couche populaire de la société. N'allons pas toutefois exagérer. Plusieurs traits sont encore marqués par la tradition, ennemie de l'intimité et de l'autorité paternelle, étrangère à la notion d'éducation. Nous observons la tolérance, l'insouciance, qui marquèrent longtemps les rapports familiaux. Autant de signes où des administrateurs coloniaux crurent reconnaître les symptômes d'une acculturation, d'une assimilation rapide et néfaste des valeurs indiennes, alors qu'ils témoignaient de la permanence du fond ancien. « Les habitants de ce pays ont une folle tendresse pour leurs enfants, imitant en cela les Sauvages, ce qui les empêche de les corriger et de leur former l'honneur (66). » La méprise est accentuée par les historiens pour qui toute manifestation d'indi-

(64) *Ibid.*, pp. 441 *sqq.*

(65) Ainsi, l'évolution de la famille coloniale renforce, s'il était nécessaire, la démonstration d'Aries. Nos observations vont dans le même sens que celles de J. Rothman, « A Note on the Study of the Colonial Family », *William and Mary Quarterly* (octobre 1966), pp. 627-634.

(66) Lettre de l'intendant Raudot, juin 1706, citée par Robert Rumilly, *op. cit.*, p. 294.

vidualisme, contraire aux valeurs de la famille bourgeoise con-
temporaine, ne pouvait être issue que de la sauvagerie, une rupture avec la vieille Europe paysanne (67). Dans les éléments
que nous avons regroupés, certains témoignent du passé,
d'autres de l'adaptation au pays nouveau.

a) *Maris et femmes.*

Les premiers mariages sont conclus hâtivement, surtout s'il
s'agit d'une fille transportée au Canada aux frais des communautés et de l'État, qui la doivent caser au plus vite. Mais ces
conditions exceptionnelles ne touchent qu'environ 10 % des
couples formés dans l'île de Montréal avant 1715. Normalement les jeunes gens prennent le temps de se fréquenter, d'autant plus que les garçons sont souvent liés par des contrats de
service domestique ou militaire qu'ils doivent achever.
L'âge élevé des époux, la concentration des mariages dans les
mois propices, témoignent aussi d'une période de réflexion.
La cérémonie a lieu, selon la mention rituelle « après les fiançailles et la publication de trois bans ». Nous ignorons si la
bénédiction des fiançailles était répandue au XVIIᵉ siècle. La
pénurie de prêtres, l'éloignement des fidèles ne la favorisaient
guère, et la décision du synode de 1698 d'interdire cette pratique,
sous prétexte que les fiancés s'arrogeaient trop de libertés,
indique peut-être qu'elle était déjà tombée en décadence (68).
La bénédiction du lit nuptial se fait, du moins en principe,
immédiatement après celle du mariage, avant le déjeuner de
noces (69).

Un mandement de l'évêque de 1717 frappe d'excommunication ceux qui se prennent pour époux pendant la messe, sans

---

(67) C'est l'interprétation de W. J. Eccles, *The Canadian Frontier*, pp. 88
sqq.; « Opulence et biculturalisme » dans *La Société canadienne sous le
régime français* (Montréal 1968).

(68) H. Têtu et C.-O. Gagnon, *Mandements, lettres pastorales et circulaires des évêques de Québec*, tome I, p. 376. Cette évolution suit celle de la
métropole. (A. Burguière, « De Malthus à Max Weber : le mariage tardif
et l'esprit d'entreprise », *Annales E.S.C.*, 27, 4-5 (juillet-octobre 1972),
p. 1136).

(69) Saint-Vallier, *Rituel du diocèse de Québec* (Paris 1703), p. 359.

recevoir le sacrement, mais ces « mariages à la gaulmine » n'étaient pas une pratique courante (70). Antoine Boyer dit Lafrance, de l'île de Ré, en garnison à Montréal depuis quatre ans, avoue avoir commis cette faute parce que le gouverneur ne lui a pas donné la permission de se marier (71). Nous avons relevé un seul autre cas dans les registres du bailliage, avec la même excuse.

Jusqu'à quel point les parents influençaient-ils le choix d'un conjoint? Leurs interventions sont manifestes dans les classes supérieures. Philippe Carion laisse une orpheline de onze ans et lui lègue, conjointement avec le mari qu'il lui a choisi, toute sa fortune. En attendant le mariage, il la confie à son futur beau-père. Rien n'est prévu au cas où l'enfant refuserait plus tard les dispositions paternelles (72). D'autres mentions éparses, liées au fait que l'endogamie est forte dans ces catégories sociales confirment que le mariage n'était pas qu'une affaire de sentiments (73).

Dans le peuple, les exemples d'ingérence paternelle sont certainement très rares. Mais si le choix est laissé à la discrétion des jeunes gens, tout porte à croire que la famille exerce de fortes pressions sur les filles pour qu'elles se marient et le plus tôt possible. C'est le corollaire des familles nombreuses, des conditions matérielles précaires. La somme de services qu'une fille peut rendre à la maison est limitée. La fabrication domestique est encore peu développée et les possibilités de rapporter des gains de l'extérieur pour aider les parents sont à peu près inexistantes. Hors le décès ou la maladie de la mère, la présence prolongée d'une fille au foyer est une charge et un célibat définitif, une source de soucis pour les parents, de problèmes

(70) Comme l'écrit Jacques Henripin dans *La Population canadienne*, p. 101. A propos de cette coutume, voir Olivier Martin, *op. cit.*, vol. 2, p. 226.

(71) ASSP, copies Faillon HH 89 et FF 132. Voir la description d'un mariage à la gaulmine dans Alain Lottin, *Vie et mentalité d'un Lillois sous Louis XIV*, (Lille, 1968,) p. 271. Les circonstances sont identiques aux cas canadiens.

(72) Testament, 13 décembre 1683, M. not., Maugue. Le mariage est célébré l'année suivante.

(73) Par exemple, l'opposition de la veuve de Couagne au mariage de son fils, 10 octobre 1716, *ibid.*, J.-B. Adhémar.

pour les frères et sœurs (74). S'il n'y a pas de fils, les parents pousseront d'autant plus leur fille au mariage que leur propre sort en dépend. Aussi, plutôt que d'attendre une union plus prometteuse avec un garçon de la colonie, la famille favorise un mariage précoce avec un immigrant, un soldat. Pour autant que les antécédents immédiats semblent honnêtes, que les règles de la morale sont respectées, il n'y a pas de discrimination contre ces sortes d'unions, ces sauts dans l'inconnu. Après tout, les parents ne se sont-ils pas mariés dans les mêmes conditions?

Par contre, le célibat des fils n'est pas mal vu, car la famille en retire de grands avantages. Ils aident le père dans ses travaux, prennent charge de l'exploitation quand celui-ci faiblit ou meurt, assument l'entretien des vieux parents, de leurs cadets, arrangements qui sont toujours plus difficiles si les garçons sont mariés. Un fils peut devenir voyageur et, le cas échéant, être en mesure de collaborer au bien-être de la famille, de régler les comptes en souffrance. L'examen des passifs de succession montre que ces sortes de contributions sont fréquentes (75).

Il n'y a rien à dire sur les fréquentations ou les conduites pendant le mariage qui sorte tant soit peu de l'ordinaire. Si nous nous fions au taux de conceptions anténuptiales calculé par Henripin pour l'ensemble de la colonie au XVIIIe siècle c'est peut-être 10 % des filles qui sont enceintes quand elles se marient (76). Il y a très peu d'actions en reconnaissance de paternité et ces écarts ont rarement le temps de devenir une cause de scandale. Nous pourrions utiliser tous les cas de débauche qui sont portés devant le tribunal pour tracer le portrait d'une société amorale, mais ce serait fausser la réalité. Montréal a ses putains et ses maquerelles. Nous les connaissons d'autant mieux que ce sont à peu près toujours les mêmes noms qui

(74) Testament de la veuve Forestier qui recommande à ses enfants leur sœur Angélique, âgé de trente-six ans, 25 janvier 1719, *ibid.*, Le Pailleur.

(75) « Mémoire de ce que Ignace Hubert a fourny à la maison de son père pour la subsistance de la famille et qu'il retirera hors part », 14 février 1682, *ibid.*, Maugue. Autres cas précis, 26 septembre 1723, David; 14 décembre 1691, A. Adhémar.

(76) *La population canadienne*, p. 55 et, du même auteur, *Tendances et facteurs...*, p. 8. C'est plus que dans le Beauvaisis (1 %), le Quercy (5 %), qu'à Crulai (3 %), qu'à Meulan (8 %), moins que dans les trois villages de l'Ile-de-France (14 %).

défraient la chronique (77). Mais pour une ville de garnison, une région où la disproportion des sexes est longtemps très marquée, le comportement sexuel général semble remarquablement conformiste. Entendons bien cependant que les mœurs sont grossières, que la morale du XVIIᵉ siècle n'est pas celle du XIXᵉ, que les relations privées de ces paysans restent marquées d'une liberté, d'une impudeur qui nous étonne. Une jeune mariée se plaint à ses parents de l'impuissance de son mari. Devant témoins et à plusieurs reprises, elle traite le malheureux de « hongre » et la belle-mère l'accuse de n'avoir « point de manche à sa casaque », « qu'une trippe en ses chausses » et le met au défi de lui prouver le contraire sur-le-champ (78). Cette importance accordée à la virilité transparaît dans diverses altercations. La non-consommation du mariage entraîne évidemment son annulation, précédée de procédures publiques qui n'embarrassent personne (79).

Le fait que les procès pour adultère sont toujours intentés contre les femmes, non vice versa, que les complices sont plutôt des soldats que des maris, ne prouve pas nécessairement la vertu des hommes du pays, mais montre que la fidélité est essentiellement un devoir féminin (80). Par ailleurs, ces maris trompés gardent presque toujours l'infidèle et lui trouvent même des excuses. Claude Jodoin dénonce un officier qui couche avec sa femme « en lui promettant des dons... profitant de la misère où elle et son mari étaient » et ajoute qu'après avoir été pendant quatre mois « en divorce avec sa femme et de désespoir prêt à s'en aller chez les ennemis [...] il s'est remis

---

(77) Notamment la femme du chirurgien Bouchard, les cabaretières Folleville, André, Fournier, Cardinal. Robert-Lionel Séguin a minutieusement fait ce relevé (*La vie libertine en Nouvelle-France au XVIIᵉ siècle*, *passim*).

(78) 24 octobre 1672, Basset.

(79) Voir l'annulation du mariage Gadois-Pontonnier, à laquelle se mêle une curieuse histoire de maléfice, registre de la paroisse Notre-Dame, 30 août 1660. Voir aussi R. Boyer, *Les crimes et les châtiments au Canada français du XVIIᵉ au XXᵉ siècle*, (Montréal, 1966), pp. 293-295.

(80) De même, John Demos constate qu'à Plymouth, les hommes mariés n'apparaissent jamais dans les affaires d'adultère autrement que comme complice d'une femme mariée, leur seul crime étant de l'avoir débauchée (*op. cit.*, p. 97).

avec elle et fait bon ménage, ayant reconnu que la faute en était aux puissantes sollicitations de La Freynière » (81). Bien que la Cour ait accordé au chirurgien Bouchard le droit d'enfermer sa femme ou de la remettre entre les mains de ses parents, il tente pendant plusieurs années de la ramener à l'obéissance, ne serait-ce que « pour sa descharge envers Dieu » (82). De même Claude Leblond déploie maints efforts pour faire revenir sa femme auprès de lui, malgré des écarts publics impardonnables (83). Le recours au juge semble être simplement une façon de renforcer une autorité maritale visiblement défaillante. Plus irritable, Julien Talua, fermier des seigneurs, tire à bout portant sur l'homme qu'il trouve dans le lit conjugal (84).

A côté de ces excès peu représentatifs, il est peut-être plus intéressant de noter l'absence de procédures pour brutalités entre époux. Les femmes se résignent-elles si facilement à recevoir des coups? Pourtant, leur agressivité, cette humeur belliqueuse contre des voisins et autres étrangers, qu'un rien allume, nous font douter de leur soumission naturelle. A moins que cette violence qui éclate au dehors soit en partie une façon de compenser les contraintes qui existent à l'intérieur des foyers et que maris et femmes parviennent à refouler? Nous n'avons aucun indice pour répondre à cette question. Le statut des femmes dans la colonie ne semble ni meilleur ni pire qu'ailleurs. Elles prennent part aux décisions familiales, accompagnent leur mari chez le notaire lorsqu'il y a aliénation d'immeuble, signature de bail, mise en apprentissage d'un enfant. Laissées seules, elles se révèlent souvent d'excellentes administratrices, ce qui prouve qu'elles étaient déjà très mêlées à l'entreprise familiale, qu'il s'agisse d'un bien rural ou d'un commerce. Mais ce ne sont pas là des traits exceptionnels dans les sociétés de l'Ancien Régime, surtout dans les classes populaires, et il n'y

(81) Informations contre La Freynière, septembre 1667, bailliage, 1re série, registre 1.

(82) Information, 17 juin 1660, *ibid.;* déclaration déposée chez le notaire Basset, 10 juillet 1676.

(83) Procès-verbaux des 23 août 1689 et mai 1695, *ibid.*, registres 1 et 2.

(84) D'abord condamné à mort par le bailli, il fait appel au Conseil de Québec qui le laisse en liberté provisoire. Il semble que la sentence ait été finalement commuée (5 décembre 1684, *JDCS*, vol. II, p. 969).

a pas lieu de retenir des affirmations hâtives selon lesquelles les conditions coloniales auraient transformé les rapports entre les sexes (85). Les hommes sont, ici aussi, légalement les « seigneurs » de leurs femmes et la collaboration dans la vie quotidienne ne menace pas la domination masculine (86).

Les sentiments qui unissent ces couples laissent encore moins de traces que leur conduite. Les formules testamentaires, la plupart du temps d'inspiration notariale, ne permettent pas de les deviner. Le mari rend témoignage à sa femme de ses bons services, du soin qu'elle a pris des enfants et il rappelle à ceux-ci qu'ils doivent la traiter avec « toute la tendresse, le respect et la cordialité..., la soulager, l'honorer et lui obéir » (87). Des époux demandent d'être réunis par des messes et des prières à un conjoint depuis longtemps décédé. Dans son livre de comptes, entre un débit et un crédit, un marchand rapporte la mort de sa femme : « 1721, octobre 5e, jour de dimanche à six eures du soir environ est morte Marie-Louise Zemballe anglaise femme du Sr Monière et a été enterray le six^e d'octobre jour du lundy entre 10 et 11 eures dans l'église de la paroisse (88) ».

La vie commune est généralement brève et sitôt rompue, le survivant cherche un remplaçant, sans lequel la stricte subsistance et la survie des enfants sont en péril. Car il n'y a rien encore : ni voisinage, ni famille étendue pour atténuer un peu la solitude. Au début du XVIIIe siècle, la moyenne des périodes de veuvage est de vingt-cinq mois pour les veufs et de trente-huit mois pour les veuves (89). Mais les remariages, sans doute plus hâtifs du siècle précédent, non plus que leur fréquence, ne permettent pas de préjuger la nature des sentiments conjugaux.

---

(85) I. Foulche-Delbosc, « Women of New France », *CHR*, XXI, 2 (juin 1940), pp. 132-149 ; P. Garigue, *La vie familiale des Canadiens français*, (Montréal, 1962), p. 16.

(86) Selon le mot du commandant de l'île qui exhorte les maris à exercer cette seigneurie en freinant les violences physiques et verbales de leurs femmes. Ordonnance du 20 septembre 1662, E.-Z. Massicotte, *Répertoire des arrêts*.

(87) Testament de René Cuillerier, 22 mars 1712, Le Pailleur.

(88) Comptabilité de Monière, APC, M-847.

(89) Jacques Henripin, *La population canadienne*, p. 99.

b) *Parents et enfants.*

Beaucoup d'enfants, qui occupent une bien petite place dans cette société. Monotone succession de sépultures dans les registres et pourtant, les autorités si soucieuses de peuplement ne s'aperçoivent pas que les enfants meurent. Les parents l'acceptent.

Il n'y a rien à tirer des inventaires ou autres documents de ce type pour apprendre comment vivaient les enfants dans leur famille (90). A partir de sept ans, ils rendent des services, gardent les bestiaux, vont au catéchisme le dimanche, parfois à l'école (91). Les filles suivent l'exemple de leur mère. Les garçons n'ont souvent plus de père lorsqu'ils atteignent l'âge de l'apprentissage. Un frère aîné ou un beau-frère le remplace à défaut d'un beau-père. A quatorze ans, tout garçon doit posséder son fusil et savoir s'en servir, mais il ne va pas à la guerre ni dans les voyages de traite avant l'âge de dix-huit ans. S'il est placé en service domestique, il quitte la maison très jeune, mais seulement à seize ou dix-sept ans s'il est mis en apprentissage chez un artisan (92). Au XVIIe siècle, ce ne sont pas là des situations courantes et même cent ans plus tard, le groupe des domestiques et apprentis, qui représente alors 18 % de la population urbaine, compte relativement peu d'enfants (93). Le sous-emploi chronique des adultes dans la ville n'encourage pas les ponctions sur le milieu rural. La règle est toujours la grande maisonnée à laquelle tous les enfants restent attachés jusqu'à leur établissement. En attendant, environ le quart de la jeunesse de l'île va et vient entre la maison familiale et les postes de l'Ouest (94).

(90) Leurs hardes sont rarement inventoriées. Nous n'avons pas rencontré de jouets, de meubles à leur usage. Pendant longtemps, les enfants continueront à marcher en sabots, contrairement aux adultes qui optèrent vite pour une chaussure adaptée au pays.

(91) *Infra*, chapitre IV, § 2 (c), sur les écoles.

(92) Peter Moogk, *art. cité*, p. 70.

(93) D'après le recensement de 1784. Les enfants de moins de quinze ans ne comptent que pour 1/9 des 1 184 domestiques. Voir W. Kingsford, *The History of Canada*, (Torranto, 1887), vol. 7, p. 204.

(94) Rappelons toutefois que cette forte proportion ne vaut que pour Montréal et quelques seigneuries environnantes. Voir *supra*, deuxième partie, chapitre II, § 5.

C'est cette jeunesse — entre dix-huit et vingt-huit ans — réchappée de l'enfance précaire et obscure, qui est le groupe privilégié. Son indiscipline, ses vagabondages, son mépris des règlements inquiètent fort les autorités : la jeunesse de ce pays est incapable d'obéissance; les enfants ne respectent pas leur père; les parents leur donnent trop de liberté; dès qu'ils peuvent porter un fusil, les pères ne peuvent plus les retenir « et n'osent les fascher » (95). Replaçons cette insoumission dans son contexte. Tout d'abord, il est certain que non seulement les parents ne tentaient pas de retenir un fils qui allait faire quelques profits aux Outaouais, mais qu'ils le poussaient à partir. La veuve d'un marchand boulanger raconte que, désirant faire instruire son fils Henri, le curé eut la bonté de le recevoir chez lui et de le confier au frère Gentot qui tenait les écoles dans le bourg. Or, Gentot ne lui donna aucune instruction et le jeune homme tomba dans divers égarements. Ce que voyant, la mère « l'ayant fait revenir près d'elle et voulant l'occuper et le dissiper de ses inclinations et particulièrement du jeu, lui avait fait un honnête équipement pour aller faire un commerce aux pays d'En Haut... (96). » Il y a ici une perception de la traite qui est celle de toute la population, laquelle ne conçoit pas l'agriculture comme un état plus moral et, en connaissance de cause, juge qu'un garçon fait mieux d'amasser un petit pécule quand il en a les capacités que passer sa jeunesse à défricher misérablement, sans pouvoir être d'aucun secours à sa famille. Lorsque son père meurt à l'automne 1684, Nicolas Desroches, trente-deux ans, est aux Outaouais. C'est un de ces premiers coureurs de bois qui firent le désespoir des intendants. Dans la famille, à part une fille et un fils mariés et établis sur leur propre habitation, il reste trois garçons de six, onze et vingt-et-un ans et deux fillettes, la mère et une grand-mère. Pendant deux années encore, Nicolas continue à voyager, tout en aidant sa mère. Par exemple, il acquitte les dettes considérables de la succession, soit 625 l. En 1686, Jean, qui dirigeait

(95) Lettres de La Barre et Denonville, 4 novembre 1683 et 13 novembre 1685, AC, C11A6, fᵒ 153 et vol. 7, fᵒˢ 89 vᵒ-90.

(96) Requête de la veuve Biron, 14 juillet 1723, bailliage (copie Faillon HH 125).

jusque-là l'exploitation, se marie et quitte le foyer. Comme elle le raconte plus tard dans son testament, la mère, avancée en âge et désormais seule avec l'aïeule et les plus jeunes, fait appel à Nicolas, « son enfant » pour qu'il se charge du bien paternel, moyennant quoi, avec l'accord des autres héritiers, elle lui donne sa propre moitié de la communauté. Celui-ci rachète l'autre moitié de ses frères et sœurs, renonce définitivement à ses voyages et entretient toute la maisonnée, en même temps qu'il prend femme et commence sa propre famille. Dix-neuf ans s'écoulent avant qu'il ait établi les cadets et enterré sa grand-mère et sa mère (97).

Nous avons cité ce cas, qui est loin d'être exceptionnel, pour montrer que le vagabondage de la jeunesse n'est pas en soi une source de conflits, qu'il n'y a pas là substitution d'un ordre de valeurs à un autre, mais plutôt intégration d'une nouvelle sorte d'activité à un mode de vie traditionnel.

La famille exerce un contrôle qui ne repose pas sur des calculs d'ordre matériel. Les parents ont trop peu à offrir à leurs enfants pour leur imposer des obligations par ce biais et, comme nous l'avons vu, ils ne se considèrent même pas libres d'acheter leur collaboration. Le principe de l'autorité paternelle ne joue pas non plus. Les conditions de vie et particulièrement cette extraordinaire promiscuité accentuée par le climat, qui force des gens appartenant à trois ou quatre générations différentes à s'enfermer ensemble pendant des mois, sont très coercitives et la discipline doit peu à l'intervention des parents. D'ailleurs, la solidarité s'organise aussi bien en leur absence.

Tout prend la forme d'échanges réciproques. Ainsi, les parents facilitent les débuts d'un jeune ménage en lui offrant un an ou plus de pension. « Les parents de la future épouse ont promis en faveur du mariage, en avance de leur hoirie, jusqu'à cinq cents livres, savoir trois cents livres pour nourriture des futurs époux pendant une année dans leur maison, à compter du jour de leurs épousailles... (98). » C'est une clause

---

(97) Nous avons reconstitué le cas à partir des minutes notariales : 9 octobre et 11 novembre 1684, 30 mai 1692, 24 novembre 1693, Basset; 23 et 24 avril 1706, A. Adhémar.

(98) 23 décembre 1677, *ibid.*, Basset.

que nous avons rencontrée dans un contrat de mariage sur huit parmi ceux relevés entre 1670 et 1700 (99). Ce n'est toujours qu'un arrangement temporaire qui permet aux jeunes gens d'avancer la mise en valeur de leur propre habitation, de construire leur maison. Ils ne sont pas tenus de fournir du travail chez les parents. Tantôt c'est un fils, tantôt c'est une fille qui est ainsi hébergée avec son conjoint, dans des maisons où il y a généralement des enfants non encore établis. On n'envisage pas le prolongement de cette cohabitation au delà du sevrage du premier-né. Les achats de terres conclus par les parents en faveur d'un mineur « pour son advenir et à son plus grand avantage » témoignent du même souci (100). Pierre Jousset et sa femme achètent 60 arpents moyennant une constitution de rente de 50 l., « cette acquisition faite pour Lamothe soldat de la compagnie de La Chassaigne et Marie Jousset leur fille en cas qu'il l'épouse. Et en cas qu'il ne l'épouse pas, ce sera pour ladite fille et celui qui l'épousera, à la charge de payer par eux ladite rente et en acquitter ledit Jousset... (101) ».

Le soin des parents âgés est un devoir élémentaire auquel il est impossible de se dérober. Quand il atteint l'âge de la dépendance, entre soixante et soixante-dix ans, le père abandonne le contrôle de ses biens (102). Dans la majorité des cas, tous les enfants acceptent la donation et s'engagent solidairement à verser une pension viagère établie en espèces ou en denrées. Au gré des affinités et des circonstances, le vieillard va finir ses jours chez l'un ou l'autre de ses enfants ou, s'il le préfère et si la pension est suffisante, il s'installe au bourg ou dans la ville, parfois dans une maison à part sur son ancienne

(99) Notons que les trois cas relevés dans le recensement de 1681 représentent la même proportion des mariages récents. La clause n'apparaît pas au début de l'établissement, mais nous croyons que ces accords étaient conclus hors des conventions matrimoniales.

(100) Ventes des 28 juillet 1680 et 9 décembre 1681, *ibid.*, Maugue; du 23 juillet 1713, *ibid.*, Raimbault; etc.

(101) 31 mars 1700, *ibid.*, A. Adhémar.

(102) P. J. Greven observe tout le contraire dans un village du Massachussetts. Les pères retiennent la propriété de leurs terres jusqu'à leur mort. Les fils qui les exploitent ne sont qu'usufruitiers. (« Family Structure in Seventeenth Century Andover », *William and Mary Quarterly* (avril 1966), pp. 234-256.

terre (103). Un couple essaie de se ménager un domicile séparé. Les veuves suivent la même procédure, mais sans attendre le très grand âge. Elles rendent des services à la famille qui les héberge et la répartition de la pension est ajustée en conséquence (104). Lorsqu'un seul enfant assume la pension, les autres lui accordent une compensation à même leur part d'héritage. Ces arrangements ne sont pas une source de profits (105).

Le remariage d'un parent lorsque les enfants du premier lit sont jeunes ne bouleverse pas ces formes de secours. Par contre les enfants ne se sentent aucun devoir envers une belle-mère introduite sur le tard dans la famille, une fois tous les enfants élevés (106).

L'organisation des tutelles et curatelles fait ressortir l'importance des liens fraternels. La coutume confie la tutelle au père ou à la mère, au beau-père si celle-ci se remarie et le subrogé tuteur est choisi dans la famille du parent défunt. Pendant longtemps dans la colonie, il est impossible d'observer cette dernière règle. Il y a assez tôt des ascendants et collatéraux maternels, mais la majorité des pères sont sans famille. Ce sont les frères et beaux-frères qui se substituent aux oncles et grands-parents inexistants ou décédés. S'il y a un fils majeur, il est subrogé tuteur, puis tuteur si le deuxième parent meurt. Comme les filles se marient tôt et avec des garçons plus âgés, c'est à ceux-ci qu'échoie souvent, à défaut de fils majeur, la responsabilité des orphelins. Même lorsque les générations commencent à s'enchaîner normalement, cette tendance à ne pas disperser les responsabilités au delà du cercle de famille se maintient (107).

---

(103) Accord entre les enfants de J. Archambaut pour fournir à leur père 100 l. par an « qui font pour chacun d'eux 25 livres pour subvenir à sa nourriture et entretien, lequel [...] sera libre d'aller demeurer où il veut, de louer une maison ou de vivre chez lesdits donataires.., », 25 juin 1678 M. not., Basset.

(104) Accord des héritiers Godé au sujet de la pension de leur mère, 29 juin 1676, *ibid.*, Basset.

(105) Laurent Archambaut a offert à ses enfants de prendre chacun sa part en versant une pension raisonnable à lui et à sa femme. Après « s'être mûrement consultés ceux-ci ont trouvé plus à propos de donner la jouissance dudit bien à un seul d'eux... » (26 septembre 1706, *ibid.*, Senet).

(106) 25 juin 1678, *ibid.*, Basset.

(107) Nous avons observé 93 cas de tutelles et curatelles, correspondant à nos inventaires après décès. Il faudrait reprendre ce problème à partir des registres de tutelle, bien conservés pour le XVIIIe siècle.

Les conseils de famille reconnaissent ainsi que ce sont effecti-
vement les frères et les beaux-frères qui élèvent les enfants. Les
oncles jouent un rôle actif seulement quand les orphelins sont
tous très jeunes. C'est grâce à la présence de plusieurs « communautés fraternelles », sortes de frérèches élémentaires, que les
familles ne sont pas nécessairement « émiettées » à la mort des
parents (108). Ainsi, Louis Beaudry, âgé de vingt et un ans,
accepte, moyennant des gages qui lui seront payés par la
communauté, de prendre les terres et les six mineurs « attendu
que le revenu n'est pas suffisant pour les entretenir en pension ».
Le tuteur est un beau-frère, forgeron qui demeure à la ville.
Au bout de trois ans, les biens et les enfants sont partagés.
Louis garde deux mineurs; l'aîné, Toussaint, revient des Outaouais, assume la tutelle et s'installe sur une des deux terres
avec un jeune frère; les deux fillettes vont vivre chez leur sœur
qui vient de se marier (109). Quand il est impossible de maintenir la maisonnée, les enfants établis prennent les plus jeunes
aux conditions ordinaires, c'est-à-dire s'engagent à « les
élever dans la crainte de Dieu » et les entretenir gratuitement
en échange des services qu'ils devront rendre. C'est tout naturellement que le frère aîné se substitue au père, protège les
plus jeunes, les handicapés, défend l'honneur de ses sœurs (110).
Un beau-frère par alliance, qui joue aussi un rôle important
dans ces familles, est un « frère » tout court, mais nous ignorons
si cette imprécision du vocabulaire est particulière à la colonie.
La cohabitation permanente de deux frères mariés n'est pas
fréquente. Nous n'avons que deux exemples : les frères Dumets

(108) Voir les cas des familles de J. Beauchamp, A. Dumers, J. Descaris,
J. Gervaise, P. Pigeon, A. Forestier, P. Lorain, etc. M. Baulant observe
aussi, dans la région de Meaux, le rôle important des frères (« La famille
en miettes : sur un aspect de la démographie du XVIIᵉ siècle », *Annales
E.S.C.*, 27, 4-5 (juillet-octobre 1972), p. 967).

(109) Inventaire, comptes de tutelle, partage et ventes de droits successoraux, 29 août 1695 et 12-14 novembre 1698, A. Adhémar.

(110) Nous voyons par exemple les frères Cardinal, coureurs de bois,
mauvais sujets, se charger de leur frère aveugle, puis de leur mère qui vit
jusqu'à quatre-vingt-dix ans (6 juillet 1689, bailliage, 2ᵉ série, registre 1;
9 février 1720, M. not., Raimbault). Quand Madeleine Leblanc, servante
dans une auberge, est accusée de vol, son frère poursuit l'aubergiste pour
l'obliger à réparer ses calomnies (19-22 février 1689, bailliage, procès
Boudor).

et Décarri qui exploitent en commun de grandes propriétés. Par contre, les associations fraternelles temporaires pour la traite ou l'agriculture sont choses courantes.

Cette solidarité se manifeste aussi dans la teneur des testaments qui nous montrent des voyageurs léguant leurs biens au frère où à la sœur qui les ont accueillis et soignés (111). Jean Magan, trente-huit ans et célibataire, lègue 1 500 l., ses hardes, son lit de plume et six robes de castor à sa sœur Louise, épouse de Giguère, qui l'héberge pendant sa dernière maladie, 375 l. à sa mère ainsi qu'à une autre sœur mariée, 500 l. à chacun de ses trois enfants naturels, que ceux-ci toucheront à vingt ans des mains de son frère Antoine, et le surplus en legs pieux. Les quittances à la suite du testament laissent voir que la famille respecta ses volontés comme elle avait accepté apparemment ses inclinations (112).

A voir l'insistance avec laquelle les testateurs recommandent à leurs enfants de « conserver entre eux cette union parfaite... de vider leurs différends d'une manière pacifique, sans bruit, sans procès, sans contestations (113) », nous pouvons déduire que les querelles étaient fréquentes. C'est pour les éviter que les accords sont passés devant notaire, que les avances d'hoirie sont scrupuleusement consignées. Celles qui naissent malgré tout ont laissé peu de traces car la coutume est de faire arbitrer le litige hors cour. La famille choisit ses prud'hommes, gens de bien du voisinage, et s'en remet à leur jugement (114). L'intendant ou son subdélégué règlent occasionnellement ce genre d'affaires et si elles parviennent rarement jusqu'au juge, c'est que la valeur des héritages ne justifie pas le coût des procédures et la précarité de l'existence ne permet guère non plus les brouilles définitives.

Nous avons puisé ces exemples dans le milieu rural. Le groupe des petits artisans et des manœuvres ne se détache pas

(111) 24 juin 1691, M. not., Maugue; 18 juin 1694, 5 juillet 1695 et 22 juillet 1698, *ibid.*, A. Adhémar; etc.

(112) 7 octobre 1719, *ibid.*, David.

(113) Testament de René Cuillerier, 22 mars 1712, *ibid.*, Le Pailleur.

(114) « ... S'il se rencontrait quelques difficultés de les vider à l'amiable avec une grande charité, de faire vider leurs débats par arbitres sans aucunes procédures ny formalités de justice. » Testament du 25 janvier 1719, *ibid.*

encore avec netteté de l'ensemble et, quand il n'y a pas de biens fonciers, ces minables successions se règlent sans procédures. Chez les marchands et les officiers, le partage des responsabilités ne se fait pas aussi simplement. Il y a un exécuteur testamentaire, un curateur qui ne sont pas des jeunes gens, mais d'autres marchands, d'autres officiers, parents ou amis du défunt. La réciprocité des services n'apparaît pas aussi clairement. Dans ces catégories sociales, les parents font davantage pour leurs enfants et ceux-ci, moins pour la famille qui a d'autres ressources que la charité de ses membres. Nous ne voyons pas les enseignes de la marine revenir de Terre-Neuve ou de la Louisiane pour élever leurs frères et sœurs et garder leur vieille mère. L'État et l'Église s'en occupent.

c) *la famille étendue.*

Les réseaux de parenté se forment rapidement. Michel Dumets épouse Isabelle Jetté en 1685, l'année suivante, André Dumets épouse une autre fille Jetté et dans les dix années subséquentes, il y a trois autres alliances entre ces deux mêmes familles, demeurant dans la même côte. Cet exemple, tant par la taille des familles que par l'assiduité de leurs relations, sort évidemment de l'ordinaire, mais nous rencontrons communément deux alliances entre deux lignées à la seconde génération, et d'autres aux générations suivantes. On est à la fois la tante et la belle-sœur de quelqu'un, son mari et son cousin. Toutes les combinaisons sont possibles (115). Les relations sociales sont contenues dans un cercle très étroit et, à partir d'une première parenté, les rameaux entretiennent des rapports d'amitié qui donnent naissance à de nouvelles unions. Des études généalogiques systématiques montreraient sans doute que c'est là une caractéristique de la plupart des anciennes communautés rurales, mais elle semble ici très prononcée. Le phénomène n'est pas simplement la résultante de l'isolement. Au XVIIe siècle, les familles de l'île de Montréal vivent au milieu

(115) Voir, par exemple, entre les Trottier et les Cuillerier; les de Couagne et les Godé; les Leduc et les Desroches; les Perthuis et les Caron; les Bazinet-Beauchamp; les Lauson-Quesneville, etc.

d'une population considérable d'immigrants, d'un va-et-vient d'étrangers. Ce mouvement est plus sensible dans la ville, dans le milieu marchand en particulier. Or, l'endogamie familiale y est aussi forte sinon davantage que dans les côtes et elle touche toutes les couches de la société.

Il y a au point de départ de cette population une émigration souvent traumatisante, l'insécurité et la solitude. Ces anxiétés se dénouent dans la famille. Pendant ce demi-siècle d'anarchie et d'indécisions, elle apparaît comme le seul instrument de contrôle social efficace, véritablement contraignant. La division du travail, le partage des responsabilités s'organisent d'abord autour de ces noyaux élémentaires et le désordre se résorbe au fur et à mesure que tous les individus sont absorbés et socialisés par les familles.

La vie religieuse constitue un second niveau de participation sociale et fait appel à des formes de solidarités élargies. Mais nous ne retrouvons pas, dans cette mise en place, la même spontanéité, le même développement harmonieux, qui marquent l'organisation familiale. Les témoignages sont plus rares et difficiles à interpréter. D'où l'allure essentiellement descriptive de notre exposé, à travers lequel nous avons néanmoins tâché de faire ressortir l'origine des contradictions et des tensions qui accompagnent la création d'une organisation religieuse.

CHAPITRE IV

LE MILIEU RELIGIEUX

De toutes les fondations pieuses qui marquèrent les débuts de la colonisation française en Amérique, l'œuvre de la Société de Notre-Dame est la plus concertée, la plus ambitieuse. Son but ne se résume pas à fonder un couvent, à établir une mission avec l'appui de l'État et la collaboration des compagnies marchandes. Elle se propose d'implanter une autre colonie autonome, à caractère essentiellement religieux, qui doit être l'assise exemplaire, prospère et bien réglée de l'action évangélique auprès des indigènes (1). Le projet prit naissance dans la fièvre dévote et réformatrice du règne de Louis XIII. Il sut réunir de grands moyens financiers, s'assurer le concours de personnes zélées, et il échoua. Le Montréal qui survit au rêve apostolique des fondateurs ne lui ressemble en rien. Il ne se distingue pas des créations marchandes, mais de ces premières années terriblement difficiles, remplies d'exaltation, l'élite religieuse garde la nostalgie. Elle raconte ce qu'elle n'a pas elle-même vécu, ce qui aurait pu être.

Aussi vivaient-ils en saints [...] On voyait tous les habitants de travail à la première messe qui se disoit avant le jour pendant l'hiver et dans l'été à quatre heures du matin, et toutes les femmes à une autre qui se disoit à huit heures [...] Rien ne fermoit à clef en ce temps, ni maison, ni coffre, ni caves, tout estoit ouvert

(1) Dollier de Casson, *Histoire du Montréal*; E.-M. Faillon, *Histoire de la colonie française du Canada;* Léon Gérin, *Aux sources de notre histoire*, pp. 162-191.

sans jamais rien perdre. Celuy qui avoit des commodités à suffisance en aidoit celuy qui en avoit moins, sans attendre qu'on luy demandat se faisant au contraire un fort plaisir de le prévenir et luy donner cette marque d'amour et d'estime; quand l'impatience avoit fait parler durement à son voisin ou autre, on ne se couchoit point sans luy en faire excuse à genoux. On n'entendoit pas parler seulement du vice d'impureté qui estoit en horreur mesme aux hommes les moins dévôts en apparence. Enfin c'étoit une image de la primitive église que ce cher Montréal dans son commencement en progrès (2).

Les minutes judiciaires et notariales, seuls témoignages directs sur les années de fondation, ne font pas écho à cette belle image. Sans doute les premiers habitants, terrorisés par les Iroquois, trouvèrent un réconfort dans le climat de ferveur qui régnait dans le fort et tâchèrent de se plier aux vœux des pieux dirigeants avec qui ils étaient enfermés. Quand on ouvrit les portes, la situation redevint normale. Il y a toutefois un élément à la base de l'histoire religieuse de Montréal qui va se perpétuer, soit le fossé entre la religion traditionnelle et confortable de la masse et le christianisme exigeant, éclairé et angoissé des fondateurs et du clergé chargé de l'instruire.

1. *Les prêtres.*

Le Séminaire de Saint-Sulpice, qui avait été mêlé de loin à la fondation de Ville-Marie, envoya des prêtres dès 1657 qui organisèrent la vie religieuse. Jusque-là, celle-ci était entre les mains de laïcs secondés par des Jésuites itinérants. Très forte dans toute la colonie, la Compagnie ne joua jamais un rôle de premier plan à Montréal. La congrégation de Saint-Sulpice, établie à Paris en 1645, avait pour objet de former des clercs aux vertus et aux sciences ecclésiastiques. A cette époque, elle se recrutait surtout dans les classes supérieures de

(2) *Annales de l'Hôtel-Dieu de Montréal rédigées par la sœur Morin*, pp. 114-115. La religieuse écrivait vers 1695.

la société. Parmi les membres qui passèrent au Canada, plusieurs. comme de Queylus, Fénélon, d'Urfé, Dollier, Pérot, Vachon de Belmont, Rémy, jouissaient de revenus personnels considérables. Ces prêtres, liés par aucun vœu, se soumettaient aux décisions du supérieur général perpétuel qui, de Paris, assisté de douze conseillers, gouvernait les séminaires diocésains et petits séminaires, avec quelques cures et missions. La maison de Montréal porte le nom de séminaire, bien qu'elle n'ait guère commencé à dispenser régulièrement des cours avant le milieu du XVIIIᵉ siècle. Elle a son supérieur, un économe et loge tous les ecclésiastiques qui ne sont pas attachés à une cure rurale ou à une mission particulière. De trois ou quatre membres au début, la communauté en compte une quinzaine dans le gouvernement de Montréal vers 1730. Les cures de l'île sont réunies au séminaire et les desservants sont amovibles au gré du supérieur général (3). L'évêque de Québec a autorité sur ces paroisses, mais en réalité c'est de Paris que viennent les directions spirituelles et temporelles, de messieurs de Bretonvilliers et ses successeurs, de Tronson et Leschassier. Ce sont des hommes d'une grande sagesse, habiles politiques, dont l'intérêt pour les affaires canadiennes ne faiblit pas. Saint-Sulpice fait le nécessaire pour vivre en bonne intelligence avec l'évêque, mais ne se laisse pas dicter sa conduite.

Bien servie par un clergé de qualité, l'île de Montréal jouit d'un statut privilégié par rapport au reste de la colonie. « Les trois quarts des habitants du Canada n'entendent pas quatre fois la messe dans l'année, souvent meurent sans sacrements. Ils ne sont pas plus instruits dans notre religion que les Sauvages, écrit de Meulles (4). » Il est dans la nature de cet inten-

---

(3) Pour obtenir un tel arrangement, contraire aux idées de la monarchie, Saint-Sulpice fait valoir ses dépenses, la nécessité d'assurer la retraite des curés dans ses séminaires, à défaut de quoi aucun prêtre ne consentirait à les desservir. Comme l'État compte sur la communauté pour faire contrepoids aux Jésuites, il se rend à ces raisons. L'évêque donne son accord, car il entend maintenir la mobilité des cures dans le reste du diocèse et la neutralité des Sulpiciens lui est nécessaire pour mener cette politique. (Arrêt du Conseil d'État, 15 mai 1702, Édits, ordonnances royaux, vol. I; correspondance des Sulpiciens, ASSP, vol. XIII et XIV, passim.)

(4) Lettre du 4 novembre 1683, AC, C11A6, fᵒ 185.

dant de tout exagérer, mais la situation n'est certainement pas brillante. Encore en 1730, sur 100 paroisses, seulement 20 ont un curé en titre. Les autres sont desservies par voie de mission et les prêtres sont de formation inégale.

Les Sulpiciens qui passent au Canada au XVIIᵉ siècle poursuivent un rêve missionnaire, mais peu ont la chance de le réaliser. Les Jésuites ont la haute main sur les territoires indigènes et le Séminaire des Missions étrangères les seconde. Saint-Sulpice ne peut espérer y faire une marque très profonde et accepte de s'occuper d'abord de la population établie dans ses seigneuries. Ces prêtres doivent donc renoncer à porter la parole de Dieu aux nations étrangères, oublier la griserie des conversions et du martyre toujours possible, pour exercer un ministère banal auprès des habitants qui n'attendent pas l'évangile, mais des services (5). La déception est d'autant plus dure, l'adaptation plus difficile, que la plupart n'ont aucune expérience préalable du milieu rural français. Ils jugent leurs paroissiens avec une très grande sévérité et le directeur spirituel doit leur rappeler que les populations de France n'agissent pas autrement, les exhorter à la patience, à la modestie, à la tolérance. Leur générosité n'a pas besoin d'encouragements. Les curés donnent sans compter leurs biens et leur personne. Ils s'usent à la tâche, se désespèrent de ne pouvoir secourir tous les pauvres, adoucir les maux, vaincre le vice et l'indifférence. Le supérieur les supplie d'être plus raisonnables, d'apprendre à « bien ménager », de contrôler l'ardeur qui les porte à dénoncer les injustices et met en péril la paix de la communauté, d'être plus soucieux de leur santé. Certains se « détraquent » et il faut les rappeler. D'autres se « dégoûtent » du Canada, se lassent de ce ministère ingrat et demandent à rentrer en France, créant des vides difficiles à combler. Les « missions françaises » suscitent peu de vocations en France (6). C'est

(5) Vous ne devez pas regretter la Chine, écrit M. de Tronson au curé Rémy, 5 avril 1677, ASSP, vol. XIII, pp. 66-78; voir aussi vol. XIV, p. 14.
(6) Lettres du supérieur général à MM. Pérot, Roche, Vachon, Geoffroy, Priat, Rémy et Bouffandeau, 8 mai 1677 (ibid, vol. XIII, pp. 82-84); 3, 5 et 8 juin, 18 mars 1706, avril 1707, 6 juin 1708 (ibid., vol. XIV, pp. 355-356, 364-365, 366, 378, 385 et 406).

une très belle correspondance que les supérieurs de Paris entretiennent avec ces prêtres, qui se tournent vers eux quand la solitude morale se fait trop lourde, quand ils s'interrogent sur leur vocation, sur leur utilité là où Dieu les a placés. Plusieurs persévèrent et, à la longue, deviennent plus sereins et sans doute plus efficaces.

L'esprit qui anime le clergé de Montréal est gallican et janséniste. Un gallicanisme qui se traduit d'abord par la méfiance, voire l'hostilité envers les réguliers, religieux mendiants et Jésuites surtout. Le Séminaire doit céder aux pressions conjuguées de la population, de l'évêque et de l'intendant et accepter que ces ordres fondent des couvents dans leur seigneurie. « C'est une pernicieuse chose que d'avoir introduit les Jésuites à Montréal, se plaint Dollier, ce sera une semence de division et la ruine de la paroisse (7). » Il faut toute la diplomatie du supérieur général et de l'évêque pour empêcher le conflit touchant les autorisations de prêcher et de confesser d'éclater au grand jour (8). Paris n'accorde aucune vertu aux Jésuites mais ne cesse d'insister sur la nécessité de se taire pour éviter le pire. Il n'est jamais question de Rome dans cette volumineuse correspondance. On attend tout de Versailles ou des décisions de la Sorbonne pour régler les problèmes locaux. On constate sans s'offusquer les empiétements du pouvoir civil sur l'ecclésiastique (9). L'Église de la colonie va finir elle aussi par accepter les ingérences de l'État dans ses affaires, mais les Sulpiciens la précèdent d'un bon demi-siècle dans cette voie (10).

---

(7) Rapporté par M. de Tronson, avril 1685, *ibid.*, vol. XIII, p. 410.

(8) Voir le règlement très strict sur lequel on finit par s'accorder, 21 mai 1694, ASSM (copie Faillon H 534).

(9) A Belmont qui demande si les prêtres peuvent refuser d'apparaître en cour civile, Paris répond qu'il vaut mieux se soumettre, car telle est la tendance générale. 26 mars 1706, APC, M.G.17, A7, 2, 1, vol. 2, pp. 355- 366.

(10) Colbert écrit : « Sur le sujet de la trop grande autorité que vous trouvez que l'Evesque de Pétrée et les Jésuites, ou pour mieux dire, ces derniers sous le nom du premier, se donnent, je dois vous dire qu'il est nécessaire que vous agissiez avec beaucoup de prudence et de circonspection sur cette matière, vu qu'elle est de telle nature que lorsque le païs augmentera en habitans, assurément l'autorité Royale surmontera l'Ecclé-

Nous employons le mot jansénisme dans son sens le plus diffus : une attitude de l'esprit sans contenu théologique et encore moins politique. C'est la conception d'un christianisme profondément exigeant, qui veut être vécu sans compassion ni concessions (11). Les Sulpiciens sont rigides. Ils « gênent les consciences », « tyrannisent les âmes ». Le rigorisme n'est pas très apparent dans les paroisses rurales où les prêtres sont toujours prêts à faire la part de la pauvreté et de l'ignorance. Mais dans la paroisse urbaine, cette intransigeance qui s'exerce contre les femmes trop parées (12), les capitaines qui abusent de leurs soldats, les marchands qui enivrent les Indiens, leur attire beaucoup d'ennuis. Depuis Fénélon qui osa, dans son sermon du jour de Pâques, rappeler au gouverneur ses devoirs envers le peuple — écart qui lui valut la prison et le rappel en France (13) — jusqu'aux dénonciations lancées du haut de la chaire, aux refus d'absolution, aux accusations de laxisme contre les Jésuites, particulièrement en matière de conversion, il y a là un ensemble d'attitudes qui heurtent la bonne société. Autres traits : un respect exagéré des sacrements (14), l'insistance sur les règles, la correction dans la morale et les cérémonies, une méfiance pour les dévotions spontanées. « Il est mort au Sault une Sauvagesse en odeur de sainteté. Toute la Chine y fait des neuvaines et de plus on s'y confesse. Et les plus gros pécheurs passent, ce qui fait beaucoup de peine au curé et de tort à la paroisse (15). »

La communauté est vigilante. Lorsque Monsieur Bailly commence à prêter l'oreille à des histoires de sorciers, il est

siastique et reprendra la véritable estendue qu'elle doit avoir. » (AC, B1, f° 141). C'est ce qui s'est produit. Voir Guy Frégault, « L'Église et la société canadienne », *Le XVIIIᵉ siècle canadien*, pp. 114-122.

(11) L. Cognet, *Le jansénisme* (Paris, 1961), p. 124.

(12) Lettres du curé à M. Arnaud, marguillier, 10 février 1695 (APC, M.C.17, A7, 2, 1, vol. 1); de M. de Tronson, 28 février 1692 (ASSP, vol. XIV, p. 7).

(13) C'est le frère aîné du prédicateur (Olivier Maurault, *DBC*, vol. I, pp. 613-615). Le gouverneur, par association d'idées, va ensuite accuser les Sulpiciens d'être « infectés de quiétisme ». Lettre de M. de Tronson, 12 mai 1695, ASSP, vol. XIV, p. 125.

(14) Lettre du même, 1692, *ibid.*, p. 30.

(15) Mémoire d'un missionnaire de Saint-Sulpice (1684), *ibid.*, p. 109, pièce 1, article 20. Il s'agit de la paroisse de Lachine dans l'île de Montréal.

promptement renvoyé en France (16). Les malheurs qui s'abattent sur la région à la fin du siècle échauffent les esprits. Des prêtres désemparés devant la marée de violence et de misères s'énervent, crient à la vengeance du ciel. Une religieuse visionnaire prétend connaître l'état de ceux qui communient et soutient qu'il n'y a pas soixante personnes hors du sacrilège dans tout le pays, ce que son confesseur croit volontiers. « Chimères et rêveries de cerveaux creux », écrit Tronson. « En un mot, conseille-t-il, tenez pour suspect tout ce que vous verrez d'extraordinaire et singulier, qui vous écartera des voyes de nos Pères... (17). »

Tels sont les prêtres chargés d'organiser la vie religieuse dans l'île de Montréal : instruits, de mœurs irréprochables, exigeants. Le tempérament de chacun humanise ce que cette formation a laissé de trop rigide, de trop froid. L'écart social et intellectuel qui les sépare des fidèles ne va pas en diminuant, bien au contraire. Le Séminaire n'incorpore aucun clerc canadien avant la fin du XVIIIᵉ siècle, de sorte que les nouveaux curés qui arrivent de Paris ou de Clermont font, avec le temps, de plus en plus figure d'étrangers.

2. *Les paroisses.*

a) *Notre-Dame.*

Pendant trente-cinq ans, il n'y a qu'une seule paroisse dans l'île de Montréal. Les offices sont célébrés d'abord dans le fort, ensuite dans la chapelle de l'Hôtel-Dieu et enfin dans une église consacrée en 1678. Bien qu'elle conserve toujours une forte proportion de ruraux, la paroisse Notre-Dame prend vite un caractère urbain. La fabrique, comme l'écrit Pierre Goubert, est la forme religieuse de la communauté d'habitants (18) et c'est bien, en effet, l'évolution de la communauté

(16) Lettre de M. de Tronson, 1ᵉʳ mars 1680, *ibid.*, vol. XIII, p. 165; registre des assemblées de Saint-Sulpice, minute du 27 janvier 1680.

(17) Lettre de M. de Tronson, 2 mars 1691, ASSP, vol. XIII, pp. 589-602.

(18) *Beauvais et le Beauvaisis*, p. 204.

urbaine qui transparaît à travers les minutes des délibérations et les comptes annuels. L'organisation est la même qu'en France : assemblée des habitants, élection annuelle, comptes rendus à la fin de chaque exercice par le marguillier sortant de charge et qui doivent être rendus publics et approuvés par l'évêque. Le curé assiste aux délibérations auxquelles participent tous les anciens élus et quelques membres honoraires dans les premières décennies. Entre 1657 et 1684, les marguilliers se répartissent comme suit : cinq marchands, trois officiers, un aubergiste, deux chirurgiens, un boulanger et quatorze habitants et hommes de métier. Après nous ne comptons que des bourgeois, des marchands surtout (19). La tenue des comptes s'améliore. Le peuple est tenu complètement à l'écart des affaires de la paroisse, ce qui concorde avec la mise en place de la structure commerciale. La charge de marguillier, que ne méprisent pas les gens les plus en vue, représente une forme de consécration sociale pour ceux dont la fortune n'est pas encore faite.

Le coût social d'une organisation religieuse à créer de toute pièce est élevé. En 1654, les habitants sont mis à contribution pour le bâtiment de l'église conventuelle et l'aménagement d'un cimetière. En corvée, en nature et autrement, c'est peut-être quelque 2 000 l. que le receveur des aumônes réussit à prélever sur cette minuscule communauté (20). Durant ces premières années, une bonne partie du revenu de la fabrique provient des amendes que le bailli applique à la paroisse, des legs par des traitants qui n'ont pas de famille dans la colonie, des biens qui tombent en déshérence et que le tribunal partage entre la paroisse et l'Hôtel-Dieu. Ce sont des recettes en nature, en marchandises de traite surtout, ce qui explique l'existence du « magasin de la paroisse », soit un stock que le marguillier reçoit au début de l'exercice et fait profiter à la manière de n'importe quel commerce particulier (21). En 1672, commence

(19) « Marguilliers de la paroisse Notre-Dame de Ville-Marie de 1657 à 1813 », *BRH*, 19 (1913), pp. 276-284.

(20) Minutes de l'assemblée du 29 juin 1654, bailliage; E. Faillon, *op. cit.*, vol. I, p. 200.

(21) Comptes des premiers marguilliers, A-13; inventaire du stock, 19 septembre 1660 et 9 décembre 1661, M. not., Basset.

la construction d'une église dans la partie haute de la ville, soit un peu en retrait du premier noyau urbain. C'est un édifice en pierre de dimensions imposantes, comme il se doit dans un siège de bailliage et de gouvernement, ouvert au culte dès 1678 mais qui ne sera pas de sitôt parachevé. Les contrats pour le clocher, les chapelles, l'ornementation du portail et des fenêtres latérales sont passés entre 1710 et 1720 (22). Il est impossible d'évaluer le coût global. La contribution de Saint-Sulpice est importante. Les curés s'inscrivent personnellement sur les rôles de cotisations et le roi ajoute quelques gratifications (23). Néanmoins, la communauté supporte une lourde charge. Nul n'est forcé de contribuer, mais lorsque le marguillier, allant de porte à porte, dresse la liste des « bienfaits et promesses » pour les travaux de l'année courante, la pression sociale est suffisamment coercitive. Les artisans, les habitants promettent jusqu'à douze livres, l'équivalent d'un mois de gages. Le tout est évalué en monnaie, mais la nature des contributions varie : numéraire, fourniture de bois, de grains, de pierres, de chaux, journées d'hommes ou d'attelage (24). Les marguilliers traduisent en justice ceux qui n'exécutent pas leurs promesses (25).

Ces contributions extraordinaires sans cesse répétées, s'ajoutant à la dîme et aux charges casuelles inévitables, affectent certainement le revenu des quêtes dans l'église et autres offrandes pour le culte. Si nous répartissons ces dernières recettes sur l'ensemble des paroissiens, nous obtenons, par famille, une moyenne de 15 sols. A la fin du siècle, avec 120 familles dans la paroisse, la quête du dimanche ne rapporte que 20

---

(22) 3 juin 1705, *ibid.*, A. Adhémar; 28 novembre 1710, *ibid.*, Raimbault; mémoire de mars 1729, APC, M.G.17, A7, 2, 3, vol. 6.

(23) Par exemple, 5 000 l. du curé Pérot pour l'achat d'une caisse d'ornements (en 1670). Archives de la paroisse Notre-Dame, boîte 1; minutes, 1672 (Faillon H 622); 1 500 l. du roi, ordonnance du 3 mai 1682, ASSP vol. XIII, pièce détachée.

(24) « État des Journées, dons et bienfaits qu'ont permis les habitans soubscrits pour ayder à construire et élever l'Église », 20 janvier 1676, archives de la paroisse Notre-Dame, boîte 1, chemise 15.

(25) En 1681, Pierre de Vanchy est condamné à payer 32 l. et quatre journées plus les frais de cour (11 octobre 1681, bailliage). Nos sondages dans ces registres nous ont permis de relever quelques cas semblables.

à 30 sols. Il y a quatre catégories d'inhumation : 3 l. 7 s pour les enfants et les Indiens; 6 l. à 10 l. pour un adulte, le double pour ceux qui veulent un peu d'apparat; 60 l. pour l'enterrement dans l'église (26). Lorsque vers 1690, la fabrique commence à vendre des bancs, la valeur à l'enchère est de 37 l. Elle atteint 90 l. au début du XVIIIᵉ siècle. Les acquéreurs paient en plus une rente annuelle de 7 l. 6 s. En 1707, les bancs sont ainsi répartis : seize officiers militaires et civils, dix-sept marchands, deux notaires et un groupe de douze personnes comprenant les boulangers, des bouchers, tanneurs et forgerons, un aubergiste et un chirurgien, soit 47 familles dans une paroisse qui en compte 355. Cette même année, le marguillier fait recette de 262 l. pour les quêtes et offrandes, 334 l. pour les enterrements et 372 l. pour les bancs (27). Ceci assure les achats de pain bénit, de cire, d'huile, de charbon, de toile, le blanchissage du linge, les gages du bedeau, les rétributions aux officiants et aux enfants de chœur, l'entretien de l'église et quelques menues dépenses. A cette époque, les communautés et les pauvres reçoivent la majeure partie des legs, naguère attribués à la fabrique. Les rentes ont toujours été négligeables et les petites fondations ne s'accumulent que très lentement. Le casuel des bâptêmes et des mariages, des exemptions de jeûne et des dispenses de bans, n'apparaît pas dans les comptes des marguilliers (28).

Au début du XVIIIᵉ siècle, la paroisse urbaine est assez bien établie. Ses dîmes, provenant des terres anciennement défrichées et les mieux utilisées, sont les plus importantes de l'île. En 1705, la mise à prix est de 650 minots de tous grains et l'enchère monte à 950 minots. Retenons un minimum annuel

(26) En livres tournois. Ce sont des tarifs un peu plus élevés qu'en France. Voir Thérèse-Jean Schmitt, *L'organisation ecclésiastique dans l'Archidiaconé d'Autun de 1650 à 1750*, (Autun, 1957), pp. 146-147.

(27) Comptes de Charly, marguillier en charge, mai 1706 à mai 1707, archives de la paroisse Notre-Dame, A-14.

(28) Nous savons que les dispenses de bans de mariage sont fréquentes et coûteuses : 9 livres pour un ban, jusqu'à 22 l. pour deux et 75 l. pour les trois. L'évêque oblige le curé à verser la majeure partie du produit à l'Hôtel-Dieu. Lettre du 10 juin 1716 (ASSM, copie Faillon H 533); procès-verbal du 16 août 1672, bailliage, 1ʳᵉ série, registre 1.

net de 600 minots ou environ 1 125 l. (29), que Saint-Sulpice utilise pour suppléer au revenu des paroisses nouvelles, car c'est beaucoup plus qu'il n'en faut pour payer la pension du curé et de son vicaire. En 1721, les quelque 150 habitants et fermiers éparpillés dans la banlieue se déclarent satisfaits d'appartenir à la paroisse Notre-Dame (30). La dignité des lieux, le spectacle de cérémonies bien faites au milieu d'une élégante assemblée souvent rehaussée par la présence du gouverneur, de l'intendant et autres visiteurs de marque, les consolent sans doute d'un anonymat qu'ils partagent avec les petits artisans et les journaliers.

b) *les paroisses rurales.*

Déjà vers 1665-1668, les Sulpiciens doivent desservir les côtes plus éloignées, à l'est et à l'ouest de la paroisse. Un prêtre va célébrer la messe tous les dimanches pendant trois ans chez François Bot à la Pointe-aux-Trembles. En 1674, les habitants élisent deux marguilliers chargés de percevoir les cotisations, de conclure et de surveiller les marchés pour la construction d'une église (31). La paroisse de Lachine commence à s'organiser vers la même époque. Après un temps d'arrêt causé par la guerre, les fondations recommencent et suivent le peuplement : Rivière-des-Prairies, Pointe-Claire, Sainte-Anne, Longue-Pointe et Saint-Laurent . L'étalement de l'habitat exige la multiplication des lieux du culte. Tant que l'île n'est pas entièrement occupée, il faut redécouper sans cesse le territoire, joindre d'anciens et de nouveaux quartiers, de façon à avoir entre 50 et 100 habitations par paroisse, avec une église bien centrée. Peu d'habitants consentent à faire plus d'une lieue et demie pour entendre la messe « à cause du froid

---

(29) Criée du 12 août 1705, ASSM (copie Faillon II 91); baux des 20 août 1715 et 26 octobre 1716, M. not., J.-B. Adhémar.

(30) Procès-verbal sur la commodité... des paroisses, *RAPQ* (1921-1922), pp. 264 *sqq.*

(31) Registre de la paroisse de l'Enfant-Jésus, minutes des délibérations (copie Faillon QQ 77-81).

en hiver, le chaud et les maringouins en esté (33) ». C'est aux
prêtres d'aller les visiter et si la mission n'est pas régulière ils
s'en plaignent. Dès qu'il y a une trentaine de familles dans un
quartier, elles réclament à cor et à cri une église et un curé.
Rien n'est plus édifiant que l'enthousiasme manifesté lors des
premières assemblées. Tous les habitants sont présents. Les
cotisations ne leur font pas peur. Ils promettent de l'argent, les
plus beaux arbres de leur terre, des charrois de pierres, des
vivres pour les ouvriers et autant de corvées pour les assister
que le maître d'œuvre jugera nécessaires. Les travaux commencent puis sont interrompus faute de moyens, de matériaux et
de main-d'œuvre. Le receveur convoque des assemblées auxquelles personne n'assiste. Il parcourt en vain la côte pour leur
rappeler leurs promesses. Les interventions des Sulpiciens,
celles de l'évêque, ne donnent pas plus de résultats. Il faut faire
appel à l'intendant et ce n'est vraiment que lorsqu'ils entendent
parler du tribunal, avec doublement de la cotisation et amende
aux contrevenants, que la charpente recommence à s'élever (34).
Quelques condamnations bien ébruitées font bon effet (35).
A la Longue-Pointe, il fallut cinq ans pour rallier les bonnes
volontés, « quoiqu'au commencement que la première pierre
fut posée, tous avaient paru contents (36) » ; davantage à la
Rivière-des-Prairies, tandis qu'à Lachine le curé impatient
règle seul une bonne partie des dépenses et garantit l'emprunt
que les marguilliers doivent contracter pour le reste, les habitants ayant « laissé la fabrique en dette faute de secours, travaux et autres choses qu'ils avaient promis et qu'ils n'avaient
pas voulu accomplir, étant accoutumés à promettre beaucoup
et à ne rien tenir (37) ».

(33) Lettre de M. de Tronson, 6 juin 1708, ASSP, vol. XIV, p. 406.

(34) Voir les minutes des assemblées de toutes les paroisses rurales, les
ordonnances des intendants et les mandements des évêques. Le scénario
est le même dans toutes les régions de la colonie.

(35) Voir, par exemple, les procédures du 22 juillet 1681, bailliage, 1re
série, registre 1.

(36) Ordonnance de Dupuis, 21 avril 1727, *Édits, Ordonnances Royaux*,
vol. III, p. 232.

(37) Testament de M. Rémy, 20 octobre 1705 (copie Faillon LL50);
requête du curé de Lachine à Raudot, 7 octobre 1707, *ibid.*, DD319; requête
de Bouffandeau, curé de Rivière-des-Prairies à Beauharnois, 27 août 1704,

Les premières églises sont généralement de bois, simples chapelles mal isolées qui vite menacent ruine et qu'il faut remplacer par des constructions durables en pierre. Si les paroissiens sont alors mieux établis, ils y mettent autant de mauvaise grâce, car ce sont des bâtisses coûteuses. Enfin lorsque, bon gré mal gré l'église étant achevée, le curé exige un presbytère, il se heurte à un mur d'indifférence; encore heureux celui qui trouve un marguillier pour le seconder. Dans l'île de Montréal, les prêtres ont souvent des revenus personnels suffisants pour avancer ce qu'il faut et éventuellement, par testament, ils remettent la dette à la fabrique (38).

Il faut beaucoup de temps aux habitants pour se remettre du traumatisme provoqué par ces impositions. Les revenus des fabriques ne suffisent pas aux frais du culte. Les marguilliers poursuivent ceux qui n'acquittent pas les enterrements (39) et le bailli doit intervenir et ordonner aux habitants de fournir le pain bénit à tour de rôle et contribuer aux besoins et aux nécessités de la paroisse sous peine d'amendes (40). La perception de la dîme pose aussi de sérieux problèmes. Saint-Sulpice favoriserait l'adoption de la méthode coutumière, la levée sur le champ « pour éviter les fraudes et les péchés (41) », mais il n'a pas assez d'appuis dans la colonie pour forcer le Conseil souverain à changer son règlement. Nous pouvons suivre dans les registres du bailliage les poursuites intentées par les amodiateurs, série qui s'accorde au mouvement du peuplement et de la conjoncture. Il y a beaucoup de tâtonnements dans les mécanismes de perception du XVIIIᵉ siècle. Saint-Sulpice ne veut pas exiger personnellement des droits « dont la demande et la poursuite peuvent rendre odieux les

---

M. not., Raimbault. A rapprocher d'une déclaration dans le même sens par Mgr Plessis en 1809 citée par Jean-Pierre Wallot, « Religion and French Canadian Mores », CHR, LII, 1 (mars 1971), p. 79.

(38) Voir, par exemple, les circonstances qui entourent l'érection de la paroisse Saint-Laurent, ASSP, dossier 33, pièce 2.

(39) 22 décembre 1688, bailliage, 2ᵉ série, registre 1. Les marguilliers regroupent ces poursuites.

(40) Ordonnance de Migeon, 19 décembre 1678, ibid., 1ʳᵉ série.

(41) Soit les fausses déclarations sous serment. Voir supra, troisième partie, chapitre II, § 2; lettre de Magnien, 18 mars 1717, APC, M.G.17, At, 2, 1, vol. 2, pp. 530-531.

ecclésiastiques (42), mais il a peine à trouver de bons fermiers. Les faillites, l'absence de continuité, encouragent les habitants à accumuler les arrérages et la condamnation à laquelle ils n'échappent pas, même si elle tarde, est d'autant plus brutale et se termine parfois par une saisie-brandon (43). Les poursuites portent généralement à la fois sur les droits seigneuriaux et les dîmes, celles-ci formant la majeure partie de la dette (44).

Le produit des dîmes est administré par l'économe du Séminaire qui accorde à chaque curé ce qui est nécessaire à son entretien, compte tenu de ses moyens personnels. Le roi subventionne les paroisses de la colonie dans leurs débuts et Saint-Sulpice touche quelques-unes de ces gratifications (45). Mais, à vrai dire, les suppléments ne sont pas strictement nécessaires, car, malgré les défections des habitants, le blé entre dans les greniers, celui des paroisses anciennes compensant pour les maigres retours des nouveaux établissements. Des curés remarquent que la portion congrue ne leur permet pas de soulager la misère des paroissiens (46). Quant à ceux-ci, ils sont certainement conscients que le produit de leurs dîmes est affecté non seulement à d'autres paroisses mais à des fins étrangères : pour le Séminaire, l'amélioration des métairies, l'entretien des missions. L'opinion publique attribue de grandes richesses à l'Eglise et aux Sulpiciens en particulier, d'où le mauvais vouloir manifeste de certains. Mais les difficultés tiennent surtout à la pauvreté générale des colons. A peine ont-ils quelques arpents défrichés, qu'ils sont mis à contribution et l'instabilité des premiers concessionnaires réduit encore

---

(42) Lettre de M. Leschassier, 17 mars 1702, ASSP, vol. XIV, p. 249.

(43) Ou saisie des fruits de la terre. Voir : A. Lecomte poursuivi pour quarante-huit minots de grains et 27 l., 4 juillet 1690 (bailliage, 2e série, registre 1); poursuites par Hattanville, receveur en 1693 (ibid., fos 622-623), par les receveurs Dugast et Pottier en 1689-1692 (ibid.), etc.

(44) Lettre de M. de Tronson, juin 1681, ASSP, vol. XIII, p. 261.

(45) L'évêque fait la distribution. Le montant global varie, et nous ne savons pas si ces générosités sont annuelles. AC, D2D, 1, et BN, MSS fr. N.A., 9273, fo 166.

(46) Lettres des 8 mai 1677, 1er juin 1681, 18 mars 1705, ASSP, vol. XIII, pp. 82-84, 261, et vol. XIV, p. 343.

l'assiette fiscale (47). Quelques habitants mieux établis se voient taxés pour leurs efforts et leur persévérance au profit des absents et des miséreux, ce qui apparaît comme une autre injustice. Enfin, il n'y a pas de riches dans les côtes, donc point de générosités individuelles, de dons, legs et fondations qui pourraient compenser les défections de la masse comme c'est le cas à Notre-Dame.

En dépit de ces tiraillements, les habitants entendent gérer eux-mêmes la paroisse, et c'est là un autre cause de friction entre le clergé et les fidèles (48). Par ailleurs, pour peu qu'un curé passe quelques années au milieu d'eux, ils lui sont profondément attachés, se plaignent si celui-ci s'absente pour desservir d'autres quartiers (49), s'insurgent si le Séminaire veut le déplacer (50). Ils n'acceptent pas davantage ces remaniements territoriaux qui les séparent brusquement d'une église familière, du cimetière où leurs parents sont enterrés. En 1714, le Séminaire décide que la côte Saint-Léonard, jusque-là attachée à la Pointe-aux-Trembles, fera désormais partie de Rivière-des-Prairies, récemment établie. Les gens de Saint-Léonard refusent, adressent une requête à l'évêque et, apprenant que celui-ci maintient la décision, ils se fâchent et s'emparent de force du pain bénit que l'un d'eux, plus soumis, allait porter à la nouvelle église. L'huissier chargé d'aller assigner les séditieux, raconte que toutes les femmes l'attendaient « avec des roches et des perches dans leurs mains pour m'assassiner », qu'elles le poursuivirent « en jurant : arrête voleur, nous te voulons tuer et jeter dans le marais (51) ».

Nous aurions tort, croyons-nous, d'interpréter les résis-

(47) Lorsqu'une terre est vendue après la confection du rôle, l'acheteur doit payer la taxe. Procès-verbal de l'assemblée de la fabrique de Pointe-aux-Trembles, 3 juillet 1710 (copie Faillon HH 64).

(48) Procès entre les marguilliers et le curé de Notre-Dame touchant l'aliénation des biens de l'église, 16 août 1672, bailliage, 1ʳᵉ série, registre 1.

(49) Les paroissiens de la Pointe-aux-Trembles demandent à l'évêque de ne pas obliger leur curé à desservir la mission de Boucherville. Lettre de M. de Tronson, 29 juin 1689, ASSP, vol. XIII, p. 563.

(50) Au sujet du déplacement du curé Guyotte, lettres de 1694, *ibid.*, pp. 66 et 87.

(51) Procès-verbal du 12 octobre 1715, bailliage, 2ᵉ série, registre 5 (copie Faillon HH101).

tances à la fiscalité comme des signes d'indifférence. La préci-
pitation avec laquelle la communauté rurale se lance dans ces
entreprises coûteuses, que personne ne lui impose pour commencer, est plus significative que ses refus. La création d'une
paroisse est pour elle un symbole, qui marque la fin de la lutte
isolée pour domestiquer le pays étranger, le retour à une forme
de vie sociale normale. L'église et le curé sont les pivots de sa
religion. Négliger ces signes extérieurs, c'est risquer d'anéantir
à brève échéance toute la vision chrétienne que ces colons
portent en eux, car celle-ci repose sur des pratiques collectives,
un conformisme que la mission est incapable d'implanter.
Les prêtres, mus par une spiritualité plus intérieure, ne semblent pas être conscients du danger et croient qu'il suffit de
visiter les familles, de leur dispenser des sacrements de temps à
autre, pour entretenir la religion. Ils attribuent volontiers au
mauvais naturel des habitants, à l'influence pernicieuse de la
traite des fourrures, le laisser-aller des « missions françaises »,
privées trop longtemps de signes et de dévotions (52). Les habitants sentent confusément que la paroisse est essentielle, d'où
ces projets prématurés et l'ambivalence des attitudes.

3. *Les écoles.*

L'enseignement primaire est dispensé dans le cadre paroissial,
d'abord par les prêtres puis par des maîtres sous leur surveillance, selon le système français (53). Les petites écoles de la
ville sont mises sur pied vers 1664. Les enfants apprennent à
lire en français, à écrire et à compter. En 1680, le supérieur
félicite le curé des progrès de ses élèves en écriture, mais lui
recommande d'être plus exact à leur apprendre le catéchisme

---

(52) Par exemple, les missions du haut de l'île, les plus désespérantes,
mais restées sans église pendant trente ans. Lettre de M. Leschassier, avril
1704, ASSP, vol. XIV, p. 317.

(53) Jusqu'en 1694. Mais les fondations pour les écoles sont insuffisantes,
les curés contribuent personnellement à leur entretien et, finalement, la
fabrique remet la direction au Séminaire. Contrat du 13 mai 1694, M. not.,
A. Adhémar.

et de commencer à former des enfants de chœur (54). Par la suite, ce sont des laïcs (55) ou de jeunes clercs, toujours choisis par les Sulpiciens, qui ont la conduite des écoles. M. de La Faye « n'est pas d'un grand génie mais il est bon enfant et est d'une humeur bien douce (56) ». Il fallut vite trouver mieux. Au début du XVIIIᵉ siècle, le maître essaie de faire observer le silence à ses élèves « comme dans les écoles de Monsieur de La Salle », mais il doit faire deux classes dans une seule pièce, les grands à un bout, les petits à l'autre, ce qui ne facilite pas la tâche (57). En 1719, la correspondance mentionne un système alternatif, avec un premier groupe de six à onze heures, et un autre de midi à cinq heures (58). Ces écoles sont gratuites, semble-t-il.

Marguerite Bourgeois, une pieuse champenoise arrivée à Montréal en 1642, fonda une communauté pour instruire les filles indiennes et françaises. Les religieuses ont une école dans la ville (59), une autre dans la mission de La Montagne et établissent graduellement des pensionnats à Lachine, à la Pointe-aux-Trembles et ailleurs dans la colonie. Nous ne savons rien de cet externat urbain. Vraisemblablement, les fillettes y apprennent la lecture et l'écriture, en même temps que le catéchisme et les travaux ménagers et les familles paient au prorata de leurs capacités. C'est ce type d'enseignement que les religieuses dispensent à leurs pensionnaires, moyennant 90 l. tournois par année (60), donc surtout à des enfants de

---

(54) Lettre de M. de Tronson, 20 mars 1680, ASSP, vol. XIII, p. 200.

(55) Une communauté de frères instituteurs dessert les écoles entre 1686 et 1694. Y. Poutet, « La Compagnie de Saint-Sulpice et les petites écoles au XVIIᵉ siècle », *Bulletin du Comité des études de la Compagnie de Saint-Sulpice*, 33 (avril-juin 1961), pp. 164-183. Voir aussi *RAPQ* (1923-1924), p. 635.

(56) Lettre de M. de Tronson, 2 mars 1684, ASSP, vol. XIII, p. 354.

(57) Lettres de M. Leschassier, 24 mars 1702 et mai 1703, *ibid.*, vol. XIV, pp. 260 et 291.

(58) Lettre du même, 1719 (copie Faillon H 433).

(59) Mgr de Saint-Vallier, *Estat présent de l'Église et de la colonie française dans la Nouvelle-France* (Paris, 1688), p. 24.

(60) La supérieure poursuit pour une pension, 23 mars 1679. bailliage, 1ʳᵉ série, registre 1. La pension est aussi de 120 l. aux Ursulines de Québec, où des Montréalais envoient leurs filles (17 mars 1694, M. not., A. Adhémar).

familles aisées à travers lesquelles nous rencontrons quelques filles d'habitants, orphelines de mère. Dans une maison appelée La Providence et dans leurs couvents, les religieuses accueillent gratuitement des filles du peuple, qu'elles forment aux tâches domestiques. « Et comme l'expérience fait voir que toutes ces filles là ont l'esprit tardif, on en prendra point de plus jeunes que l'âge de douze ans afin qu'elles soient plus en état de profiter des instructions... et ainsi qu'elles puissent gagner leur entretien [...] et quant à l'écriture, cela n'étant point nécessaire à de pauvres filles, ce serait un temps qu'on leur ferait perdre et qu'elles peuvent employer plus utilement en d'autres choses. S'il s'en trouvait quelques-unes qu'on jugeât capables d'être religieuses, on peut les envoyer à l'école apprendre l'écriture... (61). »

Dans la paroisse Notre-Dame, le système scolaire donne des résultats assez satisfaisants. D'après le relevé des signatures des époux au bas des actes des mariages contractés entre 1657 et 1715, 45, 5 % des garçons et 43 % des filles nés dans la colonie savent signer (62). Rappelons que dans cette même paroisse, pour les époux nés en France, les pourcentages, soit 38,4 % pour les hommes et 31, 7 % pour les femmes, étaient déjà assez élevés (63). Mais il y a progrès à la seconde génération et l'écart entre le degré d'instruction des garçons et des filles a diminué (64). Il s'agit, bien sûr, d'une population en partie urbaine. Les ruraux sont à courte distance de la ville et profitent

(61) Contrat de donation de 13 300 livres par Jeanne Leber à la Congréga-tion de Notre-Dame, 9 septembre 1714, *ibid.*, Le Pailleur.

(62) Les premiers mariages seulement. Il nous a fallu éliminer les pé-riodes 1642-1657, octobre 1659-août 1660 et 1682-1692, les curés ayant négligé d'enregistrer fidèlement les signatures. Nos pourcentages reposent donc sur un petit nombre de cas : 195 garçons et 283 filles. Nous avons rejeté quelques signatures dessinées, mais retenu toutes les autres, souvent très maladroites.

(63) *Supra*, première partie, chapitre II, § 8.

(64) La scolarisation se situe dans les moyennes du nord-est de la France. Elle se compare par exemple à celle de Bayeux (43 %). Voir : M. Fleury et P. Valmary, « Les progrès de l'instruction élémentaire de Louis XIV à Napoléon III », *Population*, 1 (1957), pp. 71-92; M. El Kordi, *Bayeux aux XVIIe et XVIIIe siècles* (Paris, 1970), p. 85; aussi Louis-Philippe Audet, « La Nouvelle-France et ses dix mille colons », *Cahier des Dix*, 36 (1971), pp. 9-53.

plus que d'autres des services occasionnels des maîtres itinérants.

Il est très difficile d'organiser des écoles dans les autres
paroisses. A Lachine et à La Pointe-aux-Trembles, les curés
engagent des maîtres très tôt, mais ceux-ci sont peu qualifiés, souvent instables, et la dispersion de l'habitat, les bouleversements de la fin du siècle, la pauvreté des fabriques,
retardent les progrès (65). Dans les côtes éloignées, les enfants
ne reçoivent guère plus que des leçons de catéchisme (66).
Plusieurs soldats s'improvisent instituteurs là où ils prennent
leur quartier d'hiver, initiatives que les prêtres ne découragent pas (67). Il est normal de voir dans une même famille
des enfants qui savent écrire et d'autres pas. La scolarisation
est affaire de circonstance et de motivation. L'école, ou ce
qui en tient lieu est éloignée, les chemins peu sûrs et l'instruction
somme toute peu utile à ces paysans. Par contre, un jeune
homme qui veut devenir voyageur doit acquérir quelques
rudiments de calcul et d'écriture, sans quoi il ne sera toujours
qu'un portefaix. Les abécédaires que les marchands vendent
dans les côtes servent sans doute en partie à ces garçons, déjà
adultes quand ils découvrent les inconvénients de l'ignorance (68). Dans les campagnes, le degré d'instruction des
femmes reste toujours bien inférieur à celui des hommes. Les
registres de ces paroisses ne sont pas assez bien tenus avant 1715
pour risquer des taux. Vraisemblablement, l'analphabétisme
est plus élevé à la seconde génération et diminue lentement
au XVIIIᵉ siècle, au fur et à mesure que les paroisses sont établies.
Lenteurs attribuables au genre de vie et non pas aux prêtres,
qui ont toujours associé étroitement l'enseignement religieux

(65) Voir les assemblées des fabriques des paroisses rurales. A Lachine
J.-B. Pottier, chantre et maître d'école reçoit 150 l. par année (testament de
M. Rémy, copie Faillon LL50). Les curés utilisent aussi les frères hospita-
liers, dont ils ont beaucoup à se plaindre.

(66) Procès-verbal du 7 mars 1685, bailliage, 2ᵉ série, registre 1; lettres
de Vaudreuil et de Bégon, 29 novembre 1718, AC, C11A124, fᵒ 248.

(67) Ces soldats enseignent principalement l'écriture (lettre de M. Leschassier, 1ᵉʳ mai 1700, ASSP, vol. XIV, p. 220; procès-verbaux des 22 mars
1689 et 20 mai 1717, bailliage, 2ᵉ série, registres 1 et 6). Quelques bourgeois
les engagent comme précepteurs de leurs enfants.

(68) Presque tous les marchands gardent un stock d'abécédaires.

et l'instruction laïque, combattant l'ignorance pour vaincre le péché (69).

Leurs efforts pour instruire le commun s'arrêtent au seuil de l'enseignement secondaire. Les Sulpiciens et aussi les réguliers dispensent des leçons particulières à quelques sujets bien nés (70), mais il n'y a que les Jésuites à Québec qui offrent des classes latines au niveau élémentaire et le cours collégial complet. Le petit Séminaire de cette ville héberge les enfants pendant la durée de leurs études (71). Ce sont là de grandes dépenses que bien peu de familles montréalaises peuvent se permettre. Ce collège ne recrute pas dans les couches populaires, du moins à Montréal. En 1727, les notables « touchés très sensiblement de l'ignorance et de l'oisiveté de leurs enfants », adressent une requête au gouverneur pour qu'il engage les Jésuites à ouvrir un collège à Montréal, mais sans succès (72). Les gens qui ont du bien, des parents et des protections en France, y envoient étudier leurs enfants. Saint-Sulpice en accueille quelques-uns dans ses séminaires métropolitains (73). Seules les petites écoles paroissiales continuent, conformément à la vieille tradition européenne, à mélanger les enfants de

(69) Un sondage, entre 1750 et 1760, donne un taux de 50 % pour l'ensemble de l'île, ce qui laisse supposer un net progrès dans les campagnes (Yves J. Tremblay, *op. cit.*, p. 73). Toujours selon la même source, la guerre et la Conquête interrompent brutalement cette évolution et, pendant longtemps, la situation va en se détériorant.

(70) Vers 1690, il a des pressions pour que les Sulpiciens ouvrent des classes de latin qui conduiraient les enfants au moins en seconde. Mais ils refusent de s'en charger. Occasionnellement, le Séminaire prend deux ou trois garçons, instruits en échange de leurs services. Il accepte les fils du gouverneur de Vaudreuil, mais c'est évidemment un cas particulier. Lettres des 24 mai 1690, 3 mars 1702 et 24 mars 1704, ASSP, vol. XIII, p. 565 et vol. XIV, pp. 240 et 306.

(71) A. Gosselin, *L'instruction au Canada sous le Régime français* (Québec, 1911); Louis-Philippe Audet, *Le système scolaire de la province de Québec de 1635 à 1800* (Québec, 1951), tome I, et « Programmes et professeurs du Collège de Québec, 1635-1763 », *Cahier des Dix*, 34 (1969), pp. 13-18; N. Baillargeon, *Le Séminaire de Québec sous l'épiscopat de Mgr de Laval.* (Québec, 1972).

(72) AC, C11A48, pp. 76 *sqq.*

(73) Les fils du gouverneur Vaudreuil, du bailli Migeon, du procureur Raimbault, etc. Lettres des 9 juin 1690, 19 juin 1706 (ASSP, vol. XIII, p. 583 et vol. XIV, p. 372); procès-verbaux des assemblées de Saint-Sulpice, 11 avril 1723, vol. I, p. 840.

toutes provenances et à offrir des rudiments d'instruction, qui dans ce poste perdu sont rarement dépassés.

4. *Pratiques et dévotions.*

a) *le culte dans la paroisse urbaine.*

La paroisse Notre-Dame, plus tôt organisée et bien administrée, nous livre quelques bribes d'informations sur la pratique religieuse au XVIIe siècle (74). Il y a trente-sept fêtes d'obligation ou environ par année (75). Pâques est à tous les points de vue la grande étape dans l'année liturgique. Après la confession et la communion — l'insistance sur ces devoirs pascals semble bien indiquer que ces actes ne sont pas très fréquents (76) — la population parachève la démarche par des aumônes, peut-être imposées parmi d'autres pénitences. Entre le Jeudi saint et la grand-messe du dimanche, c'est plus de la moitié de la recette annuelle qui entre dans le coffre de la fabrique. Par contraste, Noël excite peu les générosités, et la Circoncision et l'Épiphanie ne tranchent pas sur les dimanches ordinaires. Les marguilliers notent toujours soigneusement les Quarante-Heures en février et la fête de saint Joseph, le 19 mars. En juin, les jours ouvrables sont considérablement réduits par la Sainte-Famille, la Saint-Jean, la fête des apôtres Pierre et Paul, qui suivent les réjouissances de la Fête-Dieu. Il y a

(74) Une fête implique une rentrée pour le pain bénit et la quête. Les marguilliers inscrivent les dates qui permettent de repérer ces fêtes et certaines sont mentionnées nommément. D'une année à l'autre, la concordance entre ces calendriers tenus par différentes personnes est instructive. Les mandements des évêques, la correspondance du clergé, complètent ces renseignements.

(75) Mandement de Mgr de Laval, 3 décembre 1667, de Pontbriand, 24 novembre 1744. A cette dernière date, l'évêque supprime dix-neuf de ces fêtes (H. Têtu et C.-O. Gagnon, *op. cit.*, vol. I).

(76) A La Montagne, les missionnaires confessent les enfants environ quatre fois l'an (lettre de M. de Tronson, 1692, ASSP, vol. XIV, p. 30). Un mandement de 1751 reproche aux habitants de la colonie « ce prétendu respect qui les exclut de la table sainte ». (Claudette Lacelle, *Monseigneur Henry-Marie Dubreuil de Pontbriand, ses mandements et ses circulaires*, thèse de maîtrise en histoire, Université d'Ottawa, 1971, p. 49).

plusieurs processions autour de l'église, mais celle du jour du Saint-Sacrement est un grand moment. Les habitants nettoient les rues, « arborent la façade de leurs maisons aux us et coutumes du pays (77) » et les soldats tirent fusils et arquebuses pour ponctuer ces élans de dévotion (78).

La population n'a pas voulu retenir le nom de Ville-Marie, choisi par les fondateurs. Mais à la longue, ce culte marial que les prêtres insèrent partout dans les cérémonies et la toponymie finit par prendre racine et l'Assomption, la Nativité de la Vierge sont des fêtes importantes. Il ne supplante pas néanmoins le culte des morts, plus spontané, marqué par la sanctification du jour des trépassés, les innombrables messes pour les âmes du purgatoire. Le cycle de l'automne est chargé. La Saint-Michel, la Sainte-Catherine et la Saint-Nicolas, font date avec la fête des saints Crépin et Crépinien le 25 octobre qui, sans être de commandement, est célébrée deux fois : le jour même et un dimanche suivant. Ce sont les patrons des cordonniers et peut-être d'un peu tout le monde, dans une ville où les peaux et les cuirs tiennent une si grande place (79).

b) *les sensibilités particulières.*

Il est délicat de discerner parmi toutes les cérémonies offertes aux paroissiens — multiples saluts du Saint-Sacrement, messes et promenades à la chapelle du quartier Bon-Secours, prières publiques, jubilés, etc. (80) — ce qui est accueilli avec ferveur et correspond à leur attente, de ce qui relève des ambitions du clergé, soucieux de recréer dans la colonie la pratique française

(77) Souvent stipulé dans les baux. Par exemple, 31 mai 1676, 16 avril 1676, M. not., Basset.

(78) En 1721, un arquebusier, tirant ainsi au passage du Saint-Sacrement, mit le feu à la ville. (Maria Mondoux, *L'Hôtel-Dieu, premier hôpital de Montréal*, p. 270).

(79) En 1667, l'évêque avait institué deux nouvelles fêtes d'obligation : la Sainte-Anne et la Saint-François-Xavier. Ni l'une ni l'autre ne semble avoir été observée à Montréal. La première tombe malencontreusement pendant le temps des récoltes et, pour se faire dispenser de la seconde, le 3 décembre, Saint-Sulpice dut trouver quelque bonne raison.

(80) « Articles réglés par Mgr de Saint-Vallier », 21 mai 1694, ASSM (copie Faillon H 534).

jusque dans ses moindres détails, et que la population aurait pu accueillir avec indifférence. La requête que celle-ci adresse aux autorités pour avoir ses moines mendiants, en dépit de l'opposition du clergé paroissial, marque en tout cas que celui-ci n'avait pas réussi à saturer sa piété (81). La ville est encore petite et peu prospère lorsqu'après de longues tractations, les Récollets viennent s'y installer en même temps que les Jésuites. Comme les Sulpiciens l'avaient prévu, ces nouveautés sapent leur autorité et drainent une partie des revenus de la paroisse (82). Déjà la majorité des aumônes allaient à l'Hôtel-Dieu, administrateur du bien des pauvres. Après 1692, ce sont les Récollets qui sont l'objet des plus grandes générosités, qui sont couchés dans tous les testaments. Grâce à ces legs, les deux ordres réguliers sont très vite confortablement établis. Le Tiers Ordre (83) des Franciscains et la Congrégation des Hommes (84) exercent une grande attirance sur la population qui, jusque-là, n'avait d'autre association que la confrérie de la Sainte-Famille établie en 1651. Autour de la chapelle des Jésuites, le clivage social, déjà apparent dans la paroisse, est encore plus accusé. Après avoir risqué leur salut éternel tout au long de leur carrière, les officiers, les marchands et les voyageurs aiment bien entendre les paroles rassurantes des Pères. La charité peut tout racheter et, pour peu qu'ils en aient les moyens, les Montréalais donnent beaucoup, tant de leur vivant qu'à leur mort, directement aux pauvres de la paroisse ou aux quatre couvents qui redistribuent une partie des aumônes sous diverses formes d'assistance, sans négliger de consolider leurs propres assises matérielles. A notre connaissance, il n'y a que quatre confréries

(81) La demande est faite au gouverneur vers 1678. Voir Robert Rumilly, *op. cit.*, p. 205; lettres de M. de Tronson, 24 avril 1680 et 8 avril 1684, ASSP, vol. XIII, pp. 204 et 362. Les habitants offrent même de fournir un terrain, à leurs frais, au cas où Saint-Sulpice refuserait de se montrer généreux.

(82) Lettre de M. de Tronson, 1695, ASSP, vol. XIV, p. 112.

(83) Testament de la veuve Truteau qui demande à être enterrée avec son habit du Tiers Ordre, 10 mai 1721, M. not., Le Pailleur.

(84) Marché des congrégationistes pour faire construire une allonge à la maison des Jésuites, 23 novembre 1692, *ibid.*, A. Adhémar; C. de Couagne lègue 200 l. aux pauvres, 300 l. à la paroisse, 300 l. aux Récollets et 100 l. à la Congrégation « dont j'ay l'honneur d'estre » (testament, 22 août 1706, *ibid.*).

professionnelles. Celles des chirurgiens, des armuriers et des cordonniers ne rassemblent forcément qu'une poignée de membres qui se cotisent pour faire chanter une messe à leur saint patron et marquer par un régal ce jour chômé (85). Un seul corps de métier est suffisamment représenté dans la ville et assez puissant pour pouvoir bien s'organiser : c'est celui des marchands. Quelque temps après le début des attaques anglo-iroquoises qui mettent leurs affaires en danger, ils en sentent le besoin.

Nous soubsignez, marchands de Ville-Marie, voyant tous les maux quy nous menassent de toutes parts, pour arrester la collere de dieu Nous avons résolu après avoir demandé le Secours de la Sainte Vierge de prendre et choisir les Saintes âmes du purgatoire pour nos protectrices auprès de Dieu. Et dans la confiance que nous avons à leur Secours leur promettons de ne vendre aucunes marchandises les Festes et dimanches aux habitans de cette paroisse sinon les choses manducables quy se peuvent consommer dans le jour comme chandelle, huile, poivre, vinaigre, etc. Pour les Estrangers des Costes voisines on ne leur vendra rien sans une permission par Escript de Monsieur le curé ou un autre prestre du Séminaire et afin qu'elles nous obtiennent ce que nous leur demandons, Nous avons résolu de leur faire bastir une chapelle à costé de la chapelle de St Joseph vis à vis de la sacristie pour y faire les services qu'on voudra y faire pour les âmes et qui servira pour l'assemblée des Messieurs de l'association de la Sainte Vierge et en attendant que lad. chapelle soit bastie nous ferons faire les services des trespassés en la chapelle de saint Joseph, fait à Ville-Marie... (86)

(85) Soit les messes aux saints Cosme et Damien en septembre, à saint Éloi le 1er décembre et à Crépin et Crépinien en octobre. Le régal des armuriers, ayant donné lieu à de bruyantes libations et querelles portées devant le juge, le procureur les somme de renoncer au banquet et d'appliquer leurs aumônes à la construction de l'église. Sans doute, continua-t-on à fêter, mais plus discrètement. Voir E.-Z. Massicotte, *BRH*, 4 (1898), p. 376, vol. 23 (1917), pp. 343-346, vol. 24 (1918), pp. 126-127, et les comptes des marguilliers, archives de la paroisse Notre-Dame.

(86) Minutes des délibérations des marguilliers, 16 octobre 1690, archives de la paroisse Notre-Dame, vol. A, fos 111-112. Autres règlements de la confrérie, 2 juillet 1691, ASSM (copie Faillon DD 216). Les membres ont le privilège de se faire enterrer dans l'église.

Après réflexion, quatre des 39 signataires précisent qu'ils ne respecteront leur vœu que les dimanches seulement, non les jours de fête. Les autres durent se rallier à cette sage précaution. Une amende est prévue pour les contrevenants. L'année suivante, les « principaux de ce lieu » s'entendent sur la construction de leur « monument éternel », sur les offrandes qui doivent être au minimum de 100 francs et sur la tenue des offices.

Les malheurs des temps font beaucoup pour aviver la ferveur. Pendant les guerres et les épidémies, le peuple invoque saint Roch, à qui une autre chapelle de l'église paroissiale a été consacrée (87). Il ne demande qu'à croire à toutes les interventions providentielles et miraculeuses, telles les guérisons à la chapelle de Notre-Dame-du-Bon-Secours où sont conservées quelques reliques importées (88), les faveurs obtenues sur la tombe de la jeune Iroquoise, Kateri Tekakwitha. Le plus ancien sanctuaire de la colonie est celui consacré à sainte Anne, près de Québec, dont la réputation s'étend jusqu'à Montréal. C'est vers madame sainte Anne que se tournent de malheureux habitants, prisonniers des Indiens, que seul un miracle pourrait ramener dans le pays (89). Cette confiance est partagée par le bailli qui déboute un chirurgien de sa demande, lorsque le défendeur fait valoir qu'il ne peut rien lui devoir pour ses pansements et médicaments, attendu que ce ne sont pas ces soins mais un pèlerinage à sainte Anne qui a guéri la jambe de sa femme (90).

Pour l'ensemble de la population, le problème de l'hérésie ne se pose pas. En principe, seuls les catholiques sont admis en Nouvelle-France. Mais en fait, il y vient un certain nombre de réformés, des marchands et surtout des soldats, à qui il est défendu de s'assembler pour l'exercice de leur culte. En 1686, l'intendant en dénombre 99, soit environ un douzième de la

(87) Sur ce culte et l'ensemble des pratiques, voir Alain Lottin, *Vie et mentalité d'un Lillois sous Louis XIV*, pp. 207-303.

(88) *Annales de l'Hôtel-Dieu de Montréal rédigées par la sœur Morin*, p. 85. Lettre du gouverneur, 13 novembre 1685, AC, C11A7, p. 87 vᵒ.

(89) Déclaration lors de l'inventaire des biens de Mathieu Lafaye, 6 octobre 1693, M. not., A. Adhémar.

(90) 28 novembre 1679, bailliage, 1ʳᵉ série, registre 1 (copie Faillon GG 322).

troupe, mais trop dispersés pour faire front commun contre les règlements (91). Ceux qui ont l'intention de repartir, une fois leur engagement terminé, peuvent bien rester sourds aux pressions du clergé. Mais quiconque a l'intention de s'établir doit évidemment céder, s'il veut se marier et vivre en harmonie avec le reste de la communauté. Les prêtres exercent aussi leur apostolat auprès des gens des colonies voisines, tant les prisonniers que les quelques Anglais et Flamands qui décident de transporter leurs affaires à Montréal (92). Des Français réformés passent au Canada via New York ou Boston (93) et enfin les prêtres ré-évangélisent les Canadiens qui reviennent dans la colonie après un séjour de quelques années dans la région d'Orange ou ailleurs, parfois avec des enfants baptisés là-bas par les pasteurs (94). Il y a un aspect routinier à ces divers revirements, comme si l'appartenance religieuse était surtout une affaire de lieu et de circonstances. Les abjurations n'étaient pas l'objet de pompes et de publicité (95). L'État n'a pas de mal à faire régner l'orthodoxie et comme rien ne s'est produit pour aviver les passions, la population ignore les conflits religieux, partant demeure tolérante (96).

(91) Règlement du Conseil du 11 mai 1676, *JDCS*, vol. II; lettre du 20 novembre 1686, AC, C11A8, f° 132.

(92) Lors du baptême, les registres paroissiaux mentionnent généralement les origines et les circonstances de leur arrivée au Canada. Au XVIIe siècle, ce sont surtout des prisonniers parmi lesquels beaucoup d'enfants; au siècle suivant, des adultes, marchands ou colons, qui traversent volontairement la frontière. Voir la liste partielle dans C. Tanguay, *op. cit.*, vol. I, pp. 8-10.

(93) Par exemple, Gabriel Chalifour de La Rochelle, après quelques années en Nouvelle-Angleterre, vient à Montréal où il est baptisé le 26 décembre 1699 (*ibid.*, p. 111).

(94) Voir les baptêmes des 24 août et 12 septembre 1700, registre de la paroisse Notre-Dame.

(95) Des listes d'abjurations sont conservées dans les paroisses. Nous ignorons si elles sont complètes et à quel dénominateur il faut les rapporter.

(96) Ceci est apparent après 1760. Les Canadiennes n'éprouvent pas de scrupules à épouser des protestants. Le 12 mars 1763, la Sorbonne alertée rend une décision pour régler ces unions. APC, M.G.17, A7, 2, 1, vol. 3, pp. 989-1026.

c) *la mesure du sentiment religieux.*

En période de conformisme, il est malaisé de définir la nature du sentiment religieux. Une fois enlevées les manifestations publiques, les générosités inspirées par la crainte du châtiment et la pression sociale, que reste-t-il? Comment appréhender par l'extérieur la part de l'adhésion individuelle à l'idéal chrétien? Dans le cadre domestique les signes sont rares. Sur 46 inventaires après décès de marchands et d'officiers, un tiers des domiciles affiche une marque extérieure de piété : 4 crucifix, 3 bénitiers, des tableaux à sujet religieux (97). Là où il y a une petite bibliothèque, les ouvrages chrétiens sont mieux représentés que toute autre forme de littérature (98), mais chez la majorité, qui ne lit rien du tout, nous ne trouvons même pas un catéchisme. Chez les habitants et les artisans, l'absence totale d'objets de piété s'accorde avec le caractère rudimentaire du mobilier. Cependant, à partir du début du XVIIIᵉ siècle, quelques marchands offrent à leur clientèle des images, chapelets, petites croix, des livres d'heures et de cantiques, et c'est peut-être vers la même époque que commencent à apparaître les croix de chemin signalées par les voyageurs à la fin du régime. Plantées de loin en loin dans les côtes, elles remplacent la vue du clocher.

Doit-on, à cette époque, considérer les vocations comme un indice de la ferveur générale? C'est un fait reconnu : les Canadiens éprouvent un « éloignement naturel » pour la vie religieuse. Les Sulpiciens considèrent que le fond n'est pas assez solide pour investir leur argent et leurs efforts dans la jeunesse du pays, « l'espérance est trop incertaine (99) ». Ce n'est pas seulement un phénomène passager, conséquence de la faiblesse démographique et des difficultés matérielles initiales, mais un trait qui va se perpétuer presque jusqu'au milieu du XIXᵉ siècle et obliger l'Église à importer la majeure

(97) Plusieurs tableaux de la Vierge, des représentations de Saint-Jean-Baptiste, Saint-Pierre, Saint-Antoine, un Lazare ressuscité, le voyage de Tobi, etc.

(98) Vie des saints, bibles, ouvrages de méditation, etc. Les notaires omettent les titres très souvent.

(99) Lettre de M. Leschassier, 20 février 1701, ASSP, vol. XIV, p. 222; lettre du gouverneur et de l'intendant, 14 octobre 1723, AC, C11A59.

partie de ses prêtres (100). Sans rejeter l'hypothèse d'une certaine tiédeur, nous retenons deux autres éléments d'explication. D'abord le rôle et le prestige du laïcat dans l'Église coloniale et surtout à Montréal. Ville-Marie doit son existence à des laïcs inspirés qui refusent la tradition, la modération cléricale et qui veulent tout recréer. Alors qu'en France ces ardeurs sont en recul, elles survivent plus longtemps dans la colonie. Il y a des hommes et des femmes d'une grande dévotion, mais qui refusent les voies ordinaires. En 1691, Charon et Lecler, deux fils de marchands, consacrent leur personne et leurs biens à la fondation d'une nouvelle communauté — entreprise discutable qui se solde par une faillite. Des hommes et des femmes exaltés donnent leur fortune à l'Église et s'enferment dans les couvents, mais sans accepter la routine de la vie régulière. Assez curieusement, aucun de ces chrétiens d'élite, dont les annales vantent les vertus, ne songe à se charger d'une paroisse. Ce goût de la piété extraordinaire prive le pays de belles énergies qui auraient pu être dépensées plus modestement et plus utilement dans les cadres établis.

Mais la première responsable de cette pénurie de prêtres, c'est l'Église du pays qui a toujours misé uniquement sur les classes supérieures pour son recrutement. Il n'y a aucun mécanisme qui permet à un fils d'habitant de passer des leçons de catéchisme aux écoles de la ville, au collège et enfin au grand Séminaire à Québec. Périple coûteux et surtout étranger à la mentalité rurale, puisque les prêtres n'en parlent pas. Encore en 1743, alors que les conséquences de cette attitude sont évidentes, le ministre discute avec l'évêque des moyens à prendre « pour exciter l'émulation dans les jeunes-gens de famille qui voudraient embrasser l'état ecclésiastique (101) ». Or, ceux sur qui tous les espoirs sont fondés, qui ont automatiquement accès aux études secondaires, sont vite distraits par l'attrait des armes et du commerce. Il y a plus de persévérance dans les groupes urbains intermédiaires, hôteliers, boulangers, notaires,

---

(100) L.-E. Hamelin, « Evolution numérique séculaire du clergé catholique dans le Québec », *Recherches sociographiques*, 2 (1961), pp. 189-242.
(101) Lettre de Maurepas à Mgr de Pontbriand, 21 mai 1743, APC, M.G.17, A7, 2, 3, vol. 3.

chirurgiens, etc., qui valorisent l'instruction mais ont rarement de grands moyens. Il faut beaucoup de sollicitations pour obtenir une bourse, déclare la veuve d'un aubergiste qui réussit à faire entrer son fils au grand Séminaire (102). Plus d'un siècle va s'écouler avant que l'Église songe à utiliser des paysans pour encadrer la population des côtes.

A l'opposé, les deux communautés de femmes recrutent aisément tout au long du XVIIᵉ siècle. Nous pouvons même parler d'une inflation du personnel religieux féminin qui culmine vers 1715, avec une centaine de sujets dans une ville de quinze cents habitants. L'application plus stricte du régime des dots freine ensuite le recrutement. En principe, elles sont de 3 000 l. pour une religieuse de chœur à l'Hôtel-Dieu, d'environ 600 à 1 000 l. pour les converses, ce qui s'ajoute au trousseau et à la pension pendant la durée du noviciat (103). En pratique, ces sommes sont rarement exigées au XVIIᵉ siècle et la Congrégation Notre-Dame est encore plus accommodante. D'où les déficits chroniques, les appels aux libéralités royales, les quêtes répétées et l'intervention de l'État en 1722 pour obliger les communautés à mettre de l'ordre dans leurs affaires, afin qu'elles lui soient moins à charge (104). Qu'est-ce qui pousse les filles dans les couvents? Les vocations sont proportionnellement plus fréquentes dans les catégories sociales supérieures. La piété y est plus ostensible, les femmes oisives et souvent laissées pour compte, conséquence des longues absences et du célibat prolongé des garçons, des départs définitifs des jeunes militaires. Sans attendre les garçons de leur génération, les filles du peuple épousent des soldats, mais leurs officiers sont rarement tentés de s'établir. Si les quatre demoiselles d'Ailleboust des Muceaux, qui ont eu vingt ans entre 1690 et 1700, sont entrées au couvent, c'est peut-être parce

(102) Contrat du 3 avril 1713, M. not., Le Pailleur.

(103) Micheline d'Allaire, « Conditions matérielles requises pour devenir religieuse au XVIIIᵉ siècle », dans *L'Hôtel-Dieu de Montréal 1642-1973* (Montréal, 1973), pp. 185-208.

(104) Arrêts du Conseil d'État, 31 mai 1722, fixant la dot à 5 000 l. Un autre arrêt du 15 mars la ramène à 3 000 l. *Édits, ordonnances royaux*, vol. I, pp. 464 *sqq* et 529 *sqq*.

qu'elles ne trouvaient pas de partis convenables (105). Les écarts de fortune se chargent de maintenir les barrières sociales à l'intérieur des couvents. A quelques exceptions près, les filles d'habitants entrent comme sœurs domestiques avec une pension de blé, une paillasse, une écuelle, des ustensiles, quelques aunes de drap pour leur noviciat et leurs droits successoraux en guise de dot (106). Les parents n'encouragent pas ces vocations qui grèvent leurs revenus et les privent d'un support dans leur vieillesse (107). Mais malgré tout, le courant se maintient.

* *

Nous reconnaissons l'insuffisance de ce tableau : pratiques officielles, crédulités de bon aloi, quelques signes tangibles, jamais excessifs, ne donnent pas la mesure de la représentation religieuse dans cette société. Par exemple, quelles sont les croyances parachrétiennes qui ont été transplantées dans la colonie en même temps que la religion formelle? Nos sources sont muettes, mais leur insuffisance n'est peut-être pas seule en cause. Là où elle n'avait pas à combattre une tradition uniformément partagée, l'Église pouvait plus facilement épurer la foi et couler la pratique dans le moule orthodoxe. La variété même des arrière-plans magiques les condamnait à l'étiolement au profit d'un christianisme ecclésial. Momentanément, la religion populaire se serait appauvrie, jusqu'à ce que la collectivité soit suffisamment organisée, cimentée, pour que la tradition immémoriale reprenne ses droits, s'imbrique au genre de vie commun, prenne ici et là des couleurs locales. C'est du moins une hypothèse plausible.

L'estompage momentané d'une dimension aussi importante de leur univers mental a pu accentuer la déréliction des habi-

(105) C. Tanguay, *op. cit.*, p. 152.

(106) Micheline d'Allaire, *art. cité*, pp. 186-187. Accords entre les familles et les couvents dans les minutes notariales, 14 juin 1675 et 20 décembre 1684 (Basset), 11 août 1679 (Maugue), 12 novembre 1699 (A. Adhémar).

(107) Les deux filles Leduc entrèrent au couvent malgré leurs parents, l'une d'elles « nuitemment ». Adrienne Barbier sortit, « estant débauchée par sa mère qui la maria assez tôt » (Sœur Marie Morin, *op. cit.*, pp. 13 et 144).

tants des côtes éloignées. L'isolement physique et culturel fomente des dérèglements, mais parce qu'ils ne sont jamais plus que des réactions individuelles, il n'y a pas lieu, croyons-nous, d'ouvrir le dossier judiciaire pour chercher les traits durables de ces établissements. A l'échelle collective, le conformisme l'emporte, mais il n'est pas synonyme d'inertie et de soumission. Nous avons vu que le projet paroissial est bel et bien une initiative communautaire, qui exprime une volonté de regroupement autant qu'une nécessité religieuse. Que les prêtres l'aient soutenu matériellement et spirituellement n'infirme pas cette constatation. Les tensions issues de cette collaboration, l'anticléricalisme instinctif qui remonte à tout propos à la surface, attisé par le double statut de Saint-Sulpice, ne sont pas des marques de désaffection, de rupture.

L'état spirituel du Canada est lamentable, écrivent les prêtres. Les habitants prennent mal tout ce qu'on leur dit : « Il faut une grande vertu pour aller desservir des paroissiens aussi mal disposés que le sont la plupart des Français de ce païs-là (108)» et pour appuyer ce jugement, nous pourrions citer la longue série d'ordonnances contre ceux qui s'assemblent et se divertissent le dimanche, qui chahutent dans l'église, y amènent leurs chiens, vont prendre l'air pendant le sermon, travaillent les jours de fêtes, blasphèment, débitent le vin à l'heure de la messe, etc. Mais quel curé de l'Ancien Régime n'a pas désespéré de ses paroissiens (109)? Quelle population n'a pas pareillement accumulé les signes d'insoumission, d'irrespect? A mi-chemin entre l'image d'une société en plein désarroi moral et celle, encore plus factice, d'une communauté intensément chrétienne, naguère bâtie par notre historiographie d'inspiration cléricale, il existe une réalité très ordinaire, qui ressemble à ce qu'on observe un peu partout dans les pays où la religion imprègne tout, mais ne stimule pas dans la conscience populaire des exigences exceptionnelles, intellectuelles ou morales.

(108) Lettre de M. Leschassier, avril 1704, ASSP, vol. XIV, p. 317.
(109) Voir, par exemple, H. Platelle, *Journal d'un curé de campagne au XVIIᵉ siècle* (Paris, 1965), et sur ces mêmes problèmes, Robert Mandrou, *Des humanistes aux hommes de science, XVIᵉ et XVIIᵉ siècles*, (Paris, 1973), pp. 192-197.

CONCLUSION

Avec quelques milliers de colons, nous venons de parcourir un peu plus d'un demi-siècle, le temps de deux générations. Il reste à organiser les divers éléments de l'enquête, à dresser le bilan.

Les indices recueillis au cours de ces recherches, les rapprochements que j'ai pu faire avec d'autres études plus générales, confirment ce que j'avais d'abord pressenti : l'île de Montréal est un bon point d'observation pour saisir les articulations du développement socio-économique de l'ensemble de la colonie. Malgré les décalages qui existent entre cette région, celle de Québec un peu plus rapprochée des courants extérieurs et d'autres campagnes plus isolées encore, il y a une expérience commune, qui m'autorise à tirer de ce travail certaines généralisations.

Pour atteindre la totalité de la réalité historique, j'ai emprunté la voie désormais classique du découpage structural, en privilégiant les activités économiques. Les données quantitatives occupent peu de place dans ce travail. A l'occasion, j'ai regretté de ne pouvoir parfaire certaines analyses à l'aide de séries chiffrées bien solides. Mais ces lacunes, que d'autres sauront certainement réparer, ne touchent pas à l'essentiel, car les fluctuations conjoncturelles ne peuvent ici servir de fil conducteur. Elles n'ont que des répercussions limitées sur l'organisation commerciale, des effets encore plus atténués sur le processus de mise en valeur du territoire. Les fondements d'une explication globale, susceptible d'intégrer toute l'existence coloniale, ne tiennent pas à des mouvements cycliques, intercycliques, ni même aux grands souffles séculaires. Né en période de dépression, le pays conserve ses traits caractéristiques pendant deux siècles, au cours desquels les phases A et B se succèdent. Il devient de plus en plus vulnérable à mesure que grandit le secteur d'exportation. Mais ces tensions au niveau conjoncturel n'entraînent que des ajustements mineurs.

Il fallait commencer par examiner la nature de la production et des échanges. Or au point de départ, j'ai craint que la démarche conduise à une impasse. Personne jusqu'ici n'avait tenté d'étudier l'évolution de la colonie en dehors du projet politique dont elle est le corrélat. Compte tenu de la nouveauté de l'implantation, de sa faiblesse numérique, les structures resteraient-elles intelligibles une fois enlevée la trame des intentions et des directives métropolitaines? Cette recherche empirique sur un espace étroit, éloigné des centres de décision, n'allait-elle révéler que des initiatives informes, des comportements anarchiques et contradictoires? La colonie, dans ses débuts hésitants, n'avait-elle de cohérence qu'à l'intérieur de l'idéologie coloniale exprimée par les agents du colonisateur? Ces craintes étaient vaines. La vie économique a une existence autonome. Elle évolue au rythme de sa propre temporalité et elle s'articule avec l'ensemble dans un réseau d'actions et de réactions qui n'est pas prédéterminé ni particulièrement infléchi par l'administration. Cette relecture de la colonisation française en Amérique fait du même coup surgir une question qui doit être repensée : celle des incidences du facteur gouvernemental sur le développement, de la pertinence et de l'efficacité des interventions régulatrices. Une étude attentive de l'économie publique ferait apparaître toutes les liaisons financières entre l'État et le secteur privé; le mécanisme des rapports sociaux, que j'ai seulement esquissé, ressortirait plus clairement. Elle ne déplacerait cependant pas les lignes de force qui se dégagent de cette démonstration.

Le Canada est une création du capitalisme marchand, une région satellite subordonnée à la métropole dans un vaste ensemble d'interdépendance. C'est une situation qui entraîne une forme caractéristique de développement propre à toutes les colonies. La polarisation se fait à deux niveaux : entre les centres métropolitains et périphériques d'une part, entre ces derniers et les régions satellites locales d'autre part (1). Or, il est certain que le cas canadien des XVIIe et XVIIIe siècles n'est pas une bonne illustration des rapports classiques qui se nouent au palier supérieur. La métropole fait de grandes dépenses dans la colonie, et ses marchands sont piètrement payés en retour. A lui seul, le drainage du surplus économique, d'ailleurs peu important, ne suffit pas à expliquer les faiblesses de l'entreprise. Le commerce des fourrures prélève ses profits sur le surproduit créé par la population indigène. Une fois en place, il cesse de faire appel à une main-d'œuvre d'origine européenne. Le croît naturel de la première génération de colons est plus que suffisant pour assurer la manutention des cargaisons et le ravitaillement des postes commerciaux (2). Le marché intérieur augmente moins vite que la capacité productrice des campagnes. La situation géographique de la colonie l'empêche de concurrencer la France et les colonies anglaises sur le marché antillais. Les ventes de blé, de viandes et de bois à l'extérieur timidement amorcées au XVIIIe siècle, constituent des aventures trop aléatoires pour détourner le capital marchand de son objet initial, qui lui assure de bons rendements à moindre risque. En changeant de métropole, en substituant un groupe de marchands à un autre, le Canada n'échappe pas pour autant à ces contradictions.

Ce schéma général a été plus d'une fois exposé dans des travaux d'économie politique (3). Si les historiens n'ont jamais contesté, du moins explicitement, sa validité, dans l'ensemble ils l'ont plutôt ignoré. Aucun d'eux n'a essayé de

(1) Pour une discussion de ces problèmes en général, voir entre autres : K. Levitt, *Silent Surrender, The Multinational Corporation in Canada* (Toronto, 1970); C. Furtado, *The Economic Growth of Brazil* (Berkeley, 1963); A. Gunder Frank, *Capitalisme et sous-développement en Amérique latine* (Paris, 1968).

(2) Voir *infra*, deuxième partie, chapitre I, § 5, et chapitre II, *passim*.

(3) M. H. Watkins, « The Staple Theory of Economic Growth », dans W. T. Easterbrooke et M. H. Watkins, *Approaches to Canadian Economic History* (Toronto, 1969), pp. 49-74; K. Levitt, *op. cit.*; T. Naylor, « The Rise and Fall of the Third Commercial Empire of the Saint. Lawrence», dans G. Teeple, *Capitalism and the National Question in Canada* (Toronto, 1972).

mettre à jour les répercussions qu'un tel développement ne peut manquer d'avoir sur l'économie intérieure, sur l'évolution des institutions, la formation sociale et les mentalités des colons. Or, ces liaisons apparaissent très clairement dès que nous nous éloignons du champ événementiel pour essayer de dégager les permanences. En analysant les mouvements des hommes, des créances, des prix entre la ville, les postes éloignés et la base rurale, en étudiant la répartition de la propriété foncière, j'ai partout retrouvé les effets de cette coupure entre les deux secteurs : celui de l'exportation et celui de la production coloniale (4).

Tout d'abord essentielles à la survie des postes, les campagnes s'en détachent au fur et à mesure qu'elles s'étendent. La dépréciation de la production rurale est le phénomène majeur. Un système d'appropriation ne peut pas reposer uniquement sur des raretés occasionnelles. A long terme, rien n'incite le capital marchand à faire main basse sur la terre, à miser sur la rente. Si aucune menace de dépossession ne pèse sur les habitants, par contre ils n'ont pas de facilités de crédit pour s'établir, ni d'encouragements pour produire au delà de leurs besoins. La situation favorise une certaine forme d'indépendance et engendre temporairement un climat de sécurité, en même temps qu'une série de blocages au niveau de la production et de l'organisation sociale. Ceci est la toile de fond que la petite commercialisation aux abords immédiats de Montréal ne réussit pas à masquer. Dès qu'on s'enfonce dans le plat pays, plus rien n'atténue les effets de cette désarticulation. Même dans la banlieue de Montréal, ce sont surtout des facteurs d'ordre familial qui expliquent la présence d'un certain nombre de cultivateurs entreprenants et ambitieux qui émergent au-dessus de la masse. Relativement à celle-ci, ce noyau n'augmente pas et, comme ces impératifs personnels varient d'une génération à l'autre, nous le voyons se déplacer au hasard des circonstances particulières de chacun. Stimulée de l'intérieur et non de l'extérieur, la grande propriété n'exige pas d'être

---

(4) Je résume les conclusions qui se dégagent des analyses de la deuxième partie, chapitre II, § 2 et de la troisième partie, chapitre IV, § 2 et chapitre VI, § 2 et § 3.

transmise intégralement de père en fils. La mise en valeur d'une habitation est une tâche longue et pénible qui crée des inégalités bien marquées, mais ce n'est toujours qu'une étape. Le temps nivelle la société rurale.

La non-intégration du produit agricole au marché explique la nature de la « frontière » de la Nouvelle-France, de ce processus d'expansion de chaque côté du Saint-Laurent à partir de premiers établissements filiformes. Le mouvement continu qui propulse cette population en ondes successives vers de nouvelles terres n'obéit qu'au rythme démographique; il est soutenu matériellement et moralement par les fortes solidarités familiales. Les colons reproduisent sur ces nouvelles marges de défrichement les traits des côtes qu'ils viennent de quitter et qui ne sont toujours qu'à quelques heures de distance. Rien ne bouge sur cette frontière. Pas plus que la poussée vers l'Ouest des générations américaines et canadiennes futures, cette conquête des espaces vierges est-elle en soi génératrice de changement social et culturel? C'est le capitalisme qui avance à grande foulée sur les abattis des planteurs virginiens et autres colons qui se pressent le long des Alléganys et par delà. C'est l'intégration immédiate de ces régions périphériques dans un système d'échange dynamique qui bouscule les valeurs anciennes et produit des hommes nouveaux. Confondant le cadre et la source du changement, la thèse de Turner continue de rallier des adhérents qui, ou bien évitent cet exemple particulier irréconciliable avec les postulats du déterminisme géographique, ou bien l'expliquent en des termes culturels (5). Dans les deux cas, ils escamotent l'analyse des rapports de production

---

(5) F. J. Turner, *La frontière dans l'histoire des États-Unis* (Paris, 1963). La thèse a été publiée pour la première fois en 1893. Parmi les travaux récents, signalons ceux de R. A. Billington, en particulier : *America's Frontier Heritage* (New York, 1966). Pour les partisans de cette interprétation, la frontière française est essentiellement celle des fourrures où apparaît un type d'aventurier en rupture avec la société traditionnelle. La frontière de peuplement, pourtant numériquement beaucoup plus importante, est passée sous silence : A. L. Burt, « The Frontier in the History of New France », *CHAR* (1940), pp. 93-99; W. J. Eccles, *The Canadian Frontier*, pp. 2-3. Et pour une discussion de ces problèmes, voir Jean Blain, « La frontière en Nouvelle-France. Perspectives historiques nouvelles à partir d'un thème ancien », *RHAF*, 25, 3 (décembre 1971), pp. 397-407.

entre la « frontière » et les métropoles locales et lointaines.

Bien que contraignante, la levée des dîmes et des droits seigneuriaux n'est pas un élément capital dans le procès de production et de circulation et ne crée pas les formes sociales correspondantes. Il n'y a pas d'élite rurale, ou corps de fermiers, d'usuriers, de marchands, de grands propriétaires, établis dans les côtes, greffés sur leur existence, servant de truchement économique et politique entre elles et la ville. La population rurale s'encadre elle-même, d'où les difficultés inhérentes à une forme d'organisation même aussi élémentaire que la paroisse, que l'éparpillement géographique amplifie.

A l'abri des pressions économiques, des liaisons harmonieuses et très stables se forment entre les hommes et la terre, qui favorisent le resserrement familial, la vie de voisinage et, sitôt passés les bouleversements de l'immigration, la mise en place de toute une armature de traditions que nous connaissons pour l'avoir vue très récemment disparaître.

Si, en France, la paysannerie d'Ancien Régime est définie par rapport à la classe qui l'exploite et la domine, au Canada, la population rurale est autre chose : des petits propriétaires parcellaires, à qui le régime demande un certain nombre de tributs — redevances, corvées, milices — mais qui, sur le plan matériel, bénéficient d'une sorte de trêve. Quand l'espace vide et cultivable, soit le fondement de leur existence autonome, viendra à manquer, les campagnes produiront une masse de prolétaires dont le capital colonial ne saura pas davantage tirer parti (6).

Nombreux sont les ruraux de l'île de Montréal et des environs qui ont été happés par le commerce des fourrures, momentanément ou définitivement. Nous avons vu qu'il y a lieu de distinguer entre les jeunes gens qui vont chercher dans la traite un petit pécule pour fonder une habitation, ceux qui

(6) D'où l'exode massif vers les États-Unis que l'on peut grossièrement évaluer à 1,5 million entre 1840 et 1910, ce qui représente 75 % de la population canadienne-française à la fin de cette période. Voir : Y. Lavoie, *L'émigration des Canadiens aux États-Unis avant 1930, mesure du phénomène* (Montréal, 1972); Gilles Paquet, « L'émigration des Canadiens français vers la Nouvelle-Angleterre, 1870-1910 : prises de vue quantitatives », *Recherches sociographiques* (septembre-décembre 1964), pp. 319 sqq.

tentent de combiner les voyages et l'agriculture, les voyageurs de carrière et enfin ceux qui, à la faveur de ces expéditions, finissent par s'établir ailleurs, notamment en Louisiane. Dans le premier cas, c'est une activité complémentaire comme une autre. Par ce biais, une fraction infime des profits commerciaux est acheminée dans les campagnes, facilite les commencements des jeunes ménages. Ce commerce ne suscite pas une demande de main-d'œuvre suffisante pour entretenir un groupe d'ouvriers ruraux. D'ailleurs, les voyages de traite et l'agriculture étant incompatibles, les premiers colons qui voulurent miser sur les deux activités, tombèrent dans la misère. Très vite, ce ne sont plus que des exemples marginaux, de plus en plus rares. Le nombre de traitants professionnels est limité. Après 1700, ce n'est qu'exceptionnellement qu'un fils d'habitant réussit à prendre place dans une organisation dont les assises sont essentiellement urbaines. Quant à l'émigration, il faut la replacer dans son contexte, c'est-à-dire celui d'une économie qui n'offre pas d'alternative à l'agriculture. L'Ouest est une porte ouverte pour ceux qui n'ont ni goût ni aptitudes pour la terre et qui caressent d'autres ambitions que de suivre une voie tracée qui n'enrichit jamais. Sans cette incitation constante au départ, la plupart des impatiences finiraient sans doute par se résorber. Et c'est ce qui se produit dans la majeure partie du territoire colonial, placé tout à fait en dehors de l'orbite des fourrures. Dans la région de Montréal, la ponction migratoire est forte : peut-être un millier d'hommes en un siècle. Mais, au fond, dans l'immédiat, le phénomène ne porte pas à conséquence. Même avec une population légèrement supérieure, le pays n'était pas militairement défendable. Il est clair, d'autre part, que la multiplication plus rapide des unités de subsistance n'aurait pas changé le cours de l'évolution économique. Bref, le vagabondage et l'émigration ne sont que le résultat des contradictions inhérentes au développement.

A peine sont-elles créées que nous retrouvons dans ces campagnes, qui pourtant entourent les entrepôts, les traits les plus spécifiques, les plus permanents de la société rurale québécoise : uniformité des exploitations, du genre de vie, stabilité de la propriété, solidité des relations familiales, enra-

cinement des routines. Non seulement la traite ne les a pas
bouleversées, mais en les délestant systématiquement de leurs
éléments les plus entreprenants et les plus turbulents, elle a
pu hâter l'éclosion de cette spécificité, de ce conformisme.

Au pôle opposé, le commerce poursuit son propre avantage
avec une grande logique, beaucoup d'énergie et de persévérance. Colons et forains, de chaque côté de l'Atlantique, conjuguent leur travail et leurs capitaux pour promouvoir l'entreprise commune. Entre les uns et les autres, il peut y avoir des
tensions passagères, mais pas de véritable antagonisme. Toutes
les controverses autour de la bourgeoisie de la Nouvelle-
France tournent autour de faux problèmes (7). Ces marchands
sont à l'échelle de l'activité qui les rassemble. Celle-ci ne produit pas des profits fabuleux, mais elle justifie certainement
les efforts. C'est un commerce qu'il faut construire et la mise
en place de l'organisation rend témoignage à leur lucidité et
à leur souplesse (8). Très méfiants vis-à-vis de l'État, en même
temps toujours aux aguets pour en tirer quelque chose, ils se
faufilent habilement à travers les monopoles, les politiques et
les administrations. A ce jeu, quelques belles fortunes voient
le jour et plusieurs y gagnent le confort et la respectabilité.

L'écart des revenus et du niveau de vie entre les marchands
et le peuple, n'est pas très prononcé, mais ce qui est significatif,
c'est qu'il ne tend pas à diminuer. A l'intérieur de l'organisation mercantile, les rôles se différencient rapidement, processus
susceptible d'accentuer les inégalités matérielles. D'autre part,
les clivages sociaux sont vite beaucoup plus marqués que ne le
laisserait supposer l'éventail des fortunes. Nous retrouvons
dans la ville une formation hiérarchisée, des cloisonnements
avec le temps toujours plus difficiles à franchir. Ces traits sont
largement déterminés par les liaisons très étroites qui existent
entre la métropole et les postes qui servent de relais à ses

(7) Querelles de mots autour de concepts mal définis. Voir le résumé
de ce débat par Robert Comeau et Paul-André Linteau, « Une question
historiographique : une bourgeoisie en Nouvelle-France? », dans R. Comeau, *Économie québécoise* (Montréal, 1969), pp. 311-324.
(8) Voir deuxième partie, chapitre II, § 1 : « l'évolution des rôles dans le
commerce »; aussi la réaction des marchands aux avatars du crédit public,
ibid., chapitre I, § 2.

opérations commerciales et politiques. Toutefois, les articulations entre la mono-production coloniale, la structure sociale et les institutions qui l'encadrent présentent des aspects originaux.

Le groupe privilégié n'a plus ici que des attaches nominales avec le monde rural et se définit essentiellement par son rôle militaire et le régime de faveur dont il jouit dans l'organisation de la traite (9). La fabrication demeure une activité marginale, non subordonnée au capital marchand. Les boutiques éparpillées, dispensant des services élémentaires, forment ce qu'il faut d'artisans pour assurer le remplacement, et l'excédent de la population urbaine gonfle le réservoir de manœuvres, absorbés en partie seulement par la traite (10).

Pour les marchands, la réussite n'est jamais acquise. Elle repose sur le roulement ininterrompu des profits entre la pacotille et les fourrures. Point de mimétisme qui les engagerait, pour des raisons de prestige, dans des placements fonciers considérables, au détriment de leurs opérations mercantiles (11). Ils laissent à l'État le soin de financer quelques entreprises de diversification avec la responsabilité des échecs qui s'ensuivent (12). C'est en restant fidèles à l'aventure, qui est à la base de leur émergence, qu'ils ont le plus de chance de rester en place.

En fin de compte, si nous observons le développement séculaire de cette province, ce sont les marchands, quels qu'ils soient, entêtés à jouer sur les déséquilibres, à miser uniquement sur les marchés lointains, à bâtir des projets traduisant les dynamismes étrangers, qui à travers divers régimes politiques continuent d'occuper l'avant-scène. La petite noblesse

---

(9) Soit l'attribution des « congés de traite » et, plus tard, l'affermage des postes à leurs officiers. Voir deuxième partie, chapitre II, § 1 ; quatrième partie, chapitre II, § 2, § 3 et § 8.

(10) Ceci ressort de l'analyse du crédit (deuxième partie, chapitre II, § 2) et de l'évolution démographique dans la ville.

(11) Voir deuxième partie, chapitre II, § 2 c ; quatrième partie, chapitre II, § 5.

(12) Nous songeons en particulier aux chantiers navals royaux de Québec, à l'exploitation du fer du Saint-Maurice, largement subventionnée par l'État, et à deux ou trois autres petites entreprises prématurées.

militaire, qui leur sert d'abord de caution, est appelée à disparaître. L'artisanat est bloqué. Ce qui laisse à l'autre pôle une seule catégorie durable, dont l'importance tient avant tout à son poids numérique : les habitants. Ils n'entrent jamais qu'accessoirement dans les plans mercantiles. Et c'est en quelque sorte hors du temps qu'ils reproduisent, génération après génération, des communautés statiques, à peu près semblables à celles que nous avons vues surgir au lendemain du débarquement. L'opposition fondamentale entre ces deux sociétés, déjà apparente au XVIIᵉ siècle, domine la suite de l'évolution historique.

Ces considérations sont-elles trop éloignées de la modeste démonstration qui leur sert de base? Je ne le crois pas. Telle qu'elle m'est apparue à chaque étape de ce travail, l'histoire de la Nouvelle-France n'est pas un récit refermé sur lui-même, un prologue pittoresque à des études plus actuelles, mais un premier chapitre qui contient l'essentiel de la problématique du développement socio-économique de la nation.

ANNEXES

TABLEAUX et GRAPHIQUES

TABLEAU A. — Composition de la population de l'île de Montréal de 1666 à 1739.

Année	Sexe masculin					Sexe féminin				Population totale	Population du Canada
	Mariés et veufs		Célibataires		Total	Mariées et veuves	Célibataires		Total		
	50 ans et plus	Moins de 50 ans	15 ans et plus	Moins de 15 ans			15 ans et plus	Moins de 15 ans			
1666	11	95	153	144	403	111	15	130	256	659	3 246
1681	54	155	149	321	778	214	78	316	610	1 388	9 742
1685	324		300	383	1 007	259	115	339	713	1 720	11 030
1688	254		247	278	779	252	133	249	634	1 413	10 038
1692	78	175	192	290	735	222	130	254	606	1 341	11 114
1695	135	247	274	458	1 114	383	224	440	1 047	2 161	12 786
1706	143	441	440	884	1 908	552	314	831	1 697	3 605	16 788
1707	132	445	404	926	1 907	541	303	875	1 719	3 626	17 615
1713	168	407	385	931	1 891	658	546	1 053	2 257	4 148	18 467
1714	180	418	402	854	1 854	603	592	957	2 153	4 007	18 741
1716	211	527	523	922	2 183	688	588	950	2 226	4 409	20 896
1718	770		1 581		2 351	824	1 582		2 406	4 757	23 125
1719	316	484	417	1 010	2 227	689	678	1 072	2 439	4 666	22 530
1720	338	493	536	890	2 257	791	727	1 086	2 604	4 861	24 544
1721	342	543	607	900	2 392	795	722	1 100	2 617	5 009	24 946
1722	342	555	631	750	2 278	799	726	1 130	2 655	4 933	25 106
1723	327	596	628	1 200	2 751	949	742	1 173	2 864	5 615	25 972
1726	319	720	684	1 246	2 969	957	822	1 198	2 977	5 946	29 836
1727	323	646	573	1 370	2 912	974	828	1 282	3 084	5 996	31 169
1730	370	739	751	1 424	3 274	1 126	861	1 366	3 353	6 627	34 188
1732	401	762	781	1 515	3 459	1 132	881	1 407	3 420	6 879	35 525
1736	458	854	725	1 368	3 405	1 251	773	1 572	3 596	7 001	39 220
1737	329	964	789	1 533	3 615	1 376	823	1 544	3 743	7 358	40 143
1739	381	994	863	1 443	3 681	1 420	918	1 717	4 055	7 736	43 264

TABLEAU B.

Population de l'île de Montréal selon le sexe et l'état civil, par tranches d'âge. (Recensement de 1666).

Age	Sexe masculin				Sexe féminin				Sexes réunis			
	Célibataires	Mariés	Veufs	Total	Célibataires	Mariées	Veuves	Total	Célibataires	Mariés	Veufs	Total
0-4	75			75	71			71	146			146
5-9	56			56	43			43	99			99
10-14	13			13	16			16	29			29
15-19	22			22	3	7		10	25	7		32
20-24	62	5		67	4	30	1	35	66	35	1	102
25-29	30	11		41	2	19	1	22	32	30	1	63
30-34	18	29		47	1	24		25	19	53		72
35-39	6	20	1	27	1	9	1	11	7	29	2	38
40-44	3	22		25		3		3	3	25		28
45-49	5	7		12	1	6	1	8	6	13	1	20
50-54	3	3		6	1	2		3	4	5		9
55-59	4	2	2	8	1	3	2	6	5	5	4	14
60-64		3		3	1			1	1	3		4
65-69		1		1						1		1
70-74						1		1		1		1
75-79							1	1			1	1
TOTAUX	297	103	3	403	145	104	7	256	442	207	10	659

TABLEAU C.

Population de l'île de Montréal selon le sexe et l'état civil, par tranches d'âge. (Recensement de 1681).

Age	Sexe masculin				Sexe féminin				Sexes réunis			
	Célibataires	Mariés	Veufs	Total	Célibataires	Mariées	Veuves	Total	Célibataires	Mariés	Veufs	Total
0-4	113			113	121			121	234			234
5-9	116			116	105			105	221			221
10-14	92			92	91			91	183			183
15-19	60	1		61	45	22		67	105	23		128
20-24	51	2		53	9	29		38	60	31		91
25-29	27	7		34	7	29	1	37	34	36	1	71
30-34	32	37		69	4	34	2	40	36	71	2	109
35-39	16	50		66	4	24		28	20	74		94
40-44	25	36	2	63	3	23	2	28	28	59	4	91
45-49	17	20		37	2	19	2	23	19	39	2	60
50-54	13	23	2	38		13	3	16	13	36	5	54
55-59	2	12	1	15		4		4	2	16	1	19
60-64	5	11		16	3	2	2	7	8	13	2	23
65-69		1		1						1		1
70-74	1		1	2	1			1	2		1	3
75-79		3		3						3		3
80-84						1	1	1		1	1	1
84-89				0				0				1
90-94												0
95-99							1	1			1	1
TOTAUX	570	203	6	779	395	200	14	609	965	403	20	1 388

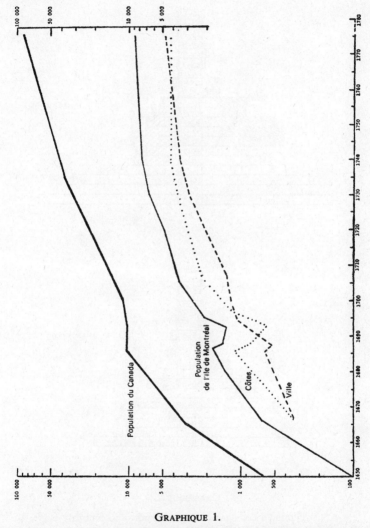

GRAPHIQUE 1.

Population du Canada et de l'île de Montréal, d'après les recensements, 1650-1770, avec la répartition approximative de la population de Montréal entre les côtes et la ville, durant la même période.

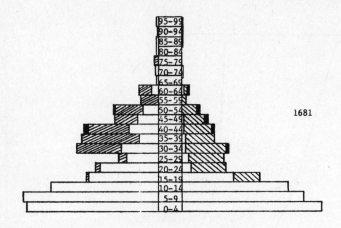

1681

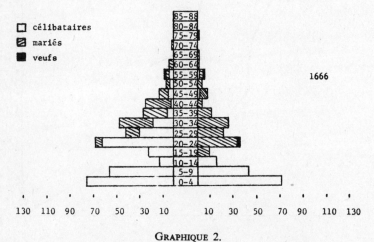

1666

□ célibataires
▨ mariés
■ veufs

GRAPHIQUE 2.

Pyramide des âges de la population de Montréal
aux recensements de 1666 et 1681 par état matrimonial.

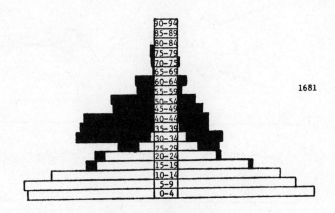

1681

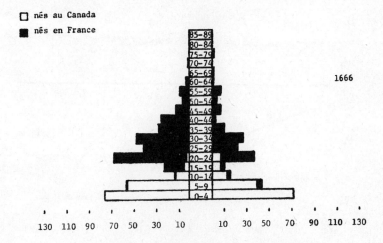

1666

□ nés au Canada
■ nés en France

GRAPHIQUE 3.

Pyramide des âges de la population de Montréal
aux recensements de 1666 et 1681 par pays d'origine.

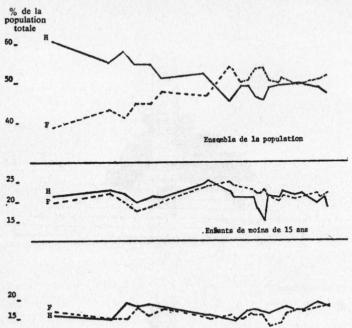

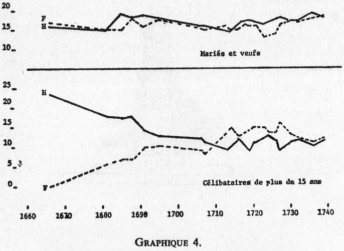

GRAPHIQUE 4.

Répartition de la population de Montréal par sexes,
catégories d'âges et état matrimonial, 1666-1739.

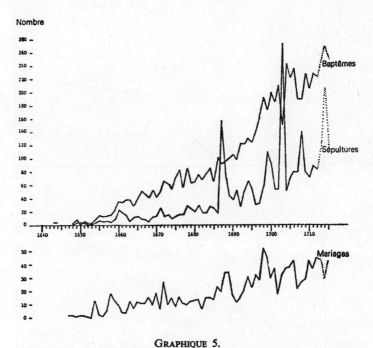

GRAPHIQUE 5.

Nombre annuel des baptêmes, des sépultures et des mariages, île de Montréal, 1643-1715. Le graphique reproduit les actes d'état civil enregistrés. (Voir la 1re partie, chap III, § 4.) Les années 1712-1715, en pointillé, ont été ajustées pour combler l'absence des registres de la paroisse rurale de Lachine.

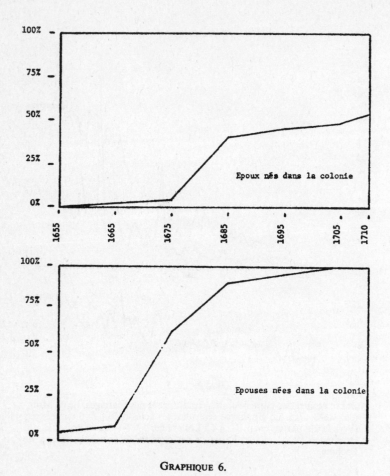

GRAPHIQUE 6.

Répartition des mariages dans la paroisse Notre-Dame de Montréal
entre 1650 et 1715 selon le pays d'origine des conjoints.

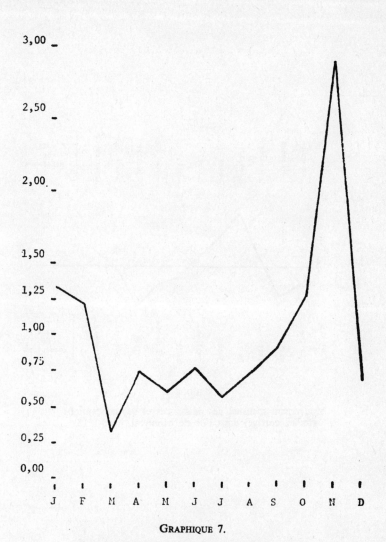

GRAPHIQUE 7.

Mouvement mensuel des mariages (indice corrigé)
dans l'île de Montréal, 1646-1715.

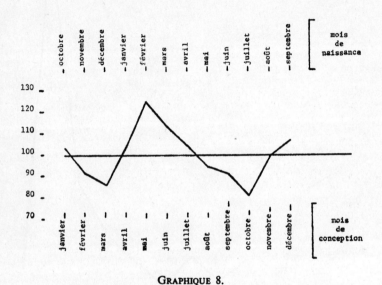

GRAPHIQUE 8.

Mouvement mensuel des naissances et des conceptions
(indice corrigé) dans l'île de Montréal, 1646-1715.

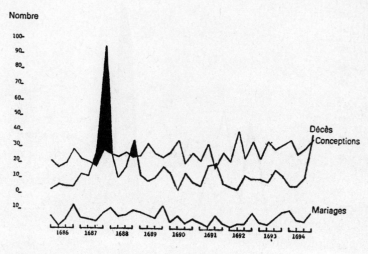

GRAPHIQUE 9.

Mouvement naturel, par trimestre, et prix du blé,
entre 1686 et 1694.

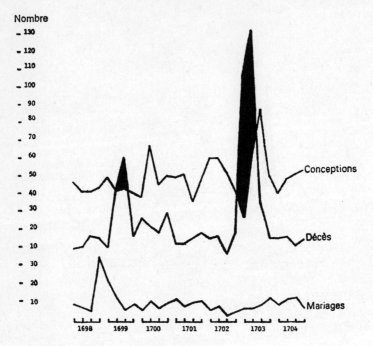

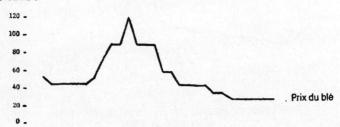

GRAPHIQUE 10.

Mouvement naturel, par trimestre,
et prix du blé, entre 1698 et 1704.

a) *Marchandises achetées par les Indiens 100 % = 63 375 l. tournois*

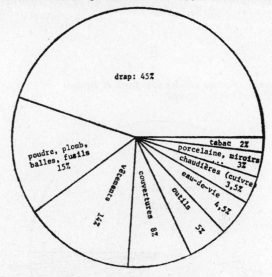

drap: 45%

poudre, plomb, balles, fusils 15%

vêtements 14%

couvertures 8%

outils 5%

eau-de-vie 4,5%

chaudières (cuivre) 3,5%

porcelaine, miroirs ... 3%

tabac 2%

b) *Marchandises achetées par les Canadiens 100 % = 25 846 l. tournois*

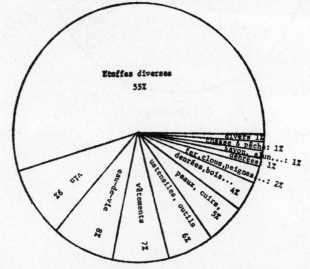

Etoffes diverses 55%

vin 9%

eau-de-vie 8%

vêtements 7%

ustensiles, outils 6%

peaux, cuirs 5%

denrées, bois... 4%

fer, clous, peignes ...: 2%

denrées, alun...: 1%

chasse & pêche: 1%

savon, ...: 1%

divers 1%

GRAPHIQUE 11.
Ventilation des marchandises vendues par Alexis Monière, 1715-1724.
Source : Livres de comptes, APC, M-847 et 848.

a) *Paiements effectués par les voyageurs et engagés*
   100 % = 52 440 l. tournois.

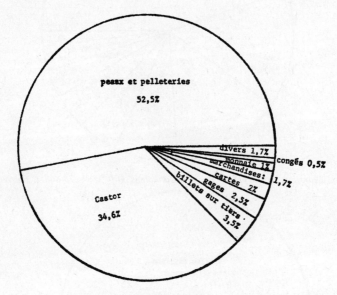

GRAPHIQUE 12.

Nature des paiements d'après la comptabilité d'Alexis Monière, 1715-1724.
Source : APC, M-847 et 848.

b) *Paiements effectués par les habitants* 100 % = 26 820 l. tournois.

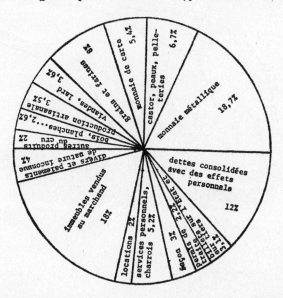

Les ventes et les paiements antérieurs à 1718, évalués en cartes, ont étér éduits au cours de la livre tournois, soit aux 3/8 (ou 1/2 × 3/4), opération que Monière fait lui-même dans ses livres lorsqu'il reçoit paiement après le retrait des cartes. Ceci ne s'applique pas aux comptes des traitants qui règlent tout en fourrures.

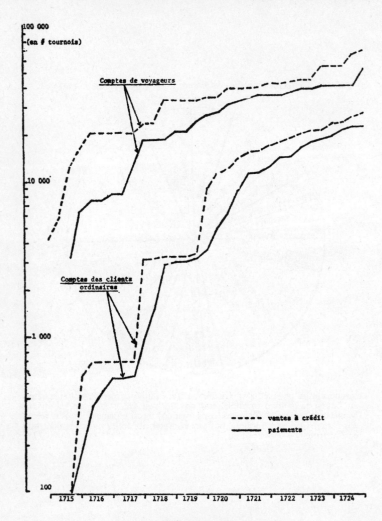

GRAPHIQUE 13.

Ventes à crédit et paiements cumulés
dans la comptabilité d'Alexis Monière, 1715-1724.

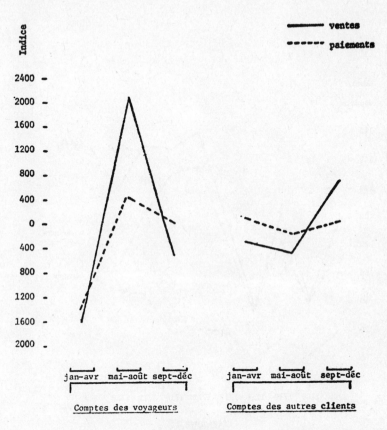

GRAPHIQUE 14.

Mouvement trimestriel des ventes à crédit et des paiements
dans la comptabilité d'Alexis Monière, 1715-1724.

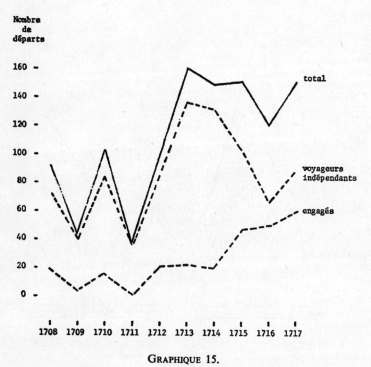

GRAPHIQUE 15.

Nombre annuel de départs pour la traite des fourrures, 1708-1717.

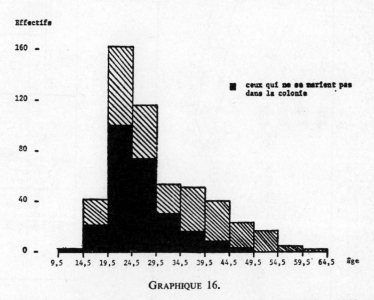

GRAPHIQUE 16.

Distribution des voyageurs et engagés pour la traite entre 1708 et 1717 selon l'âge au premier voyage durant la période.

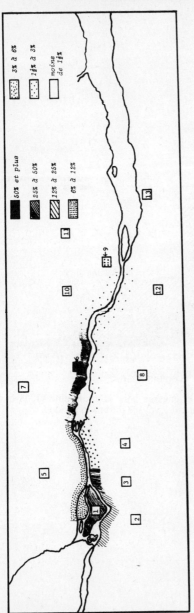

GRAPHIQUE 17

Distribution régionale des voyageurs et engagés
pour la traite des fourrures 1708-1717

50% et plus
25% à 50%
12% à 25%
6% à 12%

3% à 6%
1% à 3%
moins de 1%

Voyageurs et engagés
pendant la décennie:

(Domicile connu dans la colonie: 622
(Résidents du Détroit: 6
(Indiens: 5
(Domicile inconnu: 35

Total: 668

Régions	Population totale réunie en 1716	Population mâle adulte (a)	Voyageurs et engagés	
			Nombre	% (b)
Toute la colonie	20 530	5 520	657 (c)	12,0
Gouvernement de Montréal				
1° Ile de Montréal	4 276	1 230	337	27,4

2° Rive sud:ouest (Châteauguay, Laprairie, Longueuil, St-Lambert, Tremblay)	905	202	42	20,7
3° Rive sud:centre (Cap St-Michel, Boucherville, Varenne, Trinité)	705	170	66	38,9
4° Rive sud:est (Chambly, Verchères, Vitré, Contrecoeur, St-Ours, Sorel, Iles Bouchard et Ste-Thérèse)	824	212	11	5,2
5° Rive nord (Ile Jésus, Lachenaie, Repentigny, Dautré, St-Sulpice, Berthier, Lavaltrie, Lanorale, duPas)	1 138	272	17	6,2
Gouvernement des Trois-Rivières				
6° Ville	279	54	29	53,7
7° Trois-Rivières: seigneuries de la rive nord	956	221	67	30,3
8° Trois-Rivières: seigneuries de la rive sud	430	106	2	1,8
Gouvernement de Québec				
9° Ville	2 440	578	29	5,0
10° Rive nord: ouest	1 669	360	9	2,5
11° Rive nord: est (et l'Ile d'Orléans)	3 793	855	9	1,0
12° Rive sud: ouest (depuis Lauzon)	1 138	242	4	1,6
13° Bas du fleuve	2 093	480	0	0

(a) De quinze ans et plus.

(b) De la population masculine adulte.

(c) Domiciles connu et inconnu.

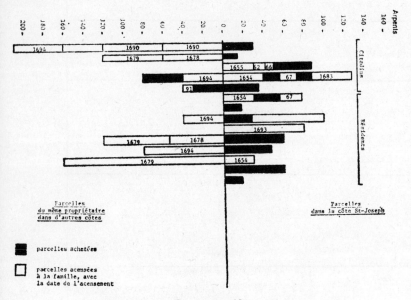

GRAPHIQUE 18.

**Superficie et composition des propriétés des habitants
de la côte Saint-Joseph, en 1697.**

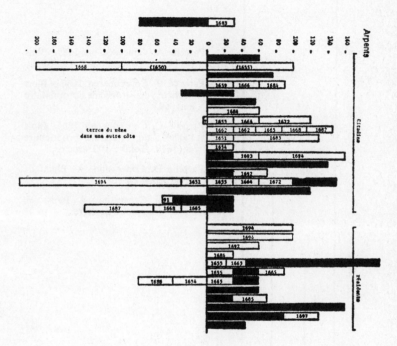

GRAPHIQUE 19.

Superficie et composition des propriétés des habitants
de la côte St-Louis en 1697.

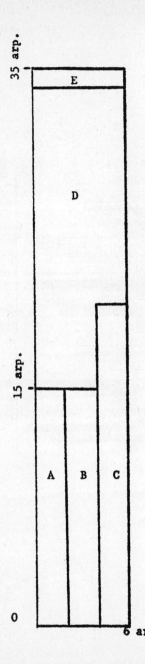

Parcelle A. Concédée en 1665. Blois l'achète du concessionnaire en 1666.

Parcelle B. Concédée en 1666. Blois l'achète du troisième propriétaire en 1669.

Parcelle C. Concédée en 1665. Blois l'achète du deuxième propriétaire en 1678. Total : 100 arpents.

Parcelle D. Concession à Blois de 90 arpents, en 1686.

Parcelle E. Concession à Blois, en 1690, d'un bout de terre.

GRAPHIQUE 20.

Un exemple de remembrement : la terre de Julien Blois dans la côte Saint-François, 1704.

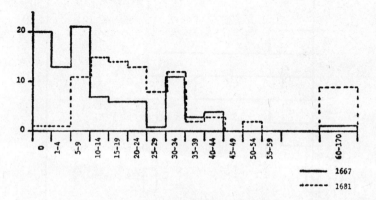

GRAPHIQUE 21.

Évolution des superficies en labours et en prés, entre 1667 et 1681,
pour 93 habitants de l'île de Montréal.

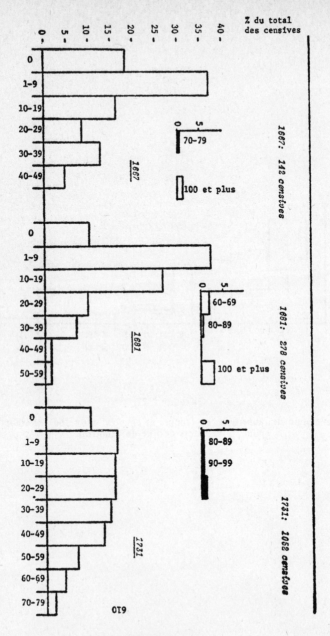

GRAPHIQUE 22.

Superficies labourables et prairies sur l'ensemble des censives
de l'île de Montréal en 1667, 1681 et 1731.

GRAPHIQUE 23.

Variations annuelles du prix du blé 1655-1725, en minots (39 litres) et sols tournois.

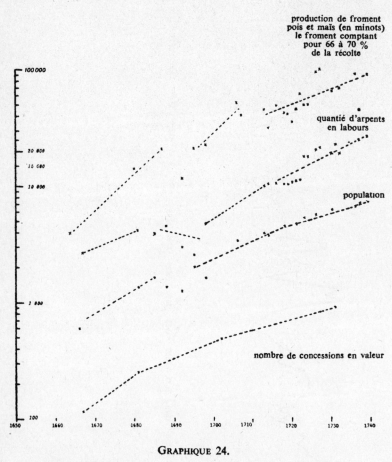

GRAPHIQUE 24.

Mouvement comparé de la production, des terres labourables,
de la population et des concessions. Ile de Montréal, 1650-1740.

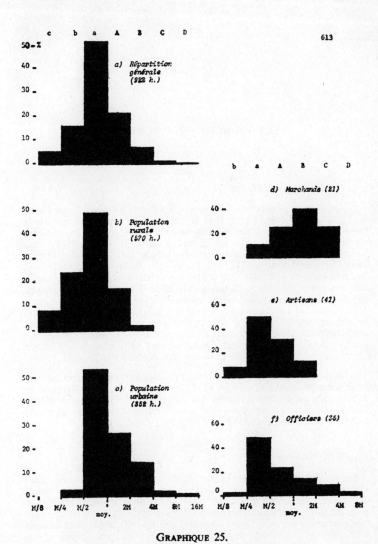

GRAPHIQUE 25.

Les classes d'imposition dans l'île de Montréal
d'après le rôle de 1715.

LES SOURCES MANUSCRITES

1. *Registres des baptêmes, mariages et sépultures.* Paroisse Notre-Dame de Montréal. Ils débutent en 1643 et ont été bien conservés. Jusqu'à la fin du XVIIe siècle, la tenue est très inégale. Les registres des paroisses rurales dans l'île de Montréal, soit l'Enfant-Jésus-de-la-Pointe-aux-Trembles (1674-—), les Saints-Anges-de-Lachine (1676-—), Saint-Joseph-de-la-Rivière-des-Prairies (1687-—), Sainte-Anne-du-Bout-de-l'Ile (1703-—) Saint-Joachim-de-la-Pointe-Claire (1703-—). Dans ces paroisses créées les unes après les autres, la tenue des registres est souvent discontinue en raison des guerres et des changements dans le regroupement des habitants des campagnes. Les actes sont parfois enregistrés sur feuilles volantes et on trouve de nombreux cas d'inversions chronologiques. Les originaux sont conservés dans les paroisses avec copies déposées aux Archives Nationales du Québec à Montréal. Nous n'avons fait qu'un dépouillement abrégé de ces registres urbains et ruraux, des débuts jusqu'en 1715.

2. *Archives des fabriques.* Celles des paroisses rurales sont très pauvre-pour notre période. Nous avons utilisé les comptes des marguilliers et les procès-verbaux des délibérations des assemblées de la paroisse Notre Dame, soit les registres A (minutes des délibérations, 1657-1778), A-13 et A-14 (comptes depuis 1658 à 1716) et autres dossiers séparés.

Les originaux sont conservés aux Archives nationales à Paris, section Outre-mer, série G. Soit G1, article 460 : trois recensements nominaux du Canada dressés en 1666, 1667 et 1681. Pour la période postérieure, nous ne disposons que d'abrégés de recensements, 28 au total, couvrant inégalement la période 1683-1739 : G1, articles 460 et 461. Ces abrégés s'inspirent de la méthode de Vauban. Ils sont utiles mais exigent d'être maniés avec précaution, d'autant plus que les unités territoriales varient d'un recensement à l'autre. Ils renferment, outre des renseignements sommaires sur la composition de la population, quelques informations sur la production agricole, mais comme le nombre d'exploitants n'est jamais fourni, nous ne pouvons pas en tirer de renseignements précis.

III. LES MINUTES NOTARIALES.

Elles sont conservées aux Archives nationales du Québec à Montréal, en excellent état et à peu près complètes. Nous avons utilisé celles de tous les notaires qui ont exercé dans l'île de Montréal avant 1725, soit :

Jean de Saint-Père, 1648-1657, 1 article.
Lambert Closse, 1651-1656, 1 article.
Bénigne Basset, 1657-1699, 35 articles.
Nicolas de Monchy, 1664-1667, 1 article.
Pierre Cabazié, 1673-1693, 2 articles.
Claude Maugue, 1677-1696, 13 articles.
Hilaire Bourgine, 1685-1690, 1 article.
Jean-Baptiste Pottier, 1686-1697, 2 articles.
Antoine Adhémar, 1688-1714, 67 articles.
Pierre Raimbault, 1697-1727, 23 articles.
Michel Lepailleur, 1703-1732, 21 articles.
Nicolas Senet, 1704-1731, 11 articles.
Jean-Baptiste Adhémar, 1714-1754, 49 articles.
Jacques David, 1719-1726, 5 articles.

En plus des répertoires manuscrits, il existe des inventaires imprimés des minutes des notaires de Montréal du XVIIe siècle, qui ont facilité la préparation des divers relevés que nous avons faits dans ce fonds : Pierre-Georges et Antoine Roy, *Inventaires des greffes des notaires du Régime français*.

IV. LES ARCHIVES JUDICIAIRES.

Les archives anciennes ont été versées aux Archives nationales du Québec.

1. *Dépôt de Montréal.*

— Registres des audiences au bailliage de Montréal, affaires civiles et pénales : plumitif des audiences, 1re série, registre 1 (1665-mars 1682), registre 2 (mai 1682-janvier 1687); 2e série, registre 1 (janvier 1687-août 1690), registre 2 (septembre 1690-novembre 1693), registre 3 (décembre 1693-août 1698). La série comprend au total 30 registres. Les sources suivantes ont aussi été consultées :

— Interrogatoires, jugements, informations, etc., 1653-1676; recueils factices, 3 articles.
— Dossiers rassemblés sur divers procès célèbres, 1660-1756.
— Pièces détachées, 1677-1760.
— Exploits d'huissiers, 1720-1746.
— Testaments olographes, 1658-1875.
— Tutelles et curatelles, 1658-1723, 8 articles que nous avons examinés systématiquement.
— Inventaires et clôtures d'inventaires, 1656-1760, 9 articles. Cette série est très incomplète pour le XVIIe siècle. Aussi avons-nous fait le relevé

exhaustif des inventaires à partir des minutes notariales. Cependant, on y trouve quelques pièces qui ne sont pas dans les minutes.

2. *Dépôt de Québec.*

— N.F. 21 : Documents de la juridiction de Montréal, 17 articles. C'est une collection de pièces détachées qui ont été distraites du fonds de Montréal, soit des procès-verbaux d'audience, mémoires de frais de cour, etc.
— N.F. 25 : Collection de pièces judiciaires et notariales. L'inventaire de P.-G. Roy, *Inventaire d'une collection de pièces judiciaires, notariales, etc.,* (2 vol., Beauceville, 1917) qui comprend un index des noms, nous a permis de retrouver les dossiers se rapportant aux affaires de Montréal.

V. LES ARCHIVES SEIGNEURIALES.

La seigneurie de Montréal appartient au supérieur général de la Compagnie de Saint-Sulpice à Paris et les Sulpiciens fondent un couvent à Montréal. Son supérieur a une procuration pour gérer les affaires seigneuriales.

1. *Archives de la Compagnie de Saint-Sulpice à Paris.*

— Minutes des lettres écrites par le supérieur général à divers couvents. La correspondance avec le Canada est contenue dans le volume XIII (1675-1692), qui comprend une lettre de M. de Bretonvilliers et celles de son successeur, M. de Tronson. Dans le volume XIV (1692-1708), soit la suite de la correspondance de M. de Tronson, celle de son successeur, M. Leschassier, à partir de 1700, et quelques lettres et mémoires de M. Magnien, économe de la communauté.
Les lettres que le Séminaire de Paris reçoit du Canada n'ont pas été conservées, mais ces minutes nous informent de leur teneur. Il s'agit surtout de directives spirituelles, avec plusieurs références aux affaires temporelles, à la gestion de la seigneurie en particulier.
— Registres des assemblées du Séminaire de Paris depuis 1659.
— Section Canada : dossiers 1 à 158 et manuscrits reliés 1198-1280. Ce fonds renferme très peu de pièces sur notre période. Mentionnons toutefois les « Cahiers » d'Étienne-Michel Faillon (manuscrits 1235-1280), auteur de l'*Histoire de la colonie française en Canada* (Montréal, 1865-1866) et autres ouvrages hagiographiques. Ces cahiers cotés alphabétiquement renferment des copies de documents tirés de fonds divers canadiens et français. Elles sont utiles dans le cas de pièces depuis disparues, par exemple les papiers de Voyer d'Argenson détruits dans l'incendie de la bibliothèque du Louvre. Nous avons pris des notes dans les cahiers Faillon au moment où nos fonctions d'archiviste nous ont amenée à en faire l'inventaire. C'est pourquoi elles sont citées à l'occasion au cours de ce travail, parallèlement au fonds original d'où elles ont été tirées.

2. *Archives du Séminaire de Saint-Sulpice à Montréal.*

— Livre des tenanciers (1697 à 1708) conservé à la procure du Séminaire (paroisse Notre-Dame).
— Les archives de la communauté conservées au Séminaire de Montréal ont été copiées, puis microfilmées par les archives publiques du Canada, où nous les avons consultées. Ce sont des documents hétéroclites. Les livres de comptes de la seigneurie n'existent plus.

M-1581 : Titres de propriété de Saint-Sulpice; déclaration pour le papier-terrier de 1731; dénombrement de la seigneurie de 1781.

M-1584 : Correspondance; mémoires sur la gestion des seigneuries; premières concessions accordées par le gouverneur de Maisonneuve; liste des gratifications et promesses de défricher. Voir les transcriptions d'une partie de ces documents sous la cote APC, M.G.17, A7,2,1, volumes 1 et 2, et A7,2,3, volumes 1 à 11.

M-1585 : Ordonnances se rapportant à la seigneurie et à la colonie; copies d'arrêts, édits, etc., pièces touchant les fortifications, etc.

M-1651 : Les arrières-fiefs de l'île de Montréal.

M-1653 : Plans et procès-verbaux de bornages.

M-1654 : Baux et marchés passés par les seigneurs de Montréal.

3. *Documents divers se rapportant à la seigneurie.*

Archives nationales (France) :
    H5, article 3263 — Saint-Sulpice.
    MM, article 552 - Saint-Sulpice (1689-1737).
Archives des colonies (section outre-mer) :
    G462 — concessions pour le Canada.
    G449-457 — aveux et dénombrements, déclarations pour le terrier (1723-1732).

VI. LES ARCHIVES CONVENTUELLES.

Hôtel-Dieu de Montréal : livre des recettes et dépenses, 1696-1726.
Congrégation de Notre-Dame : livres de comptes 1740-1745; écrits de sœur Marguerite Bourgeoys.
Hôpital général de Montréal : registre de l'entrée des pauvres, 1694-1777; registres des vêtures; journal des recettes et dépenses 1692-1699, 1705-1716 et 1718-1746.

VII. LES ARCHIVES PRIVÉES.

Archives de la Société historique de Montréal : livres de comptes d'Alexis Lemoine Monière, marchand, 1715-1728; microfilm aux Archives publiques du Canada sous les cotes M-847 et M-848.

VIII. LES ARCHIVES ADMINISTRATIVES.

1. *Archives nationales du Québec (dépôt de Montréal).*

Collection d'ordonnances émises par les gouverneurs de Montréal, les baillis et autres officiers de la juridiction, comprenant des copies des édits royaux, des arrêts du Conseil souverain, des ordonnances des gouverneurs et intendants de la Nouvelle-France.

2. *Archives nationales du Québec (dépôt de Québec).*

N. F. 22 : ordonnances concernant la juridiction de Montréal. Cette collection fait double emploi avec la précédente.

3. *Archives nationales (France) : Archives des colonies.*

Toutes les séries se rapportant à la Nouvelle-France ont été microfilmées intégralement et les copies sont déposées aux Archives publiques du Canada et aux Archives nationales du Québec. L'essentiel est contenu dans les séries suivantes :

B. Correspondance générale; minutes des dépêches du ministère de la marine aux fonctionnaires des ports de France et des colonies.

C11A. Correspondance générale; lettres, mémoires, etc., envoyés en France par les administrateurs du Canada et autres personnes. Nous avons dépouillé systématiquement ces deux séries jusqu'en 1725, soit B, volumes 1 à 40, et C11A, volumes 1 à 47.

C11E. Limites des postes.

D2C. Troupes et milices des colonies.

D2D. Personnel militaire et civil.

E. Dossiers personnels; correspondance relative aux pensions et aux emplois.

F1A. Fonds publics des colonies.

F3. Collection Moreau de Saint-Méry.

4. *Archives nationales (France).*

G7. Contrôle général des finances; documents relatifs à la Compagnie des Indes occidentales et à la ferme du Domaine d'Occident, articles 1312-1316.

5. *Bibliothèque nationale (France) : département des manuscrits.*

Les références aux affaires du Canada sont nombreuses dans les grandes collections, telles : les Mélanges de Colbert, les Cinq-Cents de Colbert, le fonds Clairambault, les Manuscrits français et les Nouvelles acquisitions. Mais en examinant les catalogues et les inventaires, nous constatons que cette documentation se rapporte essentiellement aux problèmes d'administration générale, aux explorations et aux affaires politiques et diplomatiques. Les pièces rassemblées dans les fonds Renaudot, Margry et Arnoul font souvent double emploi avec celles des Archives des colonies. Dans l'ensemble, ces collections nous ont été peu utiles, à l'exception des articles suivants : MSS Fr., N.A. : 9272, 9280, 9391 et MSS Fr. : 20.973 et 23.663.

6. *Les archives du Service historique de l'armée.*

Série A[1], correspondance générale, articles 190-200, sur le recrutement du régiment de Carignan-Salières.

ABRÉVIATIONS UTILISÉES

AC	Archives des colonies.
AN	Archives nationales (France).
APC	Archives publiques du Canada.
APND	Archives de la paroisse Notre-Dame (Montréal).
ANQ	Archives nationales du Québec.
BN	Bibliothèque nationale (Paris).
ASSM	Archives de Saint-Sulpice à Montréal.
ASSP	Archives de Saint-Sulpice à Paris.
M. not.	Minutes notariales (dépôt de Montréal).
MSRC	*Mémoires de la Société royale du Canada.*
RAPQ	*Rapport de l'archiviste de la province de Québec.*
RHAF	*Revue d'histoire de l'Amérique française.*
CHR	*Canadian Historical Review.*
CHAR	*Canadian Historical Association Report.*
BRH	*Bulletin des recherches historiques.*
SCHEC	*Société canadienne d'histoire de l'Église catholique.*
CJEPS	*Canadian Journal of Economic and Political Science.*
DBC	*Dictionnaire biographique du Canada.*
JDCS	*Jugements et délibérations du Conseil souverain.*

NOTE MÉTROLOGIQUE

Les mesures officielles dans la colonie sont celles de Paris.

La mesure de superficie est l'arpent valant 100 perches de 18 pieds de côté, soit 34,19 ares. La *toise*, mesure de longueur valant 6 pieds, est fréquemment utilisée comme mesure de surface (36 pieds²). Des colons emploient aussi *l'arpent* comme mesure linéaire équivalant à 10 perches. Mais, dans ce travail, nous n'avons pas suivi ces pratiques.

Mesures de longueur :

La *toise* (6 pieds) valant 1,94 mètres.
La *perche* (18 pieds) valant 5,84 mètres.
Une *lieue* valant 3,89 kilomètres.
L'*aune* valant 1,88 mètres.

Mesure de capacité pour le blé :

Le *minot* valant un quart de setier ou 39 litres.

Notons que, pendant plusieurs décennies, les habitants de Montréal utilisent à l'occasion les mesures de leur pays d'origine. Soit la *journée* comme mesure de superficie des labours, le *poinçon* et la *provision* pour mesurer les blés. Il était impossible de trouver des équivalences exactes pour ces données. Les autres mesures, celles des liquides, celles utilisées pour le bois (la corde et la traînée), pour le foin (gerbe, mulon et barge) sont souvent d'usage très local et difficiles à déterminer. N'ayant pas eu à les utiliser dans nos calculs, nous n'avons pas approfondi les problèmes qu'elles posent. L'administration s'emploie à uniformiser les coutumes et avant la fin du xviie siècle, c'est chose faite.

TABLE DES MATIÈRES

DEUXIÈME PARTIE

LE COMMERCE

Achevé d'imprimer en avril 1988
sur les presses de l'imprimerie Gagné
à Louiseville, Québec